Дина Рубина
<Синдикат>
[роман-комикс]

Дина Рубина
<Синдикат>
[роман-комикс]

Москва

2004

УДК 882
ББК 84(2Рос-Рус)6-4
   Р 82

Оформление художника *А. Бондаренко*

       Рубина Д.
Р 82   Синдикат: Роман-комикс. — М.: Изд-во Эксмо, 2004. — 576 с.

                              УДК 882
                              ББК 84(2Рос-Рус)6-4

Автор, ранее уже судимый, решительно отметает малейшие поползновения кого бы то ни было отождествить себя с героями этого романа.

Организаций, министерств и ведомств, подобных Синдикату, существует великое множество во всех странах.

Персонажи романа — всего лишь рисованные фигурки, как это и полагается в комиксах; даже главная героиня, для удобства названная моим именем, на самом деле — набросок дамочки с небрежно закрашенной сединой. И все ее муторные приключения в тяжелой стране, давно покинутой мною, придуманы, взяты с потолка, высосаны из пальца. Нарисованы.

Сама-то я и не уезжала вовсе никуда, а все эти три года сидела на своей горе, любуясь башнями Иерусалима, от которого ни за какие деньги не согласилась бы отвести навеки завороженного взгляда...

ЧАСТЬ ПЕРВАЯ

"...о еврейском народе, народе религиозного призвания, нужно судить по пророкам и апостолам".

Николай Бердяев

"Еще один вечный жид напялил на себя галстук-бабочку".

Джозеф Хеллер, "Голд или Не хуже золота"

В случае чего

Утром Шая остановил меня на проходной и сказал, чтобы я передвинула стол в своем кабинете в прежнее положение, а то, не дай Бог, в случае чего, меня пристрелят через окно в затылок.

Решив побороться за уют на новом месте, я возразила, что если поставить стол в его прежнее положение — боком к окну, — то мне, в случае чего, отстрелят нос, а я своим профилем, в принципе, довольна.

Мы еще попрепирались немного (мягко, обтачивая друг на друге пресловутую библейскую жестоковыйность), но в иврите я не чувствую себя корифеем ругани, как в русском. В самый спорный момент его пиджак заурчал, забормотал неразборчиво, кашлянул, — Шая весь был опутан проводами и обложен рациями. Время от времени его свободный китель неожиданно, как очнувшийся на вокзальной скамье алкоголик, издавал шепелявые обрывистые реплики по-русски — это два, нанятых в местной фирме, охранника переговаривались у ворот. Тогда Шая расправлял плечи или переминался, или громко прокашливался, — словом, совершал одно из тех неосознанных движений, какие совершает в обществе человек, у которого забурчало в животе.

{12} Часом позже всех нас собрали в "перекличке" для недельного инструктажа: глава департамента *Бдительности* честно отрабатывал зарплату. А может, он, уроженец благоуханной Персии, искренне считал, что в этой безумной России каждого из нас подстерегают ежеминутные разнообразные ужасы?

В случае чего, сказал Шая, если будут стрелять по окнам кабинетов, надо падать на пол и закатываться под стол.

Я отметила, что огромный мой стол, в случае чего, действительно сослужит хорошую службу: под ним улягутся, в тесноте, да не в обиде, все сотрудники моего департамента.

Если будут бросать в окна бутылки с "коктейлем Молотова", продолжал он, всем надо спуститься на первый этаж, и выстроиться вдоль стены в укрепленном коридоре возле департамента *Юной стражи Сиона*. Не курить. Не разговаривать. Соблюдать спокойствие. А сейчас порепетируем. Па-ашли!

Все шестьдесят семь сотрудников московского отделения Синдиката гуськом потянулись в темный боковой коридор возле *Юной стражи Сиона*. Выстроились вдоль стены, негромко и невесело перешучиваясь. Постояли... В общем, все было как обычно — очень смешно и очень тошно.

Прошли минуты две.

Все свободны, сказал Шая удовлетворенно. В его идеально выбритой голове киллера отражалась лампа дневного света, густые черные брови шелковистыми гусеницами сползли со лба к переносице. Пиджак его крякнул, буркнул: "Коля... жиды в домике?.. дай сигаретку..."

За шиворотом у него жил диббук, и не один...

О том, что в моей новой должности ключевыми словами станет оговорка "в случае чего", я поняла еще в Иерусалиме, на инструктаже главы департамента *Бдительности* Центрального Синдиката.

Мы сидели за столом, друг против друга, в неприлично тесной комнатенке в их офисе в Долине Призраков — так эта местность и называлась последние несколько тысяч лет.

Глава департамента выглядел тоже неприлично молодо и легкомысленно. Была в нем сухопарая прожаренность кибуцника: выгоревшие вихры, брови и ресницы, и веснушки по лицу и жилистым рукам. Меня, впрочем, давно уже не вводили в заблуждение ни молодость, ни кибуцная затрапезность, ни скромные размеры кабинета. Я знала, что это очень серьезный человек на более чем серьезной должности.

На столе между нами лежали: ручка, затертая поздравительная открытка и небольшой ежедневник за 97-й год...

— ...и должна быть начеку постоянно, — говорил он. — Проснулась утром, сварила кофе, выгляни между глотками в окно: количество автомобилей во дворе, мусорные баки, кусты, качели — все ли так, как было вчера?.. Перед тем как выйти из квартиры, загляни в глазок: лестница должна хорошо просматриваться... Не входи в лифт на своем этаже, поднимись выше или спустись на пролет... И ни с кем в лифт не входи — ни со старухой, ни с ребенком, ни с собакой... Общественный транспорт в Москве для тебя заказан, — только автомобиль с личным водителем...

Заметил тень усмешки на моем лице, согласно усмехнулся и кивнул на стол:

— Возьми эту ручку... Отвинти колпачок...

Из отверстия выскочили и закачались две легкие пружинки.

— Это бомба, — сказал он. — На такой подорвался наш синдик в Буэнос-Айресе, в семьдесят третьем... А теперь возьми открытку: она пришла тебе по почте в день твоего рождения, вместе с десятком других поздравлений.

Я заглянула в створчатую открытку с медвежонком, улетающим на шаре. Внутри было размазано небольшое количество пластилина с вмятой в него металлической пластиной.

— Это бомба, — повторил он ровно. — На такой подорвался наш синдик во Франции, в восемьдесят втором... Теперь, ежедневник...

Я взяла блокнот, пролистнула несколько страниц. Со второй недели ноября и насквозь в толще всего года было вырезано дупло, в котором змейкой уютно свернулась пружина.

— Это бомба, — продолжал он. — На такой подорвался наш синдик в Уругвае, в семьдесят восьмом...

Я подняла глаза. Парень смотрел на меня пристально и испытующе. Но была еще в его взгляде та домашняя размягченность, по которой — независимо, будь то в стычке или душевной беседе, — я отличаю соотечественников, где бы они мне ни встретились...

Елки-палки, подумала я, не отводя взгляда, что ж я делаю?!

— Ничего-ничего, — он ободряюще улыбнулся. — Возьми-ка... — и подал брелок, крошечный цилиндр из какого-то белого металла. — Вот, в случае чего... Когда входишь в темный подъезд или в подворотню... Да не бойся, это всего лишь лазерный фонарик... Срок годности — десять лет...

...Я вышла из офиса Синдиката и перешла на противоположную сторону улицы, где под огромным щитом, возвещающем о ближайших сроках сдачи трамвайной линии на этом участке пути, в тени под тентом своего шляпного лотка, облокотившись на обшарпанный прилавок, сидел на высоком табурете толстый старик. Я уже примеривала здесь шляпы — неоправданно, на мой взгляд, дорогие. Даже на уличном лотке цены соответствовали этому респектабельному району Иерусалима, в котором жили потомки давних переселенцев, "старые деньги", черт их дери...

И на сей раз я сняла с крючка широкополую шляпу из черной соломки. Старик тут же услужливо придвинул ко мне небольшое круглое зеркало на ржавой ножке.

Да... мое лицо всегда взывало к широким полям, всегда просило шляпу. Черную шляпу, которая, впрочем, облагораживает любое лицо...

На меня из зеркала из-под обвисших крыльев дохлой черной чайки смотрела (вот достойная задача для психоаналитика!) — всегда чужая мне, всегда незнакомая женщина... Я — чайка! чайка!

— Тебе страшно идет... — произнес старик. Видно было, как он страдал от жары. Пот блестел у него на лбу, скатывался по седой щетине к толстым губам, пропитал линялую синюю майку на груди и на брюхе... — Страшно идет!

— Положим... Сколько же?

— Видишь, она одна такая. Она и была всего одна. Ждала тебя две недели...

— Ты еще спой мне арию Каварадосси, — сказала я бесстрастно, только так с ними и надо разговаривать, с этими восточными торговцами. И шляпу сняла, чтоб он не думал, что я прикипела к ней сердцем. — Так сколько?

— Причем взгляни — какая работа: строчка к строчке, и ты можешь мять ее, сколько хочешь, ей ничего не сделается...

— Короче! — сказала я.

— Семьдесят.

— С ума сойти! — Я опять надела шляпу. Она действительно чертовски мне шла. Впрочем, мне идут все на свете широкополые шляпы. — За семьдесят она и тебе пойдет.

— Меньше невозможно. Это ручная работа.

— А я думала — ножная... Возьму, пожалуй, эту кастрюлю для разнообразия гардероба. За сорок.

— Издеваешься?! Смеешься над людьми, которые тяжким трудом, в ужасных условиях...

— Нет, не за сорок, конечно, это я загнула. За двадцать пять...

Я опять сняла шляпу и положила на фанерный прилавок.

— Постой! — он понял, что я собираюсь уйти. — Могу сбавить пять шекелей просто из симпатии. Она тебе очень идет. Я глаз не могу отвести.

— В твоем возрасте это нездорово. Если сейчас ты не отдашь мне этот ночной горшок за сорок шекелей, разговор окончен...

— Забирай за шестьдесят пять, и будешь благодарить меня!

— Я уже благодарна тебе по гроб жизни, ты меня развлек. Накрой своей шляпой знаешь что? Сорок пять шекелей — звездный час этой лохани, и не отнимай моего драгоценного времени...

— Шестьдесят пять, и разойдемся, довольные друг другом!

— Я и так довольна. Мой-то кошелек при мне. А ты торчи здесь, на солнцепеке, до прихода Машиаха.

И повернувшись, под призывно возмущенные его вопли — вот теперь главное не оглядываться, тем более что в кошельке у меня всего тридцать пять шекелей, а надо еще домой возвращаться, — бодро пошла прочь.

Но шагов через пятьдесят остановилась у ближайшего кафе и села за плетеный столик, вынесенный в тень старого дородного платана.

В три часа дня, в вязкую августовскую жару я была единственной чуть ли не на всей улице, если не считать старика-шляпника и легиона неустрашимых кошек, которых в изобилии плодит Иерусалим.

— Кофе... двойной, покрепче... И коньяку плесни...

— Минутку, гевэрет! — воскликнул бармен и принялся весело насыпать и смешивать, звякать ложечкой, нажимать на рычаг кофейного аппарата... При этом он успевал приплясывать, подпевать музыке, отщелкивать пальцами ритм на всем, что под руку попадется. Его темные кудри библейского отрока с картины художника Иванова были щедро умащены какой-то парфюмерной дрянью, какой любят намазывать свои овечьи руна местные юнцы и юницы...

Из-под тента лотка, под щитом, с которого на прохожих мчался, чуть ли не вываливаясь за край, будущий трамвай, похожий на удава с глазами красавицы-японки, за мной наблюдал толстый шляпник. С видом последнего иудейского пророка он восседал на табурете и делал мне какие-то знаки. Я достала из сумки очки, надела их и расхохоталась: старая сволочь показывал оттопыренный средний палец правой руки, — очевидно, потерял надежду залучить меня под свою шляпу.

Я смотрела на неугомонные руки бармена, вдыхала облачко ванили, поднятое брошенным на блюдце кренделем, и думала — что я делаю, что я делаю?!

Эта тихая улица, кренящаяся вправо, словно стремилась улечься в уже отросшую тень своих туй и платанов, весь этот город на легендарных холмах, с его ненадежными домами, мимолетными людьми, вечными оливами, синагогами, мечетями и церквами... — весь этот город, колыхаемый сухими струями горного воздуха, пришелся мне впору, тютелька в тютельку, — натягивался на меня, как удобная перчатка на руку... Мне было привычно ловко, привычно жарко и привычно лениво в этом городе, и — видит Бог! — дорога к этому кафе в Долине Призраков заняла у меня не так уж и мало лет.

Так что же, черт меня возьми, я *опять* делаю с нашей жизнью?!

{18} Ночью я поднялась попить, прошлепала в кухню, босыми ступнями выглаживая теплый камень пола. В темноте на журнальном столике белела газета со вчерашними тревожными новостями... С более чем всегда тревожными новостями...

Я выглянула в открытое окно и вдохнула глубину августовской ночи в безмолвном расцвете звездных полян. Далеко внизу цепочка мощных фонарей выжгла гигантскую петлю дорожной развязки Иерусалим — Мертвое море; влево, мимо белеющей срезом снятой груди холма пойдет новая дорога через Самарию... Над Масличной горой вдали — желто-голубое облако огней. Легчайшая взвесь предрассветной тишины... Уже и подростки разошлись по домам после нескольких часов блаженной ночной свободы... Нет более благостного места, чем эта земля накануне очередной войны...

Я вернулась в комнату, бесшумно легла... До утра оставалось дотянуть часа три...

— Ну? — тихо спросил рядом внятный голос мужа. — Третью ночь колобродишь. Так же спятить недолго! Ну их к черту, эти деньги! Жили до сих пор, с голоду не помирали, подаяния не просили...

— Да, — глухо подтвердила я.

— Представь эти долгие зимы, слякоть, тусклую тьму...

— Представляю...

— Давку в метро, огромный неохватный город, хамство российское, милицию-прописку... И нашу беспомощность и бесправность...

— Еще бы...

— ...к тому же, и службу с утра до вечера...

— Да...

— ...быть заложником организации, а значит, идеологии... С какой стати ты, вольный разбойник, вдруг встанешь под знамена? Ну их к черту, все они друг друга стоят!

— Вот именно... {19}

Он в темноте, как слепец, провел ладонью по моему лицу.

— Значит, отказываемся. Да?

— Да.

— Решено?

— Решено.

— Ну и молодец. Спи...

Не продремав ни минуты, утром я набрала номер департамента *Кадровой политики* Синдиката.

— Я все взвесила... — сказала я. — Благодарю за предложение, весьма заманчивое и лестное... Надеюсь, вы правильно меня поймете... Видите ли, род моих занятий вряд ли совместим с обязанностями...

— Не понял! — отрывисто буркнули в трубке. — Род моих занятий любит ясность. Ты согласна или нет?

Я оглянулась на мужа. Он стоял, сцепив обе руки замком, показывая мне молча: "Будь тверже!"

Я отвернулась. В окне виднелся краешек сосновой рощи на соседнем холме, с двумя кибитками пастухов-бедуинов, вдали — гора Скопус с башней университета, соседняя арабская деревня, торопливо заставленная коробками недостроенных домов... И надо всем — пустынное небо с прочерком шатуна-коршуна...

Все то, на что я смотрю уже десять лет... Десять лет...

— У меня ни минуты нет на твои "пуцы-муцы"! Сейчас ответь — согласна ты или нет?

— Согласна, — сказала я.

. . . .

За неделю до отъезда, посреди растерянной суеты сборов, бессмысленных покупок, беспомощной беготни и ежедневного подписывания неисчислимых и нечитаемых мною бумаг в Долине Призраков, (так что я б уже и не удивилась появлению призраков в моем, помутневшем от жары и напряжения, сознании), — нам удалось вырваться в Хоф-Дор, тем самым хоть на два дня оборвав затяжную истерику четырнадцатилетней дочери, не желавшей уезжать "ни в какую вашу дурацкую Россию".

Мы любили этот изрезанный кружевными петлями берег Средиземного моря между Хайфой и Зихрон-Яаковом; под высоким горбом ракушечного мыса — неглубокую бухту, на дне которой в ясную погоду видны ноздреватые базальтовые плиты — развалины затонувшего финикийского города; любили круглые белые домики-"иглу" на травяных лужайках между неохватных старых пальм; неказистый, окруженный частоколом деревянных кольев, воткнутых в песок, "Бургер-ранч", с колченогими скамейками и столами, — весь этот пляжный рай в двух босых шагах от моря с его самозабвенной, переменчивой, неугомонной игрой синего с бирюзовым...

И все два дня плавали до изнеможения, до одури, безуспешно пытаясь смыть с души тягостную двойную тревогу — в ожидании "нашей" России и в ожидании нашей здешней неминуемой войны, которая уже набухала, уже сочилась гноем из всех старых ран и запущенных нарывов...

Дочь оплакивала свою жизнь.

— Вы — эгоисты!! — кричала она нам: — Через три года я буду старая, понимаете?! — старая, и всем здесь чужая!

Вечером она бродила в длинной юбке по воде, путаясь босыми ногами в тяжелом подоле, и до поздней ночи сидела с несчастной прямой спиной на горбу ракушечного мыса, глядела в море и тосковала впрок...

Из влажной глубины ночи с ропотом рождалась волна, быстро перебирая валкий гребень лохматыми лапами белой пены, дружной шеренгой катилась к нам, но выдыхалась, таяла, и к мысу доплывала тончайшей кружевной шалью, фосфоресцирующей в латунном свете луны... А за ней, рыча, уже бежала другая шеренга дружных болонок из пены, и бесконечный их бег сминал любую надежду, любую робкую надежду на отмену неотвратимого...

...Наутро мы уезжали.

В последний раз сбегали искупаться "на минутку", и часа полтора никак не могли расстаться с морем. Наконец я повернула и поплыла к берегу в кипящей солнечными иглами воде, и с каждым моим подъемом на гребень волны медленно приближалась огромная пальма на берегу, взмывая в небо и опускаясь, взмывая и опускаясь...

Я плыла над черными базальтовыми плитами, над развалинами финикийского города, бытовавшего под этим небом и упокоенного на песчаном дне в такой дали времен, о которой могли рассказать — и неустанно рассказывали — только эти волны; я плыла, пока не нащупала ногами дна, встала и побрела, отирая ладонями мокрое лицо...

Мои на берегу размахивали руками, указывая куда-то вверх...

Я закинула голову: два дельтаплана, покачиваясь, парили в дымной голубизне навстречу друг другу: белый, с оранжевыми полосами, и желтый, с зелеными. Казалось, они играли в какую-то игру, переговаривались, кивали друг другу, подшучивали... Их темно-зеленые тени скакали по мелким волнам. Вода подсыхала на моем лице долгими жгучими каплями.

Боже, думала я, что я наделала! Что я наделала...

· ·

Подъезд

Не знаю, как это получилось, но квартиру мы сняли, минуя проверку Шаи. Возможно, в то время он находился в отпуске. Многие мои коллеги жаловались, что Шая, со своей маниакально-служебной подозрительностью, не позволил снять прекрасные квартиры в центре Москвы. Он являлся, грозный и неподкупный, залезал на чердаки, спускался в подвалы, вынюхивал лестницы, высматривал в бинокль соседние здания, вымерял шагами двор, ложился на асфальт, фонариком высвечивая днища машин...

И выносил свой вердикт.

— Нет, — говорил он сурово. — Эта квартира опасна. Если поставить на крышу той школы напротив пулемет, то можно уже читать "Шма, Исраэль!".

Или:

— Нет, из этого лифта отлично простреливается вся площадка. Если внутри укрывается террорист, а ты выходишь из квартиры, можешь заранее читать "Шма, Исраэль!".

Словом, поиски квартиры для нового синдика длились неделями, месяцами, выматывали душу, озлобляли маклеров...

Мы как-то проскочили. Более того: сняли первую попавшуюся квартиру. Буквально — первую, в которую завез

нас маклер Владик. Она мне понравилась сразу: небольшая, полупустая, свежеотремонтированная, в одном из
старых пятиэтажных домов Замоскворечья, в Спасоналивковском переулке. За одно это название я готова была вы-
ложить все положенные нам на квартиру деньги.

— Мне нравится, — сказала я. — Берем.

Маклер Владик изумился.

— Как?! Прямо вот так, сейчас и эту? Но я приготовил
вам на сегодня еще семь вариантов. Не хотите посмотреть?

— А чего там смотреть? — просто я хорошо помнила
свою "хрущобу" на Бутырском хуторе. — От такого доб-
ра-то...

Ну и въехали на другой день со своими двумя чемоданами.

Гибрид Петроколумб (Клумбопетр), корсар среднерусской
возвышенности, — литая гигантская клумба, сувенир вы-
сотой с Эйфелеву башню — плыл над Замоскворечьем под
чугунными трусами, изображающими свернутые паруса. В
руке он сжимал золотой вердикт, врученный Петру испанской королевой и скульптором Церетели. Вместе с разно-
цветными фасадами старо-новых особняков по дуге набережной, с прыскающими посреди канала фонтанами, со
страшновато-сладеньким, — работы Шемякина, — комплексом фигур-аллегорий всех пороков человеческих в
сквере на Болотной... все это вместе, по моему ощуще-
нию, — убедительно пошлое, — являло какую-то иную
Москву, совсем не ту, что мы покинули когда-то: притяга-
тельный город-монстр, могучий цветастый китч, бьющий
наповал заезжую публику золотыми кеглями куполов на
свеженьких церквах.

Впрочем, не все гранитные приметы прошлого были
сброшены со своих постаментов: Ленин на метро "Ок-
тябрьская" — слободской громила в приблатненном полу-
пальто, с извечной кепкой, как каменюка, зажатой в кула-

ке, — по-прежнему к чему-то молча и властно призывал...
В хорошую погоду вокруг него каталось на роликах юное
население, школьная программа которого уже не была уст-
ремлена в коммунистическое завтра.

Со временем выяснилось, что наш подъезд начинен все-
возможными сюрпризами. Подавляющую часть времени
домофон входной двери был испорчен, так что проникнуть в дом мог каждый, кому приспичит. В квартире на
первом этаже жила семья любителей-собаководов, разво-
дящих уникальную породу гигантской болотной собаки, в
темноте мало чем отличающейся от рослого пони. Люди
они были занятые и не всегда трезвые, собак своих выпускали погулять без сопровождения. В сумраке подъезда те
поджидали жильцов у лифта, вежливо сопя, угрюмо отти-
рая их плечом к стене и тяжело наступая на ноги...

И все-таки главной бедой нашего подъезда были не
бомжи, не пес-левиафан, подстерегающий жильцов во
тьме у лифта, а — мальчик. Кроткий мальчуган из 16-й
квартиры, ангелок с голубыми глазами и славно подве-
шенным языком. Именно он наводил ужас на весь дом.
Именно за ним приглядывали в оба взрослые, именно его
провожали подозрительными и свирепыми взглядами все
жильцы дома. И ничего не могли предъявить в доказатель-
ство своих обвинений.

Впервые я столкнулась с ним спустя неделю после нашего
переезда.

Вошла в подъезд и ощутила явственный запах гари,
ненавидимый мною с детства, когда по осени в Ташкенте
жгли кучи палых листьев и я, сжигаемая астмой, металась
по квартире днем и ночью, пытаясь найти уголок, куда бы
не проникла удушающая вонь.

Слева, на желтой стене, в глаза бросались мятые поч-
товые ящики, частью обугленные, облитые водой. Под ни-

ми в огромной луже на кафельном полу мокли лохмотья черного пепла и валялись недоспаленные газеты, журналы, рекламные листки...

У лифта стояли двое — пожилая женщина и огненно-рыжий мальчик с лицом нежнейшего фарфорового сияния. Он напомнил мне юного финикийца с одной старинной гравюры.

— ...где я был, а где — огонь, — говорил он терпеливо и вежливо. Женщина нервничала, наступала, угрожающе сжимала кулак перед его личиком.

— Знаем, зна-аем! Ты всегда ни при чем!!! А только где ты, там и горит! Вот погоди, если мать на тебя управу не найдет, то милиция уж выследит!!!

— Минутку, — сказала я, — здравствуйте. Я ваша новая соседка с третьего этажа. Что здесь у нас происходит?

— Да вот! — женщина кивнула на ребенка. — Беда нашего подъезда. Чуть не каждую неделю тишком дом палит!!! Видали, там, ящики? Главное, гад малолетний, всегда отпирается! И как назло, никто его за руку поймать не может! Ускользает!

Мальчик поднял вдохновенное остренькое лицо, проговорил:

— Как много на свете злых людей! Но я все стерплю. Я посылаю им свет в душе!

Слишком он был бледен и худ. У меня просто сжалось сердце. Подошел лифт, мы втроем вошли в него.

— Вы не имеете права обвинять мальчика бездоказательно, — сказала я соседке вполголоса. Она метнула на меня яростный взгляд и, выходя на своем втором этаже, в сердцах ответила:

— Не имею?! Ну-ну... Погляжу я на вас, когда вместе-то запылаем... И главное, этот паршивец сам — с последнего этажа! — сквозь огонь будет рваться вниз. И не успеет!

Двери за ней сошлись, странный мальчик проговорил речитативно-молитвенно куда-то поверх моей головы:

— Злые люди возводят на меня напраслину, злые люди... Но я всем посылаю свет в душе!

Я вышла из лифта и оглянулась. Еще мгновение юнец стоял в тусклой кабине, ангельски кротко сияя огненно-рыжим нимбом волос, как рыбка-вуалехвостка в тесном аквариуме.

Двери стакнулись, лифт понесся на последний этаж...

. . . .

Microsoft Word, рабочий стол,
папка rossia, файл sindikat

"...какое счастье, что я — человек птичий, и проснуться в пять утра мне не в тягость. Семья спит, значит, эти два заветных часа — с пяти до семи — станут моим необитаемым островом, куда я не позволю сунуть нос ни одному на свете Пятнице...

...ременная-погонная, кнутовая писательская упряжка: необходимость вывязать буковками хоть несколько слов, хоть несколько строк, будто через эти мельчайшие капилляры кириллицы мы выдыхаем в пространство переработанный воздух нашей жизни. Уже очевидно, что при моей московской круговерти ничего серьезного написать не удастся. Впрочем, обрывки этих рассветных мыслей, вчерашние картинки и ошметки разговоров все равно сослужат в будущем свою неминуемую службу.

Какое счастье — этот волшебный "ноутбук", купленный для меня безотказным и многоопытным Костяном в лабиринтах компьютерного рынка на Савеловском. Помимо необходимых действий он еще напевает, позванивает, высылает для утреннего приветствия — без всякого моего запроса, — потешного человечка, карикатуру на Эйнштейна, и тот шляется по экрану, высовывает язык, грозит кулаком, смачно отхаркивается и хлопает дверью, если я даю понять, что пора и честь знать. Надо бы пожаловаться Костяну, пусть ликвидирует наглеца.

Словом, мой новый компьютер — едва ли не самая приятная сторона в этой странной жизни.

...а пока мы обрастаем бытом. В Синдикате мне выделили водителя, Славу, и мы сходу подружились — парень он, по его же словам, "битый, ушлый и крученный, как поросячий хрен". Коренной москвич, по образованию геолог, прошел все этапы разнообразной жизни столицы последних двух десятилетий с ее перестройками, очередями, взлетами, дефолтами и рыночной экономикой...

Каждый раз изумляет меня еще одной своей профессией, еще одним эпизодом биографии, о которых сообщает походя, роняя слова как бы случайно.

— ...помню, в бытность мою купцом ганзейским...

— Слава, поясните...

— ...да был у меня ларек на Тишинском, специями торговал... Одолжил капиталу у приятеля, — помню, целый чемодан полтинников. Его маманя наколядовала этих полтинников на поприще теневого бизнеса...

Говорок у него ладный, вкусный, московский — успокаивает. Иногда, после особенно тяжелого рабочего дня, я задремываю под его сказовую интонацию, а когда всплываю, подаю реплики по теме...

— ...и вылезают из авто мордоворо-о-ты, — выпевает Слава, — пальцы ве-е-е-ером выгибают...

— Ну?!

— Ну и остался человек — с опухшим хреном, и без штиблет!

Разъезжаем мы на "жигулях", и Слава дает понять, что в остальное время суток, — а он работает с нами неполный день, — ездит на другой машине. На какой? — Загадочно лыбится... Физиономия татарская, раскосая, башка бритая — с виду совершенно уголовная личность. Но это-то и удобно... Вообще, со Славой я чувствую себя защищенной.

История его появления в Синдикате такова: потерпев пять лет назад провал на очередном этапе предпринимательской деятельности, Слава кинулся в ножки к соседу, Гоше Рогову, который, по слухам, варил большие дела в какой-то еврейской конторе.

Гоша, по определению Славы, — "человек недешевый, мудрый старый цапель", в прошлом — полковник известной серьезной организации, — в девяностом вышел на пенсию и нанялся к евреям водилой. Евреи платили, что бы там о них ни рассказывали... Получив в то тяжелое время уважительную зарплату и раз, и другой, Гоша отдался новому делу всей душой; а дело поднялось и расцвело: евреи перли в свой Израиль колоннами, батальонами, армиями, как новобранцы на призыв, — знай только подавай транспорт. В этом было даже что-то неуклонное, мистическое, словно не сами они так решили, а кто-то тащил их волоком, чуть не за волосья... Так что Гоша поднанял еще ребят на извоз, те несли ему, как положено, оброк чистоганом... Построил Гоша дачу, прикупил небольшой парк машин...

Для начала он взял Славу на испытательный срок. Дело-то нехитрое, говорит мне Слава, выкручивая баранку, ловко выворачиваясь, вывинчиваясь из любой пробки, — они ж, эти израильтяне, народ легкий на подъем, шебутной, цыганистый: приехал-уехал, туда-сюда, вокзал-аэропорт, ну, иногда по городу повози, покажи им "Кремлин", — они: "ах! ох!", — вопят на всю Красную площадь, ребята такие непосредственные... как там Гоша называет их — между нами, конечно! — "клоуны".

— Я сначала от их имен ошалевал, — говорит Слава. — Это ж не имена, а какие-то воровские клички! У меня дома жена заявки принимала, по телефону. Записывала на бумажке. Я прихожу, читаю: "Нога Пас... Батя Бугай... Амация..." "Ты что, — говорю, — сдурела?! Ты чего мне здесь лепишь?! Что это еще за нога? Что за бугай? Какой такой батя?! Мне ж в аэропорту стоять с табличкой, встречать людей!"

— "Не знаю, — говорит, — так Гоша продиктовал"... И вот, выходит изящная такая дамочка, Нога Паз, у них "нога" — с ударением на "о" — чуть ли не яхонт, или что там еще драгоценное... И Батья Букай, тоже милая девушка.

А вот Амация зато... Стою с табличкой, нервничаю, все выглядываю хрупкую барышню, типа гимназистки... Оказался огромный волосатый мужик кибуцник, килограмм на сто тридцать, чуть не в резиновых сапогах, бородища — как куст боярышника... Амация, блин!

Так попал Слава в Синдикат, организацию, как ни крути, полуподпольную, своеобразный рыцарский орден. Я уже заметила: когда человек попадает в нее, даже местный, даже коренной русак, он становится членом закрытого братства. Между прочим, во всем этом есть изрядная доля романтики.

Меня Слава не упускает случая поучить жизни, зовет, как в деревнях, по отчеству — Ильинична.

— Эх, — говорит, — Ильинишна! Ну и представленьица у вас! Все какая-то сентиментальность в голове, какая-то советская дружба народов... Давненько вас тут не было. Это ж, доложу я вам, — совсем другая, очень конкретная безжалостная жизнь..."

....

Глава третья
Синдики круглого стола

Мой патрон, Генеральный синдик региона "Россия", в прошлом — боевой полковник Армии Обороны Израиля, бесстрашный вояка, увенчанный наградами и изрешеченный пулями, — был человеком добрым и нерешительным. Демобилизовавшись из армии и попав на руководящую работу, он столкнулся с суровой реальностью: обнаружил, что боевого опыта и командной жесткости совершенно недостаточно для новой его должности на гражданке.

Это был невысокий толстый человек с уютно-дамской задницей и круглым животом, с виноватыми добрыми глазами, ежеминутно готовыми увлажниться, и абсолютной неспособностью вцепиться ближнему в глотку и выкусить трахею.

По сути дела, это был Карлсон, которого сняли с крыши, лишили пропеллера и запретили какие бы то ни было игры, кроме одной. Это был бравый солдат Швейк, по недоразумению выслужившийся до капрала. Его отличал грубоватый солдатский юмор и постоянное стремление накормить и обустроить своих подчиненных. Кстати, он прекрасно готовил и крепко выпивал.

— Ну, повезло, ничего не скажешь! — заметила недели три спустя после воцарения его в должности Генерального всегда критически настроенная секретарша Рутка. — послал бог начальника, пьяницу-румына.

Звали его Клавдий — вполне обычное мужское имя. Румынские евреи часто дают сыновьям имена трубадуров и императоров. За глаза, конечно же, мы звали его Клавой.

На вопрос: "как дела?" Клава отвечал обычно утомленным голосом: "как легла, так и дала", — с милым мягким акцентом. У него было славное круглое лицо с ямочкой на волевом подбородке и арбузная лысина. Мягче и уступчивее человека мне в жизни встретить не пришлось.

В начале 90-х, в самую тяжелую и счастливую для Израиля страду *Великого Восхождения,* он работал здесь, в Советском Союзе, в опасных и бессонных условиях, отправляя тысячи *восходящих* в день. Именно в те легендарные годы он поднаторел в русском и говорил сносно, хотя и с ошибками и забавным акцентом.

Его любило множество самых разных людей.

— Не знаю почему, — говорил он, — но стоит мне оказаться где-нибудь на банкете, за моей спиной обязательно кто-то проходит и целует меня в лысину.

Таинственное слово "*замбу́ра*", этимологию которого я безуспешно пыталась выяснить все три года пребывания в России, в устах моего начальника иногда приобретало различные смысловые оттенки — в зависимости от его настроения. Если бывал торжественно настроен, он придавал этому слову бравурное звучание — "*замбурион*"! — при этом сопровождая слово известным жестом *преломления руки в локте.*

— Чтоб вам не было скучно, *замбура,* — говорил он, собрав всех нас, своих подчиненных, в комнате на втором этаже, которую по традиции называли "перекличкой", — знайте, что к нам опять едет группа из Министерства туризма. В конце концов, я подохну, ублажая этих иерусалимских бездельников. *Замбура*!

Поскольку еврейский мир Москвы за последний десяток лет наплодил тьму разнокалиберных организаций, и все они бурлили, отмечали даты, издавали информационные листки, газеты и журналы, учреждали конгрессы, объединения, фонды, — которые затем враждовали друг с другом, — Клаву, как спонсора, время от времени приглашали выступить на публике.

Тогда он вызывал меня и говорил:

— Хотел вечером запечь баранью ногу и посидеть, как человек. Но звонил Гройс, просит выступить. Напиши несколько слов. Только не на своем высоком русском, так что я выгляжу идиотом, когда принимаюсь читать всю эту херню. Несколько простых коротких слов от души. *Замбура*!

И я писала. Писала просто, даже слишком просто. От души. Что-нибудь такое: "Дорогие друзья! Сегодня мы открываем еврейский детский сад. Дети — наше счастье. Дети — наше будущее. Все мы хотим, чтоб они были здоровы. Еврейские праздники. Еврейские песни. Еврейская душа. Все это они узнают тут".

Толстяк читал это по-русски с милым акцентом. Ему все хлопали. Замбура!

. . . .

Организация наша называлась Всемирный Синдикат *"Восхождение"*, или попросту — Синдикат. Ветвилась она по многим странам, выпуская свои ростки во всех местах, где существовало мало-мальски плотное еврейское население. Ну а уж страны бывшего СССР были буквально прошиты нашими стежками, исхожены вдоль и поперек нашими следопытами, евреи просчитаны, пронумерованы, оприходованы, введены в *Базу данных*. Учитывалось даже число *обращений в Синдикат*, их включали в особую базу данных, — которая так и называлась: *База данных обращений,* — даже и в том случае, если к нам попадали по ошибке, вместо прачечной или химчистки...

Полагаю, Синдикат — было последним, что еще связывало страны отошедшего в прошлое, могучего и великого Советского Союза.

Главной задачей, смыслом и целью существования Синдиката было, конечно же, — *Восхождение народа в Страну.*

О *Восхождении,* — понятии, как я сразу поняла, сакральном, — на совещаниях, съездах и в кулуарах Синдиката все говорили, как грибники о грибах (*после вчерашнего дождя пошли рыжики*), как рыбаки о рыбе (*перед штормом рыба ушла*), как садоводы о своей теплице (*если б я не встал в шесть утра укрыть розы, они бы все померзли*). При этом урожай — был ли хороший год или плохой — никак не зависел от наших усилий; так же, как не зависит урожай рыжиков от желания продрогшего грибника, блуждающего по опушке в прорезиненном плаще; так же, как улов не зависит от рыбака, сиди — не сиди он над удочкой.

Помимо естественных причин *торможения еврея перед стартом*, помимо его сомнений, страхов перед Синайской пустыней, в которой, похоже, он боялся споткнуться о скрижали, разбитые еще гневливым Моисеем... помимо его укорененности в российских снегах и душевного трепета перед вечной иконой под названием "русская интеллигенция", — под ногами у нас еще путалась пышнотелая Германия, северная валькирия с зазывно распущенными власами, жирными пособиями и *прохладным европейским климатом*...

Климат! — вот что служило оправданием многим, свернувшим с пути. Да, в Иерусалиме климат всегда был пожарче германского, спорить с этим просто глупо. Не считая,

{34} конечно, тех нескольких, всем известных, лет, когда в Германии *так хорошо топили*...

Словом, подразумевалось, что человеку нелегко решиться на столь крутое *Восхождение* в Святую землю. Синдикат предлагал рискующему множество подпорок, подъемников, ступеней и страховочных ремней. Размахивая молотками, мы сами вбивали в скалы крюки под неуверенные ноги *восходящих*. Мы страховали их своими спинами и плечами, подсаживали, надсаживались, обливались потом и тяжело матерились.

Эта вредная работа в полевых условиях не каждому была по плечу.

В утробе московского отделения Синдиката действовали несколько департаментов.

Одним из главных, коренных, важнейших был, конечно же, департамент *Восхождения;*

Департамент *Юной стражи Сиона*, со штатом молодых разбитных сотрудников, работающих по договору подряда, — самым многочисленным;

Недавно созданный департамент *Загрузки ментальности* должен был исследовать самосознание наших подопечных и тренировать его, как тренируют альпинистов перед восхождением — постепенно увеличивая нагрузки.

Самым косным, громоздким, привязанным к изучению языка, был департамент *Языковедения*.

Главы департаментов, эмиссары, звались *синдиками*.

На московское представительство было нас восемь Высоких Персон Послания... — *и восемь синдиков прекрасных*...

Вот, собственно, и все...

Ах, да! Про себя и забыла.

Я занимала должность главы департамента *Фенечек-Тусовок*.

Мужчина, уверенным басом:
    — Не подскажете ли, каков статус эстонского языка в Израиле?

....

Все эти звучные названия "департаментов" означали — несколько комнатушек в здании бывшего детского сада, давно не ремонтируемого, но хорошо укрепленного на случай "в случае чего". Колючая проволока поверх высокого забора, специальная будка, из которой по четырем телевизорам охранники в разных ракурсах наблюдали посетителя, посмевшего приблизиться к железным воротам садика.

И наконец, проходная, где наши опричники разбирались с посетителями по-настоящему.

Пропускной системе на входе в офис Синдиката могли позавидовать любой банк, любое посольство, любой секретный военный объект.

Однажды я купила новую шляпу, и меня не пускали битых полчаса.

Я бесновалась, кричала в переговорное устройство:
— Шая, ты что, не видишь, что это я?!
— Повернись, — отвечал он, сверяя мой профиль в новой шляпе с моей служебной фотографией.

А уж постороннего, желающего проникнуть в детский садик, разоблачали до положения риз, до ничтожной запятой в биографии, до последней жилочки души, до кальсон, до несвежих носков, до геморроя.

После проверки в деревянной избушке посетители мужского пола выходили во двор с ремнями в руках — ме-

{36} таллические пряжки звенели в подкове магнита, — и если б не растерянное выражение лица, можно было бы подумать, что они сейчас выпорют любого, кто под руку подвернется.

Наши бдительные стражи прощупывали швы на белье, невзирая на лица в самом буквальном смысле этого слова.

На лица вообще не взирали, взирали в заполненный секретарем департамента бланк заявки на пропуск посетителя... Там значился ряд умопомрачительных пунктов:

"Имя, фамилия, профессия посетителя".

"Кто инициатор встречи?"

"Когда и при каких обстоятельствах вы познакомились?"

"Причины, заставившие вас назначить встречу данному господину (же)".

"Прошу освободить от проверки" (это означало просто вытрясти из несчастного душу).

"Не прошу освободить от проверки" (означало провернуть его на фарш).

Я всегда и всех просила освободить от проверки. Даже старых перечников, которых видела в первый и — при известных усилиях — последний раз в жизни.

Но этого обычно бывало недостаточно.

Сначала звонил Шая.

— Дина, — спрашивал он после сердечных приветствий. — Ко мне поступила от тебя заявка на некоего Шапиро, на двенадцать тридцать. Кто он?

— Старый еврей, — не моргнув глазом, отвечала я.

— Ты знакома с ним?

— Конечно, — легко говорила я. — Много лет.

— Зачем он приходит?

— Потолковать о политике. — (Самое интересное, что этим обычно и завершался любой визит кого бы то ни было.)

— Ладно, — отвечал Шая приветливо, и вешал трубку.

Но минут через десять ко мне поднимался его подчиненный Эдмон, юный израильский маугли, мерзнущий в этом ужасном климате... Начинался второй тур переговоров.

— Дина, вот этот Шапиро, — неторопливо заводил Эдмон. — Сколько лет ты его знаешь?

— Пятьдесят, — говорила я.

— А чем он занимается?

— Не помню. Шьет наволочки! — как всегда, я заводилась с пол-оборота. — Вот он явится, и ты разберешься. У тебя будет возможность заглянуть в его несвежие кальсоны.

Являлся Шапиро, который оказывался второкурсником исторического факультета РГГУ. И стоя босыми ногами на резиновом коврике, поддерживая брюки, он закладывал меня с первой же минуты: испуганно и подобострастно сообщал, что не видел меня ни разу в жизни, что сам просил о встрече, что ему от меня нужны деньги на проект возрождения письменности хазар, или еще какой-нибудь глупости в этом роде. В результате подлый щенок нарывался на настоящий обыск со сдергиванием шкуры, а меня ждала суровая проработка Шаи.

. . . .

Все заседания Высоких Персон Послания Московского отделения Синдиката назывались *перекличкой синдиков*. Происходили они в большой комнате на втором этаже, за огромным круглым столом, кустарно выкрашенным черной краской. Когда-то, в эпоху здесь детского садика, приватизированного в начале 90-х одним удачливым корсаром, который уже второй десяток лет сдавал Синдикату помещение за безумные деньги, — в этой комнате проходили музыкальные занятия: стояло пианино, дети в костюмах зайчиков и мишек скакали в затылочек друг другу...

Сейчас взрослые дяди и тети, собравшиеся вкруг стола, тоже играли в какую-то игру, правил которой я еще не научилась понимать.

На первой же *перекличке синдиков* Клавдий, только вступивший в должность, произнес знаменательную и глубоко тронувшую меня речь:

— ...Только не стройте из себя важных шишек, ребята... — сказал он. — Всем известно, кто нанимается к нам на работу... Не хочу сказать, что все вы — шушера, шваль и мусор... но факт, что устроенные и удачливые люди вряд ли согласятся вылезти из своей теплой постели в Израиле, покинуть свой дом и, задрав хвост, переться в бандитскую страну черт знает зачем... Оставим в покое идеологическую патетику наших боссов. Мы и сами в свое время совершили то, что называется *Восхождением*, неважно почему: по зову сердца, по глупости, или хрен еще знает — как. Важно, что у всех, сидящих здесь, появились причины вернуться и заново пережить то, что каждому из нас хочется забыть... Все мы тут не от хорошей жизни, все неудачники — вот я, например, подписал контракт с Синдикатом после провала попытки завертеть ресторанный бизнес. Жизнь наша здесь тяжелая, крутиться приходится в тесном кругу людей, которых не выбираешь и с которыми при других обстоятельствах на поле рядом не сел бы... — он остановился, обвел нас медленным взглядом, погладил лысину и продолжал: — Работа сложная, ненормированная, тошнотворная, никакие деньги не окупят вашу заброшенность и чуждость здесь всему и всем... И это сейчас. А будет — смело могу предсказать — все хуже и хуже. Ситуация там, дома, с каждым днем все хреновее, война будет обязательно, значит, пойдет свистеть экономика, начнут закрываться предприятия, подскочит безработица, профсоюзы, как всегда, примутся шантажировать правительство своими блядскими забастовками... — короче, не представляю себе идиотов, которые снимутся с мест искать удачи в наших краях... Уже сей-

час потоки *восходящих* мелеют с каждым днем... — верный
знак, что грядет сокращение штатов, — а также, что начальство будет приезжать сюда с проверками каждый месяц и
трахать нас до звона в ушах. Замбура!

Я внимательно слушала Клавдия — в то время я еще вслу-
шивалась в каждое слово, веря, что оно что-нибудь да значит. Справа от меня сидел Яша Сокол, глава департамента
Восхождения. Опустив голову, он рисовал что-то в мелких
квадратиках на листках блокнота. Я скосила глаза и увидела, что это комикс, причем очень талантливый и профессиональный: двумя-тремя штрихами Яша набрасывал
очень точный карикатурный портрет и придумывал коро-
тенькие фразы, которые персонаж то ли выплевывал в пузырь у рта, то ли втягивал в себя... На первой же картинке
я увидела Клавдия со спущенными штанами и фразой, вы-
лезающей изо рта: "Я готов к приему комиссии!"...
       Слева, как ни отводи взгляд, в глаза лезли крашенные
фиолетовым лаком ногти Анат Крачковски, или, как называли ее все, — бабы Нюты, возглавляющей департамент
Языковедения. Она завершала последний год своей службы, и все коллеги с надеждой ожидали тот счастливый
день, когда вздорная баба Нюта покинет наши ряды. В
прошлом танцовщица ансамбля "Северные кибуцы", была она похожа на Павла Первого перед удушением: белые
космы дыбом, вытаращенные глаза и азартная готовность
завязать скандальчик на любую тему с первым встречным.
Когда в конце коридора показывалась ее пританцовываю-
щая фигурка на петушиных ногах с икрами гладиатора,
всех нас сносило в сторону. Разминуться с бабой Нютой
мирным путем было совершенно невозможно даже мне,
чей департамент стоял в Синдикате наособицу.
       Напротив сидел меланхоличный Изя Коваль, глава
департамента *Загрузки ментальности*. Программист, доктор физмат наук на гражданке, он был человеком, утонув-

шем в собственном мобильном телефоне. Это была его всепожирающая страсть, вечное стремление к совершенству. Он менял новую модель мобильного телефона на новейшую, как только вычитывал в Интернете или узнавал о последних достижениях в этой области.

— Сынок!!! — ликуя, говорил он Яше Соколу, — представляешь, в Пенсильвании разработана система, когда мобильник сам определяет — звонить ему или нет. Если, скажем, ты на совещании, где тебя дрючит Клава или какой-нибудь Шток, если ты, скажем, с бабой... — автоматически включается автоответчик или переадресация. Причем это пустяк, просто используются микрофоны, камеры, датчики движения и, конечно, комп...

...По левую руку от него клевал носом Главный распорядитель Синдиката Петр Гурвиц, циник и хитрец, пьянствовавший вчера до рассвета; в тихие минуты похмельной прострации он был до остолбенения похож на апостола Петра, каким того изображал Эль-Греко: продолговатая лысина, страдающие кроткие глаза под седыми косматыми бровями и большой узловатый нос, кренящийся в ту сторону, где наливали... В дополнение к образу — большая связка ключей — не от рая, конечно, а от сейфа с валютной наличностью Синдиката — по израильской привычке болталась у него на поясе.

По правую руку от Изи Коваля подскакивал то на одной, то на другой ягодице ироничный плешивый юноша Миша Панчер, глава департамента *Юной стражи Сиона*, вечно занятый собой, как курица просом. Всем своим видом он давал понять, что цену себе знает, что это высокая цена, но ни копейки он не уступит. Он настаивал, чтобы его все называли "доктор Панчер", и, возможно, и вправду был доктором, хотя к своим сорока годам успел написать четырнадцатистраничную брошюру на тему раскрепощения внутреннего мира современного подростка, закабаленного семьей...

Под брюхом выступающего Клавы сидел Джеки Чаплин, наш бухгалтер, симпатичный парень родом из Аргентины, с мягкой улыбкой в серых глазах. При каждом соленом словце шефа он закатывал глаза к потолку и подмигивал коллегам. Перед ним лежал толстенный гроссбух, в который он вписывал что-то мелкими цифрами, словно ни на секунду не мог отвлечься от своей работы.

Я вздохнула и медленным панорамным объездом оглядела эту сумрачную комнату, людей вокруг огромного стола, медлительно аукающихся в тягостной, растяженной во времени, вялой *перекличке*...

Баба Нюта через стол втолковывала Яше, что не пустит его на семейные семинары, проводимые департаментом *Языковедения* — не даст *охмурять* родителей с целью завлечения подростков на образовательные программы в Израиле...

— Почему? — уныло спрашивал Яша, пытаясь оставаться в рамках вежливого выяснения отношений.

— Потому! — бодро отвечала старуха, дуя на пальцы со свежеположенным темно-синим лаком. — Чего это я тебе буду делать подарки? Это моя база данных!

— Но ведь ты скоро уезжаешь! — миролюбиво спрашивал Яша тоном внука, напоминающего бабуле, что та скоро умрет.

— Никуда я не уезжаю! — отрезала баба Нюта. — Я вас всех здесь пересижу!

...Клавдий был ужасающе прав: в этой компании — хочешь не хочешь — мне предстояло вариться три года... Ну что ж, — подумала я в тот первый раз, — обычные люди, каждый со своими заморочками, конечно, но ведь не злодеи, не ворюги, не аферисты...

Глава четвертая

Департамент Фенечек-Тусовок

Как в сказке — в мгновение ока — подписав соответствующие бумаги, из прохожего гусляра, из купца мимоезжего,
из трубадура бродячего я превратилась в удельного князя с
целым штатом дворни. Всеми этими людьми мне предстояло командовать, вникать в то, что они делают, направлять,
поправлять, казнить или миловать... То есть вести жизнь
абсолютно противоречащую моим привычкам и убеждени-
ям, всему моему нутру.

Еще в Иерусалиме, перед отъездом, мы встретились с
моим предшественником на этой должности, который
приехал в последний свой отпуск. Мы назначили свидание
в "Доме Тихо", одном из кафе в центре Иерусалима.

Я нервничала, заглядывала ему в глаза, спрашивала: —
Ты меня введешь в курс дела? Расскажешь все, объяснишь?

— Да что ты суетишься? — спросил он, поморщив-
шись...

Это был осанистый пожилой господин, все еще красавец, в прошлом — издатель, книжник, переводчик, то
есть, как и я всю жизнь балансирующий на канате шту-
карь. И вот, лишь в последние годы повезло ему, вывезла
кривая прямиком в Синдикат: и заработать, и Москву по-
видать, и себя показать спустя годы отсутствия в России.
Он только вошел в эту жизнь, обустроился, обвыкся, вос-

становил старые знакомства, завел новые... Но ударил колокол, — Синдикат сменил часовых. А он не хотел, не мог
с этим смириться! И потому говорил неохотно, отводил
глаза и, вероятно, мечтал о том, чтобы я провалилась куда-
нибудь со своей свежей истовостью.

— Не торопись, не рви удила! Погоди, скоро тебя за-
тошнит от собственной готовности плясать служебную
лезгинку перед каждым кретином... — Он подозвал официанта, заказал кофе, ореховый торт и велел мне достать
ручку и листок бумаги.

— Во-первых, наш департамент... Это новое образование, изобретено и введено в действие Иммануэлем, как
и все новшества в Синдикате. Понимаешь, времена, когда
народ сюда ехал, отошли в прошлое, евреи вострят лыжи
куда угодно — хоть к людоедам в Новую Гвинею, не говоря
уж о Германии или Канаде... А здесь, ко всему еще, новая
войнушка затевается... Словом, Иммануэль... да знаешь ли
ты Иммануэля?

— Говорят, он мой непосредственный начальник? Похож на поджарого пса с весело закрученным хвостом, да?

— Скорее, на бешеного Полкана, которому семь
верст не крюк... Так вот, Иммануэль прикинул, что надо
бы организовать такой департамент, где бы людей не стро-
или и не орали с порога: "евреи, пакуйте чемоданы!". Думаю, и к тебе они обратились не случайно, — ты человек
публичный, свободный, трепливый, мелькаешь там-сям...
Видишь, другие-то зубрят гранит идеологии на спецкур-
сах, потом проходят еще крутой отбор, а после их ждут ку-
лачные бои за место назначения... Тебе же карету подали к
подъезду, пригласили на особых основаниях, чтоб ты публику тамошнюю обрабатывала культурненько, с умом и
вкусом, невзначай, намеком...

— Что значит — намеком? — спросила я.

— Ну, скажем, устраиваешь ты семинар. И называется он не в лоб, не грубо: "Восхождение в Страну", — а как-

нибудь культурно, вроде бы ты со своим департаментом имеешь к Синдикату опосредованное отношение... Евреи в Москве высокомерны и пугливы, как лоси... Они как только чуют, что их хотят загнать в загоны, тут же взбрыкивают... А ты им — "спокойно, ребята, я — своя, я, типа, сама отвязный писатель, служу здесь по части фенечек, тусовок, пикников..."

— Каких это пикников?

— Ну, каких... А вот, вывозишь ты их за город, воздухом подышать...

— Воздухом?! Но это ведь уйма казенных денег!

— Это уйма американских денег. А у тебя бюджет, и если ты его не потратишь к концу года, в будущем году его сократят... Райкина еще помнишь, — рояль на овощную базу?

Я ужасно разволновалась.

— Но ведь можно тратить деньги на нужные вещи!

Он ложечкой аккуратно отвалил кусок орехового торта, поддел его и осторожно понес ко рту. Кусок был слишком велик, подрагивал и грозил рухнуть на скатерть. Но все же благополучно достиг седых кустов его рта.

— ...Нужные? — прожевав и обтерев салфеткой усы, повторил он. — Какие же это нужные?

— Ну... Не знаю пока...

— Не знаешь... — подтвердил он удовлетворенно. — А между тем ты — фонд, и немалый. Ты сидишь на мешке с деньгами. А в Москве — чуть ли не пару сотен еврейских организаций, и каждая в свое время явится с протянутой рукой.

— И каждой я должна дать?! Сколько?! — меня охватила паника, как всегда при возникновении темы денег. (Интимная семейная тайна: я не умею считать.) Он улыбнулся туманно.

— А вот в этом и весь кайф. И даже — острое наслаждение. Можешь дать, а можешь и не дать... Тут все зависит от отношений, а отношения штука тонкая... Понесут к тебе проекты, разного рода затеи, которые тебе и в голову не могли бы прийти — от строительства Новой Вавилонской Башни в Лужниках до проекта космической станции с изучением иврита в космосе... И знаешь, это даже познавательно, тебе и в профессиональном смысле пригодится — наблюдения над всеми этими еврейскими Кулибиными... еще и роман какой-нибудь потом отбацаешь... Ты изумишься — сколько идиотов приходится на одного здравомыслящего человека!.. Далее: каждый праздник начнется у тебя не с вечерней звезды, а со звонка Фиры Ватник, знаменитой нашей певицы Эсфирь Диамант — великая доярка, она каждый год собирает с коровы по имени Синдикат рекордный надой молока. Затем, обязательно явятся гуськом Клара Тихонькая с Саввой Белужным, — это общество "Узник", — и не отвертишься, дашь, дашь на ежегодный торжественный Вечер Памяти, да еще и прослезишься: тема такая — память шести миллионов убиенных... Только держи себя в руках и не швырни в нее, в Клару, чем-нибудь тяжелым... М-да... ну и бесконечные сумасшедшие...

— Что — сумасшедшие? — упавшим голосом спросила я.

— А для тебя секрет, что евреи — сумасшедшие?

— Ну не все же...

— Все! — жестко отсек он, доедая последний кусочек торта. — Только каждый по-своему... Один Кручинер чего стоит. А вот, погоди, как пойдут к тебе писатели!.. Словно баржи караванов поплывут из темноты. Колонна за колонной, батальон за батальоном повзводно, и у каждого в руках — папка с рукописью... К тебе не зарастет народная тропа... И каждый скажет: — "Вы должны меня понять, вы ж сами немного пишите..."

Я разозлилась. Он явно брал меня на испуг, явно ревновал к своему кабинету, к своему насиженному ортопедическому креслу, которое, как сплетничали, — он заказал себе специально для своего ишиаса, а тут я метила в него своей здоровой наглой задницей...

{46}   — Так что, — сухо спросила я, — во всей Москве уж и поговорить нынче не с кем?

— Ну почему же... есть чертовски обаятельные люди. Ты, знаешь, держись научного мира. Там уж, если и встретишь чудака, так хоть знаешь, что это профессор, автор книг, умница и полиглот. А то, что он в бабочке и штанины задраны... так это от бедности. Ты им подкидывай на их конференции, рука дающего, знаешь...

— Расскажи-ка о моих непосредственных подчиненных, — попросила я.

— О, это — отдельная тема... Ну, пиши: Маша, секретарь. Девчонка вздорная, невоспитанная, нерадивая, всем хамит. К тому же дохлая, все время болеет, падает в обмороки. Уволь ее, к чертовой матери, я просто не успел...

Дальше: старуха Эльза Трофимовна, мониторинг прессы. Газеты прочитывает от корки до корки, глаз навострен на нашу тему, заметку вырежет, склеит, отошлет по факсу в Центр, напишет грамотный обзор прессы, но не требуй от нее большего ни на копейку. Это — лошадь, которая знает только одну борозду. К тому же имеет обыкновение выбрасывать или рвать сверхважные для Синдиката бумаги. За ней нужен глаз да глаз. Если утомит, уволь, к едрене фене...

Так: Женя, сидит на сайте Синдиката. Собирает Базу данных. Говорят, гений компьютерного дизайна, но с большим приветом... Рыбок развела в отделе...

— В каком смысле?

— В смысле — аквариум поставила... Кормит, воду меняет, отсаживает мальков в баночку... Если тебе эти радости безразличны, уволь вместе с рыбками и Базой данных.

Дальше — Костян. Этот — толковый, умеет делать все, например, работает на ризографе, собирает брошюры, поэтому на нем сидят верхом все департаменты. Однако склонен преувеличивать свое значение в истории еврейского народа. Время от времени требует повышения зарплаты — у него семья. Если станет зарываться, проучи: уволь...

Да, еще — наш департамент издает газету "Курьер Синдиката", ее делает Галина Шмак, баба совершенно чокнутая. Вообще, дело свое она знает, газета в срок выйдет, но вся штука — с чем? Все материалы надо проверять лично, иначе скандалу не оберешься. У нее даже и опечатки скандальные. В прошлом номере в слове "хай-тек" вместо "а" было пропущено "у". Учитывая нынешнюю ситуацию в Стране, — чистая правда, но не для нашего ведомственного издания, созданного для пропаганды и рекламы Страны и всего, что в ней ползает и летает... Вот где у меня сидят ее опечатки (он прижал ладонь почему-то к пояснице, где гнездился застарелый его ишиас)... К тому же вечно она несется, как полоумная, и на виражах может вышибить мозги себе и всем, с кем сталкивается. Если уж совсем взвоешь от ее штучек, — уволь.

Ну и, наконец, Рома Жмудяк, работничек тот еще...

— А уволить его нельзя? — с усталой готовностью спросила я.

Он вздохнул и сказал: — Это женщина, сидит на рекламе... И вот ее-то, единственную, уволить не получится. Она жена Гройса... — и посмотрев в мои, не сморгнувшие глаза, спросил с недоверием:

— Ты что, о Гройсе не слышала? Не может быть, его знают все. В начале Бог сотворил Гройса, а тот уж наплодил кучу еврейских организаций — Потемкин удавился бы от зависти! Он крупный общественный деятель, очень влиятельное лицо. В Новой Еврейской истории исполнил роль Авраама. Помнишь? — "и размножу потомство твое как песку морского..."... Ну и Рома, разумеется, за его спиною. Главное, не пытайся заставить ее работать, она все равно ускользнет. В отпуск уйдет, заболеет, будет на дачу переезжать, потом с дачи — на квартиру, по утрам — в пробке застрянет... Хотя сначала производит впечатление энтузиастки любой вожжи под хвост. Это какой-то сплошной гудок порожней баржи. Замучаешься ее толкать. Бороться с ней бессмысленно, упрешься в Гройса... Да и не надо, ей же Богу, в него упираться. Себе дороже.

Еще вот что: тебе понадобится изрядный срок, чтобы понять — какая собака где задирает лапу, и научиться не влипать в непонятку... Не приведи Господи, например, пригласить на торжественное открытие нашего мероприятия не нашего Главного раввина.

— Постой, а разве Главный раввин — не один?

— Зачем же, мы не бедные. В нашей истории всегда один раввин был другого круче, всегда дрались... Сейчас их в России трое. И каждый — Главный, вот в чем штука. Но *наш* главный раввин, запомни — Манфред Григорьевич Колотушкин. Человек интеллигентный, милый, лояльный, Бог с ним совсем, карта битая... Сейчас к туфле допущен Козлоброд... Так вот, не страви их, поскольку Козлоброд *нашего* затопчет. Тот молодой, энергичный, и что немаловажно — богатый. Бруклинская штучка, варяг с пейсами. Есть еще один Главный раввин России, Мотя Гармидер, ковбой-*щадист*. Знаешь, этот милый американский вариант иудаизма — *Щадящий*. Ну, Мотя без претензий, и славный парень. Танцует хорошо. Главное, заруби на носу: ты — человек прохожий, отбудешь срок и уедешь, а они со своими проблемами, склоками, конгрессами и раввинами... — все останутся.

— Ну почему же непременно — все останутся... Ведь наша работа предусматривает хоть какой-то процент *восходящих* в год?..

— Предусматривает, предусматривает... — он насмешливо покачал головой. — Когда еврея в каком-нибудь его Урюпинске рэкет прижмет, он обязательно *взойдет,* да что там — костром взовьется!.. Да ведь тебе-то что с того! Ты в Синдикате — белая кость, твой департамент на особом положении, ты не обязана выдавать на-гора статистику. Твои результаты туманны, общеукрепляющи, витаминны... Словом, брось думать об этой чепухе. Живи в свое удовольствие. Запишись в бассейн, ходи в театры, домработницу найми... Синдикат башляет!

Он замолчал, нахмурился, несколько раз шевельнул губами, как бы прикидывая — стоит предупредить меня о чем-то важном или дать самой поколотиться о заборы... Наконец произнес:

— Слушай... У тебя сейчас каша в голове, я понимаю, — столько новой информации. Но если хочешь выйти из всей этой катавасии целой и вменяемой... запомни сейчас одно имя: Клещатик, Ной Рувимыч.

— Смешная фамилия...

— Да нет, не очень...

— А кто это?

Он опять подумал, как бы прикидывая ответ...

— Это трудно объяснить... Запомни сейчас, и все. И в дальнейшем, когда этот человек окажется рядом, или голос его зазвучит в телефонной трубке, или кто-то произнесет его имя, пусть все твои чувства, все мысли и все позывы твоего естества замрут и встанут дыбом...

— О, Господи! — воскликнула я, округляя глаза в комическом ужасе, — да вернусь ли я живой из этого плаванья?!

(В ту минуту я даже не предполагала, насколько серьезно мой ангел-хранитель прислушивается к этой беседе, как надраивает свои боевые доспехи в преддверии горячей российской страды, чистит шлем, проветривает перышки на крыльях, как шаркает подошвами, проверяя устойчивость новых, только что выданных со склада, казенных штиблет...)

— Ну... вроде, о главном я предупредил... Во всей той жизни, знаешь, бездна деталей и тонкостей, которые не поймешь, пока не влезешь в шкуру синдика и не отдубишь ее как следует... Так что, приедешь, оглядишься... Разберешься — что к чему.

Он подозвал официанта, рассчитался, его добротный кожаный бумажник нырнул в нагрудный карман пиджака...

А я, допивая последний глоток апельсинового сока, подумала — а действительно, а что... Уволю, пожалуй, весь отдел, наберу молодых, энергичных, преданных мне ребят...

. . . .

...В первый же день, проходя по двору нашего садика, я заметила мальчика в шортах и в синей панамке, сидящего спиной ко мне на бортике пустой песочницы. Что-то он там искал, этот мальчик... Рядом на земле валялся самокат... Чей-то сын или внук, подумала я... И сразу он разогнулся, видно нашел, что потерял, выскочил из песочницы и, ведя самокат за рога, направился вместе со мной к входным дверям...

— Здравствуйте, — сказал он вежливо, открывая передо мной дверь. — С приездом!

— Здравствуй! — удивилась я. — А ты что, знаешь меня, мальчик?

— Я не мальчик, я — Женя, — терпеливо и, по-видимому, привычно проговорила она, снимая панамку. — Из вашего департамента. Сайт и База данных... — поймала мой ошарашенный взгляд на самокат и пояснила: — Я рядом здесь живу, на соседней улице. Очень удобно, знаете...

И пока мы поднимались на второй этаж, я узнала массу необходимых мне сведений: какую температуру надо поддерживать в аквариуме, чтобы гурами не передохли, и сколько раз в году надо менять воду... А люблю ли я собирать камушки на море — вот было бы здорово, если б из Израиля я привезла какие-нибудь красивые камушки...

— Сколько вам лет, Женя? — спросила я осторожно.

— Двадцать пять, — сказала она, глядя на меня круглыми черными глазами, доверчиво прижимая панамку к груди...

Мы поднялись на второй этаж, причем Женя забегала передо мной вперед на две-три ступеньки, привскакивая,

.... ЧАСТЬ ПЕРВАЯ [глава четвертая]

пришаркивая, торопливо договаривая какие-то свои, совершенно детские, новости, повернули налево, в узкий боковой коридор, повернули еще раз и оказались в небольшом отсеке, поделенном на три, анфиладой, смежных комнаты, сейчас еще безлюдных: в первой, крошечной, стояли два стола с компьютерами, во второй — три стола, причем на одном пузатился небольшой аквариум, к которому Женя сразу приникла, что-то бормоча, приговаривая, сыпля щепоткой корм огненным меченосцам... Это оказалась приемная. Из нее открывалась дверь в кабинет начальника департамента, с огромным столом, двумя шкафами и действительно роскошным ортопедическим креслом, в которое я с детским восторгом рухнула и сильно крутанулась несколько раз: дело в том, — и это вторая интимная семейная тайна, — что у меня никогда не было своего письменного стола и своего кресла, и я даже не стану здесь рассказывать — где и как были написаны десятка два моих книг...

Затем, вскочив, прикрыла дверь своего (своего!) кабинета и минут двадцать, пока комнаты оживали голосами моих появляющихся подчиненных, в нервном напряжении болталась по комнате, касаясь руками предметов на столе, ручек шкафа, листьев полудохлого фикуса и поглядывая в окно, из которого прочитывался огромный рекламный щит: "Двойная запись — принцип бухучета!" — у "Гастронома" на углу...

...Наконец, снова воссев в ортопедическом кресле, положила перед собой полный список сотрудников департамента и вытащила из сумки пудреницу, в зеркале которой отразилось мое строгое начальственное лицо. Я запудрила тени под глазами, еще раз проглядела список — первой значилась Маша Аничкова, секретарь; против ее фамилии стоял мой приговор "уволить на хрен!!!", набрала номер соседней комнаты, где сидели трое — Маша, Костян (мужик на хозяйстве) и Женя (сайт и база данных), и сухо, негромко сказала в трубку:

— Маша, будьте любезны, зайдите.

Она вошла и села. Было в ней что-то худосочное, нерешительное, жалкое. Бледная немочь, подумала я брезгливо, бледная немочь, а не секретарь департамента. Найму огонь-девку, чтоб щебетала, хватала намеки на лету, делала три дела зараз и вертела задом на все стороны.

— Если не ошибаюсь, вы, как секретарь, должны ввести меня в курс дел, — сказала я.

Она мгновенно как-то изжелта побледнела, тихо и тупо переспросила:

— Чего эт еще?..

И стала медленно валиться набок, сосредоточенно глядя перед собой. Я вскрикнула, вскочила, обежала стол и успела подхватить ее голову прежде, чем та стукнулась об пол.

Дверь распахнулась, влетели Женя и высокий, размашистый, сразу заполнивший весь кабинет, парень, — наверное, Костян. Деловито приговаривая: "спокойненько-спокойненько-спокойненько..." он подхватил Машу под мышки, Женя подняла ее ноги, и мы застряли так в дверях.

— Какого чер-р-рта нет дивана?! — прорычала я.

— Ничего-ничего-ничего... — скороговоркой сказал Костян, — вот, давайте, мы так ее, вот так посадим, а я ей в физиономию плюну... Она сейчас придет в себя, не беспокойтесь... — набрал полный рот воды из пластиковой бутылки на столе и мощно прыснул Маше в лицо. Та вздрогнула и поникла...

— Понимаете... — шепотом сказала Женя, — это вечный недосып...

— Почему — недосып?

— Маша с мамой живет, та очень больна, онкология... химия, то, се... Еще она в университете на вечернем... И последнюю неделю страшно боялась.

— Чего боялась?

— Вас... — сказала Женя, потупившись... — Боялась, что вы ее уволите. А она кормилец семьи.

— Что за глупости! — рявкнула я. — Что за бредовые фантазии?

Маша между тем совсем очнулась и беззвучно заплакала... На этом кончилось мое им "выканье". Надо было как-то управляться с этими детьми.

Я наклонилась к своему секретарю и сказала строго:

— Маша! Сейчас домой, спать. Завтра научишь меня, к кому здесь обращаться, чтобы купили диван.

В эту минуту позвонили. Я, еще не привыкнув к своему начальственному статусу, сняла трубку сама.

— ...и только попробуй бросить телефон!!! — заорали мне в ухо. — Я те брошу!!

— Что... что за странный тон, простите?

— Я те сейчас покажу "тон"! Издеваешься, сволочь?!

— ...позвольте... на каком основании вы...

— Молчать!! Молчать, падла!! Не хулиганить!!

Я опустила трубку на рычаг. За мной с большим интересом следил весь департамент, сгрудившийся у моего стола. Все, кого я собиралась уволить на хрен.

— Это Кручинер, — наконец проговорил Костян сочувственно, — вероятно, у него опять сезонное обострение.

Телефон звонил, не переставая. Костян сказал, что тот все равно не отстанет, есть только один верный способ. Поднял трубку и кротко спросил: — Ефим Наумыч? Да-да... Это наш новый начальник... Хорошо. Обязательно. Вы правы. Непременно. Я уже уволил ее, на хрен. Вот, пока вы звонили.

— Что это?! — спросила я, когда обрела дар речи. — Что он тебе говорил?!

— Как обычно... Сказал, что Синдикат — сборище жидовских негодяев, что он сотрет нас с лица земли, что вас он раздавит, как мошку, что из-за нас у него протекает кондиционер...

— ...но?!!
— Ну, это же Кручинер...

....

Microsoft Word, рабочий стол,
папка rossia, файл sindikat

"...как я люблю профессионалов, Мастеров любого дела! Причем с равным благоговением отношусь к мастеру-парикмахеру, мастеру-портному, мастеру-сантехнику, мастеру-писателю, мастеру-музыканту. С Мастерами всегда чувствуешь себя защищенным и счастливым. Вот, Костян — нет такой задачи, которую он не смог бы решить, нет такой розетки, в которую не смог бы включить все, что должно в нее включаться. Нет такого прибора, который бы в его присутствии не вытягивался во фрунт и ревностно не исполнял свои функции наилучшим образом. Порой я просто зову его в кабинет и только затяну неопределенное: — А что, Костян, хорошо бы... — как он уже записывает в свой блокнотик план, расставляет приоритеты и — умчался исполнять. Знает бездну вещей, осведомлен о таких деталях и частностях здешнего бытования, о которых я никогда не задумывалась. Он весь длинный, ножищи огромные, лапищи огромные, походка землемера, умен, востер, экономен и хозяйствен, словно синдикатовское добро достанется его малышам в наследство. Малышей у него двое — сыновья-погодки. Словом, при Костяне я чувствую себя, как кенгуренок в сумке у заботливой мамаши.

Величайшим мастером оказалась и Маша, мой секретарь, — та самая, что умудряется грубить, одновременно падая в обморок. Она умеет считать!!! В уме! Не доставая калькулятора! Я с огромным облегчением немедленно отдала ей на откуп всё столь устрашавшее меня делопроизводство департамента, и теперь, когда она появляется в кабинете — строгая и нелицеприятная, с пачкой каких-то бумаг для бухгалтерии на подпись, — и я говорю с досадой: — Маша, у меня такая легкая роспись, ее так легко подделать, неужели надо морочить мне голову с каждой бумажкой! — она отвечает без улыбки: — Как вам не стыдно, Дина, ведь это подлог! — и я покорно подписываю бесчисленные и загадочные для меня акты, договора и накладные...

Женя — тоже мастер, в еще более таинственной для меня области. Она повелитель сакральных долин, компьютерных леса и дола, видений полных, пещеры сорока разбойников, проникнуть в которую простому смертному, вроде меня, невозможно. Сезам, откройся! — восклицает она каждое утро, вернее, щелкает мышкой, пролетает детскими своими пальчиками по клавишам — и на экран компьютера всплывают имена и фамилии. О, ба-а-а-за да-а-анны-их! — поется на мотив неаполитанской песни. Таинственная и недоступная для других организаций База данных Синдиката.

Работая, Женя то и дело выкрикивает фамилии, словно достает диковинные заморские товары из своих закромов — персидские шали, меха, пряности, благовония, медную посуду, украшения и венецианские ткани:

— Арнольд Низота! Фома Гарбункер! Феня Наконечник! Богдан Мудрак!

— ...Все кричат — Не может быть!!! Женя говорит — пожалуйста, убедитесь. Все бросаются к экрану ее компьютера, пожалуйста, — убеждаются...

Каждая еврейская организация, даже новорожденная, даже и вовсе неимущая, считает для себя обязательным сколотить свою собственную базу данных. Причем в каждой организации подозревают, что у конкурента база данных полнее, евреи отборнее, крупнее, без червоточин. "А у УЕБа — больше!" — орет Костян, который развозит тираж нашей газеты по всем организациям Москвы, собирает сплетни отовсюду и поэтому считается у нас лицом осведомленным. Так вот, у УЕБа — больше. Эта, не совсем приличная аббревиатура, означает — Управление Еврейской Благотворительностью, — организация, тоже финансируемая американскими еврейскими общинами. УЕБ — наш главный конкурент и идейный противник. Мы здесь — для того, чтобы вывозить евреев из России. Они — для того, чтобы развивать и поддерживать здесь общинную жизнь. (Кстати, средства на эти, столь разные, цели могут идти — такая вот еврейская метафизика — из одного, вполне конкретного, кармана вполне конкретного чикагского мистера Aharon. K.Gurvitch...)

И еще о мастерах. Эльза Трофимовна, бесшумная старуха кротости необычайной, — тоже мастер. В течение каждого утра она проглатывает толстенную кипу газет. Однажды мне даже приснилось, как, бодро хрумкая газетными страницами, — как лошадь овсом, — она прожевывает гигантские комки, так что видно, как трудно они проходят по горлу, и, подобострастно вытаращив глаза, запивает их чаем. Огромную толщу прессы прочесывает она в поисках еврейской темы, и часам к 12 дня вырезанные и отксерокопированные статьи уже отправлены по факсу в Иерусалим, в Аналитический департамент, а копии лежат по кабинетам на столах у Клавы, у меня, и у вечно поддатого Петюни Гурвица, который никогда ничего не читает. Кроме того, Эльза Трофимовна составляет еженедельные обзоры по материалам российских СМИ. И это мастерски сделанные обзоры — на зависть краткие, точные, емкие. Во всем остальном Эльза Трофимовна беспомощна и — не побоюсь этого слова — абсолютно бессознательна. Поручить ей ничего нельзя. Она забывает первое слово, едва выслушав последнее. Напрягается, переживает, трепещет, подобострастно вытаращивается. Наконец, уходит, возвращается, извиняется и переспрашивает адрес — куда идти, имя — к кому обратиться, суть поручения. Уходит... Возвращается с проходной или уже от метро и опять переспрашивает, вытаращивая от старательности глаза. Наконец, уходит с Богом, приходит не туда, ни с кем не встречается, ничего не приносит, возвращается ни с чем, убитая, подобострастная, готовая снова идти куда пошлют. Первое время я подозревала, что она делает это нарочно, чтобы начальству неповадно было держать ее на посылках, потом заподозрила, что ее обзоры пишет не она. Убедилась: она. Я просто видела, как она их пишет — как крот, роющий нору в земле. Пригнув голову к столу, ровно и безостановочно буравя ручкой бумагу...

Наконец я оставила ее в покое и только продолжаю восхищаться профессионализмом ее работы. И все бы ничего, кабы не одно ее опаснейшее свойство: с утра Эльза Трофимовна имеет обыкновение выбрасывать в мусорное ведро какую-нибудь ненужную бумажонку, которая ко второй половине дня оказывается жизненно важной, хранящей какой-нибудь особый телефон или секретное сообщение. Тогда ведро переворачивается, и весь отдел принимается среди мусора искать нужную бумагу. Хорошо, если Эльза Трофимовна не успела порвать ее на мелкие куски. Если же это случилось, то нередко я — выйдя из кабинета или возвращаясь от начальства, — обнаруживаю весь отдел на карачках. Оттопырив зады, мои подчиненные старательно складывают на полу из кусочков сакральный паззл...

Сторожевого бдения требует и газета, выпускаемая Галиной Шмак, еще одним Мастером нашего департамента. Наш славный "Курьер Синдиката", ведомственный орган, со всеми вытекающими из этого факта фанфарами, трубами и валторнами в честь родины чудесной. Нет, ничего лживого, — Боже упаси! — и ничего верноподданного, но "звон победы раздавайся" звучит чаще, чем иные звуки застарелой битвы...

Галина Шмак — ответственный секретарь газеты, и эта должность ей подходит как раз потому, что ее хочется привлечь к ответственности ежедневно. Со временем я выяснила, к немалому своему изумлению, что попутно она шлепает газетку "Еврейское сердце" — УЕБу, редактирует журнал "В начале сотворил...", издаваемый на деньги Залмана Козлоброда, стряпает информационный листок "Наша Катастрофа" — обществу "Узник"... и, кажется, что-то кому-то еще, нет сил вспоминать... Все это готовится, крутится, варганится у нее на дому, в маленькой квартире у метро "Кантемировская". Новая квартира уже куплена, но в ней идет ремонт. Заканчивается. Или должен вот-вот начаться.

Но главной, основной своей работой Галина, конечно, считает наш "Курьер Синдиката". Деньги на него вывалены немалые, начальство не мелочится. Газета выходит на хорошей бумаге, на шестнадцати, а иногда и двадцати четырех полосах. В нее пишут лучшие, вышедшие на пенсию перья. Ежедневно почта доставляет десятки писем от преданных читателей, на которые я сначала отвечала в колонке главного редактора, но постепенно угасла, присыпанная пеплом и лавой общественной жизни...

Галина появляется всегда в бравурном сопровождении вступительных тактов к "Куплетам Тореадора" из оперы "Кармен". Это позывные ее мобильного телефона, который звонит беспрестанно. Торжественная поступь марша раздирает кулисы, предваряет ее появление, летит за ней по коридорам, гремит из сумки, бряцает в карманах, рокочет на груди, ежеминутно, посреди разговора, оглушая вас оркестровым tutti...

Может быть, из-за этого постоянно звучащего марша Галина и сама представляется мне матадором, вертящим мулету вокруг оси собственного тела. Она влетает в мой кабинет, как тореадор, готовый к встрече с разъяренным быком. Я, как правило, и вправду разъярена очередным скандалом и, — точно бык, — в начале встречи уверена в своей силе и правоте. Но в этих коррида и меня ждет участь измотанного бесконечными увертками, утыканного бандерильями и затравленного уколами пикадоров быка.

— Галина, будьте любезны, объясните, пожалуйста, каким образом интервью с...

— Да это вообще полный кошмар когда я говорила чтобы не лезть а Машка звонит и звонит и наконец дозвонилась да кто же знал что это его бывшая жена вот она и выместила ну он и грозится теперь вот склочник заладил суд да суд да иди ты с этим судом куда подальше хорошо что хоть Алешка уперся и ни в какую фото давать да оно и не качественное а то типография вы же ж знаете там же одни бараны а у меня назавтра плиточники заказаны и лиловую не нашли прямо беда так хрен с ней пусть будет голубая...

Все это сопровождается победными фанфарами марша. Словом, минут через пять вялая туша забитого быка валится в кресло, и Маша устремляется ко мне с чашкой крепкого чая или кофе, а Галина уже несется по коридору, выхватывая из кармана гремящий литаврами мобильник и воодушевленно вопя в него: — Зачем это под орех зачем это под орех когда я просила под вишню и чтобы не после обеда а до иначе верстку не успеем сдать?!

...Однако во всем Синдикате, по всем департаментам не найти другого такого Мастера, как Рома Жмудяк.

Это какой-то виртуоз намыливания. Высочайшая способность выскальзывания из рук. Иногда, в разборках с нею, я сама себе кажусь голой в бане: зажмурившись (пена ест глаза), ты шаришь ладонью по мокрой полке, пытаясь ухватить обмылок, а его нет как нет... вот пальцы касаются его гладкого скользкого бока — куда там! — он летит на пол, под скамью, к дверям, в предбанник... можно, конечно, сослепу выскочить вдогонку за дверь, но это лишь значит — выставить на всеобщую потеху свою голую задницу. Поэтому лучше окатить себя холодной водой из шайки, протереть глаза и действовать уже с открытыми глазами, предварительно вытершись насухо. Странно, что общение с Ромой всегда как-то связано у меня с образом бани, с образом пены, что ползет из шайки со слишком большим количеством шампуня...

На первом же собранном мною совещании департамента, — то есть кучковании в моем кабинете всех моих служивых, — она прерывала меня на каждом слове, добиваясь подробных немедленных разъяснений: для чего затеяно данное мероприятие, что дает Синдикату и, главное, — кому адресовано. Она вообще великолепно владеет всем этим мыльным языком функционеров всех времен, мастей и народов. Ясно, что прошла не только школу, но и академию Гройса. Помнится, дело касалось в тот раз организации невинного концерта израильских исполнителей: распространения билетов, обзванивания публики и прочей незатейливой работенки...

Сначала я пыталась отвечать, искала нужные слова и объяснения, пока не поняла, что Рома занимается саботажем, одновременно нащупывая пределы моего терпения.

— Нет, — напирала она, — все-таки я так и не поняла: *кому адресован* этот концерт, который вы затеваете?

— Вам, — сказала я приветливо, подавляя сильнейшее желание запустить в нее любым предметом со своего стола. — Исключительно вам, Рома... А теперь возьмите, дорогая, бумагу и ручку и запишите — что вы должны сделать к завтрашнему дню.

Она взяла бумагу и ручку. С этой минуты я поняла, что мы сработаемся, при известной моей сдержанности и постоянных усилиях — толкать эту баржу.

...Бывает, с самого утра уже видно: Рома намыливается... Откуда видно?

Не знаю, по глазам, вероятно. У нее намерения ясно выражены во взгляде, в движениях, в походке. Ей просто незачем их скрывать. Своей неподотчетностью она напоминает мне иерусалимских кошек. Те тоже никого не боятся, ни на кого не оглядываются и идут по своим делам, никого не спросясь. Нет, Рома, конечно, соблюдает минимальный этикет — все-таки я начальник департамента. С утра, опоздав минут на сорок, она заваливается в мой кабинет свойской походочкой и, подмигивая, говорит что-нибудь вроде:

— Да, хотела предупредить: сегодня у меня с часу Кикабидзе. Вам бы тоже хорошо его попользовать, мужик грандиозный...

Пока я разбираюсь, что это другой Кикабидзе, не певец, а знаменитый иглотерапевт, который остеохондроз ее рукой снимает не в переносном, а в буквальном смысле... пока то да се, прерываемое безостановочными звонками и посетителями... Рома уже усвистала, причем почему-то на три дня. То ли остеохондроз такой несгибаемый, то ли Кикабидзе так добросовестно лечит...

Однако я пока терплю. Не потому, что ее супруг, великий и ужасный Гройс, внушает мне какое-то особое почтение или опаску, а потому что в критические моменты Рома бывает весьма полезна. Именно она, в силу своей семейной осведомленности, может кратчайшим путем провести по запутанным тропинкам этого особого мира и намекнуть: где какая собака лапу задирает..."

....

Из "Базы данных обращений в Синдикат".
Департамент Фенечек-Тусовок.
Обращение номер 653:

Прокуренный мужской голос:
— Я вот не знаю, к кому у вас — жаловаться... Я вывез в Израиль первую жену, да, там разошелся, вернулся в Россию — по любви... Вывез вторую жену. Но не сжились мы, бывает же, я разошелся, да, опять вернулся, женился в третий раз, вывез третью жену... ну, не сошлось у нас, не вышло! Ну, может человек в поиске быть?! Я теперь настоящую любовь встретил, опять в России! А ваша чиновница оскорбляет меня, говорит — "вы человек или такси?" и называет этим... счас вспомню... вот: "Паром-Харон"... Блядь!

Глава пятая
Яша Сокол — король комиксов

Яша Сокол, известный в Москве карикатурист, женился поздно и случайно, по пьянке. Был он обаятельным, носатым, рыжим и крапчатым, как мустанг техасского ковбоя.

На сломе восьмидесятых знакомый менеджер одного из американских журналов предложил ему рисовать комиксы к незамысловатым историям из перестроечной российской действительности. Яша попробовал, дело пошло, появились деньжата... Постепенно он стал замечать, что в наезженные колеи комиксов отлично укладываются сюжеты великих книг; да что там книги! — вся наша жизнь, с ее страстями, драмами, пылкими и робкими движениями души, как-то удобно укладывается в ряды картинок, спрессовывающих любую жизнь в сжатый конспект-обрубок... а большего она, по чести сказать, и не заслуживает... Сам того не замечая, он рисовал и рисовал, заталкивая жизнь в гармошку комиксов — на ресторанных салфетках, автобусных проездных, листках из блокнота, газетных полях... Ему удавалось сократить диалоги до отрывистых реплик-слогов, был он изобретателен, умен, чуток и явно одарен литературно.

На одной из гулянок к Яше прибилась девчушка, лица которой он дней пять не различал, именем не интересовался, подзывал ее, как собачонку, свистом или щелканьем пальцев. Зато, как выяснилось, все дни жесточайшего запоя рисовал. Впоследствии именно эти рисунки, на которых она — всклокоченный мультипликационный воробей в серии беспрерывно меняющихся ракурсов — орет, подмигивает, пьет из бутылки пиво, косит глазом, грозит кулаком и сквернословит, именно эти рисунки стали для их детей вереницей иконок, вставленных в маленькие рамки.

Когда запой прошел, Яша не стал гнать от себя смешного гнома с крупной головой и носом-картошкой. В то время снимал он в Сокольниках мансарду под мастерскую, там прямо и жил. Девчушка осталась при нем. Он по-прежнему почти не обращал на нее внимания, но жизнь его как-то повеселела, появились чистые сорочки, старый кухонный стол под скошенным потолком незаметно оказался накрыт клеенкой, на нем откуда-то возникли кастрюли, а в кастрюлях то и дело обнаруживались то каша, то картошка, а то и борщ...

И вдруг она родила близнецов! Двух одинаковых семимесячных девочек, каждую по кило весом. Яша оказался изумлен, озадачен. То ли он вообще не обращал на нее внимания, то ли она забыла обрадовать его предстоящим отцовством, то ли сама не придавала значения растущему животу... Словом, для Яши это событие стало совершенным сюрпризом.

Он отрезвел, огляделся, всмотрелся в два одинаковых сморщенных тельца... Неожиданно дети ему как-то... глянулись. Может быть, потому, что напоминали персонажей комиксов. Они выдували пузыри, в которые хотелось вписать булькающие слоги... Кроме того, солидное их число (двое) вызывало у него почтительный трепет. В одночасье из гуляки праздного, забулдыги и хорошо зарабатывающего оборванца Яша превратился в отца семейства.

Дети отлично вписались в комиксовую, чердачно-богемную жизнь, но требовали все больше любви, времени, ласки и любования. К Мане, с которой он к тому времени расписался (все тот же синдром возникшего на пустом месте семейства — численность детей!), он по-прежнему относился спокойно, снисходительно-равнодушно. Позволял ей кормить детей выросшими вдруг полными грудями. А вот купать их, менять подгузники, вставать ночью — как-то не доверял. Все-таки была Маня шебутной, балахманной девчонкой. Она и погибла вот так-то, сдуру, на спор, тем первым дачным летом, когда они вывезли детей *на воздух*.

Поспорила на перроне с местной ребятней, что проскочит перед электричкой за минуту до...

...и не проскочила.

Широкую двухместную коляску с мирно спящими близнецами прикатили Яше со станции обезумевшие от страха спорщики.

Он рубил на хозяйском участке старую высохшую яблоню.

Коляска с близнецами сама бойко вплыла на дорожку, подростки выкрикнули из-за забора: — дядь Яш!!! Там Маню электричкой зарезало!!!

Он размахнулся и последним страшным ударом топора снес старую яблоню напрочь.

Впоследствии много раз он рисовал, как зачарованный, череду картинок этого дня, реконструируя его по минутам — так археологи восстанавливают утерянные фрагменты прошлого... И с год после ее гибели, запряженный гончей тоской, был занят восстановлением образа Мани — разыскивал ее школьных друзей, нашел бабку где-то под Волоколамском, — короче, знакомился, наконец, со своей женой поближе...

В это время многие друзья стали валить в Израиль. Яша провожал, помогал паковать ящики, отправлять контейнеры, ругаться с таможней. От этих дней тоже осталась серия комиксов... Когда уехал Воля Брудер, сокурсник и лучший друг, Яша задумался. Брудер звал Яшу все сильнее, все горячее, обещал помощь, а главное — слал фотографии с пальмами, какими-то буйно-лиловыми кустами, блескучим синим морем, в котором столбиками, как суслики, стояли худосочные и счастливые Волины дети...

...Вообще-то Яша Сокол был не вполне евреем. Можно даже сказать, он им и вовсе не был в том смысле, в каком это понимает традиция. В детстве, правда, был у него любимый дедушка Миня, который гулял с ним, рассказывал о тайге, о повадках волков и лис, о том, как в лесу по деревьям определять направление север-юг, как долго прожить без еды и какая ягода помогает при цинге, и как не замерзнуть зимой. Дедушка Миня не был ни ботаником, ни туристом, наоборот, — он был знаменитым закройщиком мужской одежды в ателье Союза советских писателей. Просто в молодости семнадцать лет провел на лесоповале, и дважды находился в бегах в тайге. С дедушкой Миней было так захватывающе интересно, что когда тот умер от сердечной недостаточности, десятилетний Яшка высох от любви и тоски по нему, как только в юности сохнут по возлюбленным.

Так вот, дедушка Миня, по неясным слухам, был как раз еврей, но, поскольку ни разу он об этом не обмолвился, — а может быть, Яшку это в детстве не интересовало, — образ Мини, такой родной и главный, совсем не монтировался с этим коротким, чужим, почему-то неловким словом.

Лет с шестнадцати в Яше забродил беспокойный дух. В конце мая он брал рюкзак (пара белья, две майки, блокноты и ручки) и подавался куда-нибудь на юг — в Сочи, Гагры, Сухуми...

В Сухуми, в парке, на скамейке он и увидел дедушку Миню. И — оторопел от неожиданного спазма тоски, который подкатил к горлу, словно и не прошло много лет со дня смерти деда. Тот сидел на скамейке и грелся на солнышке — старый вислоносый человек со старческими пятнами на руках и лице, в чистых старых брюках, в полотняной кепке с длинным козырьком. Яшка присел рядом, что-то спросил, старик живо отозвался, они разговорились. Тот и разговаривал, как дедушка Миня, с мягким украинским "г", наверное, тоже был уроженцем какого-нибудь Киева или Одессы.

Посреди оживленной беседы растроганный Яша, непонятно почему, — возможно, потому, что вспомнил вдруг о еврейской исходной деда, — спросил, понизив голос:

— Скажите... а евреев здесь много?

Тот сначала запнулся, внимательно и долго смотрел на Яшу и наконец сказал:

— Да, знаете, их много еще... Много их... А куда деваться? Сейчас ведь не те времена, когда...

И вдруг стал рассказывать, как в молодости, во время войны, на Украине попал в облаву вместе с евреями. При нем не было документов, и хоть убей, он не мог доказать, что не еврей, пока не догадался расстегнуть штаны. Так его не только освободили, но и предложили работу. Он стал сопровождать машины с евреями.

— Сопровождать? — спросил Яша, — ...куда?

— Ну, куда... Туда! В этих машинах они и дохли... Прямо там и начинал действовать газ... Вот, вы не поверите! — оживился он, — до чего хитрый же народ! Были такие, кто снимал рубашки, кофты, мочились в них и заворачивали лицо, и выживали, только притворялись мертвыми! Так я, знаете, всегда угадывал — кто живой и прикидывается, и сразу добивал. Ох, у меня глаз был — не отвертишься, не уползешь!

(— ...После войны его судили за пособничество немцам, — рассказывал мне Яша, — он честно отсидел полный срок, освободился и переехал в Сухуми, поближе к теплу, к солнышку... Погреться напоследок.

— И ты... не задушил его? — с интересом спросила я. — Сдавить легонько горло, старичок-то ветхий, секунда, и...

— Да нет, — поморщился Яша. — Я был настолько потрясен его сходством с дедушкой Миней и дьявольски вывороченной судьбой, что просто молча поднялся и пошел от него прочь. Понимаешь? Сел на скамейку неким пареньком, а поднялся законченным евреем. И никакого тебе Синдиката, никакого специального курса по *Загрузке Ментальности*.)

...так вот, Воля Брудер слал карточки из своего Израиля с таким зовущим морем, таким синим, искристым, *детским* морем...

После того как дочки дважды за зиму переболели воспалением легких, Яша решился на переезд.

Эта фотография, — спускающегося по трапу художника с мольбертом за плечом и двумя трехлетними, совершенно одинаковыми девочками на руках, — обошла все израильские газеты.

В Стране Яша перепробовал все. Работал охранником в супермаркете, таскал на заводе ящики с бутылками "кока-колы", окончил курсы компьютерных графиков, немного поработал в рекламных агентствах. И все время публиковал комиксы в русских печатных изданиях. Наконец на эти комиксы обратили внимание в ивритской прессе... Ему предложили более или менее постоянную работу в одной из ведущих израильских газет. Так он узнал разницу в гонорарах. Словом, Яша выплыл, глотнул воздуху, огляделся... За год он купил машину и, взяв ссуду в банке, купил квартиру на живописных задворках Хайфы. Жизнь начинала нравиться. Значит, надо было ее немедленно менять.

Все складывалось очень кстати даже и в домашнем смысле. Дочери Надька и Янка (он произносил их имена всегда слитно, как "Летка-Енка" и называл еще "мои голодранки", "мои паразитки", "мои террористки"), пугали его своей растущей самостоятельностью. Пятнадцатилетние паразитки были совершенно самодостаточными личностями, чемпионками Израиля по игре в бридж.

Они были похожи так, как могут быть похожи только классические однояйцевые близнецы, рожденные с разницей в пятнадцать минут. В детстве видели одни и те же сны и, просыпаясь, просили отца рассказать окончание, — очень удивлялись, узнав, что не всем людям снятся одинаковые сны. Если шли, огибая дерево с разных сторон, и одна спотыкалась, то — одновременно с ней — спотыкалась другая. Они были связаны друг с другом таинственной и страшной физической зависимостью. Спали в одной постели, всегда на одном и том же боку. Одновременно вздыхали во сне, одновременно медленно, как в синхронном плавании, не просыпаясь, поворачивались на другой бок.

Яша был заботливым отцом, он следил, чтобы девочки хорошо ели.

— Душа моя, — говорил Яша дочерям за столом, то одной, то другой — ешь, душа... — И подкладывал на тарелки кусочки.

Он был заботливым отцом, но не вездесущим. Однажды во время генеральной весенней уборки обнаружил под кроватью своих амазонок батарею бутылок из-под пива и понял, что наступило время больших перелетов.

По совету Воли Брудера он позвонил одному человеку, сидящему в Синдикате в департаменте *Кадровой политики*. Его пригласили на собеседование, которое он выдержал с блеском, демонстрируя "качества настоящего лидера, помноженные на прекрасное владение ивритом"... Заполнил анкету с довольно странными вопросами, типа: "Верите ли вы в явление Машиаха?" "Чувствуете ли вы в себе задатки мазохиста?" "Не возникало ли у вас когда-нибудь желания поменять пол?"... Затем сдал труднейший восьмичасовой тест с весьма внушительными результатами, поступил на курсы синдиков... А там уж не успел оглянуться, как подкатил август — время "икс", месяц, когда Синдикат меняет часовых, и вновь призванные синдики пакуют чемоданы.

Как особо отличившемуся на курсах, ему предложили право выбора города. Из-за детей он выбрал Москву, — только там при Посольстве работала израильская школа, где девочки могли нормально учиться. Однако он недооценил самостоятельность своих голодранок. И не то чтобы они совсем не учились... Нет, природные способности и ненатужная программа израильской школы позволяли им держаться на плаву. Но в первый же месяц они разыскали бридж-клуб где-то на Серпуховском или Коровьем валу, завели новые увлекательные знакомства в самых разных кругах столицы и зажили такой наполненной, такой загадочной, неуловимой жизнью, что озадаченный и закрученный новой работой отец лишь посвистывал и головой качал...

Microsoft Word, рабочий стол,
папка rossia, файл sindikat

"...у дочери в новой школе — настоящая математическая драма: строгий учитель. "Мама, он никому не ставит высокой оценки, никому! Кроме Соколих, конечно". — "Кроме кого?" — "Ну, Янки и Надьки Сокол"... — "Видишь, значит, если девочки стараются..." Она, возмущенно: "Ну ты скажешь, тоже! Они, наоборот, ни черта не стараются! Просто они — математические гении!"

— "Прямо так уж и гении!"... — "Конечно, гении, самые настоящие! И учитель говорит, что они — уникальное явление природы. Знаешь, как они считают в уме?! Это просто цирк! Они даже угадывают логическое продолжение задачи! Он еще пишет на доске условия, а они уже хором говорят ответ!"

Надо бы полюбопытствовать у Яши — что за двойное уникальное явление природы он вырастил без женского глаза... Вообще, эта школа при израильском Посольстве — тоже уникальное явление: детей во всех классах, если не ошибаюсь, — всего человек сорок. У дочери в классе — семь человек. Это сплоченная семья, со своими напряженными отношениями, с постоянными разбирательствами, интригами, дружбами, любовями, враждами... Например, моя приятельствует с Яшиными девочками, хотя те на два класса старше. Все вместе сплочены против внешнего мира своим израильским самосознанием ("Здесь, в России, все чокнутые!").

Кстати, в первый же день обустройства в новой квартире Ева вытащила из своего рюкзака бесформенную кучу бело-голубого тряпья.

— Что это?!

— Наш флаг! — тон упрямый, угрюмо-гордый. — Знаешь откуда? С кнессета!

— Что?! Ты с ума сошла?!

— Да, да! Мне Михаль одолжила *на Россию*. У нее дядька — завхоз в кнессете. А это флаг старый, списанный... выцвел, конечно, и немного дырявый, но я заштопала...

— И где же мы его вывесим в Спасоналивковском переулке? — бессильно осведомилась я.

— Нигде. Буду им укрываться...

— Что?!

— Укрываться! — отрезала она тоном, исключающим продолжение учтивой беседы.

Тем не менее глаза шныряют по сторонам, старшеклассники по пятницам собираются в "Шеш-Беш" — забегаловке на Ордынке... Все уже совершили по нескольку экспедиций на "Горбушку", понакупили дешевых дисков и кассет... Вообще потрясены и подавлены "дистанциями огромного размера"... Я, кстати, тоже — после десяти лет отсутствия, — до известной степени, потрясена и подавлена этими дистанциями...

...Любопытно наблюдать за собой, за изменениями в отношениях с Россией... Вчера мы говорили на эту тему с Яшей Соколом. У него — художника, человека впечатлительного, — свои счеты с родиной. Рассказал, как в восьмидесятых годах у себя в Подольске стал свидетелем сцены, забыть которую не смог никогда.

Это было время, когда в Подольский госпиталь привозили тяжелых раненых из Афганистана... Их оперировали, ампутировали конечности, многие ребята просто оставались обрубками, — без ног, с одной рукой. Потом долго они приходили в себя, — учились выживать, как-то справляться с бесконечной тоской...

Однажды несколько этих ребят нашли себе девочек и пригласили в кино. Как только они выкатились в своих колясках за ворота госпиталя, — откуда ни возьмись, появился наряд милиции и стал загонять их обратно. Сначала они удивились, шутили, говорили — вы что, братаны, мы же не в тюряге, вот, с девушками в кино впервые выбрались, фильм хотим посмотреть...

Но те — видно, у них был приказ, — стали напирать, загоняя калек обратно в ворота. Стране нельзя было показывать уродства войны.

И тогда раненые бросились в рукопашный бой. Они дрались костылями и палками ожесточенно, яростно... Драка была в самом разгаре, когда прикатил вызванный взвод солдат на грузовике, те набросились на калек, покидали их в кузов вместе с костылями, колясками, палками и куда-то повезли...

И пока он рассказывал, я вдруг поняла, — что меня мучило все эти годы. Я пыталась определить и обозначить словами разницу в душевном моем осязании двух моих стран — Израиля и России. Вся моя жизнь в Израиле, предметы, пространство и люди, — все, что меня окружает там, — была и есть ослепительная сиюминутная реальность. Все, что было со мной в России, что происходит сейчас и будет когда-либо происходить — все это сон, со всеми сопутствующими сну приметами.

И между прочим, я опять стала видеть сны — а ведь в последние годы засыпала и мгновенно просыпалась утром, готовая начать день с того места, на котором остановился для меня вечер. Опять стали сниться давно умершие люди, приносящие в сон давно забытые обстоятельства своих жизней. События дня и новые лица странно тасуются в моих нынешних снах с давно отошедшими в прошлое людьми и разговорами, словно российское, лунное полушарие моей жизни (прежде заслоненное ослепительным светом Израиля), зашевелилось, подтаяло, побежало мутными ручейками...

И еще: никогда не могла понять психологии двоеженцев. И только когда вернулась в Россию и стала снова с нею жить, поняла: ты любишь в данный момент ту, которая перед глазами, но думаешь о той, которой рядом нет..."

....

Будни спонсора

Меж тем я огляделась...

Да, мой предшественник говорил чистую правду: уже явились ко мне несколько писателей с объемистыми рукописями, уже выросли на моем столе две башни из папок с революционными проектами. Уже потянулись вереницей странные субъекты с бегающими глазами и более чем странными идеями...

Я уже выдержала первую, пробную атаку Клары Тихонькой, знаменосца и идеолога общественного фонда "Узник". (Остроумный Яша каждый раз переименовывал этот фонд то в "Хроник", то в "Циник", то в "Гомик"...)

Она и выступала, как знаменосец, откидывая голову с высоким седым коком волос над открытым лбом Сованаролы — и голосом, поставленным и ограненным неисчислимыми собраниями, заседаниями, комитетами, протоколами и голосованиями, — вопрошала, требовала, взывала и обличала. За ней крался Савва Белужный на мягких лапах. Пара была классической, из старинных площадных комедий. И работали парой: Клара нападала, обвиняла, вымогала, Савва — стеснительно улыбаясь, — перечислял отборные проекты общества "Узник". Я, как профессиональный музыкант, сразу оценила этот безупречный дуэт.

Ключевым словом в их торгах было слово "катастрофа", причем в самых разных регистрах.

— Если мы не соберем нужной суммы на проведение
этого семинара, это станет настоящей катастрофой для будущего российских школьников! — торжественно провоз-
глашала Тихонькая.

— Катастрофу, и еще раз Катастрофу, и тысячу раз —
Катастрофу должны мы поставить во главу угла на уроках
истории, — проникновенно вел Савва свою партию...

— Вчера весь день занималась Катастрофой... Все на
мне, все на мне... Вы не представляете, как я устала!

Уже и несравненная Эсфирь Диамант прислала несколько
видеокассет со своими концертами. Эта работала грубо,
как водопроводчик.

— Люблю-у-у! — говорила она стонущим голосом. —
Все ваши книги люблю, и все! Нет сил, плачу, рыдаю, и все!
Подарите мне книжку, умоляю! Любой из ваших романов!
Мне тут давали читать на ночь — я хохотала, как дикая! Нет
сил, — хохочу, и все! Подарите, солнце, — как раз на концерте, вот, что мы с вашей помощью проведем в зале "Россия" за плевые тыщ двадцать баксов... Я посвящу вам песню! Прямо со сцены. Вы знаете мою песню "Скажи мне
душевное слово?" Нет?!! О, я подарю вам диск, будете слушать и обливаться слезами!!

Фира Ватник, сама себе менеджер своей раззудись-
карьеры, давая интервью, никогда не забывала упомянуть,
что в семидесятых годах боролась за выезд, сидела "в отка-
зе", пострадала за *отпусти народ мой*. Странно, что ни
один интервьюер сейчас не догадывался задать столь есте-
ственный вопрос: — и вот, ныне, когда каждый, кто стремился уехать, может осуществить свою мечту?! — недогад-
ливый народ интервьюеры, или слишком деликатный...

Самое поразительное, что и *дуэту о Катастрофе*, и *ду-
шевному слову*, я обещала денег. Вернее, обнаружила, что

обещала, — когда осталась одна. И поняла, что переношу на этих людей те мои привычки и принципы, коими руководствуюсь в частной жизни. Мой дед всегда говорил мне — если человек просит, надо дать. Поэтому я никогда не отворачиваюсь от нищих, от уличных музыкантов, не отказываю агентам всевозможных благотворительных фондов, добровольцам из различных организаций по борьбе с болезнями, одиночеством, самоубийствами и прочими напастями человеческого рода. Я охотно приглашаю в дом мальчиков в вязаных кипах, с мешками за спинами, которые по пятницам собирают по людям еду для бедных семей, и бросаюсь открывать кухонные шкафы, собирая пакет с провизией.

Все это не имеет никакого отношения к моим особым душевным качествам, которых нет. Я знакома с несколькими, весьма жесткими и несентиментальными людьми, ведущими себя в подобных случаях так же. Все дело во врожденном чувстве высшей субординации, когда ты знаешь, что любой человек, возникший на твоем пороге или подошедший к тебе на улице, — это не случайность, а *посланец*.

Словом, в начале службы я по привычке принимала за *посланцев* всех людей, добивавшихся встречи со мною... Когда же огляделась и стала чуть-чуть разбираться в здешней ситуации, — подобралась, насупилась и приняла круговую оборону.

. . . .

В то же время, явившись по приглашению на открытие какой-то международной конференции по иудаике, я впервые очутилась в гуще научного мира, который, как выяснилось, за время моего отсутствия в России возродился, пророс, разветвился и ныне цвел и плодоносил, — и сразу свела знакомство с несколькими в высшей степени симпатичными, талантливыми и трогательными людьми...

Бессребреники, рвущие жилы ради науки, — их легко было отличить от других: они не умели просить денег. Их безуспешно обучали этому киты из УЕБа, субсидирующего научные проекты. Для этого организовывались специальные семинары по фаундрейзингу, на которых активные дамы-умелицы читали с утра до вечера лекции по обучению многим, *сравнительно честным, способам отъема денег* у спонсоров. Профессора конспектировали все эти советы, возможно, даже зубрили уроки дома... Ничего не помогало!

Вот как просил денег на уникальные научные проекты профессор Абрам Зиновьевич Ланской — светило в мировой иудаике, автор многих книг, умница и человек. Он поднимался. Одергивал старый пиджак. Прочищал горло. И говорил: — Я Абрам Ланской, профессор, доктор наук, специалист по античному периоду еврейской истории... Дайте денег!

Когда мы познакомились поближе, я многое поняла:

Абраша Ланской привык думать о смерти эпически-спокойно, и даже дружественно. В принципе, ему не нравилось — жить. Но, будучи обязательным и академическим человеком, он относился к жизни, как к профессиональному заданию, и — жил. Хотя с удовольствием прекратил бы это глупое занятие в любую минуту. Профессиональная научная сфера (античность) и некоторые традиции величественного, исполненного достоинства ухода из жизни древних предрасполагали профессора Абрама Зиновьевича Ланского к академическому взгляду на эту проблему.

Когда, бывало, в университет являлся какой-нибудь миллионер из горских евреев, в молодости купивший диплом филолога и в память об этом дипломе желавший вложить деньги в издание "кого-нибудь стоящего", Абраша говорил ему:

— Советую вам обратить внимание на труды античных авторов... У них бесконечно много достоинств. Во-первых, имена эти проверены временем... Во-вторых, у них нет родственников... И в-третьих, они прекрасны хотя б уже тем, что давным-давно умерли...

Тут его голос обычно мечтательно зависал... лицо разглаживалось, глаза заволакивала нездешняя дымка.

Ну как такой человек мог просить чего бы то ни было у кого бы то ни было в этой земной жизни?

...А вот Миша Каценельсон, — философ, культуролог, парадоксалист, — наоборот, заваливал потенциальных спонсоров камнепадом речи. Устремив на собеседника белое чернобровое лицо боярина с длинными волосами, которые частым беглым жестом он откидывал со лба и заводил за уши, Миша цитировал справочники и энциклопедии, сыпал именами давно сгинувших третьестепенных деятелей забытых литературных и прочих сообществ... Минут через двадцать одуревший спонсор впадал в летаргическое состояние и ослабевал настолько, что просто был не в состоянии вытащить чековую книжку или расписаться на бланке...

Миша был эрудирован настолько, что меня в разговоре с ним брала оторопь на третьей минуте, я как-то сникала перед этой лавиной информации, как перед бесчисленными томами "Британики". Вместе с тем Миша оказался вовсе не книжным червем, был азартен, боевит, постоянно с кем-то судился, причем сам себя защищал, — и вообще, жил с полным своим удовольствием.

Сережа Лохман, безумный библиофил, коллекционер, разыскатель и издатель редких книг — просто не умел высиживать свои просьбы в приемных богатых фондов. Не было у него ни капли терпения, вернее, времени не было совсем: он должен был мчаться в типографию, где запускали тираж очередной редкой книги. И пока спонсоры рассматривали его просьбу на поддержку проекта, он бежал закладывать в ломбард единственное фамильное кольцо жены или продавал квартиру, потому что книга должна была выйти в срок, установленный Сережей самому себе. Учитывая этот невозможный характер, я кричала — "Пригласи, пригласи, пригласи!!!" — едва Маша докладывала, что явился Лохман и очень торопится.

За всех этих затрепанных гениев отдувалась Норочка Брук — женщина ослепительная, светская львица, вдова знаменитого актера. Она надевала деловой, но элегантный костюм, и шла на прорыв, с очаровательной улыбкой выслушивая идиотские остроты председателей пузатых фондов, как бурлак, таща за собою всех этих ученых-не-от-мира-сего, так что поначалу даже забывалось, что Нора и сама по себе профессор, автор книг по истории хазар, президент объединения преподавателей высших школ "Научный Форум" — и прочая, и прочая, и прочая...

...Рабочий день, как правило, начинался у меня с перебранки у бронированной проходной детского садика: Шая или Эдмон, стерегущие ворота нашей крепости, останавливали меня и осведомлялись — все ли в порядке, как прошла ночь, не заметила ли я чего странного или настораживающего, не получала ли звонков с угрозами, помню ли о приказе департамента *Бдительности* — не передвигаться самостоятельно по улицам Москвы и, наконец, когда переставлю я стол от окна, чтобы — не приведи Бог! — в случае чего меня не убили выстрелом в затылок?..

Затем пробег по коридорам детского сада наверх, в отсек, где занимал три комнатенки мой департамент Фенечек-Тусовок.

И вот я садилась за стол, включала компьютер, щелкала "мышкой" и с неизменным почтительным изумлением наблюдала, как возникает на экране потешная летучая мышь в фуражке почтальона, и в мой электронный короб сыплются и сыплются приглашения, воззвания, письма, депеши из Иерусалима, афиши разнообразных, отнюдь не всегда еврейских, организаций и прочая шелупонь, чепуха, чушь и ветошь:

рассылка материалов "Народного университета" Пожарского;

рассылка национальной русской партии Украины о притеснениях, творимых украинскими националистами;

рассылка Чеченского Союза борьбы с оккупацией;

рассылка Панславянского Союза борьбы с засильем американо-сионистского спрута;

приглашение от Гройса явиться на банкет, посвященный учреждению Фонда Объединенных Еврейских Конгрессов;

приказ по департаменту *Кадровой политики* об увольнении Анат Крачковски и немедленном ее отзыве в Иерусалим;

приказ по департаменту *Кадровой политики* о восстановлении Анат Крачковски в должности и продлении ее деятельности на три месяца, в связи с отсутствием достойной замены.

...Раскапывание завалов электронной почты прерывалось пулеметной очередью звонков. Я уворачивалась, как могла. Наконец поняла, что, не обучив своих ребят отчаянно и артистично врать, я буду погребена под лавиной посетителей, просителей, представителей и учредителей...

Весьма скоро мы выработали несколько нехитрых приемов.

Тот, на кого выходил очередной, жаждущий моей крови, проситель, аккуратно и вежливо говорил, на всякий случай: — Она на совещании, а кто ее спрашивает? Одну минутку, я выясню — сможет ли она отвлечься.

Затем, на цыпочках вкравшись в мой кабинет: — Там этот старикан, с проектом пирамиды-усыпальницы Рабина. Или:

— ...помните, дама, которая новый гимн Израиля пишет?

Или:

— ...Лившиц, насчет генетической перелицовки палестинцев...

Я молча махала руками, хваталась за голову, закатывала глаза, и Костян или Маша, или Женя удалялись также на цыпочках:

— К сожалению, она на совещании у начальства по очень важному вопросу...

Но, бывало, меня заставали врасплох — когда по неосторожности я брала трубку сама.

Так напал на меня старикан, архитектор из Одессы.

Восьмидесятипятилетний могикан, — к моему изумлению, он продрался через колючую проволоку и минные поля нашей охраны и приволок несколько папок со своими проектами. Одна из них — огромная, из похожего на фанеру картона, долго не открывалась, он пыхтел, развязывал тесемки, попутно захлебываясь торопливыми объяснениями, кашляя, задыхаясь, впрыскивая в рот дозы ингалятора. Я, сама астматик, терпеливо и сострадательно все это пережидала.

Наконец, во всю ширь письменного стола передо мной распахнулся павильон ВДНХ, украшенный звездой Давида.

— Что это? — спросила я, имитируя неподдельный интерес.

— Проект Третьего Храма на горе Сион, — проговорил он гордо. — Ищу спонсора.

— Строить? — кротко спросила я, не веря ушам своим.

— Пока нет! Издать альбом.

Правильно, что евреи установили запрет на изображение, подумала я. Знали своих.

Затем он долго демонстрировал коллажи, которые настрогал в великом множестве. Иные я даже помню: лодка, вроде индейской пироги, в которой в затылочек друг другу сидят на веслах десять мужчин...

— Тур Хейердал на "Кон-Тики"? — поинтересовалась я.

Он пояснил, что это — аллегория: предводители десяти потерянных израилевых колен плывут, устремленные в неизвестное будущее...

— А их разве по воде гнали? — удивилась я.

Он повторил невозмутимо:

— Это же аллегория...

На другом коллаже Главный раввин России Манфред Колотушкин и Главный раввин России Залман Козлоброд — смертельные враги в жизни — уходили, обнявшись, светлой дорогой к Храму, который стоял на горе Сион и сиял, как гигантская новогодняя елка. А там, наверху, раскрыв братские объятья, их ждал уже третий Главный раввин России, *щадист* Мотя Гармидер, которого ни тот ни другой, доведись им, не то что к Храму — к бане близко бы не подпустили...

Наконец, на третьем коллаже — Главный раввин России Залман Козлоброд крепко обнял, вернее, вцепился в каменные Скрижали завета. Создавалось впечатление, что он только что получил их в вечное пользование неподалеку от своего поместья в Лефортово и, — в отличие от Моисея, — боится нечаянно разбить...

Глава седьмая

"Себя как в зеркале я вижу"

...Просыпаясь часа в три ночи и маясь до утра, я изобретала генеральный путь собственной деятельности, будила мужа, советовалась с ним, ссорилась, отчаивалась, вдохновлялась... Мне хотелось придумать что-нибудь этакое, новенькое, чего еще не было в Синдикате...

Собственно, работа с населением давно уже обрела традиционные формы: помимо колоссальных народных гуляний в табельные дни, помимо кружков, курсов по изучению чего бы то ни было, вечеров и лекций, *фенечек и тусовок*, каждый департамент практиковал выездные семинары, где в течение трех дней где-нибудь в загородном доме отдыха, пансионате или туристической базе заезжие израильские посланники и местные специалисты, заказанные и оплаченные в "Научном Форуме" у Норы Брук, обрабатывали пойманных в сети рыб по высшему разряду: программа таких семинаров составлялась наиплотнейшим образом, с получасовым перерывом на обед, так что желающим прокатиться за город на халяву приходилось отрабатывать и номера в тусклых обоях, и селедку под майонезом, и свежий воздух за окном.

Основным условием набора публики на такие вот тусовки было наличие *мандата*. Собственно, это был и основной закон Страны: взойти в Святую землю предков может человек, имеющий *мандат на Восхождение*... Этот самый *мандат* человеку обеспечивал его еврейский дедушка или бабушка, — что уж говорить, условие щадящее. Ведь, положа руку на сердце, или, оглянувшись окрест, вы чаще всего найдете этот самый *мандат* не далее как у себя за пазухой... а если не найдете, то, значит, плохо ищете... Покопайтесь в родословной, пошукайте какого-нибудь прадеда-кантониста, какого-нибудь Семена Ивановича Матвеева, полного георгиевского кавалера, бывшего Шмуля Мордуховича... Ищите, говорю я вам, и обрящете... В девяностые годы, годы *Великого Восхождения*, *мандаты* покупались в синагогах, подделывались в паспортных столах, возвращались во многих семьях из небытия, из выкрещенного прошлого, из кантонистских легенд, из бегов, из потерянных паспортов, из подделанных военных билетов... В те, уже легендарные, годы сотрудникам Синдиката не приходилось рыскать по задворкам Советского Союза, чтобы выдать на гора и засыпать в закрома Родине... Они работали, как черти, валясь от усталости с ног, отправляя в день по нескольку самолетов...

Ныне ситуация поменялась, и, словно гончие ищейки, синдики прочесывали и прочесывали старые грядки, пытаясь раскопать давненько закопанные в землю *мандаты на Восхождение*, а иногда заново посеять и вырастить в человеке нечто такое... некое чувство... самоощущение такое, вот... ощущение чего-то такого, неопределенного, но жгуче волнующего, которое... Короче — на чиновном жаргоне Синдиката это называлось *национальной самоидентификацией*, и я хотела бы взглянуть на прохвоста, который изобрел этот термин.

...Меня и саму коллеги часто приглашали поучаствовать в таких вот семинарах.

В большинстве своем собирались там вполне приличные, даже интеллигентные люди, читатели книг, и моих, в частности; многие и сами пробовали писать — с каж-

дого такого семинара я возвращалась с несколькими рукописями, выданными мне "на благосклонное прочтение"...
Бывало, после выступления, затерев меня в угол в дребез-
жащем музыкой баре, кто-нибудь из этих симпатичных
людей интимным тоном интересовался — нет ли у Синдиката хороших программ по *Восхождению* в Германию...

. . . .

...Но я-то в своем привилегированном департаменте *Фенечек-Тусовок* ориентирована была на особую публику; я никого не должна была мучить обязательной программой,
никого никуда не тягала и вообще работала не топором и
зубилом, а скальпелем. Даже Яша в одном из своих летучих комиксов, нарисованных им на "перекличке синдиков" за те пять минут, пока я отчитывалась перед Клавди-
ем за неделю, нарисовал меня в белом халате, стоящей над
простертым, обнаженным ниже пояса, пациентом. В одной руке я держала скальпель, в другой — эфирную маску,
из моего рта выдувался пузырь со словами: "Вы напрасно
боитесь, в моем департаменте обрезание делают незаметно
и безболезненно"...

Словом, я просыпалась ночами, перебирая в уме всевозможные идеи. Мысленно я называла это "постирушкой".

В конце-концов сочинила несколько изящных, на
мой взгляд, проектов. Например, проект семинара по искусству.

Наутро собрала свой департамент на еженедельное
координационное совещание. В кабинете у меня уже стоял к тому времени роскошный диван для посетителей,
журнальный столик, кресла. По пути на работу я покупала
обычно печенье, Маша и Женя заваривали на всех чай...
Эти совещания, а точнее, ор, колготня и ругань, проходили у нас довольно весело, и на наш хохот, бывало, забегал

Яша, кое-кто из инструкторов департамента *Восхождения*, {85}
заскакивал Изя Коваль с новой моделью мобильного телефона, забредал Гурвиц, позвякивая тяжелой связкой ключей от рая...

— Ребята, — сказала я, как это ни смешно, волнуясь. —
Главная новость: в конце месяца мы проводим небывалый
семинар по проблемам искусства...

— А на кого ориентирован этот ваш семинар?! — завела, как обычно, Рома. — Кому адресован?

И тотчас зазвонил телефон. Маша взяла трубку. Я
показала ей знаками: не могу, мол, занята, совещание, отсылай...

Но услышав голос в трубке, Маша вытаращила глаза,
судорожно сглотнула и пробормотав:

— Щас, Ной Рувимыч... — переключила кнопку на
аппарате.

— Клещатик!!! — прошипела она.

Что-то смутное вспомнилось мне. Кафе в Иерусалиме, зеленый тент над столиком, пятна света на благородном стволе старой оливы... Что-то такое предостерегающее...

— Я же показала тебе — не могу! — удивленно сказала я Маше. — У нас совещание.

— Но ведь Клещатик!!! — сдавленно вскрикнула девочка. Судя по виду, она вполне была готова грохнуться в
обморок.

Я взяла трубку и услышала совершенно родственный
голос:

— Здравствуйте, дорогая... Простите, что влезаю в ваши напряженные будни, посреди совещания...

Я пожала плечами. Откуда этот господин мог знать о
совещании? Услышал мои слова? Но ведь Маша успела переключить телефон, я точно видела...

— Ничего-ничего, — любезно проговорила я. — Слушаю вас...

— ...Ной Рувимович, — подсказал он... — А мы ведь с вами давно уж должны познакомиться. Опять же и повод подходящий — ваша прекрасная идея семинара по искусству...

Я оцепенела.

Да, за завтраком я советовалась с мужем — кого позвать на наш семинар из российских художников и искусствоведов, кого пригласить из Израиля... Но больше никому, просто никому не успела сказать ни слова, вот, до последней минуты...

Я внутренне заметалась. Спросила растерянно:

— Откуда вы знаете о семинаре?

— Слухом земля полнится!.. Вы человек у нас заметный, так что... — он еще говорил что-то, тем же задушевным тоном... Я не знала, что и подумать.

— ...а вот сегодня, минут через сорок, скажем, могли бы мы встретиться, пообедать где-нибудь?

— Вы имеете в виду где-то в городе?

Он рассмеялся: — Да уж, не в Синдикате... У меня, знаете, печень не казенная.

Действительно, на обед к нам, в Синдикат, с часу до двух привозили алюминиевые баки из ближайшей столовой Метростроя, и мы обреченно жевали прибитые котлеты, обугленную печенку и макароны, липкие и тягучие, как смертная тоска...

— Я заеду за вами в три, — сказал Ной Рувимыч, — а там уж мы решим — куда податься. — И повесил трубку.

В сильнейшем замешательстве я обвела глазами своих подчиненных. Напряглась и вспомнила почти дословно разговор с моим предшественником на террасе иерусалимского кафе. "Пусть все твои чувства, все мысли и все позывы твоего естества замрут... и встанут дыбом..."...

— Ну вот, — проговорила Рома почти удовлетворенно. — А я все ждала — что это Клещатик запаздывает! Целых два

месяца дал вам свободно гарцевать... Видать, чего-то опа-
сается...

— Что ж вы молчали?! — воскликнула я. — Ну, рас-
сказывайте!

Все они загалдели, перебивая друг друга, поправляя,
вскакивая и вставляя какие-то замечания, совершенно мне
непонятные. Из всего этого коллективного объяснения поняла я вот что:

Ной Рувимович Клещатик со своей фирмой "Глобал-
цивилизейшн" уже много лет был генеральным подрядчиком Синдиката.

Его фирма, официальная, удобная и общеизвестная,
как памятник Пушкину, проплачивала все затеи Синдиката безналичкой, — это было удобно всем, а затем уже Синдикат, с его неповоротливостью огромного ископаемого,
спустя недели или даже месяцы оборачивался вокруг собственного хвоста и возвращал Клещатику долг, а порою
Центр сполна возмещал затраты фирмы "Глобал-Цивилизейшн" в Иерусалиме, и совсем иной, вполне конвертиру-
емой валютой.

Тень Клещатика нависала над Синдикатом, как статуя
Свободы над Гудзоном. Любое мероприятие, любое деяние
Синдиката в России осуществлялось через эту фирму — "и
будешь ты ходить путями моими"... Без Клещатика немыслимо было снять зал, провести семинар, заказать автобус,
поместить в гостиницу приезжих лекторов, купить в отдел
ручки и салфетки. Вообще-то, объяснила осведомленная и
опытная Рома, таких фирм навалом по всему миру, существуют они за счет своих — ну, 11—12 процентов за услуги...
Но специфика существования Синдиката в России, понимаете ли, балансирование, так сказать, в некоторых дели-
катных вопросах финансовой законности... с этим ведь такая морока! — тут они, как обычно, перешли на шепот,
многозначительно округлив глаза и почти синхронно вы-
вернув руки большими пальцами вниз: последний жест

{88} римлянина в Колизее. Ничего не поняв, я уставилась в пол, на который они указывали... Наконец сообразила: с прошлой недели в "инструктажной", большой комнате на первом этаже прямо под нами, где обычно консультировали *потенциальных восходящих*, сидели и работали аудиторы из Налоговой инспекции... Мимо этой комнаты служащие Синдиката носились бесшумными валькириями, а главный бухгалтер *нашего российского кошелька*, Роза Марселовна Мцех, ходила торжествующая и гордая своей проницательной честностью. (Яша подозревал, что она-то и навела российских аудиторов на нашу избушку *двуликого Януса*. При этом на салфетке (дело происходило в нашей неказистой столовой за неказистым обедом) он мгновенно набросал *двуглавого Ануса:* пышную, как сдвоенные подушки, задницу с двумя отверстиями — в одно через огромную клизму Джеки Чаплин закачивал доллары. Из другой бреши с фонтанной мощью вылетали рубли, и эту-то брешь и пыталась закрыть своим телом железняк-матрос Роза Марселовна...)

...так вот, Клещатик, — продолжала Рома. — Это гений финансовой законности, гроссмейстер игры на всех досках, какие только попадаются ныне в столице, виртуоз распутывания самых сложных узлов.

Но главное, — и в этом-то беда и закавыка, — главное, Ной Рувимыч Клещатик сам желает идейно участвовать в деятельности Синдиката, направлять, вдохновлять, инициировать. Бездна его проектов нашла применение в нашей организации.

— Зачем, — спросила я, — зачем ему это?

— А он увлекающийся человек, — ответила Рома, ухмыляясь. — Профессор, между прочим.

— Профессор чего?

— А какая вам разница?.. У него творческая жилка играет... Он, между прочим, и стихи пишет. Совместно с Фирой Ватник.

По таким мелочам, как семинары, сказала она, с нами работают его девочки, вышколенные, как солдаты, — у каждой из них тоже свои фирмы. Нас обеспечивает Ниночка. "Глобал-цивилизейшн", мега-компания Клещатика, — это такая огромная матрешка, из которой вылупляются разнообразно и умело раскрашенные фирмы, на любой вкус и цвет. Они появляются и умирают, как далекие вселенные, поглощая немыслимые суммы, выделяемые Синдикатом на повседневную битву за *Восхождение*.

— ...С другой стороны, — сказала Рома, — вам даже проще будет работать. — Вот вы говорите, семинар. А как вы собирались приступить к этой затее?

— А чего там приступать! — раздраженно сказала я. — Приглашаем российских и израильских художников, звоним в дом творчества — в "Челюскинскую" или "Сенеж", — где есть литографские камни, заказываем номера и харч...

— ...и в самый последний день перед началом семинара вам звонят из дома творчества, извиняются и говорят, что к ним заехала большая группа, поэтому вашу группу они принять не могут.

— Что за бред, какого черта! — воскликнул мой муж, координатор выставочных и художественных проектов в моем департаменте. — Мы заранее подписываем договор... Заранее платим...

— О, тут все в порядке: вам вернут деньги до копейки. Вам некуда и не на что будет жаловаться.

— Но почему?! — воскликнула я.

— Потому что Клещатик не даст вам гулять без ошейника, — сказал разумный Костян. — Он перекупит весь дом творчества, чтобы в следующий раз неповадно вам было его обходить...

— Значит, надо позаботиться, чтобы он ничего не узнал, — начала я, и осеклась: мои ребята выразительно смотрели на меня, переводя взгляд на телефонный аппарат, который впервые показался мне одушевленным и притом подлейшим существом.

Тут они, опять-таки, перебивая друг друга, увлеченно поведали страшную историю пятилетней давности, когда некий безумно храбрый синдик решил восстать против Клещатика и отпасть от него, и заказал проведение конференции в гостинице "Украина" совсем другой фирме. Директор фирмы, молодая энергичная женщина, представила ему выгодную смету, конференция была подготовлена на высшем уровне, грянула дата открытия, гости съезжались на дачу... Мятежный синдик торжествовал, отпускал шуточки по адресу Ной Рувимыча, учил коллег жизни и чувствовал себя совершенным победителем.

Спустя три минуты после начала конференции в "Украину" явился Ной Рувимыч лично, вызвал даму-директора в холл, с полчаса посидел с нею на мягком кожаном диване, улыбаясь и что-то интимно шепча ей в шуме и гаме огромного вестибюля гостиницы... После чего дама исчезла. Причем, исчезла совсем, необратимо, навсегда. Для Синдиката, по крайней мере. Вместе со своими девочками-распорядительницами, вместе с коробками блокнотов и ручек, вместе с папками, бутылками минеральной воды и одноразовыми стаканчиками... Буквально: была фирма, и нету ее.

— Вздор, — не выдержала я, — что за апокрифы, что вы несете! Не шейте Воланда графоману Клещатику!

— Да, да! — горячо вскинулись все разом, — несчастный синдик бегал по этажам гостиницы, пытаясь узнать — где участники конференции могут пообедать, куда подадут им кофе... Все было тщетно. Администрация гостиницы прятала глаза и заявляла, что ничего не знает, ни с кем не договаривалась, впервые слышит... Участников международной конференции попросили выехать из номеров... Поднялся страшный скандал, поверженному синдику оставалось лишь припасть к стопам Клещатика, каясь и рыдая... Тот еще подержал ситуацию до вечера в нагретом состоянии, потом смилостивился и показал дирижерской палочкой *diminuendo*... Людям дали поесть, позволили внести в номера чемоданы... Однако испакощенная конференция уже не оправилась, обескураженные участники обсуждали доклады без особого интереса, к тому же странным образом все стало известно в Иерусалиме, карьера безумца немедленно была прервана, он был отозван домой... В Синдикате, многозначительно подчеркнула Рома, никогда не любили скандалов и революций...

На этом интересном месте совершенно смятого ходом событий совещания в дверях моего кабинета возник осанистый человек — очки в золотой оправе, рыжий дымок над лысиной, ласковые ямочки на пергаментных щеках... Все улыбалось в этом лице, все звало дружить, поверять душевные заботы, совместно трудиться на общую цель *Восхождения*...

Сотрудники моего департамента прыснули врассыпную, как тараканы, и забились за экраны своих компьютеров...

— Ной Рувимович? — сухо и осторожно спросила я, поднимаясь и с омерзением чувствуя, как лицо мое в ответ расплывается в улыбке, а рука так и тянется к рукопожатию...

— Мечтал, мечтал познакомиться! — пожимая руку, (словно знал, что я не терплю припаданий чужих мокрых губ к руке), искренне и дружески проговорил Ной Рувимыч. — Вот только книжку на автограф не прихватил, но в самое же ближайшее время...

...и я уже не заметила, как меня повлекли за пределы детсадика...

Единственно, что колючкой застряло в памяти: когда мы с Ной Рувимычем проходили первым этажом Синдиката к выходу, из дверей своего кабинета выглянул Яша

Сокол, схватил меня за руку, втянул наполовину внутрь и быстро, горячо прошипев в лицо: — Только не "Пантелее-во"!!! — отпустил руку... и я ускорила шаги, чтобы поравняться с Ноем Рувимычем...

Затем меня усадили в машину и повезли, не переставая говорить тоном доверительным, серьезным... И очень он мне нравился — неброской элегантностью, негромким интеллигентным голосом и подчеркнутой неторопливостью движений.

— Понимаете, дорогая, — говорил Ной Рувимыч, — вы, без сомнения, уже поняли, что в Синдикате-то, по большому счету, делать и нечего. Скажем прямо, никакой истовой работой цели достигнуть невозможно. Люди *восходят* или *не восходят* совсем не потому, что некий синдик устраивает какой-то семинар, а другой — валяет дурака и пьянствует. Все знают, когда и почему птицы перелетают с места на место, а животные переходят на другое пастбище... И я рад, что когда-то с моей, не буду скромничать, подачи был создан ваш департамент. Ведь, в каком-то смысле, Синдикат организация скорее представительская. Вы согласны со мной?

— Мне, на моей должности, было бы обидно с вами согласиться... — искоса взглянув на него, ответила я. — Но кое в чем вы правы...

— Ну вот, я рад... Далее: поскольку нет реального ежедневного рабочего производства, нет, так сказать, продукта деятельности, то любой самодур, попавший в Синдикат на руководящую должность, может изменить организацию до неузнаваемости, что случалось не раз... Поэтому наша задача, как это ни смешно, — ставить задачи. Ставить цели... И достигать их... Я бы хотел рассказать вам об одной моей гениальной задумке... Впрочем, успеется...

Ной Рувимыч оказался виртуозом вождения. Мой Слава тоже лихо объезжал пробки, нарушал все правила и совершал все мыслимые и немыслимые трюки, чтобы довезти меня вовремя. Но Клещатик проделывал все это с элегантной неторопливостью, легко, даже нежно, успевая поглядывать и на дорогу, и на собеседника справа, и на часы, и на крякающий мобильник.

...Закрытый клуб "Лицей" размещался в старинном особняке на Спиридоновке.

Я уже слышала от кого-то из знакомых об этом заведении, а может быть, читала в "Комсомольце". Дизайнеры, особо не мудрствуя, просто воссоздали внутри обстановку пушкинской эпохи.

Нас провели на второй этаж за столик... нет, за стол, — там всего стояло пять основательных, старинных круглых столов, накрытых белыми, твердыми на ощупь скатертями.

— Как вы относитесь к морским утехам? — спросил Ной Рувимыч, усаживаясь. — Здесь изумительно готовят гребешки. Здешний повар разыскал среди бумаг Вяземского один старинный рецепт и...

— О, нет, гречневую кашу, пожалуйста...

В то время я уже подсела на диету знаменитого доктора Волкова, о чем и поведала сочувственно кивающему Ною Рувимычу и странно вертлявому официанту, который подскакивал, поддакивал, восклицал, пришаркивал ножкой, — и, на мой взгляд, вел себя совсем "не в тон" такому тонному заведению. К тому же он мне сильно кого-то напоминал...

Ной Рувимыч заинтересовался модной диетой и сразу же записал координаты светила в свой электронный — я еще не могла привыкнуть к этому новому для меня, безобразному слову — *органайзер*.

— Ну а я, пока еще на свободе, если позволите, закажу себе... — он задумчиво листнул карту вин... Не оборачиваясь, спросил официанта: — Что у нас сегодня из испанских?

Тот обрадовался, подпрыгнул, выбросил правую руку в сторону, словно собрался стихи читать, и воскликнул: — легендарное Pagos — Mas La Plana из верхней серии, урожая восемьдесят первого года!

— Ну вот и отлично... Значит, бокал Пагоса... гребешки в соусе "Рикки Мартин"... только скажи, чтоб не слишком грели... М-м-м... супчику, скажем... консоме "Сицилия"... ну, и "Тобико", пожалуй, — и мне, сладострастно улыбаясь: — Вы знаете, что такое здешний "Тобико"? Это потрясающе нежный жареный морской язык с соусом "Лайма" и с икрой летучей рыбы... Да! — это уже официанту, — и креветок, конечно!

Официант, припрыгивая, убежал с заказом... Я проводила его глазами и сказала:

— Этот юноша... он несколько странен, со своими ужимками, с этими бакенбардами... вы не находите?

— Ну, ему так полагается... — сказал Ной Рувимыч. — Вы узнали его?

— ...что-то очень знакомое в лице...

— Это Кюхельбекер, — продолжал он спокойно, — пылкий Кюхля... Вот он и восторгается каждым заказом. А соседний столик, взгляните, обслуживает Дельвиг... Этот пооснова́тельней будет... Образ другой... А вы, ай-яй-яй, и Пущина не узнали — там, на входе, в гардеробе?

Я оглянулась. Да, это был высший класс воссоздания стиля эпохи, ее персонажей.

Собственно, ресторанов и клубов, имитирующих обстановку и мебель девятнадцатого столетия, было по Москве немало, и клуб "Лицей" отличался от прочих только тем, что в подлинных шкафах, совсем еще недавно бывших музейными экспонатами, стояли подлинные книги, принадлежавшие если не самому Александру Сергеевичу, то друзьям его и знакомым, а на стенах висели подлинники акварелей Карла Брюллова, рисунки Ореста Кипренского, масло Федора Бруни. Впоследствии я поняла, что

сидели мы с Ной Рувимычем в комнате, называвшейся
"библиотекой", где у окна стояла на штативе настоящая
подзорная труба того времени, а посреди зала плыл огромный глобус 1829 года, обернутый к нам в то время уже открытой и обжитой, но никогда не виданной Пушкиным
Америкой...

— ...А у нас в Иерусалиме, — сказала я, обреченно придвигая поближе тарелку с гречкой, — на античной улице Кар-
до есть ресторан римской кухни. Там прямо на входе посе-
тителям выдают лавровые венки и тоги, вы ложитесь на
скамьи и пируете, лежа на боку, как древние римляне...
Здесь как-то недодумано на сей счет.

Ной Рувимыч усмехнулся:

— В том смысле, что неплохо на входе выдавать гостям
цилиндры, трости и прочие аксессуары эпохи? Помилуйте,
здесь не балаган, сюда ведь серьезные люди приходят... великие сделки заключаются, старые империи рушатся, новые создаются...

(В ту минуту я была уверена, что он шутит)

— А Сам? Он кто — владелец заведения? — спросила
я. — Как он гримируется? Под свой канонический облик? —
и кивнула на противоположную стену, где в тяжелой тускло-
позолоченной, "правильной" — ай молодцы, дизайнеры! —
раме висел знаменитый А.С. Пушкин работы Кипренского: "Себя как в зеркале я вижу..."... — Кстати, замечательная копия...

— Это не копия, — мягко проговорил он...

Я рассмеялась.

— Ну, уж позвольте, Ной Рувимыч... Акварели, возможно, — да, и Бруни — чем черт не шутит... но подлин-
ник Кипренского должен благополучно висеть в Третья-
ковке...

— Должен, должен... — покивал Клещатик добродушно... — Но я ведь чаще хожу обедать в "Лицей", чем в Тре-

тьяковку, при всем моем уважении к музеям... так что мне сподручней, чтобы он здесь висел... Вы только не расстраивайтесь, не огорчайтесь, а то вся ваша диета пойдет насмарку... Кстати, как наша гречка?

— Превосходна, — пробормотала я...

— Ну вот и славно... Повару дадим премию... — он взглянул на часы. — Однако к делу... Я счастлив видеть вас на этом, весьма важном месте. Скажу откровенно: просветительская работа Синдиката во всем, что касается наших традиций и религии, конечно, очень важна — этим, если не ошибаюсь, занимается Изя Коваль, мой давний приятель. Я готов и в этом направлении пожертвовать Синдикату толику своих бесчисленных идей... Например, меня страшно интригует такая темная и трагическая страница нашей истории, как потерянные колена израилевы... Что вы, кстати, думаете о них?

— Признаться, я как-то... Да что о них думать-то? Ведь их давно уже нет...

Он таинственно улыбнулся, покачал головой...

— Вот видите, а ведь это — одна из великих загадок человеческой истории... И если мы не попытаемся...

— Ной Рувимыч, — сказала я нетерпеливо. — Что там загадочного? Страна, проигравшая войну, в те времена всегда подвергалась полному разорению, особенно в таком жестоком регионе... Все сатрапы древности перегоняли население завоеванных земель на другие территории, а взамен на пустынных землях поселяли другие народы... А разве Сталин, сатрап новейшей истории, не так поступал? Что ж тут темного или странного?

Мне был скучен этот многозначительный разговор ни о чем, и я пыталась понять — зачем Клещатик его затеял и к чему приплел эти несчастные, давно затерянные и растворенные среди иных племен колена? К чему? Но тема эта, видимо, была вводным словом, вступлением. Я ждала основной речи, ради которой меня сюда и привели.

— Но Бог с ними, с коленами... вернемся к нашим баранам. Так вот, история, традиции — это правильно, это хорошо, но — искусство? Разве искусство меньше значит в деликатной работе с *восходящими*?

Ной Рувимыч говорил и при этом ловко орудовал пятью, по крайней мере, вилочками, ножами и какими-то нептуновыми трезубцами. Хорошо, что заказала гречку, вскользь отметила я, и не только в диетическом смысле.

— Праздники, привлекающие тысячи и тысячи народу — вот наша цель!

— Зачем? — кротко спросила я.

Он уставился на меня с искренним удивлением.

— Зачем?! Но разве сердце ваше не наполнится гордостью при виде древних Ханукальных светильников, зажженных в Кремлевском дворце съездов?

— Вы просите погрома? — так же кротко, но с искренним любопытством спросила я.

— При чем тут погром! Послушайте, дорогая, у вас какие-то стародавние представления о России. Это объяснимо, конечно: когда вы уезжали в девяностом, в воздухе действительно пахло всякими неприятностями... Но сейчас Россия стала поистине демократическим государством...

Я проглотила еще одну ложку гречневой каши. Видит Бог, эта диета доктора Волкова требовала от пациента колоссального мужества.

— Ной Рувимыч... — сказала я. — На мой стол ежеутренне кладут пачку вырезок из российских газет, этим занимается специальный человек. Каждое утро я читаю своеобразные новости, несколько однобокие, правда, — этого демократического государства. Подожженные синагоги... оскверненные кладбища... ну, и прочие мелочи еврейских будней великой страны.

— Вы не правы! — воскликнул он горячо. — То есть правы в чем-то, без сомнения. Но и то правда, что наш мэр стоит на страже законности. И вот уже много лет мы проводим наши праздники в самых престижных местах столицы!

Он подозвал Кюхельбекера, тот прискакал, Клещатик молча как-то щелкнул пальцами, что-то нарисовал в воздухе, — юноша пылкий через долю минуты примчался с бутылкой вина. Ной Рувимыч с досадой поглядывал на мою тарелку, все еще полную, что лишало его возможности предупредительно спросить: — еще гречки?

У меня же мгновенно испортилось настроение. Я понимала, я уже понимала все его строительные и дипломатические усилия: праздники официально числились за моим департаментом, то есть технически относились к моему бюджету. А я бы предпочла тратить бюджет своего департамента на другие цели.

— Я принесу вам кассету нашего прошлогоднего Праздника Страны. Мы проводили его в Лужниках. Грандиозное зрелище! Семь тысяч народу! Мы с Эсфирь Диамант специально написали песню — "Скажи мне душевное слово"... — Она исполняет ее довольно часто... Стихи наши, совместные... Не приходилось слышать?

Я помотала головой, глотая еще одну ложку гречки.

— Словом, пора уже готовить программу... Мы привлекаем звезд эстрады. В этом году у меня родилась замечательная идея — устроить праздник на ледовой арене.

— Зачем? — промычала я, уткнувшись в тарелку.

— Как — зачем?! В пропагандистских целях: гигантское ледовое шоу!

— В Израиле нет льда, — угрюмо заметила я. — Что вы собираетесь пропагандировать?

— Но это же грандиозно: представьте себе — выезжает пара фигуристов и вывозит на арену огромный флаг Израиля! Такого еще не было, а?

Я отодвинула тарелку. Он заметил это и заторопился:

— Мы еще успеем обсудить наш будущий праздник. А вот насчет вашего семинара по искусству — где вы собираетесь его проводить? Я могу предложить замечательную базу. Дом отдыха "Пантелеево".

Я вздрогнула. Вспомнила угрожающе расширенные Яшины глаза.

— "Пантелеево"?! Ни в коем случае! Только не "Пантелеево"!

Я даже не пыталась вообразить ужасное это место. Я полностью доверяла Яше.

Ной Рувимыч поднял брови, понимающе улыбнулся.

— Дело в том, — сказала я торопливо, — что цель нашего семинара-пленэра — это создание литографий на библейские темы. Следовательно, это работа художников с литографскими камнями, которых нет нигде, кроме как в доме творчества... Технологический процесс такой, понимаете? Сначала художник рисует специальным литографским карандашом или краской, в состав которой входят жиры. Потом печатник протравляет кислотой готовый рисунок на камне, так что сам камень протравлен, а рисунок остался, затем специальным валиком наносит краску для печати, накладывает бумагу и сдавливает ее прессом...

— Интере-е-сно... — протянул Ной Рувимыч... — Забавный процесс. Надо бы как-то попробовать самому.

— А вы рисуете?

— О, у меня талантов много, — снисходительно улыбнувшись, сказал Ной Рувимыч. — Вот мы познакомимся с вами поближе, вы убедитесь... Хотелось бы дать вам почитать кое-что из моего... Не сомневаюсь, что и в литографии удалось бы мне сотворить что-то оригинальное...

Всю жизнь сдавленная меж отцом и мужем, — двумя художниками, угрюмыми профессионалами, — я была удивлена такой вдохновенной легкостью, но промолчала.

— О'кей, — встрепенулся Ной Рувимыч, — не станем расстраиваться по пустякам, мне важнее ваше хорошее настроение. Но обещаю, что в самом скором времени литографские камни в "Пантелеево" будут... А пока... уверяю вас, что о технической стороне дела вы можете не беспокоиться. Сегодня же к вам позвонит Ниночка, и вы только продиктуете ей список того, что понадобится для вашего оригинального мероприятия... Я рад, что Синдикат наконец привлек к работе человека творческого. Давно пора! Сказать по правде, не любил вашего предшественника... А с вами — я уже вижу — мы подружимся... И только не говорите мне, что работа в Синдикате помешает вам писать книги!.. Я ведь и тут могу быть полезен...

Вот этого Ной Рувимычу не стоило говорить.

Меж нами повисла пауза. И пока она длилась, наливаясь моим, мгновенно вспыхнувшим бешенством, он понял, что сказал лишнее...

— Чем же? — наконец спросила я, уже не следя за интонацией. — Свои книги я пишу сама. Без подрядчиков.

Он мягко рассмеялся. Налил в мой бокал минеральной воды, принесенной Кюхельбекером, дружественно потрепал меня по руке.

— Милая, да кто ж осмелится... Я говорю о другом... О главном, — о том, что наступает после того, как книга написана... Весь дальнейший процесс... промоушен... телевидение, радио... рецензии... тиражи... Букеры-мукеры... Такой искрометно смешной роман, как ваш...

Ай-яй-яй...

По выражению моего лица он сразу понял, что оскользнулся. Так танцор, стемпист, оскальзывается на яблочной кожуре, на апельсинном зернышке, и уже весь филигранно отработанный номер летит к чертям. Ной Рувимыч не читал ни одного моего романа, ему насвистал мелодию Хаим из известного анекдота. Судя по всему, ему и литературную мою биографию насвистали очень приблизительно, десятилетней давности...

Он знал по опыту, что купить можно всех. Он всех и покупал — за разную цену, конечно. Меня тоже собирался

купить для каких-то своих нужд, о которых я пока и понятия не имела; догадывался, что валюта тут должна быть нестандартная... Но не подготовился должным образом, не вызнал предварительную цену... И понял сразу, что обед закончен.

— Ну, у нас еще будет время поговорить обо всем, — легко и поспешно произнес он. — Я уверен, что нас ждут большие и интересные дела. А пока... — он полез во внутренний карман пиджака, достал компьютерную дискету и ласково и многозначительно положил на стол у моей тарелки. Я взглянула. Обычная черная дискета с затрепанной белой наклейкой, на которой карандашом написано: "база данных золотых медалистов — 2000 год".

— Что это? — спросила я.

— Маленький сувенир, — сказал Ной Рувимыч. — Гостинчик. Леденец на палочке...

Я задумалась, прикинула... Из золотых медалистов можно было выудить ребят, имеющих *мандат на восхождение,* и соорудить из них какой-нибудь нестандартный, интересный проект... Что-нибудь человеческое...

— Спасибо, Ной Рувимыч! — искренне сказала я, пряча дискету в сумку. И поднялась.

— Я отвезу вас обратно, — сказал он...

— Не надо, благодарю вас...

— Но... как же вы?.. Одна?..

Что там говорить — Ной Рувимыч был в курсе инструкций департамента *Бдительности.*

— Да так, — сказала я. — Пошляюсь немного...

Я действительно собралась погулять по Тверской. Через час на Маяковке у меня была назначена встреча с Мариной.

*Microsoft Word, рабочий стол,
папка rossia, файл moskva*

"...литературная жизнь столицы протекает не то что вдали от меня, но в значительном отдалении. Меня приветливо встречают в редакциях журналов и просят приносить "новенькое", охотно публикуют, приглашают на торжественные вечера по случаю вручения премий... Была на днях на одном таком вечере одного из авторитетных литературных журналов. Они сняли для этой церемонии особняк на Тверской. Большой красивый зал, битком набитый литературной братией. В воздухе, пониже люстр, но значительно выше голов, носились едкие облачка ревности, тревоги, смятения, зависти и душевной боли такого напряжения, что ее можно пощупать, как материю... Я улыбнулась одному, кивнула другому, третьей... и ретировалась, чтобы не разболелась голова от такого атмосферного давления...

...А на днях позвонили из одного престижного издательства, — просят согласия стать номинатором новой литературной премии — "Народный роман". Я выдержала паузу, так как немало удивилась, — учуяла своим чувствительным носом запашок портянок, струящийся от всей команды, сочинившей эту премию. Такой народный дурман... Тем не менее, по вечному своему легкомыслию, дала согласие. Как-то не подумала, что в процессе присуждений-обсуждений придется много чего читать, а все это — время, которого у меня и раньше-то было в обрез, а сейчас и подавно. Словом, вчера, посреди заполошной недели, некстати звонит секретарь издательства, напоминая, что время подпирает, и от меня ждут фамилию номинанта. Я, как всегда в таких случаях, впала в отчаяние и решила номинировать единственного современного писателя, с которым поддерживаю тесные отношения, — свою Марину Москвину...

Марина

Я часто уезжала в командировки — на день, на два — по разным городам. Это были мои выступления, так называемые "встречи с общиной", — дело для меня, вечного странника, привычное... Ныряла в эти поездки, как в полынью уходила, — с головой. Выныривая, отфыркивалась, отплевывалась, и, отгребая повседневный мусор одной рукой, другой хваталась за телефонную трубку, звонила Марине, чтоб она вытащила меня на волю...

А бывало, в середине рабочего дня набирала знакомый номер, — просто, чтобы услышать ее голос: свежий, свободный от малейшего напора, навеки изумленный чудесами этого мира. Он невесомо реял в телефонной трубке, привыкшей принимать в себя пудовые тяжести интересов и охотничьего гона клиентов Синдиката.

— Господи, ты уже на работе, — удивлялась она, — так рано... это все твои несусветные соловьиные подъемы...

— Почему же несусветные? Сейчас двенадцать. А встала-то я в пять.

— Если б мы с тобой жили в одной квартире, — говорила она, — мы бы никогда не встречались...

До некоторой степени это было правдой. Марина Москвина, автор повестей и романов, книг путешествий о Японии и Индии, буддистка и последовательная ученица просветленных гуру, просыпалась обычно в одиннадцать, затем медитировала, пила кофе, гуляла с английским сеттером Лакки, созерцала из окна кухни безбрежную и безнадежную панораму Орехова-Борисова... и все это без единого взгляда на часы (поскольку времени, как известно, не существует)... — словом, свою строчку-другую написать получалось у нее часиков в шесть вечера.

В отличие от меня, она никогда не суетилась, никуда не торопилась, жила полной мерой каждую минуту и занята была важнейшими делами: в хорошую погоду каталась на роликах по Ботаническом саду, в Коломенском или в Кусково, в плохую — вязала на длинных спицах очередной свитер или шарф кому-то из друзей, шила экспонаты для выставок мужа, известного художника-концептуалиста Леонида Тишкова или читала какую-нибудь новейшую книгу о фен-шуй.

Когда Марине звонили почитатели ее творчества из Калуги или Брянска и приглашали приехать выступить, она говорила обычно одним из нездешних, легких своих голосов:

— Дорогие, конечно, конечно! С великой радостью!.. Но... не сразу... Не сейчас... Вот зазеленеет...

...Что касается фэн-шуй — учения о благоприятном расположении предметов в жилище, — Марина увлеклась им давно... Однажды, приехав в Переделкино, в дом творчества писателей, вошла в предоставленный ей номер и сразу поняла, что мебель в нем стоит неправильно. Мощный прилив вдохновения накатил на нее, и с необычной для хрупкой женщины силой она принялась передвигать письменный стол, шкаф, кресла и кровать.

Работала, как грузчик, часа два... Разглядывала, размышляла, медитировала... прислушивалась к магнитным полям, рассчитывала розу ветров... Наконец осталась довольна. Все правила фэн-шуй были соблюдены: блажен-

ное равновесие сторон света, покой и любовь наполнили {105}
комнату.

Наутро коридорная пришла убрать номер, остолбенела на пороге и закричала:

— Безумная женщина, что вы натворили! В этом номере уже тридцать лет останавливается слепой поэт Мав-
рикин!

(В отличие от меня, Марине вообще нравилось жить
в Переделкино. Ей там хорошо работалось. Полусумас-
шедшие нищие, пьяные писатели в ободранных номерах
общались с тенями собратьев, некогда умерших в этих же
комнатах. По ночам здесь бродили Геннадий Шпаликов,
Анастасия Цветаева... Это было братство теней...)

Довольно часто она вызванивала меня, и мы шли куда-
нибудь шляться, после чего заходили перекусить в "Старый фаэтон", недорогой ресторан с хорошей армянской
кухней. Для меня эти прогулки были выпадением из времени "Икс", из времени служения Синдикату, выпадением в прошлое, в нашу молодость, когда не помышляя — я
об Иерусалиме, она — о Будде, — мы с Мариной ездили
черт-те куда за 12 рублей выступать по линии Бюро пропаганды писателей.

Помню, как году в 86-м нас обеих пригласили выступить на Камчатке.

Стояла промозглая весна. В Петропавловск мы прилетели поздно вечером, готовые пасть в объятия встречающих
и заснуть уже на заднем сиденье автомобиля. Но, так вышло, нас забыли встретить... С огромным трудом, челноч-
ными звонками из местного почтового отделения в Москву
и в Петропавловск, мы наконец разыскали телефон дамы,
которая организовывала наше выступление. Выяснилось,
что ждали нас совсем не тогда и не там. Заполночь, с трудом и муками, демонстрируя писательские билеты, подвывая от холода и охотно унижаясь, мы устроились в каком-

то Доме студента. Это был огромный холодный сарай с несколькими номерами для командировочных на пятом этаже. Зато нам каждой выдали по комнате, хотя в ту ночь мы охотнее легли бы в одну постель, лишь бы согреться.

Я лежала головой на плоской, как доска, подушке и долго дрожала под тонким, возможно, когда-то шерстяным, одеялом... Ноги заледенели, зубы стучали. Я встала, надела свитер, опять легла... Где-то на нижних этажах кто-то — судя по звукам, — затеял драку, потом кого-то — судя опять-таки, по звукам, — долго рвало... В конце-концов кое-как задремала...

Проснулась, не понимая — что происходит. Над моим ухом, но из-за стенки, звучал ясный, полный жизни и восторга голос Марины:

— Сереня! Если б ты знал, какая здесь красота, какие чудные диковинные деревья, какие дивные лианы и араукарии! Какое цветение вокруг!

Я продрала глаза, но мне показалось, что я не могу их открыть. Вокруг плотной стеной стояла холодная тьма.

— Если б ты знал, какой вид открывается отсюда!!! — неслась из-за стены ликующая песнь. — Передай Лене, что из моего окна видны сразу три вулкана! Ты не поверишь, но как раз сейчас над одним из них поднимается грозный дымок... Ты представляешь?! Сереня!!!

Я села на кровати. Помотала головой. Вокруг по-прежнему было темно и глухо. Откинув одеяло, я спустила ноги на омерзительно холодный линолеум пола и зачем-то пошлепала к окну.

— Ты слышишь меня, Сереня?! Боже!!! — неслось из-за стены. — Вот уже из жерла вулкана бурным потоком полезла раскаленная лава!!!... Бегут люди, крошечные домишки на живописном склоне заливает огнедышащая стихия!!!... Неужели она достигнет нашего холма?!... Ну, все, Сереня, я не могу больше говорить, возможно, сейчас начнется эвакуация... Поцелуй от меня Ленечку!!!

{107}

Я подошла к окну и толкнула створку. За окном стояла все такая же плотная утробная молчаливая тьма. Ни зги, что называется, ни проблеска...

Я поплелась обратно, юркнула в не успевшую остыть постель и снова уснула...

...Всегда и повсюду Марина ходила с красным, тисненым золотом, билетом. Вообще, этих красных билетов у нее было два. Один — Союза писателей, другой — пропуск № 37—2134, выданный 6 июля 1998 года Новодевичьим участком ритуального обслуживания Ваганьковского кладбища, — постоянный пропуск в колумбарий, где была похоронена ее тетя... Он был действителен до... собственно, он был бессрочным: с печатью, с золотым тиснением на красной обложке — убедительнейший документ.

Мы проходили по нему куда угодно, обе. Когда охранник любого объекта и любого заведения, зависнув над ее пропуском в колумбарий, поднимал, наконец, на Марину заискивающий взгляд (как-то люди терялись, сталкиваясь с вечной темой), она говорила, кивнув в мою сторону, — а это со мной...

И нас всюду пускали беспрепятственно.

...К своим немалым годам она намедитировалась до такого просветленного состояния, что на все смотрела с мудрой улыбкой Бодисатвы. Это могло взбесить даже самого уравновешенного человека.

— Ты думаешь что-нибудь насчет Лакки? — спрашивала я ее. Лакки исполнилось уже семнадцать лет. Он ослаб, плохо управлялся с ногами и внутренними своими органами, падал, стал подслеповат... Выросший Сереня говорил ему: — Ах, Лакки... ты же был приятной собачкой каких-нибудь двести лет тому назад...

— Что делать с Лакки? — напирала я. — Как быть дальше?!

Мне всегда казалось, что если побеспокоиться заранее, то беда испугается всех сложностей, нагроможденных ей под ноги, и тихонько обойдет стороной мучительный бурелом. Марина же наоборот — расчищала все пути настолько, что любая беда просвистывала мимо, не успевая притормозить ни на секунду.

— Ну, что — Лакки... — светло улыбаясь, говорила Марина, — он проживет еще двадцать лет, и в следующий раз родится капитаном дальнего плавания.

Выражаясь цирковым языком, я была белым клоуном, она — рыжим. Но то, что обе мы — клоуны, бросалось в глаза любому непредвзятому наблюдателю, особенно, когда мы появлялись где-то вместе.

Марина была серьезным человеком, автором многих книг, лауреатом международного диплома Андерсена.

Я была серьезным человеком, автором многих книг, лауреатом литературных премий.

Почему наши с ней диалоги всегда напоминали цирковые репризы?

. . . .

Накануне мы договорились пойти на выставку ее вязаных и сшитых вещей, открытую почему-то в Музее народов Востока. На этой выставке фигурировал и наш Большой Семейный Свитер, связанный Мариной, оплакивающей в девяностом наш отъезд из России. По нашему свитеру можно было водить экскурсии — столько было вложено информации в этот кусок вязаной материи. Чего стоили только лебединый клин и голова рыбы, вырезанные из старых Лениных ботинок и нашитые на свитер в области груди и в районе поясницы! Чего стоила — в области печени — лодка "Марина" (название вышито красным бисером), с рыбаком в полосатой тельняшке! Чего стоил грустный — на уровне почек — огромный глаз с катящимися слезами (дорожка из зеленого бисера)! А черный аист — на фоне огромного желтого солнца — точнехонько на заднице!.. Словом, это был выдающийся концептуальный свитер такого размера, чтобы его могли натянуть все члены семьи — одни, подворачивая рукава, другие, наоборот, расправляя во всю длину...

Много лет он служил да и сейчас служит нам талисманом. Борис надевает его на открытие своих выставок, я — на церемонии вручения мне литературных премий или на свои лекции в американских университетах, наш сын — на судебные заседания, где он выступает обычно в роли ответчика, дочь — на те особенно *крутые тусовки*, где надо завоевать авторитет абсолютно *безбашенной*.

Словом, наш Большой Семейный Свитер должен был фигурировать в качестве одного из центральных экспонатов на выставке вязаных произведений Марины Москвиной...

На входе в музей Марина сказала охраннику:

— Вообще-то, это моя выставка, но могу и документ показать, — и всучила ему заветный пропуск в колумбарий Ваганьковского кладбища.

Тот раскрыл корочку, замер, оробел... Марина сказала, кивнув через плечо.

— А это со мной.

И мы стали подниматься по лестнице.

Когда проходили залом китайского фарфора, она остановилась и показала в витрине маленькую неприметную пиалу многотысячелетней давности.

— Смотри-ка... — сказала она, — видишь, в те времена одна такая пиала стоила двух латифундий. Затем мастер брал прекрасную, драгоценную, только что расписанную пиалу, на которой едва высохли божественной нежности краски — и разбивал ее! Потом собирал осколки и склеивал их специальным золотым клеем. И тогда пиала становилась уже и вовсе бесценной, и стоила нескольких латифундий, потому что, когда человек брал в руки это произведение искусства, в ушах его звучал и длился звон разбитой пиалы, и он проникался к ней еще большим благоговением...

Мой свитер, как и остальные связанные Мариной свитера, висел под потолком на распялках, раскинув рукава, точно невидимка в нем стремился кого-то обнять... А если учесть, что еще несколько свитеров были связаны когда-то для наших общих друзей, ныне уже покойных, эта летучая компания над головами производила неизгладимое впечатление.

Марина сказала, нежно улыбаясь:

— Довольно мистическая получилась тусовка, а?..

Часа через полтора мы уже сидели в высоком сводчатом подвале "Старого фаэтона", что на Большой Никитской, ожидая куриные крылышки на гриле и салат из свежих овощей.

Марина сказала:

— Насчет этой премии... брось, не стоит меня номинировать, жюри плохо к этому отнесется. Давай-ка, знаешь, номинируй Степу Державина. Вот это писатель! У него есть роман века, который он пишет всю жизнь. Потрясающий романище! Он читал отрывки, я плакала и смеялась.

Я прислушалась к фамилии автора, попробовала ее на язык — красиво она звучала, литературно: Степан Державин!

— Фамилия мне нравится. Тащи роман, почитаю.

— Его пока нет, — сказала Марина, — он еще не напечатан.

— Ничего, можно рукопись предоставлять...

— Понимаешь... — она замялась, принялась накладывать в тарелку овощей... — рукописи тоже нет. Но роман гениальный!

— Ты с ума сошла? — спросила я. — А по чему он читал этот свой роман? По записным книжкам?

— Ну, там были какие-то листочки... Знаешь, все просто со стульев валились! Успех был огромный...

Я начала терять терпение. Это со мною часто случается, когда я беседую с Мариной.

— Ты сдурела? — воскликнула я. — Объясняю тебе еще раз, что являюсь номинатором новой грандиозной премии. Каким образом я могу номинировать роман, который не читала, который не напечатан и которого, похоже, не существует в природе?

— Да нет, он существует! Просто Степа пишет его всю жизнь. Это такая сага, понимаешь? Там такой могучий поток жизни, что даже неважно — на каком месте поставить точку. Там об Илье Муромце, который сидит на печи тридцать лет и три года. А потом встает...

— Да, история оригинальная и, главное, совершенно новая! Короче — сколько у него этих листков? Три, пять?

— У него нет денег отдать эти листки наборщице... Слушай, а они там, в комиссии, не дадут ли пару тыщ на то, чтобы набрать роман? Только нельзя давать ему в руки, а то пропьет. Понимаешь, Степа, он, в общем, бомжеватый такой славянофил, человек национального крыла, ну, этих... патриотов...

Я откинулась на стуле, как всегда, быстро теряя терпение.

— Час от часу не легче!

— Ну, послушай, это будет концептуально, что ты, именно ты, именно его книгу номинируешь! Такой литературный кульбит! Представляешь, он там пишет о провиденциальной миссии русского народа, там дышит почва, мол, и судьба...

— И эти строки я уже где-то читала. И боюсь, автор их тоже был не вполне русским человеком...

— Неважно, Степа — замечательный парень, хотя и алкоголик, и тип, склонный к насилию...

Я перестала есть, положила вилку и нож на стол, и, по-видимому, выражение моего лица стало таково, что Марина подалась вперед, легла локтями на стол, торопливо объясняя:

— Ну... да, как-то в Переделкино он срывал с петель дверь в мой номер... Пришел подарить книжку лирических своих стихов, а я медитировала, и как раз ушла в астрал... И не открывала. Он стал ломиться в номер, страшно матерился, оскорблял меня... спасибо, что кучу не наложил под дверью. А наутро я вышла — смотрю, на ручке висит целлофановый пакет, и в нем самодельная книжка страниц на шестнадцать, с надписью "Марине Москвиной — единственной, одной", — и там же огрызок яблока... Мне в этой книжке, знаешь, последнее стихотворение страшно понравилось: "Чтобы не плакать, надо скорее спать..."... Словом, неважно, Степа — мой старый и настоящий друг... Закончил Литинститут, между прочим... Хотя и не член Союза писателей. Да ведь это и не нужно, правда? Кто б его в этот Союз принял? Он так болеет душой за православную идею, знаешь... Недавно понес отрывок романа на какое-то православное радио, чтобы читать в эфире. Там его отшили, а жаль...

— Почему же отшили? — спросила я злорадным тоном.

— Редактор сказал: "Заберите свою рукопись. На ней лежит дьявол!"

Я оживилась:

— О, тогда я действительно, пожалуй, номинирую его роман! Дьявол — это нам подходит, в смысле — Синдикату. Только... — я подозрительно уставилась на ее безмятежное лицо. — Только ты должна гарантировать, что в этом былинном эпосе нет какого-нибудь проклятого жидовина. А то в хорошеньком я положении окажусь перед собственной {113} организацией!

— Что ты! — удивилась она, — Степа так погружен в славянскую идею, что жидовинов там и близко быть не может!

— А напрасно! — мстительно и непоследовательно возразила я, — в то время жидове достаточно густо населяли славянские земли, так и передай номинанту от номинатора...

...Зажужжал в моей сумке мобильник, будто заводили ключиком музыкальную шкатулку, которая и заиграла через мгновение бетховенское "К Элизе".

— Ильинишна, — прокричал в трубке голос моего водителя Славы, — Я не понял — когда и откуда вас забирать?

— Слава, через полчасика от "Старого фаэтона" — где обычно!

— Всенепременно! — отключился.

...На этом углу, на повороте к Петровке, между рядами машин, скучающих в вечной пробке, под рекламным щитом все с той же загадочной надписью про двойную запись бухучета, промышляли профессиональные нищие. В приоткрытое окошко всегда всовывалась гнойная морда одного юного поганца. В первый раз я дала ему десятку под осуждающим взглядом Славы. Схватив десятку, паршивец немедленно сунул нос в окно и заныл: "Мадам, выслушайте меня, мне дедушку не на что похоронить, дайте сто рублей, *Христомбогом* прошу..."

Я немедленно подняла стекло.

— Видите, Ильинишна, говорил я вам — к добру ваша благотворительность не приведет, — сказал с тайным удовлетворением Слава, — он никогда не упускал случая повоспитывать меня.

С тех пор поганец, получив монету, регулярно пытался слупить с меня крупную купюру при помощи так и не похороненного дедушки.

Сегодня уже издалека я приспустила стекло и крикнула ему:

— Как здоровье покойного дедушки?

Он показал мне непристойный жест.

— Тут еще у нас на Бауманской таджики появились, — сказал Слава. — Старые, грязные, в засаленных халатах... Ужас! А монахини!

— Как, монахини — тоже?..

— А как вы думали! Набирают каких-нибудь молдаванок. Те стоят с постными синюшными рожами, собирают "на храм". Видел я однажды такую монахиню после рабочего дня. Сидит за рулем машины, лоток свой перекинула на заднее сиденье, плат сдвинула на затылок, а под глазом — здоровенный фингал. То ли альфонс ее засандалил от всей души, то ли кто-то из благодарных клиентов... Это, знаете ли, могучая индустрия — нищенство. У них своя иерархия, свои законы, своя элита... Это целый... целый...

— Синдикат, — подсказала я Славе, и мы одновременно расхохотались...

— Да, а насчет монахов... Я, в бытность мою работником Свято-Даниловского монастыря...

— Слава!!! Вы — и монастырь?!

— Дак, Ильинишна... все ж перепробовать надо... У меня там свояк трудился на ниве противопожарной стражи... Он меня и пристроил.

— Кем?

— Трудно сказать... Всяким-разным... Платили полтинник в день, — а это тогда были деньги немаленькие, ну, и полный харч... Так я там навидался, доложу вам... навидался этой святой жизни... Первым делом проходил я собеседование с отцом Никодимом. Я ведь так понимаю: монаси, оне должны быть вдали, так сказать, от мирских

утех, а? А тут — вижу, ряса на нем шелковая, бородка под-
ровнена, щечки выбриты, на руце "Сейка" болтается, в
офисе его хрусталь-ковры и благолепие сверкающее...

И вот, сколько я там ящиков молотком посбивал,
скольких монасей пытал: как, мол, к вере пришел? — никто мне, Ильинишна, не мог разумно ответить. Помню,
сидели мы, выпивали с одним монахом...

— Как это, выпивали? С монахом?! Побойтесь Бога,
Слава...

— Я-то его не боюсь, поскольку никаких договоров о
найме на работу с ним не подписывал, а вот монахи-то
почто его не боятся, — не ведаю... Но хряпнуть за милую
душу, да добавить вслед — это они зараз... Был там такой,
молоденький, вроде завхоза... отец... Евксиний, если правильно помню... Ну, так это, — посмотришь на него — душа радуется: животик круглый, рожа такая умильная, го-
ловушку эдак на плечико кладет, улыбается, весь лоснится
от довольства...

А однажды, помню, забрел к нам в монастырь настоящий юродивый. Как есть юродивый: ободранный, вши-
вый, побитый, мочой от него — за версту, пророчества выкрикивает, глаза горят, ну, и прочие прямые признаки.
Прямо Исайя, не приведи Господь! Казалось бы — прими-
те с почестями, ведь это ж божий человек, а? Бац, — телефонный звонок от Главного: кто это мол, братцы, колба-
сится там у ворот? Только бомжей нам тут не хватало!
Ну-к, заломите его и дайте такого пенделя, чтоб дорогу
сюда забыл...

— Включите-ка радио, Слава — попросила я. — Что там в
ваших новостях про *нас*?

— А что — новости? Сегодня с утра все — про деваль-
вацию в Аргентине. Ну, говорю, до чего нервные эти лати-
носы! Песо, понимаешь, стал шесть штук на доллар. А хе-
рово ли вам жилось бы, ребята, если б в одно прекрасное

{116} утро вы проснулись, а песо с шести за доллар прыгнуло бы до семнадцати? А?! И — ничего, и — похеру мороз...

Он повернул ручку, и в уши грохнуло:

> Ах, люба-любанька,
> Целую тебя в губоньки,
> За то, что ты поешь, как соловей!
> Сегодня ты на Брайтоне сияешь,
> А завтра, может, выйдешь на Бродвей,
> Ой, вей!

"Русское радио" передавало в основном песни залихватские, забубенные, уголовные и далеко не русские... Но у Славы эта волна почему-то лучше всего ловилась. Еще у него отлично ловилось православное радио "Святое распятие", ведущие программ которого с утра до вечера боролись за спасение душ проникновенными беседами на евангельские темы. Иногда, в поисках духовной пищи, Слава нетерпеливо переключал радио с одной волны на другую, затем возвращался, снова переключал... а, бывало, оно само — видимо, от прыжков машины по ухабам и рытвинам — перескакивало с волны на волну, как павиан с ветки на ветку. На слух это составляло причудливые и неожиданные коллажи.

Мы терпеливо выслушали несколько разудалых, с псевдоодесским приторным душком, песен, переключили на "Святое распятие", прослушали кусочек передачи об "Азбуковнике" 17 века, со стихами, прочитанными проникновенным постным голосом:

> В доме своем, от сна восстав, умыйся,
> Прилучившимся плата краем добре утрися,
> Отцу и матери низко поклонися.
> В школу тщательно иди
> И товарища своего веди...

— Вона как! — восхитился Слава и переключил опять на "Русское радио", прооравшее нам знакомым голосом:

За монетку, за таблеточку,
Сняли нашу малолеточку,
Ожидают малолетку небо в клетку,
В клеточку...

Новостей, однако, не дождались.

— Да на черта вам новости, Ильинишна? Без них спокойней. Включишь радио — жить не захочется... Сегодня, вот, передавали — вьюноша, примерный сын, спокойный такой, рассудительный мальчик, отличник, в школу, как мы слышали, тщательно ходил, закончил с золотой медалью, — за ночь порешил топором папу, маму, бабушку и сестренку семнадцати лет... Отличник, золотая медаль, а?! Говорят, он шизофреником был. А я так полагаю, достали они его с этой учебой! Ну, думаю — насчет своего олигофрена, надо бы это на заметку взять. Палку, мол, не перегнуть бы...

В подъезде в нос мне опять шибанул запах горелого. На сей раз, по-видимому, горела пластмасса, запах особенно въедливый и мерзкий. Лифт стоял... Вместо кнопки вызова оплывала, чадила черная горючая капля. Ее задумчиво обнюхивал громадный черный пес, закрывая проход наверх. Я с минуту потопталась на почтительном расстоянии, наконец, вежливо, но с усилием, как шкаф, отодвинула эту лошадь и стала подниматься по лестнице.

Двумя этажами выше кто-то легко, почти неслышно взбегал по ступенькам. Перегнувшись через перила, я заглянула вверх. Увидела только мелькнувшие детские кроссовки...

— Э-э-эй!!! Стой, мальчик!

Где-то хлопнула дверь, и все смолкло...

Открыла мне дочь с незнакомым, каким-то отупелым, опухшим от слез лицом.

— Они взорвали дельфинариум, — сказала она на иврите. Я ничего не поняла, но ее лицо страшно меня испугало. Стылая тошнота подкатила к горлу.

— Что... где... что это?! Это где дельфины?!

— О, Господи, — зарыдала она, — мама, ты как всегда ничего не знаешь! Это дискотека в Тель-Авиве, дискотека!!! Ребята пришли потанцевать!

И монотонно, как заученную молитву, повторяя, — "они пришли потанцевать, они пришли потанцевать!", — закрылась в своей комнате.

....

Microsoft Word, рабочий стол,
папка rossia, файл sindikat

"...кажется, у Яши дома неприятности — он ходит потерянный и какой-то заспанный, вернее, недоспавший. Он мне бесконечно симпатичен — Яша. Рубашки всегда мятые. Видно, стиральная машина работает исправно, а вот две пары девичьих рук, что должны бы отца выпускать на люди с иголочки, заняты чем-то другим. Чем?

Я переждала дня два, потом все-таки, на свой страх и риск, полезла в душу. В крайнем случае, пошлет меня к чертям. Сначала он мялся, недоговаривал, потом расстроился настолько, что все разом и вывалил на меня:

— Понимаешь, напрасно Москву выбрал. Надо было в какую-нибудь тьмутаракань забиться, в какое-нибудь Сельцо под Брянском, где одна закусочная, под названием "Рюм.чная".

— В Сельцо синдиков не посылают.

— В том-то и дело... — расстроенно сказал он. — Выросли мои девки, нате-пожалуйста!.. Я ж их совсем не вижу. Где они шляются, чем заняты... На днях прихожу домой и застаю вальяжного такого господина в кресле...

— В твоем халате?

— Да нет, — он махнул рукой, — они вообще не по этой части, они очень нравственные девочки, если ты имеешь в виду разврат... Там похуже дела...

— Наркотики?! — ахнула я.

— Нет-нет, этого еще мне не хватало!.. Хуже, хуже...

— Подожди... — я встала, закрыла дверь своего кабинета, вернулась и заставила Яшу сесть на диван. — Извини, как родитель — родителю: что может быть хуже наркотиков и блядства?

Он посмотрел на меня измученными впалыми глазами и сказал:

— Непостижимая гениальность... — Он помолчал... — Не знаю — в кого это они, говорят, у моего деда Мини были выдающиеся математические способности, только вот образование не удалось получить... Но эти... Понимаешь, они цифры, числа чувствуют на каком-то паранормальном уровне. Дело даже не в том, что у них замечательные математические данные, — таких людей навалом... Но мои как-то видят... сквозь преграду, на расстоянии чувствуют... Как Вольф Мессинг...

— Ничего не понимаю, — сказала я. — Ну и что? В чем беда-то?

Яша оглянулся на дверь и прошептал: — Они играют.

— На чем?

— Не на чем, а в карты... Бридж. Преферанс...

— Ну и что?

— А то, — в полном отчаянии проговорил несчастный отец, — что их нанимают богатые люди — для игры. Вот как домушники малолеток запускают в форточку, чтобы дверь изнутри открыли... За ними охотятся, их перекупают...

— Я... не понимаю... — пробормотала я... — Никогда не играла в карты. Не моя область интересов... Объясни, пожалуйста...

— А чего тут объяснять, — он тяжело и как-то покорно вздохнул. — Бридж, "Роббер", игра математическая, основана на теории вероятности. Суть игры — обмен информацией. На основе заявления партнера ты должен вычислить — какие карты у вас с партнером, какие у противника. Так вот, им даже не нужен никакой обмен информацией, они — обе — все карты просто видят, кожей, нюхом — не знаю чем, а кроме того, друг друга чувствуют за тысячи километров, мысли читают...

— А сколько игроков в этой игре?

— Четверо, играют по двое, партнеры сидят друг напротив друга. Крестом.

— И что?

— Ну и богатые люди нанимают профессионала — играть в паре.

— А твои девочки...

— А мои девочки, — проговорил он упавшим голосом, — как раз и есть — профессионалы. И похоже, это уже знает вся Москва... кроме нашего департамента *Бдительности*...

Мы сидели с ним и молчали... Бедный Яша.

В тот раз я, кажется, пошутила — мол, по крайней мере, они обеспечат твою забубенную старость... Но, честно говоря, не знаю — как относиться ко всей этой оригинальной истории..."

....

Азария

Московский филиал Синдиката являл собой зеркальное отражение Иерусалимского Центра, с той лишь разницей, что все департаменты в Центре были неизмеримо многолюдней. На каждого синдика в Москве приходилось по десятку начальников в Иерусалиме. И все они отчитывались результатами нашей работы перед Верховным Синдиком и Ежегодной Контрольной Комиссией Всемирного Синдиката. Можно лишь представить, сколько иерусалимских наездников сидело на горбу каждого из нас, как пришпоривали они — каждый своего — мула, как покрикивали и щелкали бичом над нашими задами, и без того облепленными оводами...

Время от времени по электронной почте я получала из Центра послания от самых разных начальников: из *Аналитического* департамента, из департаментов — *Контроля над ситуацией*, *Кадровой политики*, *Стратегии глобальных проектов*, из департамента *Внедрения идей*...

Первое время я пугалась, мучительно задумывалась над смыслом посланий, вытягивалась во фрунт, становилась под ружье, писала — как требовалось в запросах — планы на будущее, или отчеты по прошедшему. Причем, отсылая электронные эти сообщения, переживала всегда одно и то же мистическое чувство: будто пулю записку в черную утробу Вселенной: кому? зачем? кто ее прочтет?

Из-за специальной выделенной линии Интернета, послания — чавк! — улетучивались в мгновение ока. Было в этом что-то бесовское, сверхъестественное, пугающее...

Помню, на ответ по какому-то первому, бессмысленному запросу из Центра, я заставила работать три дня весь свой департамент. Отослала отчет и стала ждать реакции. Ну, не "спасиба", — я была уже не столь наивна, — но хотя бы какой-то знак! Спустя неделю послала письмишко, — ребята, мол, ау, как там с нашим отчетом? В ответ — великое молчание Вселенной.

Наконец я поняла, что начальству не нужны никакие мои инициативы. А вот что нужно — неведомо. Тогда и я перестала отзываться, вытягиваться в струнку, бить поклоны и выстраивать на плацу свой взвод. Увидев знакомый адрес и заглянув на минутку в требования очередного начальника или обнаружив очередную цветную диаграмму, движением указательного пальца по "мышке" я вышвыривала из почты этот мусор.

Однако среди прочего барахла время от времени стали появляться письма, резко отличающиеся по тону и стилю от посланий остальной синдикатовской братии.

Отправитель — он подписывался именем *Азария* — ничего от меня не требовал, только горестно сообщал о жертвах новых терактов, обличал безобразия в самых разных областях жизни Израиля и России, размышлял над истоками нынешних бед нашего народа и даже пророчествовал, цитируя священные тексты.

Иврит, между нами говоря, язык высокопарный. На нем говорили пророки, и это великое обстоятельство — главный его недостаток. Письмо, которое начинается словами "Мир всем!", а заканчивается "С благословением"...

человеку с современным русскоязычным сознанием трудно воспринимать адекватно.

Но, помню, первое его послание начиналось вполне человеческим тоном:

"Чертова пропасть денег уходит в дым! — писал он. — Тратятся десятки, сотни тысяч долларов на никому ненужные заседания, совещания, высасывания из пальцев идиотских проектов... Громоздкий чиновничий аппарат, неповоротливый и нечистоплотный, превратился в обслуживающий сам себя синдикат..."

Дальше текст менялся интонационно и стилистически, словно автор письма потерял мысль, затуманился, впал от этого в гнев или даже в эпилептический припадок, вдруг принялся бормотать и вскрикивать, стонать и угрожать, вздымать невидимые кулаки, — словом, ударился в библейскую патетику: *"Берегитесь гнева Господня вы, разжиревшие на деньгах бесконтрольных, шальных; вы, забывшие честь и благородство; берегитесь вы, трясущиеся за свои кресла, не помнящие братьев своих, ждущих помощи! Хотя бы в аду новой кровопролитной войны вспомните слова пророка Ирмиягу: "...таково нечестие твое, что горько оно и достигло сердца твоего. Нутро мое, нутро мое! Я содрогаюсь! Рвутся стены сердца моего, ноет сердце мое во мне! Не могу молчать, ибо слышишь ты, душа моя, звук рога, тревогу брани!"*

Это письмо было адресовано всей московской коллегии Синдиката.

— Во дает! — подумала я с удовольствием. И немедленно позвонила Яше Соколу.

— Ты получил революционное письмишко из Центра?

— Подожди, — сказал он невыспавшимся голосом. — Я еще не смотрел сегодня почту... Включаю... От кого, говоришь?

— Сейчас взгляну на имя... Азария какой-то...

— Нет такого...

— Смотри внимательней. Письмо отправлено всем синдикам.

— Да нет же, говорю тебе! А что там?

— Поднимись сейчас же, не пожалеешь.

Он явился, пробежал глазами текст в экране моего компьютера:

— Что это? — спросил он. — Какой-то проект?

— Какой там, к черту, проект, — сказала я. — Читай внимательно...

— Ничего не понимаю... — пробормотал Яша, читая с начала... — Кто это пишет?

— Какой-то Азария. Ты знаешь такого?

— Нет... Не из фонда ли Кренцига? Там есть парочка совершенно сумасшедших американов, идеалистов долбанных.

— Слишком уж страстно. Ты почитай, как он неистовствует.

Яша опять уставился в экран: — Да... Сильно, ничего не скажешь. И точно. Представляешь, как его допекли?

Минут пять еще мы таращились в экран, цокали языками, ахали, восторгались скандальной смелостью этого парня... Однако получалось, что послание пришло мне одной. Мы осторожно обзвонили остальных. Никто понятия не имел — кто такой Азария, в каком департаменте Центра подвизается и чем ведает. Правду-матку, однако, он резал отчаянно.

Наконец мы с Яшей решили, что это какой-нибудь прохожий правдолюбец, ненавистник Синдиката, каких достаточно в отечестве, оказавшись случайно в коридорах Центра, припал на минутку к свободному компьютеру и послал в Россию воззвание. На деревню дедушке. То есть мне.

— Погоди, а имена остальных синдиков? — спросила я.

— Увидел пачку деловых бумаг на столе, — предположил Яша, — прочел имена. Составил письмо с намерением послать всем. Твое имя на слуху, тебе послать успел,

{125}

остальным — нет. Знаешь, как Штирлиц в ставке Мюллера: в коридоре раздались шаги, и актер Тихонов засветил пленку.

....

Второе послание от Азарии я получила спустя недели две. На сей раз я была потрясена еще больше. И дело даже не в том, что это письмо было написано в стиле библейских пророчеств. Дело в том, что целью бичевания он выбрал российскую еврейскую общину. Причем обнаружил прекрасное знание предмета.

...*"Потеряв чувство опасности, они грызутся друг с другом, создавая все новые конгрессы и клубы, фонды и организации, группы и группки; пастыри их собирают вокруг себя паству, что враждует друг с другом, не стыдясь позора, насмешки, огласки; оголяя срам свой перед народами другими, они делят огромные деньги, зарабатывая на жертвах своего же народа, они служат чужим царям, не помня, что смерть бежит по следам богатства, что свинцовые застенки ждут поглотить того, кто вчера еще мнил себя владыкой своей судьбы, Иосифом Прекрасным, на службе у фараона... Они пируют в забвении самодовольства, не слыша грохота пальбы — не так ли и Бельшацар пировал в своем дворце в последние свои дни?.. Ведь день настанет, настанет день, когда — сказал Йешаягу, великий пророк наш, — "каждый будет, как олень гонимый, и как овцы без пастыря, — обратится каждый к народу своему и побежит в страну свою"...*

Я опять вызвала Яшу. Сидели мы над текстом долго и основательно, как над сложной шифровкой. И вновь оказалось, что письмо послано только мне одной. Что-то он от меня хотел. Но кто он, кто?! На мои осторожно-вопрошающие письма не отвечал. Вообще, производил впечатление невменяемого угрюмца. Очень был мне симпатичен.

В конце концов я открыла специальную папку у себя в компьютере, пометив ее именем *azarya*, и стала зачем-то копить его вопящие, как крики подраненного зверя, послания.

....

Microsoft Word, рабочий стол,
папка rossia, файл sindikat

"...вчера в беглом разговоре с Яшей Соколом обнаружилось интригующее обстоятельство, о котором я не имела понятия, может быть, потому, что была в командировке в Ростове: оказывается, в Центральном Синдикате на днях создан, укомплектован сотрудниками и уже на всех парах действует новый *тайный департамент Розыска десяти потерянных израилевых колен.*

Я вытаращила глаза и долго не могла выговорить ничего, кроме нечленораздельного и нецензурного мычания. Вспомнила все странные совпадения, обрывки разговоров... Очень почему-то разволновалась и встревожилась.

— Ну, это какая-то фантастика! — выдохнула я.

Почему, — возразил Яша спокойно, — интересное новое направление, нестандартный подход. Да, слов нет, — дело щепетильное, как ты сама понимаешь, и давнее: вавилонский след, Салманасар, сука рваная, — разоренное израильское царство, угнанные наши дети, ищи-свищи их следы... Но ведь и мы не пальцем деланы и не ногой сморкаемся. И вот умельцы с кафедры этно-гебраистики исторического отделения Университета Вечной учебы в Иерусалиме совместно с двумя молодыми гениями программирования из Бар-Иланского Университета разработали эксклюзивную такую программку, в которую забиваются данные определенно составленной анкеты, заполненной каждым *потенциальным восходящим.* В результате обработки данных компьютер выдает кривую рода конкретной личности за период плюс-минус пяти тысяч лет. Нехило? Далее, умельцы сугубо засекреченной кафедры био-генетики института Зицмана, в свою очередь, разработали ка-кую-то непреложную формулу крови, обезоруживающе что-то там доказывающую...

Вот ты народ забавляешь, — говорит Яша, — в своем де-партаменте Фенечек-Тусовок, а мы уже недели три как тру-димся. Крутимся, как ненормальные, двух новых сотрудниц наняли на сортировку и отправку результатов анализа.

— Какого... анализа?!

— А у нас все *потенциальные восходящие* как милень-кие заполняют анкетки и кровь сдают.

— На что кровь-то?!

— Неважно. На наличие диабета. Наш народ только и стремится лишний раз сдать мочу или кровь. К тому же вся эта процедура своей походной компактностью как раз и на-поминает домашние проверки уровня сахара в крови... Ты скажешь, бред, афера... Но, знаешь, время от времени — срабатывает!

— Что — срабатывает? — спросила я тупо.

— Да то, что из нового департамента *Розыска поте-рянных колен* приходит электронное сообщение: индивид Михаил Степанович Головащенко принадлежит к потерян-ному колену Иссахара! Кстати, в анкете и стих присутству-ет, библейская характеристика, помнишь, что дана родона-чальнику каждого колена праотцом нашим, Яаковом, на смертном одре. Так вот, Головащенко, например, из колена Иссахара:

"Иссахар, осел костистый, лежащий среди заград. И пре-клонил плечи свои для ношения клади, и стал работать в упла-ту дани". Головащенко, между прочим, — в процессе длитель-ной беседы — действительно, производит впечатление осла.

Я поинтересовалась — на черта вся эта катавасия, и ка-кая разница — к какому, например, колену принадлежит наш старый пропойца апостол Петр Гурвиц? Яша ответил, как

он всегда отвечает — а интересно же! Восстановление народного тела, понимаешь, великая миссия. Красивое имя,
высокая честь...

Ну, Яша, — оно известно, — романтик. Но удивительно,
что романтиками предстают и отцы нашего ордена. И несенти-
ментальные американские евреи, на чьи пожертвования про-
изводятся все эти сомнительные исторические разыскания.

Что бы это значило? И что значил тот недавний разговор
в "Лицее" с Ноем Рувимычем об этих самых коленах? Его фан-
тастическую прозорливость? Или нечто большее?

Между прочим, о Клещатике: грех жаловаться, — первый
наш семинар по искусству прошел замечательно. Вот что значит, как говорит мой Костян, — "фильтровать базар". "Договорились с Рувимычем по-хорошему, и, видите, — дядя не
стал топить котят", — говорит он. Вообще, — заметно меня
зауважал. Да, Ной Рувимыч не стал топить котят, наоборот:
тем же днем, как и было обещано, мне позвонила Ниночка,
главный менеджер "Глобал-Цивилизейшн", аккуратнейшим
образом записала все наши просьбы и нужды, повторяя дик-
туемое мною журчаще успокаивающим голосом, и — камень
упал с моей души... Выяснилось, что ничего мне не надо делать самой: бегать, ехать-договариваться в дом творчества, за-
купать блокноты-ручки-бумагу-воду... А для всего этого есть
ангел небесный, Ниночка... Она-то и свяжется с дирекцией
дома творчества, договорится об условиях проживания...

И все прошло, как по маслу, художники были счастливы,
работали, не разгибая спин, и десять пронумерованных папок с отличными литографиями пустились в путешествия по
самым разным стезям: одна в музей им. Пушкина, другая —
на выставку в Словению, третья — в Еврейский музей Нью-
Йорка...

Даже Клава, уважительно листая твердые литографские
листы, сказала удовлетворенно: — Хорошая папка. Большая.
Синяя... Налепи на эту замбуру наш синдикатовский знак, и
пусть стоит здесь, у меня в кабинете. Буду показывать всем

залетным бездельникам. Хотя они ни черта не понимают в искусстве…

Правда, после семинара я взглянула на представленный к подписи счет за услуги и в ужасе откинулась в кресле: — Нина, позвольте…

Мне позволили самым любезным образом: объяснили каждый пункт, каждую запятую, накрутили проценты, закрутили хвосты…

— Ну что? — спросила Рома, после того как за Ниночкой закрылась дверь.

В голосе ее мне почудилось скрытое торжество. На самом деле, вряд ли она торжествует: она терпеть не может Клещатика, и только на днях жаловалась, что Гройс задыхается в железных лапах Ной Рувимыча, поскольку тот является подрядчиком по организации всех пленумов, форумов, конференций и презентаций еврейских конгрессов, рождаемых Гройсом в деятельных муках. Однако Рома довольна, что Ной Рувимыч меня приручил и тем самым — проучил… Я же в бешенстве… Ну, ладно, думаю я, семинары, особенно профессиональные, — дело нужное, интересное… на них и денег не жалко. Но все эти гоп-со-смыком в кремлевских палатах, все эти на-дерибасовской-пивная с солированием Фиры Ватник на льду… не пройдет! Посмотрим, как он вытянет у меня из-за пазухи кошелек департамента! Не дам ни копейки! Насмерть буду стоять!"

Из "Базы данных обращений в Синдикат".
Департамент Фенечек-Тусовок.
Обращение № 334:

Беспокойный женский голос:
— Я слышала, у вас анализы сдают — как записаться, а? И на какие болезни? Опущение матки годится?

"Двойная запись — принцип бухучета!"

Существование нашей организации, балансирующей на узеньком мостку между израильской и российской законностью, предполагало известное умение эквилибрировать. Символом, или знаком, или гербом нашим справедливо было бы водрузить две маски античной сцены: одну скорбную, с опущенными углами рта и горестно поднятыми бровями, другую — маску веселого безумства, со щелью рта, растянутой до ушей.

У еврейской общины России было три Главных раввина. В нашей организации было два Главных бухгалтера.

Один, израильтянин Джеки Чаплин, — добродушный и покладистый парень, со ртом, всегда растянутым до ушей. Другой же... вернее, другая...

Роза Марселовна Мцех, — давным-давно, на заре деятельности Синдиката переименованная каким-то веселым синдиком в Угрозу Расстреловну Всех, — Главный бухгалтер нашей российской бухгалтерии — была мужчиной, причем — мужчиной-воином: по сути, по ухваткам, по голосу, по манере выражаться. Даже ее походка была не просто мужской, а чеканно-молодцеватой, какую приобретают курсанты военной школы на третий год маршировки по плацу в любую погоду.

В любую погоду Угроза Расстреловна, живущая где-то в Протвино, первой входила через бронированную проходную Синдиката, первой открывала дверь кабинета, усаживалась за компьютер и, закурив сигарету, решала — кому НЕ ДАТЬ денег.

Собственно, была б ее воля, она бы не дала их никому. Честная, порядочная, даже благородная мужчина, она ненавидела Главного подрядчика Синдиката, Клещатика, и не без основания считала, что огромная часть денег организации оседает в его закромах. Поэтому до последней минуты на всякий случай тормозила выплаты по всем проектам.

— Хозяина настоящего на вас нету, — говорила она, — вот в той организации, где я до вас служила, — там знали, как прижучить!

Ее боялись все. Даже Клава в ее присутствии забывал отпускать свои шуточки. Даже Шая — единственную ее! — не заставлял валиться под стол на грязный пол кабинета, а только следил, чтобы она присела на корточки, как приседают по нужде за придорожным кустом... Мы с Яшей просто тряслись при громовых звуках ее командорской поступи. Изя принимался вертеться угрем, бормотать неразборчиво, набирать какие-то адреса на мобильнике, скукоживался и замирал... Да и Миша, обычно такой бойкий Панчер, предпочитал ускользнуть, испариться...

А уж как боялся ее Петюня Гурвиц, хотя, по субординации, Угроза Расстреловна находилась в его подчинении.

Проходя мимо его кабинета — где решались многие финансовые вопросы, — часто можно было слышать из-за закрытой двери ее тягучий ор:

— А я вас спрашиваю — почему у вас не встает сальдо?!

И голос Петюни, оправдывающийся и робкий:

— Потому что, я вам сейчас все объясню...

— Нет, я вас опять спрашиваю: почему у вас не встает сальдо ни на начало, ни на кончало!!

Невероятно, но даже баба Нюта в ее кабинете понижала на терцию голос, не выделывала ногами антраша и не скребла ногтями стол. Словом, все мы трепетали, поскольку именно Угроза Расстреловна была той силой, что вечно хотела блага и вечно совершала зло... Яша продолжал настаивать, что российских аудиторов навела на Синдикат она, вот как глазливая баба наводит порчу на крепенького толстощекого младенца. Эти аудиторы, с утра рассевшись в "инструктажной" над своими бумагами, подтачивали румяный организм Синдиката, как глист...

Так вот, когда у каждого из синдиков, стоящего перед осуществлением важного действа, таяла надежда вытянуть к заветной дате рубли из кошелька Угрозы Расстреловны, он подкарауливал Джеки, которого, правда, не так легко было застать в его кабинете, и говорил умоляющим голосом: — Джеки! Эта сука, ты ж ее знаешь... Она опять уперлась... а я горю синим огнем, Джеки, милый... Мне сегодня до зарезу оплатить проезд участникам конференции, они вечером уезжают... Спасай!

Вообще-то, согласно строжайшим инструкциям Центра, валюту гражданам России выдавать было нельзя никак. Все россияне, вступавшие в деловые сношения с нашей строгой организацией, должны были становиться в затылочек, оформлять договор по всей форме российского закона, и деньги получать в рублях, на свой банковский счет в Химках... в Братеево, в Бирюлево-Южном или где-нибудь на Коровинском шоссе... Скучная материя, господа! Тем более что на пути к копеечному гонорару стояла Угроза Расстреловна в форме часового, с ружьем...

Стоит ли говорить, что все мы частенько на цыпочках обходили этого неусыпного часового слева: уступчивый Джеки, с его золотым сердцем и легким нравом, писал на бланке израильской бухгалтерии вымаливаемую сумму, ставил закорючку и, с заветной бумажкой в зубах, мы мчались в кабинет к апостолу Петру Гурвицу, чтобы, позвякивая ключами, тот открыл врата бронированного рая и выдал каждому по грехам его...

Вся эта двойная жизнь была довольно хлопотной, но в то же время и давала нам известную свободу маневрирования. Я, например, всегда могла послать ходоков, явившихся с идеями, проектами или рукописями, длинной обходной дорогой, через бурелом, прямиком к часовому на штык... Ну что ж, друзья мои, говорила я, пишите заявку, мы передадим ее Розе Марселовне, и если она решит, что на это есть деньги в бюджете департамента, заключим договор, и со следующего месяца... Так я поступала с Эсфирь Диамант или Кларой Тихонькой... или какими-нибудь авторами трилогий на тему "Высокая еврейская судьбина"

И совсем другое дело, когда звонит вам Норочка Брук, с просьбой оплатить проезд по железной дороге прибывшим из Киева на научный Пленум профессорам Лифшицу и Штерну. Тогда я заходила к Джеки и, потрепавшись о том о сем, выходила с заветной бумажкой, после чего наш вечно пьяный патриарх, вздыхая, качая головой и приговаривая, что это в последний раз, рассказывая какой-нибудь скабрезный анекдот, гремя ключами, отворял врата рая и отсчитывал просимые сто тридцать восемь долларов... Изумленные же и растроганные профессора Лифшиц и Штерн, со своими стабильными зарплатами в гривнах, писали расписки в получении твердой валюты радостными твердыми почерками.

Из "Базы данных обращений в Синдикат".
Департамент Фенечек-Тусовок.
Обращение № 839:

Бойкий женский голос:
— Миленькие, а вы и до Германии дорогу оплачиваете?

{134}   Когда впервые в ворохе электронной почты мне попалась депеша из департамента *Розыска потерянных колен* о том, что Геворкян Нателла Левоновна, 48 года рождения, профессия — переводчик с английского, принадлежит к потерянному колену Шимона, (библейская психо-лингво-генетическая характеристика: "проклят гнев их, ибо силен; и ярость их, ибо тяжела"), — я возмутилась, немедленно настрочила письмо по обратному адресу, в котором заявляла, что в задачи вверенного мне департамента не входит розыск кого бы то ни было, ни тайный, ни явный, что я работаю с интеллигенцией методами, отличающимися от обычных ухваток синдикатовских наемников. Что мне безразлично — к какому колену принадлежит Нателла Левоновна, и принадлежит ли вообще, а вот если она хороший переводчик, то я с удовольствием приглашу ее для синхронного перевода ближайшей международной конференции на тему "Концепт греха в славянской и иудейской традициях".

В тот день никто не отозвался на мое гневное письмо, но на следующее же утро в свежей почте оказалось новое бесстрастное сообщение о некоем Петренко Сергее Пахомовиче, слесаре-ремонтнике, принадлежащем к колену Леви...

Я вздохнула и покорилась судьбе — очевидно, это была их рутинная рассылка, которую они отправляли главам всех департаментов...

. . . .

Клавдий оказался прав: месяца не проходило, чтобы на наши головы не сваливалась очередная комиссия из Центра или стайка американских спонсоров — с проверкой нашей работы.

...Ритуал приема комиссии сложился в Синдикате не вчера: всю российскую коллегию — всех восьмерых синдиков — сгоняли в "перекличку", и Клава, стоя сбоку от огромной карты Российской Федерации и сопредельных государств, утыканной цветными кнопками в местах ма-ломальского скопления евреев, гулял по ней рубиновым огоньком лазерного фонарика.

— Это Норильск! — провозглашал наш патрон. — Там проживает двадцать четыре еврея!.. А это Кушка... и наши тоже греют там задницы.

За спиной его стояли флаги Израиля и России, флаг Центрального Синдиката и простоватый наш — Синдика-та Российского. Пунцовый огонек, как от тлеющей сига-реты, скакал, описывая гигантские дуги, вычерчивая гео-метрические фигуры; пропадая, вновь вспыхивал где-то на Курильских островах. Все это напоминало известный сю-жет не такого уж далекого советского прошлого. Про себя я называла этот номер "Песнь ГОЭЛРО".

Месяца через три после начала каденции все мы привык-ли, как говорил Яша, к "хепенингу", и пока члены очеред-ной комиссии вращали зрачками, пытаясь проследить вы-черчиваемые Клавой траектории расселения евреев по просторам бывших советских республик, каждый из син-диков занимался своим делом. Яша рисовал комиксы, я тоже чиркала что-то на листке бумаги. Изя Коваль сидел по уши в своем, каждый раз новом, еще более усовершен-ствованном, мобильнике.

Баба Нюта любовалась своими отполированными ног-тями, крашенными лаком всегда невероятного, не имеюще-го аналога в природе, цвета. Задрав ногу на ногу, гладила, ласкала свои коленки, с места перебивая Клаву молодецким задиристым голосом старой ведьмы, что всегда приводило его в ярость, которую он, к сожалению, не мог изъяснить при посторонних. Так глава семьи при гостях не всегда мо-жет поставить на место зарвавшегося отпрыска. Клава лишь багровел и вступал с бабой Нютой в сдержанные перепалки.

— Из Петропавловска-на-Камчатке сюда девять часов лету! — провозглашал он.

— Двенадцать! — встревала баба Нюта.

— Девять! — повышал голос наш патрон.

— Двенадцать!! — квакала старая мерзавка.

Супруг ее, Овадья, — вот кто наизусть знал время пути самолетов, поездов, автобусов, держал в голове расписание поездов всех направлений любого московского вокзала; он всегда находился в дороге. Как трудолюбивая пчелка выбирает с цветка пыльцу до донышка, Овадья неустанно, до копейки выбирал свой и Нютин командировочный фонд, положенный семье каждого синдика. Фонд немалый, но реализовать эти деньги можно было только беспрестанно болтаясь в поездах, автобусах и самолетах, и никому из нас не удавалось исчерпать до дна благословенный источник. И только баба Нюта придумала славный ход: без единого дня продыху она засылала и засылала своего кроткого сталкера в безбрежную зону. Вернувшись из Брянска и пообедав, он сразу же пересаживался на поезд в Нижний Новгород, где у нас тоже было представительство, а явившись туда, терпеливо пережидал в тамошнем офисе дня два, попивая чаек и доброжелательно рассматривая из окошка гуляющих прохожих, кошек и собак, куриц и индюшек... Вернувшись из Нижнего и поужинав, он уже мчался в аэропорт, чтобы наведаться с мифической проверкой в какой-нибудь Ростов.

Чего только с ним не происходило! Еврей родом из Йемена, он не знал ни слова по-русски, и не было никакой надежды, что узнает. Местные жители принимали его за какую-то бывшесоветскую национальность. Он мог сойти и за азербайджанца, и за грузина, и за армянина, за осетина, за кабардино-балкарца, а при желании и за узбека, за таджика... Не был он похож только на еврея, что, собственно, и спасало его в железнодорожных разнообразных поворотах судьбы. Его даже нечасто били, потому что был он человеком доброжелательным и осторожным...

...Уже не однажды Клава затевал разговор о сокращении штата: содержание синдика в такой дорогой столице, как Москва, стоило Синдикату — как писал в своих гневных посланиях Азария — "чертову пропасть денег". Когда возникала тема сокращения штата, все головы автоматически поворачивались в сторону бабы Нюты, красящей ногти. Она была ветераном Синдиката и провожала в обратную дорогу не одно поколение синдиков.

Пора было, ох, пора было посадить и ее в самолет, летящий в одну сторону...

Покрывая желтым лаком ноготь костлявого среднего пальца левой руки, не поднимая глаз, она отчеканивала:

— Можете от злости сожрать свои собственные кишки, говнюки вонючие! Я здесь десять лет сижу и дальше сидеть буду...

Клава в такие моменты багровел и задыхался...

...В день приезда очередной комиссии Центра Клава опять затянул у карты "Песнь ГОЭЛРО". Собственно, приехали на этот раз "свои", родное начальство — Гедалья Шток, Главный аналитик Синдиката, с внешностью траченного развратом и проказой римского сенатора, и элегантный, не без артистической жилки Иммануэль, глава департамента Глобальной Стратегии. Так что обычный свой аттракцион Клава свернул быстрее, чем всегда, и сел, вздев повыше штанины на толстых ногах.

Когда Клава умолк и закурил, Изя повернулся к Мише Панчеру и сказал, победно сияя:

— Смотри, сынок! Если ты в сети "Мегафон", то можешь играть по мобильнику в казино. Пожалуйста: рулетка, покер, блэк-джек... Отправляешь sms-команды на сервисный номер и ждешь ответа... И забираешь выигрыш, если повезет...

Панчер подпрыгнул на стуле, собираясь ответить что-то, выражаясь языком сотрудников его департамента, "прикольное", но тут Джеки Чаплин, странно изменившись в лице, быстро спросил на иврите Изю: — Казино? Ты сказал — казино? Что, можно играть по мобильнику?!

Тот обрадовался вниманию, перешел на иврит и стал подробно объяснять Джеки — как делать ставки...

В то время как Гедалья Шток лающим голосом командира эскадры выкрикивал какие-то команды, Клава скучливо гулял по фальшь-потолку огоньком фонарика, пытаясь попасть рубиновой точкой в дырочки. И был похож на подростка-разгильдяя. Мельком поймал мой внимательный взгляд, подмигнул мне, потом уставился на Изю Коваля. Тот беспрестанно колдовал над мобильником, вытаскивая из недр его все новые и новые неведомые простым смертным чудеса прогресса.

— Изя, — буркнул Клава, — что ты там нашел, голую бабу?

Клава, конечно, шутил, но все его шутки имели пророческую судьбу.

Изя, кадровый сотрудник Синдиката, засланный воплощать на просторах России мечту о новом, вернее, старом Еврее, по уши загруженном нужной ментальностью, сидел на миллионах и не ставил перед собой никаких задач, кроме покупки очередной, новейшей модели сотового телефона...

Мы с Яшей, куда более бедные, но кипящие идеями, время от времени подступались к Изе, — подоить его на свои совместные *тусовки*.

При этой процедуре Изя продолжал задумчиво играть в какую-нибудь игру, запрятанную в мобильник ловкими изобретателями, — так корова продолжает задумчиво жевать траву, в то время как проворные пальцы доярки скользят у нее под выменем, а струйки молока бодро звенят о дно подойника... Получалось, что все наши *тусовки* так или иначе имеют отношение к возглавляемому Изей департаменту *Загрузки Ментальности*. Концерт израильских песен — чем вам не загрузка ментальности? Ну не полные трюмы, конечно, но частично, пусть на донышке. А выставка израильских художников? Тут уж по горлышко будет. А конференция на тему "Вечное восхождение к Сиону"? С ручками и головкой...

Яша иногда настолько увлекался в планах, что на мое резонное замечание о превышении бюджетных средств отвечал легко: Изя башляет!

Обычно, после того как на узком совещании глав двух департаментов мы с Яшей составляли план какого-нибудь совместного семинара, он хлопал себя по колену и говорил озабоченно: да! надо еще пойти обчистить Изю!

Всеми делами департамента *Загрузки ментальности* заправлял Ильич, подручный Изи, его старый друг еще с прошлых советских времен. Это был далеко не единственный случай, когда русский человек Иван Ильич преданно и даже истово волок на себе всю работу департамента, ведающего темой национальной еврейской самоидентификации.

Однажды, зайдя в их кабинет, Яша увидел сюрреалистическую картинку:

Изя сидел за столом и кричал в мобильный телефон:

— Ильич!! Ильич, сука рваная!! Ильич, сучий потрох!!

Ильич сидел напротив него, за столом и, улыбаясь, следил за начальником.

Выяснилось, что Изя испытывает новый мобильник, который на звук голоса должен высвечивать номер телефона произносимого имени. Но действовал, сучий потрох, только при сильном повышении голоса.

— Видишь, — сказал Изя Яше, — цена всей их продукции. Ильич, сука гребанная!! — заорал он в аппарат.

Ильич безмятежно улыбался.

Именно он собирал потенциальных восходящих на комплексные семинары под условным названием "Вспомним всею семьей".

Тяжело вспоминали. Вообще, тяжело шла загрузка нужной Синдикату ментальности, ни дать ни взять — погрузка леса на баржи в доках порта.

Ведь все эти люди, частью даже образованные, совсем ничего не знали ни об истории, ни о культуре, ни о традициях своего народа... Все они подпадали под принятое в иудаизме определение "украденные дети", ибо некогда еще их деды были украдены у своей истории умелой и наглой воровкой, — советской властью...

Но Синдикат с излишним — на мой взгляд — гостеприимным напором разворачивал перед растерянной паствой богатую скатерть самобранку: хватай, запихивай в себя обеими руками, торопись прожевать, глотай и снова хватай все новые и новые кушанья... И они, эти украденные дети, взращенные и вскормленные на совсем иной кашке, томились... удивлялись и не спешили вкусить от заморских, незнакомых на вкус, восточных по виду, яств... (И то сказать: объевшись самого наилучшего, наивкуснейшего, бывает, трое суток блюешь потом от переедания.)

...Между тем Гедалья Шток, Главный аналитик Синдиката, нагнетал очередную бурю, пугая синдиков страшными ведомственными карами в случае, если число *восходящих* не вырастет в самые ближайшие дни. Для чего вы все тут сидите, выкрикивал он, багровея и трясясь, от чего розовые лишаи псориаза расцветали на его лице и руках диковинными цветами. Вообще, Шток был достопримечательностью Синдиката, динамо-машиной, что заряжалась сама от себя, набирала обороты, раскручивалась и выдавала феерический заряд такой воодушевленной античной трагедии, так мелькали бешеной мельницей короткие ручки, неряшливо припаянные впритык к огромному пузу...

У Штока, еще со времен его пребывания в должнос-ти рядового синдика, осталась зазноба в Дзержинске, под Москвой. Это была Большая Семейная Тайна Синдиката. В свое время он пристроил ее инструктором в местное от-деление, и часто навещал, останавливаясь в Москве и по-путно устраивая нам античные представления. Иногда вы-зывал ее из Дзержинска в Москву, и тогда она смирно сидела на наших *перекличках,* подобострастно вслушиваясь в шелестящий гортанный гул непонятного ей иврита.

— В то время как Родина ждет от вас новых тысяч *вос-ходящих,* — орал Шток, потрясая пятнистым кулаком, — вы нежитесь здесь, в столице, греете зады в теплых квартирах, казенных машинах и здешних кабаках! И все это — вместо того, чтобы постоянно и неустанно инициировать *восхож-дение*!!! Но погодите: уже подписан приказ о сокращении штатов! И половина из вас в самом скором времени поле-тит назад!

Я скосила глаза на листок, который судорожно зари-совывал Яша Сокол. Это, как всегда, была серия кадров, комикс: в первом — крупным планом лишайная лысина Штока, его орущий рот с пузырем, в котором мелкими крошками насыпан был текст: "Родина ждет от вас десят-ки тысяч *восходящих*!". Во втором кадре действие опуска-лось под стол, где вкрадчивая женская рука вторгалась в пределы просторных штоковских брюк, неустанно *иници-ируя восхождение...* Этот кадр не был снабжен текстом.

...Тут нельзя не упомянуть, что тяжелая работа вдали от дома способствовала возникновению в личной жизни синдиков разнообразных сюжетов. У синдиков рушились семьи, рождались внебрачные дети, завязывались стран-ные, не всегда традиционные знакомства. Яша, разумеет-ся, запечатлевал в комиксах все эти былинные сказы под общим заголовком: "Наши монастырские новости".

Справа от Яши, так же, как я, скосив глаза на листок, сидел глава департамента *Загрузки ментальности.*

{142}   — Изя, — окликнул его Клавдий, — что у тебя такой вид, будто все твои корабли затонули?

И эта фраза, самая обычная для Клавы, произвела на Изю неожиданное действие. Он поспешно поднял глаза от скабрезных Яшиных картинок на противоположную стену, к карте Российской Федерации, и — замер.

Неизвестно, что служит толчком для творческой мысли. Особенно у такого человека, как Изя, — целиком погруженного в достижения прогресса в области мобильной связи... Но только вдруг мощно, — вот как корабль, спущенный со стапелей, — мысль нашего задумчивого коллеги, по самую ватерлинию груженая необходимой Родине ментальностью, двинулась рассекать тяжелые воды застылой стихии...

Видно было по озаренному оторопелому лицу, что в голову ему пришла идея *Проекта*.

О, это понятие имело природу глубинную и темную, пожалуй, что — геологическую. Напасть на идею сто́ящего проекта было ничуть не проще, чем на нефтеносную жилу или газовое месторождение. Причем, как и в геологии, обнаружить месторождение было недостаточно, ибо его разработка требовала отдельных гигантских усилий и неимоверных затрат... Изобрести Проект мог далеко не каждый. И далеко не каждая идея имела право преобразиться в Проект. Идею надо уметь вскормить, взлелеять, взрастить до максимального объема денежных затрат. Ибо существуют фонды, в которые не стоит даже и соваться, если ваш Проект тянет меньше, чем на треть миллиона долларов... Вы будете высмеяны и даже унижены за крохоборство...

Изя, конечно, прекрасно все это сознавал. В отличие от нас, занесенных в Синдикат ветрами разной силы и направлений, он был все-таки кадровым сотрудником Центрального Синдиката, знал пути-дороги, ориентиры на местности и, как бедуин-проводник, давно разведал все, глубоко залегающие, родники отечественных и зарубежных фондов. Может быть, поэтому на случайную реплику Клавдия он глубоко задумался, слегка отвалив челюсть и как бы даже задремав...

...После речи воспаленного Штока Клавдий предоставил слово главе департамента *Бдительности*. Наш славный киллер, утепленный проводами и рациями, в конце своих устрашающих тирад обычно улыбался мягчайшей улыбкой тетушки Хлои, что сводило на нет все рисуемые им картины ужасов.

— Есть сведения, — сказал он, хмуро обведя взглядом сидящих за столом синдиков, — что в ближайшее время готовится террористическая акция против израильских представительств в Москве. — Это может быть взрыв, "бомба-машина" у ворот Синдиката, да и просто одиночные снайперы на соседних крышах. Я раздам сейчас бланки, которые все вы должны заполнять всякий раз, уезжая из города. Мы должны знать — где каждый из вас находится в данный момент, чтобы, в случае чего, в кратчайший срок переправить тело на Родину.

Обвел нас взглядом, и улыбнулся каждому.

Пиджак его харкнул, прочистил горло и зарычал неразборчиво: — "...хрн-рр-сех-в-рот!"

После *переклички* синдиков отпустили восвояси, а трое начальников — Клава и два иерусалимских босса, — удалились на совещание... Спустя минут сорок мы с Яшей, вечно обуреваемые идеями, собрались наведаться к Клаве — потолковать о планах и подписать какую-то очередную бумажонку, счет или акт, без которых Угроза Расстреловна Всех не перечисляла тех денег, что обязана была перечислить недели три назад. Для меня, не умеющей вычесть шестнадцать из сорока трех, все эти движения денежных масс представлялись столь же загадочными и неуправляемыми, как движение по небу облаков.

В предбаннике у начальства Рутка хлопотала над кофеваркой.

— Нет-нет! — остановила нас Рутка, могущественная и вздорная, как комнатная собачонка. — Ждите. У них совещание по важному вопросу.

Когда она внесла поднос с кофе в кабинет к начальству, в приоткрытую дверь мы увидели всех троих. Они курили, развалясь в креслах...

Иммануэль — поджарый, как римский легионер, с фигурой, наклонно устремленной к некоему броску... — хотелось увернуться от невидимого копья, которое, казалось, он всегда нес наперевес.

Гедалья Шток — развратный патриций, весь в розовой коросте.

И Клавдий — монах-пропойца, сподвижник Тиля Уленшпигеля.

На столе стояла бутылка бренди...

— ...ну, и ты трахнул ее? — спросил Клава, затягиваясь дымом.

— С чего это? — возразил глава департамента *Глобальной Стратегии*. — Если поставить рядом с ней верблюдицу в пустыне, — я предпочел бы вторую.

Клава затянулся еще раз, проговорил философски, задумчиво: — Почему? "Ночью любая дыра черна"...

Мы с Яшей переглянулись.

— Совещание... — сказал он уважительно. Вполне можно было представить себе подобную беседу где-нибудь на бивуаке, в стане римских легионеров.

Возвращаясь в мой кабинет, мы наткнулись на выпяченные зады моих подчиненных, образовавших живописную клумбу. Стоя на карачках, рядом с перевернутым мусорным ведром, они выкладывали на полу клочки какого-то листка.

— Что случилось? — поинтересовалась я, уже догадываясь — по какому поводу собралась на полу сия гимнастическая фигура, и подавляя в себе желание наподдать под мягкий вязанный зад Эльзы Трофимовны.

— Да вот, — сказала злая Маша, — кое-кто безмозглый порвал ненужную бумагу... А она, оказывается, из Посольства...

Эльза Трофимовна, не поднимаясь с карачек, задрала голову и виновато и преданно отозвалась: — Я не поняла... там про какого-то пьяного, он куда-то свалился... В водопад, что ли...

— Это вы, Эльза Трофимовна, свалились! — изрыгая клубы огня и серы, пробухтела Маша, — вот у меня уже голова кружится, я сейчас в обморок упаду...

Наконец мы с Яшей уселись в кабинете, обсудить разветвленный и многообещающий Проект трехэтапного семинара для молодых интеллектуалов.

Но тут открылась дверь, к нам заглянул Петюня Гурвиц.

— Вы видели? — спросил он, хитро улыбаясь, — в Гостевой книге на нашем сайте кто-то раз двадцать написал "Вы — мудаки!!!". Море отзывов, что называется. А обратный адрес выглядит так: "вы мудаки, *собака,* вы мудаки, *точка, ру*".

Главный распорядитель Синдиката Петр Гурвиц, или как все за глаза его звали — Петюня, выглядел человеком, давно заблудившимся в лесу. Временами он забредал в мой кабинет, останавливался, оглядывался, обнаруживал, что на этой поляне уже был, и тогда убредал прочь. Иногда рассеянно брал бублик или сухарик с тарелки. Петюня сильно закладывал за галстук, поэтому к вечеру вид имел подержанный. Точнее говоря, под конец дня он становился похож на ворону, облитую помоями.

Между тем был неглуп, очень осторожен и циничен, как тысяча чертей. В разговоре, посреди самой что ни на есть серьезной и даже трагической темы лицо его вдруг озарялось выражением светлой догадки, счастливого открытия, выхода из духовного тупика. Он открывал рот и произносил: — Хотите анекдот? — и выдавал, как правило, анекдот самого непотребного, самого тошнотворного свойства...

Итак, вошел Гурвиц, присел рядом с нами, велел Маше принести еще чашечку кофе, и мы заговорили о последних событиях в Израиле, о зловещих предостережениях департамента *Бдительности*, о подожженных синагогах во Франции и недавних избиениях в Москве нескольких иностранных подданных...

— Я скажу вам, дети мои, дела очень плохи... — произнес Петюня, — мы идем в долину хаоса...

И стал молоть такую вот декаданщину. В его лице даже появилось нечто пророческое. Он стал еще более похож на святого Петра, причем сокрушенного и печального, уже после того, как трижды пропел петух. Далее он вообще понес нечто невообразимое. Положение наше — Израиля, то есть, — таково, что мы как бы движемся в узкой траншее, и двигаться можем только в пределах ширины этой траншеи. Можно маленько двинуться влево, можно подвинуться вправо, но идти мы вынуждены вперед и вперед. И только я хотела поинтересоваться — почему бы не выскочить из этой траншеи к чертям собачьим, как он объявил, что нас ждут такие испытания, каких наш народ еще не знал.

Мы с Яшей сидели на чудном кожаном диване, который с немыслимыми ухищрениями мне удалось выколотить из административного отдела Синдиката и, вытаращив глаза, смотрели на нашего старого алкоголика.

— Что же делать?! — воскликнул Яша, чувствительный, как любая творческая натура.

— Дети мои, — сказал наш доморощенный апостол Петр Гурвиц, — если не верить всей душой в чудо, то всем нам рано или поздно придет п...ец!

— Если это произойдет, — проговорил Яша, едва ли не рыдая, — можно только представить положение еврейских диаспор во всем мире!

— Петюня поморщился и сказал:

— А ты о них не беспокойся! Эти говнюки выкрутятся из любой ситуации. Думай о себе и своих детях...

В этот момент губы его дрогнули, в усах разлилось выражение восторженной догадки, глаза посветлели.

— Хотите анекдот? — спросил он.

Анекдот от Петюни

Один еврей купил попугая. Принес клетку домой, снял платок — это оказалась попугаиха. Увидев белый свет, она заорала: "Хочу трахаться!!! Хочу трахаться! Хочу трахаться!!!"

Еврей огорчился, пошел к раввину.

— Ребе, — говорит, — я человек небогатый, в кои веки купил детям забаву — и надо же, как мне не повезло! — вместо нормального попугая попалась какая-то проститутка...

— Не расстраивайся, — говорит ребе. — Я знаю одну семью, там живут два набожных попугая. Надо подсадить твою к ним в клетку, чтобы они ее перевоспитали.

Тот обрадовался доброму совету, пошел по указанному адресу. Действительно: в клетке сидели два набожных попугая: в кипах на головах, в талесах, — и молились. Как только шлюху-попугаиху подсадили к ним в клетку, она заорала: "Хочу трахаться! Хочу трахаться! Хочу трахаться!!!"

Тогда один из попугаев сказал другому: — Видишь, Дувид, я говорил тебе: если долго и упорно просить Всевышнего, он исполнит любую просьбу!

Дверь приоткрылась, заглянул Изя, сказал удовлетворенно: — А, вот вы где!

И велел Маше принести еще чашку кофе. Вообще, выглядел довольно возбужденным.

— Слушай, сколько стоит арендовать корабль? — спросил он Петюню.

— На хрена тебе корабль, Изя? — вяло отозвался тот.

Но Изя был явно занят какой-то настойчивой мыслью.

— И все-таки?..

— Я кто тебе — адмирал?

— Ты — Главный распорядитель.

— Смотря какое судно, для чего и на какой срок, — предположил Яша. — Если катер, например, часа на полтора...

— Нет! Корабль, настоящий корабль, и надолго! Может, на месяц...

— Да на черта тебе?! — удивились мы дружно. И в самом деле, какое отношение имели морские экспедиции к Изиному департаменту *Загрузки ментальности*? (Хотя, если вдуматься, если напрячь воображение, можно представить галеон времен Ост-индской компании, снаряженный еврейскими купцами... галеон, прибывший в амстердамский порт с грузом малаккского перца, индиго, саппанского дерева... галеон, хранящий в трюмах предметы голубой посуды эпохи Мин, корейский и японский фарфор, острый имбирь, японскую медь, крупные алмазы грубой огранки, шкатулки, полные жемчугов и рубинов, персидские шелка, неочищенный цейлонский сахар... а также тигра, крокодила и молодого шимпанзе с ошейником на шее, притороченного цепью к мускулистой руке чернокожего моряка...)

— Есть одна идея, — сказал Изя нетерпеливо. — Пока в стадии разработки. Но возможно, это станет революционным этапом в работе Синдиката.

Петюня закатил глаза к потолку, словно прослеживал траекторию вознесения известного исторического лица.

— Слушай, — сказал он, — а нельзя ли погодить с революциями до конца моей каденции?..

Он поднялся и пошел к дверям. Изя вскочил и повлекся за ним:

— ...но ты можешь позвонить в пароходство, и хотя бы выяснить...

— ...а чего выяснять, если Расстреловна все равно не даст ни гроша...

— ...а если Клещатик проплатит?

Когда за ними закрылась дверь, мы с Яшей задумчиво переглянулись.

Дважды кукарекнул его мобильник, — дети по нескольку раз в день слали отцу приветливые sms-записочки. Он достал из кармана брюк телефон и продемонстрировал этот своеобразный привет:

"Fuck you, dusha moja!" — писала одна из близнецов.

— Наверное, выиграла крупную сумму, — предположил отец.

На журнальном столике перед ним, как обычно, лежал листок, зарисованный чередой картинок. Попугаиха, с лицом Петюни, держала в клюве мешочек с зернышками слогов: "хочу тра-хать-ся, хочу тра-хать-ся!!!" На соседней жердочке сидели два набожных попугая с лицами обоих начальников из Центра.

— Брось привычку рисовать свои комиксы, ты попадешь в паршивую историю, — сказала я, открывая почтовую программу в своем компьютере.

— Как-то рука сама бежит... — виновато сказал Яша, — помимо воли...

Я смотрела в экран:

— Опять!!! Опять этот странный тип со своими апокалиптическими пророчествами!

Яша вскочил, встал за моей спиной, мы молча уставились в экран, читая:

"Лжецы и лицемеры, преследующие лишь свои низменные цели, они делают вид, что пекутся о пользе страны — не верьте ехиднам! — верховные народа этого пекутся лишь о себе, о своей мошне, о своих удовольствиях. В страхе они просыпаются по ночам, трясясь за свое будущее... Запускают загребущие руки свои по локоть в государственную казну и беспрестанно лгут, блудят и подличают! Заключают они парц и

играют, играют в подпольных казино, делают ставки — где прогремит следующий взрыв, и прольется новая кровь, кровь их братьев и сестер, — и выигрыш не смердит им... Не чтят они святых своих книг, не помнят слов пророка Ехизкиеля, сказавшего: "И изолью на тебя гнев Мой, огнем ярости Моей дуну на тебя и отдам тебя в руку людей свирепых, мастеров истребления..."

Дойдя до конца письма, мы молча изумленно вперились друг в друга.

— А ты говоришь — комиксы... — пробормотал Яша.

....

Из "Базы данных обращений в Синдикат".
Департамент Фенечек-Тусовок.
Обращение номер 1.004:

Мужской энергичный баритон:

— Я донор с тридцатилетним стажем, могу пользу принести в вашем бедламе со всеми этими взрывами... а ваши наглые чинуши в Посольстве мне в визе отказали!

....

Израильская рулетка

Я стояла на верхней площадке кладбища на холме Гиват-Шауль и смотрела, как крошечный экскаватор внизу ровняет новую террасу на склоне. Сколько же их было, этих новых могил... Опять я пошла вправо и вниз, но после роскошного, заросшего багровыми кустами бугенвиллей памятника знаменитому раввину повернула по другой дорожке... И наконец поняла, что совсем заблудилась...

Первое утро дома, первый наш отпуск...

— Не хотела тебя расстраивать... — сказала мама... — Знаешь, кого похоронили неделю назад? Фриду... Она была в том автобусе, на Гива-Царфатит... Если б ты видела, сколько пришло народу! Все дети слетелись за день, Бени успел из Франкфурта, Миха — из Парижа... Бедный Йосеф постарел сразу на двадцать лет...

Это была соседская семья, которая возилась с нашим нелепым семейством в самом начале. Фрида... Она подарила нашей четырехлетней дочери первую куклу Барби, купив ее за немыслимую цену — 120 шекелей. Эта волшебная кукла своими пластмассовыми объятиями раскрыла очарованному ребенку объятия целой страны...

И вот я стояла на одной из дорожек Гиват-Шауля, иерусалимского кладбища, перебирая в кармане плаща не-

{152} сколько гладких камушков, подобранных для того, чтоб положить на могилу Фриды. На свежую могилу Фриды.

И я безнадежно заблудилась.

Я опять достала листок, на котором мама нарисовала ориентиры. От главного входа — направо, сказала она, потом резко взять вниз, потом налево до конца аллеи... Да, но мама была здесь неделю назад. А за этот короткий срок Иерусалим взрывался трижды, следовательно...

— Что ты ищешь? — окликнул меня мужской голос на иврите.

Я оглянулась. Серый минибус стоял в тени высоких туй, рядом с колонкой, из которой набирал воду в ведро пожилой человек в черных брюках, белой рубашке и черной жилетке. В Москве этот прикид выглядел бы вполне концертным, здесь же не оставлял сомнений в социальной принадлежности данного господина. Высокий, сухощавый, с аккуратной седой бородкой, в черной шляпе, он выглядел так, как выглядят в Израиле еще несколько тысяч религиозных мужчин...

— Ты что, заблудилась?

— Не могу найти могилу...

— Подожди, — сказал он, — сейчас управлюсь и помогу тебе.

Он мыл один из памятников неподалеку. Я подошла и, чтобы не стоять праздно, подобрала с расстеленной на земле газеты сухую тряпку и стала вытирать отмытый им, коричневый, с золотой искрой, гранит памятника.

— Ну, вот... — сказал он удовлетворенно, скатывая рукава белой сорочки и застегивая манжеты... — Теперь займемся *твоим*... Скажи имя и дату смерти...

Связался с кем-то по мобильному телефону и минуты две ждал ответа, пока кто-то там сверялся в своей базе данных... Господи, подумала я, похоже, все мы навеки пленники различных баз данных...

— Это не здесь, на другом конце кладбища... — он махнул рукой. — Отсюда далеко... Садись, я подвезу тебя...

...И довольно легко нашли мы холмик со свежей табличкой над Фридой. Я наклонилась, аккуратно выложила камушки в изголовье... И, как обычно бывает со мною на кладбищах, не чувствовала ничего. Знала, что тяжко будет потом — сегодня вечером, или ночью, когда я внезапно проснусь часа в два и до рассвета буду вспоминать все, что связано с Фридой и ее семьей, с Фридой и нами, с Фридой, нами и ее детьми, разлетевшимися сейчас по разным странам...

Мы постояли еще несколько минут. Он — терпеливо за моей спиною. Может, думал, что в этой могиле лежит кто-нибудь из родных. В сущности, так ведь оно и было...

Он наклонился и вгляделся в дату смерти.

— Не старая... — пробормотал он... Впрочем, ему и так все было ясно... С газетных полос улыбались и улыбались лица все новых жертв...

— Раньше... — медленно проговорил он... — Раньше, бывало, человек погибал тоже страшно, но, по крайней мере, его клали целым в гроб. Его прах пребывал в благочинном покое и ждал себе воскресения из мертвых. А сейчас? Тебя разрывает в куски, от тебя летят клочья, твое бедное тело превращается в огненные брызги, в кровавые ошметки, и нет никакой надежды, что когда придет Спаситель, ты облачишься в плоть и выйдешь ему навстречу — радоваться и плясать. Тебя и за гробом достает безумие распада, безумие распада нашего мира...

Я оглянулась, посмотрела вверх — идти было далеко.

— Садись в машину, — сказал он, — хватит, поедем... Тут пока нечего делать... Это потом, позже, тебе придется не забывать про ведро и тряпку, и про ножницы — подрезать кусты... Здесь еще год-два будет красиво... Эти кусты, не знаю их названия, — так быстро растут и такими цветут

{154} яркими цветами, — сердце улыбается... Не благодари, не благодари! Как же не помочь в этом...

— ...А сейчас ты куда? — спросил он, когда мы подъехали к воротам.

У меня было несколько встреч в центре, в районе Русского Подворья. Он сказал: мне тоже в город, я подвезу...

— У тебя большая машина, — заметила я, — много детей?

— Нет! — сказал он неожиданно резко. — Двое. Она принесла мне только двоих!

Я взглянула на него сбоку. Он проговорил это в сердцах, даже усы встопорщились. Застарелая обида на жену...

— Тебе надо бы усы подстричь, — сказала я, — тебе есть, наверное, неудобно...

— Я не стригу ничего, — сказал он. — У меня борода до колен.

Мы как раз стояли на светофоре; он задрал голову, показывая, что борода его аккуратно завернута и сколота под подбородком английской булавкой. Сноровисто распустил ее, раскатав по животу, и так же быстро опять завернул, как солдатскую скатку, тщательно сколов.

— Детей только двое. Да и то, дочь вышла замуж, а у свекра магазин в Нью-Йорке, и теперь он их туда увозит, вместе с внучкой... А младший — неизвестно по какой дороге пойдет... Сама знаешь — какое сейчас положение повсюду. В религии — тоже... А машина... Это я вожу тела.

— Тела?

— Ну, покойников...

Я невольно оглянулась, он это заметил.

— Не бойся, — сказал он, — чего уж тут бояться. Я получаю их чистыми, обработанными... Тебе неприятно?

— Да нет...

— Понимаешь, кто-то должен этим заниматься...

Тут зазвонил его мобильник и с минуту он договаривался о чем-то, попросил меня записать на листке какой-то адрес в районе Кирьят-Йовель...

— Просят перевезти семью с квартиры на квартиру, — пояснил он мне, — бесплатно, конечно... Там куча детей, кое-что из мебели, какое-то стекло... Они бедные, платить нечем... — усмехнулся и добавил: — Моя парнаса!

...На Еврейском перекрестке, на углу улицы Штраус, меня окликнул знакомый художник, и те две-три минуты, пока светофор держал красный, мы успели перекинуться новостями...

— Жаль, что вы сейчас в Москве, — сказал наш знакомый. — Тут сейчас отличная халтурка обломится: муниципалитет дает художникам расписать львов...

— Львов?! Где?

Светофоры выкатили желтые горошины. И, торопясь, уже в движении, художник докрикнул в уличном шуме:

— Выдают бетонную болванку — сидящий или стоящий лев, и расписывай себе на здоровье, что только в голову придет! Для настроения публики... Не вешайте мол носы, ребята, — жизнь прекрасна! По всему Иерусалиму будут...

...зеленый! Толпа двинула — как обычно на этом перекрестке — в разных направлениях, наш знакомый махнул, досылая привет Борису рукой, а не голосом, и исчез в толпе...

...До встречи с другом у меня оставалось еще минут пятнадцать. Я купила в киоске свежий номер газеты и тут же развернула. Все шло своим чередом: во Франции, в Авиньоне подожгли синагогу... Арабские школьницы и их родители вышли в Париже на демонстрацию против учителей-евреев... Евросоюз требует от Израиля... Америка выступает с новыми инициативами...

Перевернула листы: в разделе "Культура" на соседних колонках шел спор двух журналистов на любимую, давно расчесанную тему. Отвратительное мракобесие — запрет на

{156} исполнение музыки Вагнера в Израиле — длить долее недопустимо, писал один, мы позорим себя перед просвещенным миром, потакая националистически настроенному плебсу... Другой — в соседней колонке — отвечал, что ждать осталось недолго. Еще год-три, ну, пять, и уйдет в лучший мир этот националистически настроенный плебс — все те, кто чудом, волею небес или благодаря мужеству скрывавших их праведников ускользнул от окончательного решения еврейского вопроса — термин, изобретенный, кстати, великим Вагнером, — те, кто выжил, несмотря на все опыты, производимые над ними любителями Вагнера под музыку его же... Словом, еще чуточку терпения и Вагнер, конечно же, восторжествует в Израиле, как, возможно, и окончательное решение еврейского вопроса...

Обычная беспощадная драка ногами без всяких правил, какие бывают у нас только между своими...

Подняв от развернутой газеты взгляд, я увидела в витрине цветочного магазина неподалеку вывешенные флажки Англии, Франции и Германии, крест-накрест перечеркнутые черной краской. Над ними висел рукописный плакат: "Я байкотирую этих выблядков. А ты?"

А за стеклом магазина покупал цветы мой старый друг, с которым минут через пять мы должны были встретиться в соседней забегаловке. Этот упрямый человек лет двадцать пять уже знал, что я не люблю срезанных цветов, и все-таки каждый раз покупал гвоздики, в память о тех, еще ташкентских гвоздиках, которые — и тогда вполне случайно! — были у меня в руках в нашу первую встречу.

Я подошла, когда он расплачивался, и сказала:

— Опять гвоздики?

И мы обнялись, как после долгой разлуки, хотя перед отъездом в Россию, с полгода назад, виделись — как всегда на бегу — в Хайфе. В последнее время мы встречались в самых разных концах Израиля и всегда на бегу, потому что мой друг, сделавший в Стране ошеломительную карьеру в полиции, с недавних пор возглавлял одну из групп по борьбе с террором на Севере страны. Мне повезло, что на этот раз я перехватила его в Иерусалиме.

— У тебя уставший вид, — сказала я, когда мы забились в самый дальний угол ресторанчика и сделали заказ, что-то плебейское: горячие питы, индюшачья шварма, салат-*хацилим* — расхожий, но все-таки вкусный набор средиземноморской скатерти самобранки.

— Я-то, по крайней мере, имею на это право, — возразил он. — Я в последний раз спал бог знает когда. А вот ты почему выглядишь, как загнанная овца?

— Нет, я — загнанный пастух... Измученный пастырь жестоковыйных московских овец.

— Что, не едут люди?

— Не очень...

— Ну, их можно понять. Знаешь последний наш анекдот? Что такое "русская рулетка" — известно всем. А вот "израильская рулетка" — это когда человек приходит на автобусную станцию в Иерусалиме и садится в первый подошедший автобус...

— Да, смешно... Сеня, — спросила я, — что будет, а?

— Спроси что полегче... Дай-ка я лучше расскажу тебе последнюю хохму.

И пока мы ели шварму и намазывали на куски питы остро-пряную размазню баклажанного салата, он рассказывал мне эту *хохму*:

Некий очередной террорист-самоубийца неудачно подорвал себя, не до конца. В бессознательном состоянии его привезли в Иерусалимскую клинику "Адасса". Неотлучно при нем находился офицер израильских сил безопасности, врачи боролись за его жизнь, так как очень важно было выудить из него сведения о тех, кто засылает таких вот ребят, мечтающих о семидесяти гуриях в бесплатном раю... Словом, когда этот парень наконец открыл глаза, в мутной пелене вокруг себя он увидел все белое — стены, бесплотные силуэты в белом. Над ним склонилось лицо с внимательным тяжелым взглядом.

— Я... в раю?.. — простонал террорист.

— А ты как думаешь, — участливо спросил в ответ обладатель пронзительного взгляда, — в раю бывают евреи?

— Конечно, нет, — ответил террорист-неудачник.

— Ну, значит, ты не в раю, — заключил полковник сил безопасности и велел везти бедолагу на допрос...

. . . .

Дважды за этот куцый отпуск меня тягало начальство в Долину Призраков... Полдня я угробила на какое-то совещание, потом еще день — страшно и непотребно ругаясь про себя, — на встречи с каждым из начальников. А игнорировать было никак нельзя: деликатность ситуации заключалась в том, что в Иерусалиме шли неутихающие феодальные войны между главами департаментов. Именно тамошние босховские и брейгелевские персонажи, их застарелые или свежие междоусобные распри формировали принципы кооперации или, наоборот, противостояния департаментов в России. Все это было похоже на отражения в озере деревьев, растущих на берегу, или облаков, плывущих по небу, и точно так же любого камня, брошенного с берега в воду, было достаточно для того, чтобы отражение разбилось, замутилось, пошло рябью... Стоило поссориться начальникам двух, прежде дружественных, департаментов в Иерусалиме, как в Москве у нас летели к чертовой матери налаженные проекты.

Пробегая по коридору второго этажа мимо кабинетов, поймала себя на том, что читаю имена на табличках. Ни одного Азарии на глаза не попалось. Уже выходя из здания, я спросила у охранника, сидящего над присутственным журналом, в котором отмечались все посетители Синдиката:

— Слушай, в каком департаменте сидит Азария?

— Азария? А фамилия? — спросил тот.

— Фамилии не знаю...

— Так выясни в департаменте *Кадровой политики*, а то я здесь недавно, не со всеми знаком...

Я поленилась возвращаться, опасаясь, что меня перехватит еще какой-нибудь начальник. Ладно, подумала, успеется. В конце концов, отзовется же он когда-нибудь на мои страстные оклики...

Вышла, и сразу увидела на противоположном углу улицы старого шляпника. Он так и сидел на своем высоком табурете, будто никуда не отлучался с него все те месяцы, что меня здесь не было. И вдруг — через дорогу! — он узнал меня и стал приветливо зазывать ладонью, что-то хрипло выкрикивая...

Я переждала поток машин и подошла к нему. Моя черная шляпа висела на болванке точнехонько на том же месте.

— А я узнал тебя! — начал он. — Сказал себе: это та куколка, которой идет черная шляпа...

— Это та куколка, — перебила я, чтобы сразу сбить с него елейный тон зазывалы, — которая умеет торговаться и ни за что не даст себя облапошить.

— Конечно, конечно! — спохватился он. — Сядь вот сюда, я угощу тебя настоящим турецким кофе...

Вытащил из-под прилавка пластиковый табурет и достал из сумки термос. — Как тебе нравится погодка?

— Февраль, — отозвалась я, неожиданно для себя усаживаясь. — ...А ты что, так и сидишь тут весь день?

Он развел руками: — Мой бизнес... Я сижу на этом углу тридцать восемь лет, с Божьей помощью...

Не много же наторговал с Божьей помощью за тридцать восемь лет этот старый хитрован, если не может снять приличный магазин...

— А ты плюнь на заработки, поезжай куда-нибудь, отдохни...

Он покачал головой:

— Не-ет, не могу... Кто ж меня заменит? Я ни разу никуда не выезжал из Страны... А куда? Куда, спрашиваю тебя, ехать? И что я там увижу такого, что хотелось бы мне прижать к сердцу?

Он достал откуда-то одноразовый стаканчик, дунул в него, выдувая пыль, отвинтил крышку с термоса, и черная дымящаяся струя кофе, благоуханного даже на расстоянии, нырнула в стакан...

— Ты поэт, — заметила я, отхлебнув глоток. — А! Замечательно... Крепкий...

— Страшно, — сказал он, качая головой, — страшно упали цены...

— Да? — оживилась я, — и на сколько же упала цена на мою шляпу?

Он спохватился:

— На эту? Побойся Бога! Эта — ручная работа, можешь свернуть ее в трубочку — ей ничего не...

— Слышали эту песню... Ты хочешь сказать, что падают зарплаты, падает уровень жизни, рушится экономика, а эта сраная шляпа пребывает в благоденствии своих 70 шекелей?

— Эта уникальная шляпа — оглянись, найдешь ли ты такую во всем Иерусалиме, — по-прежнему остается в своей небольшой стоимости...

— Тогда ты будешь носить ее сам.

Я допила кофе и выбросила стаканчик в мусорный бак.

Наперерез из кустов к помойке, вздыбив хвост, галопом промчалась скаковая кошка. На углу улицы красовался щит с глазастым трамваем, что вываливался на прохожих, как бы удивленно читая надпись внизу щита, о сроках сдачи работ на данном участке пути...

— Перекопали весь город, — заметила я, — ноги обломаешь, пока пройдешь... И ничего толкового пока не видно... Ты веришь в этот трамвай?

— А, — сказал он, — слушай, Иерусалим Тита пережил, римский плуг, арабских коз... Ну, так пойдет здесь трамвай, или не пойдет здесь трамвай...

А вот сколько, скажи... положа руку на сердце, ты дала бы за эту шляпу?..

— Когда я торгуюсь, то не кладу руку на сердце, оно у меня для других целей... Но сорок шекелей по-прежнему мне не жалко.

И еще в течение минут десяти мы оба наслаждались нашим бессмысленным торгом. Я не собиралась зимой покупать летнюю шляпу, он знал это и не хотел прежде времени спускать цену... Февральский ветер пощипывал веки, стыли руки без перчаток, которые я не взяла сегодня из дома, обманутая дневным теплом. Бесстыжий трамвай со щита пытался заглянуть за угол, где стояли два мусорных бака, словно был одержим желанием увидеть — чем там лакомятся трое отважных иерусалимских кошек...

— Ладно, — проговорила я, поднимаясь. — Бог даст, будет и лето на этой улице... Тогда и продолжим нашу захватывающую беседу...

За два дня до нашего возвращения в Москву *им* удалось взорвать кафе в центре Иерусалима, — чудесное уютное кафе, любимое место встречи студентов. Я не раз бывала там, помнила интерьер: старые кованые лампы на цепях, свисающих со сводчатого потолка, плетеные этажерки с книгами современных писателей, антикварные круглые столы с венскими стульями, и по углам — несколько потертых "вольтеровских" кресел, накрытых пледами... Это было время ланча, перерыв между занятиями в академии Бецалель и двух колледжах неподалеку.

Одиннадцать убитых, двадцать девять — раненых... Вот что мучит меня, от чего я никогда не могу отвязаться: я представляю себе дальнейшую жизнь тех, кто *выжил*, — всех этих моих ночных *попутчиков* до рассвета... этих счастливчиков, о которых никто и не говорит, о которых впоследствии не вспоминают, поскольку поспевают новые жертвы; тех, кого политики, журналисты, дипломаты вообще не принимают во внимание, — я представляю себе дальнейшую долгую жизнь этих везунков, до конца обреченных на костыли, протезы, коляски, на собаку-поводыря, на клинику для душевнобольных...

— Знаешь, в чем единственное везение? — сказала мама, — что Толик, внук Нины Моисеевны, ушел оттуда буквально за пять минут до взрыва!

....

...В аэропорту, в зале вылета мы столкнулись с Яшей Соколом, — он с детьми тоже возвращался из отпуска. Его дочери спали прямо на ковровом покрытии пола, головами на своих рюкзачках, в одинаковых позах, посреди колготни "Дьюти-Фри", галдежа и рева самолетов... Растолкать и поднять их отцу удалось только за пять минут до вылета. В самолете мы с Яшей сели рядом, обнаружив, что соскучились не только по ежедневным встречам, но и по синдикатовской необязательной болтовне, по сплетням, по идиотским анекдотам Петюни... словом, по "нашим монастырским новостям"...

Заговорили о недавнем взрыве в кафе.

— Я ведь преподавал года два в Бецалеле, — сказал Яша. — Ездил раз в неделю из Хайфы, и мне было невнапряг, занятно было. Много интересных ребят. Вчера заезжал в Синдикат, а потом наведался в Бецалель, кое с кем встретиться... Захожу в буфет, беру кофе, сажусь. Слышу, студенты за соседним столиком обсуждают — кто из знакомых погиб, кто ранен... и в процессе разговора — а это, как я понял, студенты факультета мультипликации, — они, сами того не замечая, начинают придумывать сюжет мультика: жара, обвешанный взрывчаткой террорист, отдуваясь и обливаясь потом, подходит к киоску с водой и говорит: — Уф! Если я сейчас не выпью стакан воды, я взорвусь!

По проходу поехала стюардесса со своим столиком, — собирать подносы с остатками завтрака, — и в последний момент я вытянула из-под ножа зарисованную Яшей салфетку, которую она хотела смять и выбросить. И несколько месяцев потом эта салфетка лежала у меня в ежедневнике, пока куда-то не улетучилась: коротенький толстый человек, весь перевитый пакетами со взрывчаткой, остановился у киоска с водой. С лица его градом катится пот. Изо рта, напрягая щеки, он с явным усилием выдувает пузырь, в котором кудряво вьется псевдо-арабская вязь: "Умоляю! Глоточек воды несчастному шахиду!"

...Над февральской стылой Москвой летел редкий снег, беспрерывным потоком шли машины, залепленные по окна черной грязью.

Нас встречал Саша, штатный водитель на родном синдикатовском "форде", нашем синем трудяге-"форде", которого гоняли в хвост и в гриву — то в Шереметьево, то в Домодедово, то по вокзалам... Ежедневно в Синдикат и из Синдиката прибывали и отбывали какие-то люди. Кроме синдиков, которые мотались по России и окрестностям, в Москву или через Москву следовали еще приезжие лекторы, психологи-затейники для проведения *психодрам* на семинарах департамента Юной Стражи Сиона; являлись с ежемесячными отчетами инструктора провинциальных отделений Синдиката. Но чаще всего на "форде" возили посланников Центра.

Наскребали эту публику из всех углов — считалось, что направляются они в страны бывшего СНГ с особой культурной миссией...

Были среди них и замечательные ученые с разнообразных кафедр израильских университетов, а была и шушера — потерявшие работу журналисты, пропившиеся до положения риз актеры с программой очередного моноспектакля...

Если взглянуть сверху на эти хлопотливые передвижения, Синдикат мог бы предстать под наблюдателем огромной муравьиной кучей, на первый взгляд беспорядочной. Однако всеми этими передвижениями ведал Гоша Рогов — человек аккуратнейший, военная косточка и служака. Любой, кто сталкивался с Гошей, любил отметить неимоверную четкость его работы.

Яша, дающий клички со скоростью, с которой лишь ковбой выхватывает кольт, окрестил его "Георгом Рогге".

Передвижения всех *клоунов*, как называл израильтян Гоша, значились у него на столе, в огромном листе расписания, которое сам он и чертил, разбивая на клеточки. В каждой клеточке — имя, номер рейса, заказ водителю.

Правда, в последнее время Гоша как-то постарел и устал, в стройном графике передвижений стали появляться прорехи, сбои. То забывал он передать заказ водителю, то не успевал отправить за билетами на вокзал посыльного. Словом, в последнее время случались у нас всякие сюрпризы в путешествиях, и я всегда заранее посылала Машу в транспортный отдел — проверить на случай "в случае чего", включены ли мы в нужную клеточку Гошиной карты мироздания.

...Саша-фордист приветливо помахал нам рукой, показывая, что он здесь, здесь, все в порядке, все ко мне. В левой руке он держал картонку, на которой было написано: "Emilija Ropper" и "Shraga Ledashii". Значит, с нами летели еще двое *клоунов*, и Саша тревожно их выглядывал, поднимая картонку все выше. Если, не дай Бог, пропустить, Гоша по головке не погладит.

— А этих не знаете, случаем? — спросил он, не решаясь назвать израильтян так, как позволял себе Рогов.

Но и эти двое *клоунов* вскоре нашлись, Саша побежал, пригнал родимый "форд", мы погрузили чемоданы, забились в него и поехали. Слава Богу, — воскресенье, утро, пробок нет... Слякотная пригородная Москва замелькала бесконечными высотками... Сидящая впереди Эмилия

Роппер, впервые попавшая в Россию и, вероятно, до сего дня уверенная, что в России увидит только срубы, избушки и медведей на полянах, громко вскрикивала при виде высотных зданий, гигантских рекламных щитов и других примет сегодняшней жизни столицы. Даниловский рынок ее потряс. "Циркус?! — восклицала она звонко — Циркус?!" Впоследствии я не раз удивлялась этим детским восторгам израильтян. Странно, ведь все эти люди в своей жизни объездили немало стран, видали много чего в обоих полушариях. Но именно Россия, и особенно Москва, всегда приводила их в состояние опьянения, — почему? Какие рассказы дедушек-бабушек о местечковых обычаях российской и украинской глубинки питали их представления о России?!

Шрага Лядащий, наоборот, сел к окну, налепил наушники и всю дорогу мрачно дремал, сваливая лысую голову то на левый, то на правый наушник... Он был родом из Ленинграда и Москву презирал по факту рождения...

Домой нас привезли последними.

— Ого! — сказал Саша, заруливая во двор. — Мы к подъезду-то не проедем. Глядите, чего эт там у вас?

У нашего подъезда стояла пожарная машина, на асфальте в черной слякоти змеились шланги, которые уже наматывали на бобины двое пожарных. Вокруг толпились соседи.

Мы посторонились и дождались, пока пожарная машина развернется и задом выедет в переулок. Толпа у подъезда, несколько поредев, продолжала скандальные дебаты.

— А ты видал?! Ты, мать твою, видал моего пацана?! — кричала совершенно непотребного вида баба в коротком халате и резиновых сапогах, надетых на голые ватные ноги. Все они, надо сказать, были расхристанны, — видно, выбегали из квартир в чем стояли. Но на этой женщине лежал отпечаток того беспробудного свинства, по которому мы безошибочно издалека определяем этот сорт людей. И сорванный пьянством и руганью голос, и страшное речевое возбуждение не оставляли ни малейших сомнений —

к какой прослойке общества принадлежит эта дама. Она наскакивала на соседа с пятого этажа, бедновато матерясь и выделывая пальцами, локтями и ногами непристойные выкрутасы. Вообще выглядела марионеткой с перекрученными нитями, которую волочет утащившая ее из шкафа собака...

— Вот тебе!!! Вот тебе!!! — выкрикивала она, — Я те дам милицию!!! Я в другой раз лично тебя придушу, понял?

Мы молча прошли с чемоданами сквозь толпу соседей.

В подъезде невыносимо воняло гарью и какой-то химией. Все вокруг было залито грязной пеной. На этот раз горел мусоропровод. Он еще чадил, источая такую вонь, что я зашлась в кашле.

Лифт, само собой, был отключен, мы с чемоданами потопали вверх по ступеням, на которых валялись старые газеты, мусор, сожженное тряпье. Пока Борис искал по карманам ключи и отпирал дверь, я почувствовала, что на площадке кто-то есть, и оглянулась. В нише с мусоропроводом прятался кто-то низкорослый, только глаза вдохновенно сверкали белками, и реяло огненное облако кудрей. Я бросилась к нему, схватила за плечи:

— Это ты?! — кашляя, крикнула я. — Ты поджигаешь подъезд?!

Не двинувшись, не пытаясь высвободиться, он удивленно и горестно смотрел на меня. Даже в полутьме подъезда его бледное лицо поражало утонченными чертами мальчика-финикийца со старинной гравюры.

— Что вы, тетя! — укоризненно произнес странный мальчик. — Не уподобляйтесь низким людям, которые живут в темноте и не хотят знать света.

От растерянности, от нереальности происходящего — уж слишком хорошо артикулировал и строил фразы этот малолетний отпрыск алкоголички, слишком был спокоен и торжествен, — я отпустила его плечо.

— Злые люди, темные люди, — продолжал мальчик певучим речитативом. — Они не знают, что нуждаются в свете!

— ...Люди, львы, орлы и куропатки... — тем же тоном проговорил Борис, появляясь за моей спиной: — Старичок, — сказал он, склоняясь к мальчику, — когда-нибудь ты попадешься со спичками в руках, и тогда не обижайся на темных и злых людей. На меня, например. Понял?

Он взял меня за руку и потащил в квартиру.

— Мальчик, кажется, ку-ку?.. — спросила дочь.

Я заходилась в спазматическом кашле...

— Все мы, кажется, ку-ку... — сказал отец и, не снимая куртки и ботинок, прямо в коридоре стал быстро распаковывать чемодан в поисках моего ингалятора.

....

...Я шла по улице прекрасным осенним утром, какие бывают в Иерусалиме в ноябре... На глянцевом склоне фаянсового неба выплюнутым божьим леденцом таял бесполезный месяц. Странно, думала я, раньше я не замечала, что за поворотом улицы Кинг Джордж сразу начинается Большая Никитская. И это оказалось очень кстати, потому что в уме я держала зайти в Дом литераторов, где меня должна была ждать Марина. Я шла мимо высоких витрин новых дорогих бутиков, каких в Москве сейчас гораздо больше, чем в Иерусалиме, видела себя в этих витринах и любовалась своим новым элегантным плащом с роскошной, свободными складками спадающей по плечам пелериной. Да нет же, не в паршивом баре ЦДЛ меня ждала Марина, а в этой вот новой кофейне, открытой в доме Петра Ильича Чайковского. Я вошла внутрь, заказала коктейль... Марина, как всегда, опаздывала...

— Со льдом, пожалуйста, — добавила я пожарному за стойкой. Лед был сегодня необходим, потому что осень в этом году была жарковатой даже для Израиля... Я села за

{168} столик, но солнце, ломящееся сквозь огромное окно, нажаривало мне спину, так что нужно было пересесть в тень, за другой стол. А лучше снять плащ! Конечно, к чему сидеть в плаще в этой уютной кофейне!

Я попыталась расстегнуть пуговицы, но не обнаружила их... Какой странный плащ — вообще без застежек. Наверное, его надо, как платье, снимать через голову... Надо скорее снять его через голову, потому что невыносимо, нестерпимо печет спину и плечи!

Тут сзади подсел ко мне чужой, омерзительный, зашептал на ухо жирным *доверительным* голосом: — ...А не могли бы вы дать адресок вашего портного? Впервые вижу такую потрясающую модель — горящие крылья!

Я в панике обернулась и увидела, что на мне горит пелерина плаща... И стала срывать с себя горящие лохмотья, задыхаясь, оскальзываясь пальцами в крепкой материи у горла...

...Проснувшись, несколько минут глубоко и часто дышала, пытаясь успокоить колотящееся сердце... Чей это голос был, чей? Что-то знакомое: Ной Рувимыч?..

Я закрыла глаза и стала выманивать из памяти наше море в Хоф-Доре, в последний, перед отъездом, день — ноздреватые плиты базальта под водой, белые круглые домики в двух шагах от пляжа... Искала и мысленно звала ту великолепную, блещущую листьями, красавицу-пальму. И она явилась на берегу, и стала приближаться, пока я плыла к ней, — взмывая в небо с каждым моим всплывом и погружаясь в море опять, взмывая и погружаясь... Взмывая и погружаясь...

Темно-зеленая тень дельтаплана скользила по узорным волнам.

Медленно высыхали на лице соленые капли...

Конец первой части

ЧАСТЬ ВТОРАЯ

"Со дня разрушения Храма отнят провидческий дар у пророков и передан безумцам и детям..."

Вавилонский Талмуд, трактат "Баба Батра"

"Усики клопов красоты необыкновенной; смотря въ микроскопъ, можно смѣло утверждать, что онѣ служатъ имъ не только для украшенія головы, но даже для осязанія, онѣ ощупываютъ ими дорогу, нѣтъ ли чего препятствующаго имъ въ своемъ странствованіи, или обо что могли бы они замараться, или въ чемъ нибудь утонуть".

"Тридцать два простыя и испытанныя средства противъ домашнихъ клоповъ"
Переводъ съ третьяго исправленнаго и умноженнаго изданія Французскаго сочиненя Матіота 1829

...А также гроб наложенным платежом...

С утра в моем кабинете появился озадаченный Яша Сокол с какой-то бумагой в руках.

— Слушай, — сказал он, — тут ко мне по ошибке попало письмо из Посольства. Тебе адресовано.

И сходу стал читать: некий мой однофамилец, гражданин Израиля, затеял пьяную драку и свалился в Ниагарский водопад...

— Что-что?! — перебила я, отрываясь от компьютера.

Это были минуты, когда, после двухдневной отлучки, я разбирала завалы электронной почты:

воззвания политических национальных блоков;

приглашения на открытия-банкеты-отчеты еврейских организаций;

просьбы о благотворительной помощи на восстановление церкви в селе Устющево Калининградского района;

целый каскад файлов от Галины Шмак с истерической припиской, что все это надо прочитать до вечера;

льстиво-игривое послание от Эсфирь Диамант с приглашением явиться на ее концерт в зале "Родина";

требовательно-заискивающее предложение от Клары Тихонькой оказать финансовую поддержку семинару "Катастрофа: наши уроки";

десятка полтора требований из Иерусалима;

Приказ по департаменту *Кадровой политики* об уволь-нении Анат Крачковски и немедленном ее возвращении в Иерусалим;

Приказ по департаменту *Кадровой политики* о восста-новлении Анат Крачковски в должности и продлении ее деятельности на три месяца, в связи с отсутствием достой-ной замены;

Сообщение из департамента *Розыска потерянных ко-лен* о принадлежности Хайрутдинова Олега Равилевича (61 года рождения, профессия — судовой механик) к потерян-ному колену Звулуна ("Звулун у брега морей будет жить и у пристани корабельной, и предел его до Цидона");

рассылка материалов "Народного университета" По-жарского;

рассылка Национальной Русской партии Украины;

рассылка Чеченского Союза борьбы с оккупацией и —

прочая, прочая, прочая... не говоря уже о письмах друзей и близких... — то есть пребывала в самом раздра-женном состоянии духа.

— ...Ты сам-то трезв? Какой Ниагарский водопад, где он его разыскал?

— Понятия не имею, вот, пишут черным по белому: свалился в Ниагарский водопад и в данный момент лежит в безнадежной коме в госпитале, в Монреале, подключен-ный к приборам.

— Так... ну?!

— Ну и тебя предупреждают, что если ты его не забе-решь, его отключат от приборов и разберут на запчасти...

— Как отключат?!! — вскрикнула я, — Господи, этого мне еще не хватало! Кто он, этот мудила, где его родствен-ники?!

— О! Вопрос по существу. Сообщается, что в городе Стерлитамаке проживают его родители 20-го года рожде-ния, — папа Фима и мама Фаня. И ты должна...

Я машинально щелкнула "мышкой". На экране компьютера открылось новое сообщение:

"Тема: Только для русских и православных! Новый сайт! Православие в Николаеве!

Приглашаем посетить "Общественную приемную епархии"! —

для обличения ереси "ПАПИЗМА", де-факто существующей внутри нашей многострадальной Православной Церкви..."

...Я отвела взгляд от экрана моего многострадального компьютера, выхватила из Яшиных рук письмо и понеслась к Петюне. Тот сидел за столом и явно много страдал от похмельной изжоги. Я хлопнула бумажкой по столу. Он поморщился и стал читать...

— Этот каскадер... он что — ваш родственник?

— Да нет же, нет!

— Так что вы так волнуетесь?

— Но его же отключат от приборов, разберут на части!

— Ну и хер с ним, — сказал честный Петюня. — Слушайте. У меня тут настоящие неприятности по двум проектам... Клещатик отказывается проплатить летний лагерь в "Пантелеево" под тем предлогом, что ребятишки устроили там погром, подожгли бассейн.

— Что подожгли?!

— Бассейн, бассейн...

(К тому времени я уже познакомилась с легендарным "Пантелеево", давно пребывающим в жалком состоянии тотальной разрухи. Когда-то "Пантелеево" было нормальным пионерлагерем одного солидного ведомства, но давно уже стало добычей некоего хвата, который через фирму "Глобал-цивилизейшн" сдавал свою халабуду Синдикату для образцово-кошерных *тусовок*.)

— Ну и учитывая, что мы должны Клещатику уже пятьсот тысяч долларов... словом, он не желает больше проплачивать семинары... Вдобавок с утра опять явились ауди-

торы из Налогового управления, — как обычно, на этой теме Петюня понизил голос, — и расселись в *"инструктажной"*... и тут еще ко всему — вы, с этим... любителем водных
процедур...

— Гурвиц!!! — завопила я, — вы понимаете, что несете?!

— Тихо! — Он округлил глаза. — Внизу работают аудиторы. — И показал большим пальцем вниз. Финальный
жест римлянина в гладиаторских боях.

— Это же человек! — прошипела я.

— Ну, какой он человек, он бессознательное тело, тут
же пишут...

— Но он еще не умер!

— Так умрет, — он миролюбиво ухмыльнулся... —
Смотрите... Эти сукины дети в Посольстве хотят свалить с
больной головы на здоровую... Это сами они в Ниагару
свалились, причем всем дипсоставом... Вся возня с гроба-
ми наложенным платежом — их епархия... Даже не смейте
думать забрать этого говнюка. Ишь, прицепились к фамилии! Это все интриги Козлова-Рамиреса, попомните мое
слово, он подлейшая тварь! Так что пусть расхлебывают
свою проблему сами...

...О межведомственных войнах — происходи они в Синга-
пуре, Германии времен Рейха, Советском Союзе или Израиле — написаны тома, поставлены сотни фильмов, расска-
заны тысячи анекдотов. Но вражда между Синдикатом и
нашим Посольством в России давно уже приобрела поистине эпический размах. И дело было не только в личных
амбициях Посла и Генерального Синдика, в сферах влия-
ния или в полномочиях. Гвоздь этой многолетней вражды
сидел в гигантской разнице между нашими бюджетами.
Мы были богаты. Мы были чертовски богаты. Мы были
так богаты, что почти не считали денег, — за нас их считал
Клещатик. Посольство же по традиции сидело на жесто-

чайшей диете. В то же время дипломатический статус жег
этим ребятам их тощие ягодицы, не позволяя спокойно
взирать на античные масштабы нашей деятельности. Бед-
ность, вздорность и гонор посольской братии напоминали
мне хвастливого Портоса из "Трех мушкетеров", вернее,
его знаменитую перевязь, спереди роскошную. (Остальное, как известно, у него прикрывал сзади плащ, под который нельзя было заглядывать, дабы не увидеть на заднице
заплат нищеты.)

Дипломаты требовали от нас беспрестанного воздая-
ния отечественному флагу, гимну и национальной гордости. (Мы же были вольными корсарами, — во всяком случае, бороздили просторы стран СНГ, не прикрывая темечка
диппаспортами).

Традиция нашей совместной работы в России сложилась не сегодня: мы платили, они произносили речи. И вместе мы вытягивались под звуки государственного гимна —
"Атиквы" — со скорбно-вдохновенными лицами...

Ни одно мало-мальски внушительное деяние Синдиката в России не обходилось без вступительной речи Посла — старого цицерона с выслугой лет, не умеющего вовремя остановиться... Сопровождал его обычно *атташе по
связям с социумом* Фелиппе Козлов-Рамирес, вкрадчивый
молодой человек со сложной родословной. Родиной его
отца была Аргентина, и сын унаследовал ласково-масля-
нистый блеск латиноамериканских глаз, тонкие усики и
манеру актера мыльной оперы на всякий случай заигры-
вать с любым собеседником. Мать приехала в Израиль из
России после многолетней упорной борьбы за выезд, поэтому мальчик унаследовал стремление добиваться своего
любыми, неважно какими, путями.

В Яшиных комиксах — а наши отношения с Посольством породили у Яши целую череду комиксов — Козлов-
Рамирес представал в образе пришибленной гиены: очень
похоже наклонял голову, одновременно укрывая ее и в то

же время вытягивая шею, вынюхивая, — не завалялась ли под кустом какая-нибудь падаль... Более всего на свете он боялся гнева Посла, который, по слухам, швырял в подчиненных тяжелыми предметами...

— Так что мне делать?!

Петюня взглянул на меня, спросил проникновенно:

— Вы хотите моего совета?

— Ну конечно!

— Дайте бумажонку! — он брезгливо взял письмо, скомкал его и бросил под стол в корзину.

— Мы ничего не получали. — Он смотрел на меня безразличными глазами в розовых прожилках. Так ворона разглядывает прыгающих вокруг воробьев, не желая иметь с ними ничего общего.

И вдруг расцвел в улыбке, светлой и благостной:

— Лучше послушайте анекдот. Как раз по теме:

анекдот от Петюни:

Этнографы обнаружили в районе Ниагарского водопада неизвестное, не описанное еще наукой, племя индейцев. Их отличительная особенность — огромная шишка на правой ягодице. Ученые заинтересовались, снарядили экспедицию, стали наблюдать за племенем. И научная загадка объяснилась: утром каждый индеец выползает из хижины, зевает, потягивается, прислушивается... — Что это за шум?! — спрашивает он в ужасе, — откуда такой страшный шум?!.. — хлоп себя со всего размаху по заднице: — Да это же Ниагарский водопад!!!

Я молча смотрела на него с полминуты, потом также молча поднялась и вышла.

. . . .

Женский взволнованный голос:
— ...В 86 году я сделала аборт от еврея. Скажите,
можно это засчитать за мандат на восхождение?

. . . .

Microsoft Word, рабочий стол,
папка rossia, файл sindikat

"...идея Клещатика, выношенная под сердцем еще с ноября, постепенно прорастает и даст ему со временем пышный урожай, который, впрочем, он собирает с Синдиката ежегодно: Праздник Страны на ледовой арене.

Главной конфеткой станут новенькие израильские фигуристы, занявшие на последней Олимпиаде то ли третье, то ли шестое место.

Вчера всех синдиков собрали в "перекличке" на обсуждение этих будущих сатурналий. Клава, как обычно, завел уже традиционный запев о сокращении штата. Кажется, наш добряк получает особое мстительное удовольствие от того, как вытягиваются лица синдиков: мало кому хочется уехать, не заработав и половины намечтанных денег. И только баба Нюта, завершающая свой десятый год в России, невозмутима, плюет на всех и всегда готова к громогласному отпору.

Услышав Клавин зачин "нам некуда деться, придется малость сократить штат", она достала косметичку, деловито открыла ее и принялась снимать с ногтей слой старого лака. В "перекличке" пронзительно и ядовито запахло ацетоном. Клава закашлялся.

— Анат Крачковски, — сказал он, — я уволю тебя только ради того, чтоб не видеть больше твоих ведьминых когтей и не нюхать эту замбурную вонь.

В ответ та подняла бровь и звонко отчеканила:

— Стоит мне захотеть, вы все сгинете еще до того, как я поменяю цвет ногтей с зимнего на весенний... И ты, толстяк, в первую очередь...

Наконец явился и Ной Рувимыч, разложил бумаги, раскатал на доске план малой спортивной арены Лужников и с большим подъемом стал разворачивать перед всеми сверкающие горизонты будущего празднества:

— Вы смотрели вчера по телевизору их обязательную программу? Они откатали ее великолепно, зал буквально взорвался израильскими флажками! Вот это и будет нашим гвоздем...

— Так они приедут? — спросил всегда подозрительный Петюня... — Эти вот, как вы сказали?.. — он ни о ком и ни о чем никогда не слышал.

— Я веду переговоры... должен еще связаться с их менеджером. *Она* несет на церемонии закрытия олимпиады израильский флаг и по этому поводу сейчас к *Ней* невозможно пробиться... Когда послезавтра они вернутся домой...

— А где они живут? — спросил Петюня.

— Вообще-то они израильтяне, — торопливо вставил Клещатик.

— А где они живут? — настырно повторил вопрос Петюня.

— Вообще? — легко и как-то скороговоркой переспросил Ной Рувимыч, — Вообще — в Америке...

Мы с Яшей переглянулись. Синдикат устраивал праздник виртуальной страны, с виртуальными спортсменами на ледовой арене, в России. А между тем мы точно знали, что эта страна существует, и в данный момент истекает кровью...

...Бедный Клавдий, кажется, изнемогает от всего этого. Он понимает, что Синдикат должен отбацать Праздник Страны как можно громче — такова традиция, такова идеологическая установка, которую подкачивает Клещатик своими таинственными и крепкими связями в Иерусалиме. В то же время Клаве хочется, чтобы его оставили в покое, чтоб он остался дома один, разулся, прошелся незакованной в обувь раненой ногой по кухне, надел любимый красный фартук в белый горошек и зафаршировал баранью ногу, о которой я слышу вот уже полгода и не пробовала ни разу...

Клава мужественно пытается противостоять колоссальной утечке бюджета на Праздник, я уже заявила ему, что дам на эти утехи плебса тысяч двадцать, и ни копейкой больше. Но все мы понимаем, что бессильны.

Клещатик обаятелен, как дьявол, улыбается, говорит душевно, убедительно... и вот уже минут через десять чуть не вся коллегия синдиков наперебой предлагает всевозможные *фенечки*: Миша Панчер предложил заказать особое мороженое: шарик — синий, шарик — белый, отразив государственные цвета.

— И сделать съедобные флажки, — подсказал негромко Яша... — чтобы в финале праздника гости их дружно съели...

Все эти торжественно-рекламные глупости сожрут, конечно, львиную долю годового бюджета. Но, чтобы накрутить расходы Синдикату, Клещатик еще настаивает на увеличении числа артистов, количества номеров, численности танцоров...

— Понимаете, — говорит он, — огромное пространство льда не должно пустовать. Это провально — в смысле впечатления. На льду что-то должно происходить постоянно. Гигантские площади льда должны быть задействованы...

— Так посади на нем рыбаков, *Норувим*, — нетерпеливо оборвал его Клава. — И тогда вечером мы будем иметь хороший ужин... А для смеху пусть один из них провалится в прорубь...

Клавдий именует Ноя Рувимыча по-своему, сокращенным *"Норувим"* — и это странное имя, напоминающее имя какого-нибудь библейского серафима, архангела или провинившегося перед Господом, падшего ангела, очень тому подходит...

Словом, Клещатик просачивается сквозь стены, проникает гибкими пальцами дьявольского хирурга сквозь ткани мышц, вынимает сердце из груди и кошелек из желудка. Кажется, он владеет навыками гипноза, который действует на всех, кроме Угрозы Расстреловны.

Вчера она остановила меня в коридоре и, глядя в пол, отчеканила: — "При том, что деятельность вашего департамента — никчемная чепуха и разбазаривание средств, я вижу, что вы единственная сопротивляетесь этому спруту Клещатику. Вы отказались проводить свои *тусовки* в "Пантелеево", это правда?" И не слушая меня, дальше: — "И молодцом. Я хочу, чтоб вы знали — "Пантелеево" принадлежит ему, ему лично, через этот сарай, через подставных лиц прокачиваются наши миллионы..." "Откуда вы знаете?" — потрясенно спросила я. Она усмехнулась, сказала — "а я не вчера родилась. И в той организации, где я до вас работала, там умели раскапывать..." — и отмаршировала прочь.

Я действительно не езжу в "Пантелеево" и, похоже, Ной Рувимыч с этим смирился. Для наших *тусовок* шустрый Костян, прочесав Подмосковье, нашел чудный санаторий "Лесные дали" на берегу Истринского водохранилища... В первый раз я ожидала скандала, вроде того, о каком мне рассказывали мои ребята... Однако художники, писатели, кинематографисты и барды, собранные в этом дивном месте, благополучно расселились по номерам и два дня взахлеб общались, не выходя из конференц-зала, хотя погода стояла прекрасная и я побаивалась, что эти, известные и уважаемые, люди просто разбредутся гулять по лесу. Однако они вцепились друг в друга, смотрели фильмы, спорили до ночи, и никак не могли расстаться. Мы с Костяном записали все выступления, я отредактировала, и вскоре уже Сережа Лохман издал нам великолепный сборник статей о литературе и искусстве, с обширной и страстной дискуссией страниц на сорок в конце, — который мгновенно стал библиографической редкостью…

…Так вот, *перекличка*, посвященная грядущему Празднику Страны. На ней произошел еще один, на первый взгляд, пустяковый эпизод.

Изя Коваль, продолжающий носиться с идеей круиза по Волге, опять влез со своей темой: Казань, Саратов, Самара, Новгород… Плавучий лекторий, водичка за бортом, заливка ментальности прямо в уши… А Клавдий сказал: добавь к проекту график температуры воды, чтоб бабы могли захватить бикини. Потом задумался и проговорил — отличная идея: людям некуда будет деться…

И вдруг Клещатик порозовел, встрепенулся, пергаментные его щечки налились живым соком, затрепетали… Я посмотрела на него и поняла, что грядет Новая Идея, которая, как баржа, потащит за собой какой-нибудь грандиозный Проект — (Клещатик был гением выращивания Проектов Глобальных, Международных, Межконфессиональных… — тут же сам становился генеральным подрядчиком по их исполнению), — и главы департаментов должны распахнуть кошельки своих бюджетов… Да и Центральный Синдикат, как яловая корова, должен был приготовиться: уже бык *Норувим* увидел цель, уже рыл копытами землю, помахивал хвостом, уже глаз его налился кровью страсти, уже примеривался он влезть на свою любимую буренку по кличке Синдикат… Однако интересно — что можно выудить, что вырастить из невинной прогулки по Волге…

Кстати, после *переклички* произошел еще один забавный эпизод: в коридоре меня нагнал Клещатик с какой-то папкой в руках и попросил уединиться в моем кабинете "на минутку". Я любезно пригласила, велела Маше принести чаю… Ной Рувимыч был непривычно стеснителен, даже робок, присел на краешек дивана, держа папку ребром на колене… Я заподозрила самое страшное… и оказалась права: так и есть, он пишет… Он написал пьесу и хотел бы, чтобы я, как профессионал… одним глазком… и так далее…

— Ной Рувимыч, — удивилась я, — у вас такие связи... Если я правильно поняла, любой театр с удовольствием возьмет вашу пьесу к постановке при определенных условиях.

— ...возьмет, возьмет... — покивал он мешочками щек...

— ...и актеры известные будут в ролях...

— ...будут, будут... — сказал он, — уж не сомневайтесь...

— Так чего ж вы хотите от меня?

Он помялся... переложил папку на второе колено, отхлебнул чаю, принесенного Машей, и проговорил твердо:

— Мнения!

...Когда он вышел из кабинета, я раскрыла папку и застонала: его пьеса называется "Высокая нота моей любви"...

....

Главный раввин России Залман Козлоброд говорил притчами. Выступал он всегда на русском языке, который знал плохо. Но говорил громко, активно артикулируя. Притчи его выглядели приблизительно так: — "Виходит Гилель из дюш... А кто-то скучает на двер... Это пришли *шейлот*[1]... — "Почему китайцы такой длинный глаз"? Гилель сказать: — "Потому что ветер кидает песок". Опять Гилель пойти в дюш, и снова кто-то скучает на двер..."

Понятно, что эти притчи выглядели слишком глубокомысленными, но паства ему внимала, тем более что на этом подворье паству подкармливали...

Главный раввин России Манфред Колотушкин говорил грамотно и доходчиво, но умирающим голосом... С первого же слова видно было, что ему осточертело все: евреи, их праздники, их синагоги, все их сто восемьдесят семь организаций. Однако за предыдущие десятилетия, когда он был один, совсем один в своем роде перед Богом и Советской властью (что в то время было одним и тем же), он привязался к своей должности, и ныне, с могучим всплеском демократии, а следовательно, с возникновением неизбежных

---

1 Ш е й л о т — вопросы (*иврит*). (*Здесь и далее прим. автора.*)

дрязг, шантажа и криминала в святых религиозных пределах, — всего боялся и плакал по каждому поводу...

Главный раввин России Мотя Гармидер плевал на все их разборки густой слюной, потому что финансировалась его организация *Шадящего* иудаизма прямиком из Америки, а еще потому, что к Моте охотно шла молодежь, ведь *щадисты* не выстраивают таких преград на пути в еврейство, как остальные. Наоборот: они распахивают объятия всем, кто приветливо смотрит в нашу сторону. К Моте непрерывным потоком шли и шли русские жены, желающие пройти *гиюр*[1], дедушкины внуки, которым зачем-то понадобилось, чтобы их считали евреями, а также просто интеллигентная молодежь, знающая, что на дискотеках и *тусовках* у Моти собирается приличная публика, без криминала и наркоты.

Сто восемьдесят семь организаций давно поделили между собой Главных раввинов России, каждая — по своему вкусу. Однако все они изначально стояли перед вопросом: как величать этих персон на тех редчайших глобальных сборищах — таких, например, как учреждение очередного Еврейского конгресса, — куда приглашены все три Главных раввина России?

Это был момент истины, поистине захватывающий вестерн, триллер, леденящий кровь...

Ну, вообразите: вот председательствующий берет микрофон, протягивает руку в зал и объявляет: "А сейчас слово предоставляется..." — что прикажете делать, как обращаться, как назвать, чтобы не прищемить и без того распухшие амбиции? Но тысячелетиями блуждающий в лабиринтах Талмуда легендарный еврейский ум нашел выход и из этой безвыходной ситуации.

---

1   Гиюр — обряд перехода в иудейскую веру (*иврит*).

Была изобретена верткая формула: "по версии". (Причем моя Рома Жмудяк хвасталась, что изобрел ее сам Гройс — умница, волшебник, архитектор воздушных замков.) Так, значит "по версии":

Главный раввин России по версии Кремля.

Главный раввин России по версии тети Мани.

Вообще, согласитесь, что это — гениальная, и — несмотря на изначальную усеченность — универсальная для всеобъемлющего согласия формула. По версии евреев, шесть миллионов народа были уничтожены немцами, да и всеми желающими в годы Второй мировой войны. По версии всех желающих, да и многих немцев тоже, — евреи уничтожили сами себя, спровоцировали, способствовали, выслуживались, подбрасывали в топку... По версии Клары Тихонькой: оглушительный и вековечный набат должен бить и колотить по головам — на всякий случай — всех вокруг, чтобы *никто не забыт и ничто не должно повториться*. По версии ведущего антисемита Цесаревича и его многочисленных последователей: а хоть бы и повторилось... и хорошо бы, чтоб жиды заткнулись со своим вековечным ором, отвалили из России, оставили всех в покое.

Что там говорить — удачная, точная, хотя и нравственно уклончивая формула. Но при чем тут такая зыбкая во все времена категория как нравственность в борьбе за власть какую-никакую? За туфлю, к которой можно припасть? За кровлю, развесистую кровлю, под которой не страшна непогода в такой климатически неустойчивой стране как Россия?

Так вот, в течение календарного года в жизни всех ста восьмидесяти семи организаций, бегущих по разным направлениям, были общие дорожные столбы, были вехи и межи, проскочить которые не представлялось возможным, были даты, которые отмечали все, все, все! Еврейский Новый год. Героическая Ханука. Двуликий карнавальный Пурим.

{188} Вековечный Песах. День Независимости Еврейского Государства.

Ну и, конечно, День Памяти Шести Миллионов.

Последние циники опускали глаза и умолкали, когда Клара Тихонькая возвышала с трибуны свой каленый колокольный глас, ибо и в семьях последних циников было своих пяток-другой убиенных. И хотя каждая организация считала себя полномочной отмечать этот день там, где сочтет нужным её конкретное начальство, Клара — ежегодно — начинала бить в колокол за много месяцев до сокровенной даты, собирая синклит спонсоров, добиваясь могучего финансирования и организовывая торжественный Вечер Памяти, который вела самолично.

Поэтому, когда она позвонила мне еще в феврале, приглашая явиться на предварительное обсуждение грядущей даты, я не удивилась, а смиренно повлеклась в новый роскошный офис *УЕБа*, где, собственно, и собирались представители спонсорских организаций; от Синдиката — я.

— ...Эх, Ильи-и-инишна, — говорил Слава, привычно тараня дневную автомобильную пробку, нарушая все мыслимые правила дорожного движения, вклиниваясь, объезжая, въезжая на тротуары и разворачиваясь там, где разворачиваться смертельно опасно... — Для того чтобы в этой стране понять ход событий, надо знать много тонкостей... Многое надо знать изнутри. Я вот в бытность мою грузчиком...

— Грузчиком?! Я не знала, что...

— Так меня ж когда из узилища выпустили, я устроился за весьма мелкие деньги хлорировать воду в бассейне, и заодно подрабатывал грузчиком в "Гастрономе". Так там — как? Положим, начальство говорит уборщице — Маня, там у нас колбаска немного того... дрогнула, ты почисть её маленько так... сверху. Смахни, мол, пыль... Ну и эта Маня точно той же тряпкой, какой она моет полы, засаленной этой, несвежей, между нами говоря, тряпицей, садится, эдак, на табурет и, расставив толстые колени, энергично полирует батон колбасы, как солдат свое ружье.

Или, положим, говорит мне директор магазина: Славик, иди в холодильник, принеси окорочка там, или грудинки кусок. Ну, я иду. А в холодильнике — как? Все впонаброс, как загружают все подряд, запихивают, так это и валяется... И лезу я внутрь, в этих своих ботинках-говнодавах, в которых всяко приходится, прямо по окоченевшим колбасам-грудинкам, отбрасывая мерзлости на ходу, продираясь сквозь ледниковые многолетние наросты...

...А вот, друг у меня работал на заводе, где супы готовые фасуют. И после года непорочной службы никогда ни один готовый супчик в рот не брал. Там, что с конвейера на пол сыплется, — а по бокам дюжие мужики стоят, с совковыми лопатами, — р-раз с пола кучку, и — на конвейер... Со всем, что на том полу есть — с крысиным пометом, с дохлыми мышами... Ну и кому это помешало? Белки же всё...

Или вот сосед мой работал на молочном комбинате — уронил в жбан, в котором кефир производится, сапог с прелой портянкой. Ну и что? Сапог выловили, вымыли, портянку выжали, кефир разлили по бутылкам — здоровее будет!.. А вы, Ильинишна, на долгонько тут засядете? Я, в смысле, отлучиться часика на два...

— Конечно, Слава... езжайте, пообедайте... Супчик готовый или, там, бутылочку кефира...

— Э-эх, Ильинишна! — Слава лукаво улыбнулся, — Кабы знали вы, как далек от обеда мой промысел... Но к четырем я — туточки, как штык!

...Одновременно с нашим "жигулем" к крыльцу *УЕБ*а подкатил "вольво" с посольским номером. Из него, складываясь втрое, вылез Козлов-Рамирес, *атташе по связям с социумом.*

От связей *социума* с этим молодым человеком никогда и ничего не могло родиться толкового, все по той же

{190} причине: отсутствие луидоров у хвастливого Портоса. Так что связи эти носили у Козлова-Рамиреса платонический характер. Первое время он пытался привлечь мои деньги (мой дорогой симпатичный бюджет) в свои проекты. Но, будучи наполовину Козловым, выслуживаясь перед Послом, непосредственным своим начальством, он и вел себя соответствующим образом: выступая на открытиях-презентациях этих проектов, тянул одеяло на тощие ноги и впалую грудь Посольства, не упоминая Синдикат в числе спонсоров. Так что, очень скоро, продолжая улыбаться в ответ на зазывные латиноамериканские улыбки Рамиреса, я навсегда защелкнула перед носом Козлова кошелек своего департамента.

Прямо на лестнице он попытался закинуть крючок на предмет совместных действий. Мол, мы бы могли объединить усилия... О нет, возразила я, улыбаясь и прекрасно зная, что их усилия сводятся к вступительной речи Посла, после которой надо завершать вечер, — о нет, в последнее время Синдикат взял курс на самостоятельные проекты.

Словом, в тот день в новый конференц-зал *УЕБа* съехались спонсоры. Клара Тихонькая с Саввой Белужным уже сидели за великолепным вишневым столом, похожим на небольшой ледовый каток, — словно сели здесь со вчерашнего вечера и не поднимутся, пока все спонсоры не выложат три корочки хлеба на Вечер Памяти Шести Миллионов под управлением Клары Тихонькой.

От Еврейского Совета явились двое — заместитель финансового директора, некто Виктор, с молчаливой и плоской стенографисткой, которая записывать начала с того момента, когда, тряхнув высоким седым коком надо лбом, Клара Тихонькая сказала:

— У меня вчера была "Катастрофа". Вы не представляете, Виктор, как я устала!

— На "Катастрофу" денег у меня нет, — парировал тот.

Я хотела сказать, что на Катастрофу кое у кого уже нашлись деньги в середине прошлого века, и немалые, но промолчала.

Вбежал оживленный Мотя Гармидер, похожий на студента-первокурсника, стал бурно отряхивать волосы от дождя, что-то напевая. Прибрел унылый лысый бухгалтер Объединения Религиозных Евреев России — сокращенно *ОРЕР*, — возглавляемого Манфредом Григорьевичем Колотушкиным. Бухгалтера звали Миша, его все знали — по совместительству он сидел на кассе в лавке кошерных продуктов при синагоге. Миша сам выдавал пачки с мацой, пакеты с мацовой мукой, плохо ощипанных кошерных куриц. От его припорошенной мукой рубашки всегда пахло колбасой.

Наконец, в конференц-зал вступил директор *УЕБа* Биньямин Оболенски — прямой, сухой, неулыбчивый и подозрительный американец с фамилией русского аристократа. Он всегда выглядел так, словно оказался в России случайно, по аварийной посадке самолета, никогда не бывал прежде и часа через полтора покинет ее, с Божьей помощью, навсегда. Говорил только по-английски, перед вступлением в должность забыл или не успел ознакомиться с историей России, но отлично распределял деньги возглавляемого им фонда и был неплохим психологом: вперясь взглядом маленьких тяжелых глазок кобры, изучал лицо просителя ровно полсекунды, после чего ставил на бумаге визу — "выделить столько-то", или — "отказать". Никто никогда не мог понять движений этой загадочной американской души. При нем всегда телепался мальчик-функционерчик, отлично знающий английский язык. Митя.

Все уселись. Младший персонал *УЕБа* припоздал с раздачей кофе и печений, поэтому сверкающий вишневый стол действительно был похож на ледовый каток и расстилался перед нами пригласительно и прохладно. Каждый выступающий поднимался и с первым же словом как бы

{192} вылетал на его опасную поверхность, скользя и выделывая пируэты. Каждая речь была похожа на показательное выступление.

Первой, разумеется, откатала программу Клара: ну, эта дата... пепел стучит в наши сердца... в этом году исполнится... великая память... не должно повториться... в назидание молодежи... Катастрофа всем им необходима, как вечное напоминание... И она, как президент общественного фонда "Узник", готова взять на себя эту тяжелую миссию...

Затем поднялась я и сделала осторожный полукруг по ледовой арене, сухо объявив, что Синдикат готов выделить на этот вечер 5 тысяч долларов из бюджета департамента *Фенечек-Тусовок*.

Стенографистка Совета записала.

Тогда опять выехала Клара и, выделывая руками и ногами кренделя, торжественно взвыла (она сама обеспечивала музыкальное сопровождение своим номерам), — что наша общая боль... наша память... пепел не гаснет... пепел стучит... еще живы те, кто... жалеть на Катастрофу, значит — жалеть на воспитание наших детей... В конце концов, июнь 41 года...

— А что произошло в июне 41 года? — спросил Оболенски торопливо переводившего Митю своим скрипучим голосом.

Над ледовой ареной повисла пауза.

Митя наклонился и сообщил шефу, что в июне 41 года нацистская Германия начала войну против России...

— *О, риали?* — отозвался тот, — но какое это имеет отношение к евреям?

— Самое прямое, — не выдержал зам. по финансам Еврейского Совета.

— *О'кей*, — проскрипел Оболенски. — Синдикат — пять? И мы — пять?

Опять выехала с показательной программой Клара Тихонькая. Как это так — наши спонсоры, наши международные фонды оглядываются друг на друга в самом святом, самом... — Она подбавила надрыва в голосе, раскинула руки, приготовилась к коронному *двойному тулупу*.

Оболенски поморщился. Он не любил Клару. Сказать по правде, мало кто ее любил.

— *О'кей. Файф.*

Наконец девочки разнесли кофе и печенья.

Я ждала гвоздя программы: распределения по Вечеру Главных раввинов России. Тем более что спустя минут двадцать после начала обсуждения появился Берл Сужицкий, заместитель и правая рука Залмана Козлоброда — умный, отлично образованный молодой человек, прекрасный оратор и фигурист высшего пилотажа. Все знали, что он очень многое решает в *РЕЗ*е — "Ревнителях Еврейского Закона" — так расшифровывалась гигантская и богатейшая организация Козлоброда.

Мы с Берлом были земляками и даже, как недавно выяснили на одном из банкетов, жили в Ташкенте на соседних улицах. Каждый раз, когда мы встречались, я вспоминала одну картинку из детства — босоногого пацана, весело гнавшего обруч по переулку. За ним мчались двое дружков с возмущенными воплями, — очевидно, он превысил лимит времени гона, а может, это был общественный обруч, или даже принадлежал одному из преследователей, а пацан угонял его, как угоняют в плен, как Салманасар угнал все десять колен израилевых... Беззаботно смеясь, он все гнал и гнал обруч по переулку, ловко подправляя его, чтоб не свалился в арык, и одновременно умудряясь ударами босой пятки точно лягнуть преследователей, то одного, то другого...

Конечно же, то был не Берл, но почему, почему при виде его я вспоминала переулок, весь в заплатах ослепительного солнца сквозь листья чинар, и босоногого пацана-хулигана, ударами пяток отгонявшего своих преследователей? И за этот, всегда неожиданный, клочок солнца была ему смутно благодарна...

— Уважаемые господа... На такое святое дело, — деликатно улыбаясь, проговорил Берл, — мы дадим столько, сколько понадобится. Безоговорочно! Но с одной оговоркой: вступительное слово должно быть отдано Главному Раввину России. Он прочтет кадиш по жертвам Катастрофы.

Не было нужды уточнять — какого Главного Раввина России он имеет в виду.

— Торжественное открытие Вечера должно начаться с приветственного слова Посла, — вставил Козлов-Рамирес.

— Если дать ему слово, — угрюмо заметил Виктор, зам. по финансам в Совете, — никто уже ничего больше не скажет...

Его стенографистка строчила, не поднимая головы. Она была плоской и аккуратной, как дощечка. Я подумала, что при отсутствии бумаги, она могла бы писать на себе, как до изобретения бумаги писали на глиняных дощечках в глубокой древности.

Все понурились. Пасьянс распадался с самого начала. Вступительное слово Залмана Козоброда автоматически означало отпадение от всей затеи самых денежных — Синдиката и *УЕБ*а. Те не признавали Козоброда, считали его варягом, самозванцем, ставленником российских властей...

Встрепенулся Миша, бухгалтер *ОРЕР*а, вотчины обиженного Колотушкина, — и с горечью вопросил:

— А почему, собственно, мы должны одалживаться у *РЕЗ*а? Мы и сами можем дать... 500 долларов. Если Синдикат (горький взгляд в мою сторону), и *УЕБ* (подобострастный в сторону Оболенски) повысят ставки, мы обойдемся без этих шантажи...

Поднялся шум. Громче всех вопила Клара. Если сейчас же ей не дадут слова, если будут по-прежнему возмутительно игнорировать...

— О'кей, ты можешь покинуть наше собрание, — сказал Оболенски через Митю.

Клара достала пудреницу и стала пудрить нос, как ни в чем не бывало...

Зам. по финансам Совета Виктор сказал:

— Прежде всего я уполномочен заявить от лица моего руководства, что мы и так тратим огромные суммы на поддержку молодежных проектов.

— Вы?! Вы?!! — завопила Клара. — А кто отказал фонду "Узник" в проведении двадцати молодежных семинаров по Катастрофе?!!

Я очень надеялась, что она запустит в зама пудреницей. Или разобьет что-нибудь на столе. Я почему-то всегда тянусь к таким вот скандальным поворотам сюжета и подсознательно жажду их. Но, видно, время еще не пришло.

— Я не могу говорить в таких условиях, — сказал Виктор. — Сделайте что-нибудь с этой дамой.

Стенографистка строчила с бесстрастным лицом.

— Кларочка, Кларочка... — примирительно проговорил Миша, кассир и бухгалтер в кошерной лавке *ОРЕ*а.

— Все знают, что и так главной фигурой на вечере будете вы, — добавил Козлов-Рамирес... — После вступительного слова Посла...

— Господа... — продолжал зам. по финансам Еврейского Совета. — Однако с Главными Раввинами нужно что-то решать... Не заменить ли их всех на одного Гройса?..

— Гройса, кажется, в эти даты не будет в России, — вспомнил Миша, кассир и бухгалтер. И, понизив голос, добавил сидящему рядом Оболенски: — Он ведет челночные переговоры об организации нового Дальневосточного Еврейского Конгресса...

Тут встрепенулся Мотя Гармидер.

— Мне, конечно, плевать, — начал он. — Я бы и сам мог, как Главный раввин России, прочесть кадиш по усопшим. У меня есть классная девчонка, которая пропела бы это под гитару, как соловей... Но чтобы уж соблюсти политесы, я предлагаю вот что: пусть Манфред Григорьич скажет два-три слова вначале, а Залман, хрен с ним, пусть проблеет кадиш со сцены, у него это неплохо получается. И все будут довольны. Потом Кларочка повыдрючивается на сцене со своими узниками гетто. "Псалмопевцы", само собой, прогундосят пару гимнов... А я на закуску могу спеть что-нибудь из кантри, печальное, согласно купленным билетам...

Все оживились, приободрились... Мотя Гармидер, дай ему Бог здоровьичка, был человеком здравомыслящим и — редчайший случай! — не искал врагов, а наоборот, стремился со всеми поддерживать приличные отношения.

— Нет-нет, кантри, — это не тот случай, — вступил Козлов-Рамирес. — Я здесь, собственно, с предложением Посла. Посольство, как главное израильское представительство, тоже должно внести лепту в это важнейшее для еврейской общины Москвы мероприятие...

У всех присутствующих застыли лица. Даже намек на то, что Посольство может выдать хотя бы копейку на что бы то ни было, высекал в душах бывалых евреев искру божественного чуда, как если б воскресший Моисей получил на Поклонной Горе от Господа новые целенькие скрижали...

— Ну, вот видите! — ликующим голосом возопил Миша, посланник вечнообиженного Колотушкина. — Все славно выходит: Посольство вкладывает недостающую сумму, и мы...

— Нет-нет! — прервал его Рамирес, на глазах перевоплощаясь в Козлова, черты лица которого немедленно приобрели чеканную надменность дипломатической персоны. — Посольство, как известно, участвует в любом празднике на более серьезном, чем материальный, уровне. Мы придаем вес.

— О, Го-о-осподи!!! — бестактно проорала Клара, закатывая глаза к потолку. — Держите меня! Они вес придают! — и припала спиной к сидящему рядом Савве, закинув руки за голову и задрав ногу в очень дорогой туфле итальянской фирмы.

— Да! — холодно отозвался Козлов. — Для того чтобы Вечер приобрел статус подлинного события в культурно-политической жизни столицы, вам просто необходимо присутствие Посла, иначе на черта вы сдались российским журналистам, Клара? Но я хочу предложить еще кое-что, менее официальное: мы готовы привезти замечательную израильскую певицу Моран Коэн, которая для этого события разучит "Песни борцов гетто".

Тут уже не выдержала я.

— Одну минутку, Фелиппе... Насколько мне известно, Моран Коэн — исполнительница мелоса евреев стран арабского Востока...

— Ну и что?! — он вскинул голову, рассматривая меня, словно впервые видел.

— Вы уверены, что "Песни борцов гетто" — это ее репертуар?

— Да она выучит, выучит! Она лауреат конкурса в Барселоне!

— Ладно, хрен с ней, пусть поет, не жалко!

Мотя Гармидер сидел между мной и Кларой.

Его доброжелательность прорывалась не только в дружественности тона. Стараясь всех примирить со всеми, он оглаживал, приобнимал за плечи, целовал ручки сидящих вокруг дам. Были бы у нас все такие Главные Раввины России, мы бы горя не знали...

— Нет уж посто-о-ойте!!! Посто-о-ойте!!!

Клара вскочила, бурно дыша, сжимая в руках вишневую сумочку в тон туфлям и столу.

Вот интересно, подумалось мне, это цветовое совпадение или намеренно подбиралось... Очевидно, она почувствовала удобный для истерики момент. Уже несколько раз я присутствовала при истериках Клары, грянувших в нужном месте и в нужную минуту, словно она каким-то сверхчутьем ловила ТО мгновение, словно кто-то стрелял над ее ухом из стартового пистолета...

— Сижу и слушаю!!! Не могу пости-и-ичь!!! Не укладывается в моей голове-е-е!!! Значит, выступают все, кто угодно: раввины, певички, послы и ослы... а мы, стражи Памяти Народной!!! Мы, беззаветные служители вечного набата Катастро!!!...

Достигнув высочайшей трагической ноты, она оборвала вопль, зарыдала, и, швырнув сумочку на пол, выбежала из конференц-зала. Савва вскочил, подобрал сумочку, бросился за ней следом.

Наступила тишина. Все вздохнули с облегчением.

Биньямин Оболенски попросил Митю налить еще чаю.

Сидящие вкруг роскошного стола в этом уютном зале в новеньком офисе *УЕБ*а сделали вид, что только что произошедшая сцена — просто раскат грома, пророкотавший за окном. Собственно, так оно и было.

— Господа, — сказал, поднимаясь, Берл Сужицкий. — К сожалению, я должен покинуть это достойнейшее общество. Главный раввин России Залман Козлоброд в три часа участвует в телемосте между Папой Римским, Главным муфтием России и еще несколькими официальными лицами. Я обязан присутствовать... (веселый обруч катился и катился по переулку, мелькали босые пятки, ловко лягая преследователей)... Подводя итог нашей беседы, могу только повторить: мы рады участвовать в Вечере Памяти Шести миллионов, мы готовы удвоить сумму. Но господин Залман Козлоброд, как официально признанный властями Главный раввин России, должен открывать наш Вечер...

— Береле, а к ночи ты освободишься? — спросил Мотя Гармидер, вскакивая и провожая Берла к дверям, обнимая того за плечи... — Ты помнишь, что задолжал мне партию в бильярд...

Они скрылись за дверью. Виктор, зам. по финансам Совета, вздохнул и проговорил:

— Вот как хотите, а следует покрыть всех раввинов одним Гройсом. И все выиграют. И Вечер выйдет просто конфеткой!

Митя перевел его реплику Оболенски.

— Нет! — сухо проговорил глава *УЕБ*а, сверля всех сидящих за столом тяжелыми глазками кобры. — Гройс и так за последнее время приобретает какой-то непропорционально значимый вес в международном еврейском движении. Он — везде. Того и гляди придет открывать Вечер Памяти, а по инерции откроет еще один новый Конгресс Шести Миллионов Погибших.

Я с интересом взглянула на Оболенски. Впервые в нем проявились проблески юмора, хоть и мрачноватого.

— Полагаю, на сцене все же должны появиться и Колотушкин и Козлоброд, надо только продумать порядок выступлений...

— ...при условии, что вести Вечер и объявить минуту молчания должна только я! — добавила Клара, появившись в дверях с сумочкой под мышкой.

— ...если ты помолчишь хотя бы минуту, — сострил за ее спиной вернувшийся Мотя...

Стенографистка строчила... Бумаги у нее было достаточно. Пепел погибших, как и в прошлые годы, исправно стучал в сердца.

Рутинное собрание глав еврейских организаций Москвы продолжилось.

....

Из "Базы данных обращений в Синдикат".
Департамент Фенечек-Тусовок.
Обращение № 1.837:

Спотыкающийся женский голос:

— Ох, к вам не дозвониться... Значит, так... нас четверо: бабушка, мать, восьмиклассник и труп моего погибшего брата. Все хотим взойти в Страну... Что эт вы не понимаете? Ну, прах, пепел, в урне... Мы без него — никуда... Я что звоню: я слышала, что у вас там к пеплу плохо относятся... ну, в смысле, против, чтоб покойников жечь... Так куда ж мы... Ах, да?! Можно?! Вот это здорово! Тогда запишите нас, мы все — Прохоровы: бабушка, мать, восьмиклассник и прах... В смысле, — пепел...

. . . .

"...со всех прелестнейших имений..."

...Вечером "Красной стрелой" я выехала в Санкт-Петербург... Где-то там, на берегу Финского залива, в пансионате "Балтиец" мои питерские коллеги проводили *тусовку* по технологии пиар-компаний, и меня пригласили выступить перед участниками...

. . . .

*Microsoft Word, рабочий стол,
папка rossia, файл piter*

"...к номерам, подобным тому, в какой я вселилась в "Балтийце", привыкнуть невозможно, как невозможно привыкнуть к неизбежным унижениям... Дело не в бедности. В самой неказистой комнатке какого-нибудь дешевого пансиона Амстердама, Парижа или Рима все же нет этой удручающей безлюбости пространства, заброшенности, бесконечного безразличия к тому, кто войдет в эту комнату, ляжет на колченогую кровать, упрется взглядом в ободранные тусклые обои...

...Моя лекция была назначена на три, оставалась еще бездна времени. Я надела толстый, в три нитки, свитер, вышла и, спустившись к дороге, с километр шла в соснах, по тропке, бегущей вдоль шоссе. И все время помнила, что слева от меня тянется тускло-белесое зимнее море, море моей первой любви и первого крушения, после которого — пора уже в этом себе признаться, — я двигаюсь по жизни на-ощупь, проверяя людей и предметы на прочность, не доверяя собственным ногам, ступающим по твердой земле...

Потом все-таки свернула к морю...

Я не была здесь двадцать семь лет... Зимний берег ока-зался пустынен, широк и застлан снегом, испещренным воро-ньими и чаечьими следами...

Как, в сущности, жалка и мимолетна наша молодость, с ее непобедимой уверенностью в несокрушимости мира — моря, сосен, мерной бесконечности прибоя, гладкости соб-ственных бедер, тонкости рук, густоты кудрей... Смешная и трогательная вера во владетельную уместность твоего суще-ствования во всем этом всеохватном бессмертии... Между тем, проходит лето, проходит еще двадцать шесть лет, и вот ты идешь вдоль ломкой ледяной кромки все того же берега, мимо скрипучих чаек, — в теплом свитере, сутулясь, покаш-ливая и думая о том, что надо бы наложить перед сном на лицо питательный крем, а то кожа сохнет..."

. . . .

...Мне приснились морские львы, какими я видела их на причале в Сан-Франциско. Они громоздились друг на дру-га, переливаясь антрацитово-атласными черными телами, и сверху, с террасы ресторана, где мы стояли с пожилой внучкой великого русского композитора, были похожи на огромных слизней. И они ревели. Мы разговаривали гром-ко, стараясь перекричать их, но это было бесполезно. Что-то она говорила мне важное, что-то такое, что говорят не-часто в жизни чужим людям, и по лицу я видела, что она хочет быть услышана... Но ее слова тонули в ревущем лае морских львов, — или котиков? — и ничего, ничего не бы-ло слышно...

Я проснулась от их рева и несколько мгновений лежала, не понимая — где я, откуда сюда доносится любовный рев морских львов. Потом вспомнила — убогий номер пансионата "Балтиец". Я потянулась и нащупала кнопку допотопного бра над головой, не веря, что оно зажжется. Но оно зажглось. Часы показывали два тридцать ночи. Откуда котики?!

Наконец поняла: всюду жизнь... Любовный рев за тонкой стенкой соседнего номера шел на "крещендо" — незримая баба выслуживалась. Верный признак фригидности, — ибо по-настоящему чувственная женщина всегда немного эгоистична, и в этой совместной охоте, в этой спаренной погоне за вспышкой наслаждения, она вслушивается в себя, ловит сполохи приближающегося глубинного огня, чутко сторожит безмолвный взрыв в потаенном ущелье...

...Где-то в стороне окна, на подоконнике, куда вчера вечером после лекции я забросила сумку, звонил мой мобильник. Утробно и назойливо зудела мелодия "К Элизе", — изящная бетховенская штучка, которую когда-то я так любила... Я поднялась, принялась в темноте отыскивать своего бурундучка в недрах сумки, не находя, чертыхаясь... Наконец нащупала...

— Ты знаешь война и мир? — спросил голос Клавдия.

Черная стена елей и пихт за окном кривыми ножницами изрезала лист бледного северного неба...

— Что ты имеешь в виду?

— Ну, ты знаешь Толстой?

— Знаю, — сказала я глухо, не веря, что это я стою здесь, босая, что это я здесь стою перед окном, глядя на черную аппликацию леса на застиранном драненьком небе, вслушиваясь в нереальный голос, коверкающий русские слова...

— Тогда ответь — сколько там слов!

— Клавдий, ты где? — спросила я после паузы осторожно. Судя по тому, что Клава говорил по-русски, рядом с ним находился кто-то, заинтересованный в результате нашей беседы. — Откуда ты звонишь?

— Я в Самаре. Неважно. Ты знаешь Толстой или нет?

— Что тебя интересует?

— Сколько слов в эта книга?

— Я не считала, — сказала я терпеливо. — На что тебе?

— Говорят, в ней триста слов.

— Это глупости, — сказала я. — Толстой — великий писатель. "Война и мир" — великая книга, это несколько толстых книг.

— Значит, ты не знаешь, сколько в ней слов.

— Нет, не знаю.

— Ага, вот видишь! — торжествующе закричал он, — значит, есть того, что ты не знаешь!

— У тебя все в порядке?

— У меня все в толстом порядке! Я в аэропорте, и я поспорил на бутылка водка, что в эта книга больше триста слов.

Это означало, что Клава сильно пьян. Обычно ему не изменяла здравая солдатская сметка. Я даже предполагала — с кем он поспорил. Был там, в Самаре, еще один интеллектуал — наш *синдик широкого профиля* Кузя Кавалерчик. Вот он-то как раз и мог быть родоначальником подобных мятежных идей, да еще глубокой ночью.

— Будь здоров, — пробормотала я.

— Постой! Ты любишь корабль?

— Что-что?! Какой корабль?

— Мы будем делаем круглосветлый *восхождение*. Тут умные люди придумать проект, его маму. Ты когда-нибудь знаешь, как мыкать невеста на Кавказ?!

— У-мы-кать, Клавдий. Умыкать невесту.

— Да, да, — воскликнул он нетерпеливо, — ты знаешь русского языка лучше меня. Мы будем у-мы-кать растерянных му-до-зве-ней, да?

— Мудозвонов...

— Да, большой пикник! Мы им делать большой круглосветлый пикник, чтобы они вспомнить свою маму — Исраэль. Да, *Норувим*? Ты будешь рыбак? Ты ловишь большая рыба в Синдикат, да?

В отдалении пророкотал что-то неразборчиво ласковый баритон.

— Ну, ладно, спи, — миролюбиво сказал Клавдий то ли мне, то ли Клещатику, который почему-то оказался в Самаре, в аэропорту.

Я свернула мобильнику шею и рухнула на хлипкую койку пансионата "Балтиец".

Microsoft Word, рабочий стол,
папка rossia, файл sindikat

"...бывают моменты, и довольно часто, когда мне хочется ущипнуть или уколоть себя — настолько происходящее напоминает сон. Нет, скорее, все это напоминает какой-нибудь Яшин комикс.

Когда, в первые же выходные после приезда, мы поехали в Переделкино — показать дочери музеи Чуковского и Пастернака, она вдруг крикнула посреди Минского шоссе: — Смотрите!!! Смотрите!!! Наш автобус!!!

— Ты совсем спятила со своей ностальгией, — сказала я.

— Говорю тебе, это автобус "Эгеда"! Они даже надпись на иврите не закрасили!

— А я говорю тебе, что ты сошла с ума.

И еще минут пять мы ссорились, мирились, ссорились... на эту богатую тему...

А вчера на *перекличку* синдиков заглянул Гоша Рогов — выяснить у Панчера сколько юных стражей Сиона тот намерен отправить в "Пантелеево", и, пожевав губами, обронил, что закажет, пожалуй, через Ной Рувимыча "два этих ваших, красно-белых аиста"... Что означает это, о, Боже, как не сон?

...А на днях, совершенно случайно, узнала — чем подрабатывает мой Слава днем, в свободные от наших поездок часы. Это произошло неожиданно, когда, попрощавшись с Норочкой Брук у метро "Динамо", я решила заскочить в Литфонд, взять на три свободных праздничных дня путевки в Переделкино. Возле подъезда одного дома на Красноармейской стоял приметный минибус с черной надписью на боку — "Ритуал". Задние дверцы его были раскрыты, двое мужчин вытаскивали пустой гроб. Из минибуса доносились знакомые позывные радио "Святое распятие", что вполне уместно монтировалось со всей картиной скорбного ритуала.

— *"Бог есть огнь, согревающий и разжигающий сердца и утробы.* — Зазвучал из открытой машины возвышенный тенор. — *Итак, если мы ощущаем в сердцах своих хлад, который от Диавола, ибо Диавол хладен, то призовем Господа, и он..."*... — возвышенный тенор вдруг оборвался, что-то щелкнуло, захлебнулось икотой, и бойкий тенор же, отчего показалось, что мгновение назад звучавший голос воспрял от святых раздумий, вдруг заголосил:

> Шел по улице Тверской,
> Меня ёбнули доской!
> Это что за мать ети —
> Нельзя по улице пройти!

Пораженная совпадением радиодуэта, я ускорила шаги и поравнялась с минибусом. Третий мужчина — тот, что стоял в машине посреди бумажных венков, лент, черных туфель-лодочек... плоских, словно отутюженных, белых тапочек... и придерживал пустой гроб, помогая двум другим осторожно спустить его на землю, поднял бритую голову, и я увидела знакомый татарский прищур и белый шрам на скуле.

Секунду он смотрел на меня, и вдруг подмигнул, как ни в чем не бывало.

Между тем гроб был спущен на попа и прислонен к дверям подъезда, Слава захлопнул задние дверцы, на которых немедленно сложилась наклейка: "Мужчина, что это вы тут стреляете?!" — и один из парней расписался на бланке, который Слава аккуратно опустил в карман куртки.

— Ильинишна! — крикнул он мне, — не жмитесь, сирота, в сторонке! Карета подана, не прокатить ли вас до дому с ветерком? У меня есть полчаса неучтенных, пока родные обрядят старушку...

Я вспомнила свою поездку в похожей карете не так давно, дома, в Израиле, и подивилась таким странным *созвучиям, таким странным дуэтам* моих тем...

— Спасибо, Слава, — сказала я, делая вид, что совсем не удивлена. — Сейчас не могу, заскочу еще в Литфонд...

Мы распрощались.

И вот уже несколько дней — ни он, ни я даже звуком не упоминаем о нашей встрече, словно бы ее и не было... Только когда Слава слишком нетерпеливо переключает в машине "Святое распятие" на "Русское радио", и очередной хит выплескивает в салон машины очередную рифмованную непристойность, я вспоминаю об эпизоде и задумываюсь. Хотя, что уж тут думать! Семью-то надо кормить! Чем, в конце концов, "Ритуал" хуже Синдиката?.."

Зато в последние две недели мой таинственный, не откликающийся на вопросы, корреспондент *Азария* завалил меня целым ворохом странных документов, — это обрывки чьих-то писем, незаполненные бланки, листки беглых записей из чьих-то блокнотов, — похоже на то, как в один прекрасный день закоренелый лодырь все же вознамерился навести порядок в своем столе, и вот в корзину летит все ненужное, случайное, мусорное... Порой мне кажется, что он безумен. Например, вчера прислал небрежно сканированный бланк старинной *ктубы́* — свадебного контракта, переведенного с идиш на русский, с ятями, язык неким господином А. Дзиканским. Многие слова полустерты, имена брачующихся зачеркнуты по всему тексту. Я сначала хотела выкинуть из почты этот ненужный мне вздор, но вдруг стала читать, потрясенно обнаружив, что впервые в жизни читаю перевод текста традиционной *ктубы*, заключенной по еврейскому летосчислению в пять тысяч пятьсот девяносто седьмом, а по христианскому летосчислению в 1837 году. В *ктубе* заявлялось, что некий господин, имя которого тщательно вымарывалось на всем листе, сочетался браком с девицей, тоже совсем затертого имени, в год — если я посчитала правильно, — когда простреленный Пушкин лежал на снегу и целился в красивого и растерянного блондина.

"...и сказал сей господин (затерто) дочери господина (зачеркнуто) "будь мнъ женою по закону Мойсея и Израиля, а я буду работать на тебя, почитать, кормить и содержать тебя по обычаю сыновъ Израилевыхъ, работающихъ, кормящихъ и содержащихъ женъ своихъ прилично..." — читала я, пытаясь понять — зачем мне прислали этот чужой, очень ветхий документ, — "...и дам я тебъ въно и зузовъ, слъдуемыхъ тебъ по закону, пищу твою, одежду твою, содержаніе твое, и буду жить съ тобою совмъстно по обычаю всего міра. И согласилась госпожа (затерто) и стала его женою. Приданное, принесенное ему отъ (зачеркнуто) деньгами, золотомъ, драгоцънностями, платьями, хозяйственною принадлежностью и постелью принялъ все это на себя жених сей въ (неразборчиво) звуковъ чистаго серебра. Женихъ господин (неразборчиво) согласился добавить еще (нечитаемо) звуковъ чистаго серебра, всего — (неразборчиво) звуковъ чистаго серебра. Далъе женихъ господин (зачеркнуто) заявилъ: "За приданное я принимаю на себя и на наслъдниковъ моихъ послъ мъня, чтобы было уплочено со всъхъ наилучшихъ и прелестнъйшихъ имъній и пріобрътеній, которыя есть у меня подъ небомъ... даже съ мантіи, что на плечахъ

моихъ, какъ при жизни моей, такъ и по смерти моей отъ нын-
шняго дня вовъки"

Отвътственность по сему брачному контракту принялъ на
себя женихъ господинъ (неразборчиво) по силъ и строгости
всъхъ брачныхъ актовъ, практикуемыхъ въ отношеніи дочерей Израиля составленныхъ по постановленію блаженныхъ
мудрецовъ. И мы совершили обрядъ чрезъ прикасаніе къ
платку между женихомъ господином..."

Стоп!!! Я вздернула "мышкой" текст повыше, шаря оша-
лелым взглядом по строчкам. И теряла, и не могла поймать
знакомую, но с ятем, фамилию, рука дергалась, как всегда,
когда я психовала. Скорее всего, почудилось, говорила я себе... Нет, не почудилось, вот: "... между женихомъ господином *Ноахомъ Клъщатикомъ*, сыномъ господина *Реувена
Клъщатика* и невъстою госпожою Лъей Снятковской, доче-
рью господина Биньямина Снятковского, и все твердо и
въковъчно..."

Минут двадцать я сидела, снова и снова перечитывая
этот весьма любопытный документ. Теперь-то я понимала,
что внимательно и пристрастно должна всегда прочитывать
все, что возжелает присылать этот проклятый, свалившийся
мне на голову иллюзионист... На черта, на черта, о, Господи, — думала я обреченно, — нужна мне *ктуба* какого-то
предка Ноя Рувимыча?! Что мне с нею делать?! Подарить
Клещатику, страшно его удивив? Или выжидать удобного по-
вода? Но для чего? Интересуют ли предки этого многоопыт-
ного господина, — предки, более близкие, более реальные,
чем потерянные колена?

Я опять перечитала певучий завораживающий напев,
высокий строй старинного лада... "...принялъ все это на себя жених сей въ... звуковъ чистаго серебра... чтоб было уплочено со всъхъ наилучшихъ и прелестнъйшихъ имъній и
пріобрътеній, которыя есть у меня подъ небомъ... даже съ
мантіи, что на плечахъ моихъ, какъ при жизни моей, такъ и по
смерти моей отъ нынъшняго дня вовъки..."

Выходит, и тогда уже у какого-то Клещатика были "прелестнейшие имения" под небом... ну, и мантия, само собой... то бишь, по тем временам, — недурственная шуба... Ну что ж... во всем этом есть историческая логика. Да при чем тут история! Есть божественная логика фамильных судеб...

Продолжая размышлять над этим, я машинально выпустила на принтере текст приблудной старинной *ктубы*, аккуратно сложила лист вчетверо и заложила в ежедневник. Авось, пригодится... в тяжелую минуту.

А сегодня, между прочим, торжественно вернула Клещатику его пьесу "Высокая нота моей любви"... Пьеса, надо заметить, не кошмарная, диалоги распределены, действие вполне выстроено... но пошловатая: герой мечется между старой женой и молодой любовницей, надрыв, надрыв, сантименты по каждому поводу, например, по поводу прошлого, когда герой, молодой инженер, работал в какой-то советской конторе, получал сто сорок рублей, и был молод и свободен... А нынче, разбогатев... ну и так далее... В финале — инфаркт. Так что чеховская дилемма финала обогатилась в наши дни третьим выходом из ситуации. Ну-с, — инфаркт, операция на открытом сердце (открытая метафора), герой ест кашку с ложечки у старой жены... Я наговорила автору кучу приятных вещей, правой рукой поглаживая ежедневник с лежащей внутри *ктубой* его пра-прадеда... Нет, думала я, не сейчас, а пусть-ка эта мантия побудет еще "на плечах моих"... И продолжала хвалить молодого драматурга. От меня не убудет, а заговаривать драконов я мастерица... Глядишь, *Норувим* обойдет своим пламенем бедный маленький департамент Фенечек-Тусовок..."

Все крупные организации, такие, например, как *УЕБ —
Управление Еврейской Благотворительностью,* — давно
купили или, на худой конец, снимали для своих игрищ
особняки в центре Москвы, справедливо полагая, что залучить народ на свои *тусовки* можно только в приличное
место.

Наш военизированный детский садик с пропускной
системой тюрьмы усиленного режима, разумеется, не мог
привлечь нормального человека. А ведь именно в поисках
нормального человека мы с Яшей Соколом рыскали дни и
ночи.

Для проведения всех своих *феничек* и *тусовок* я снимала
залы и клубы, каждый раз в другом месте. Для зазыва публики мои архаровцы садились на телефоны и начиналась
ежедневная затяжная ловля на живца рыбы из Базы данных. Если учесть, что Рома никогда не успевала никого обзвонить (опаздывала, болела, ремонтировала, массажиро-
вала), а Эльза Трофимовна от звонка к звонку забывала —
кого, куда и от имени какой организации приглашает, —
оставались все те же Костян, Маша и Женя, и без того за-
груженные разнообразной работой. Тогда и я садилась на
телефон и попадала к самым неожиданным людям. Не-

сколько раз нарывалась на Кручинера, который, ужасно
обрадовавшись звонку, орал в трубку:

— Руки-ноги тебе обломать, сволочь!!! Чтоб ты пода-
вилась своими концертами, я те покажу такой концерт, ты
долго будешь у меня под музыку приседать!!! — и не уста-
вал трезвонить до вечера, пока все мы смиренно не выслу-
шивали до конца его радостно-сумбурный спич.

Словом, я изнемогала. Бездна времени тратилась впус-
тую...

Странно, что продолжалось это довольно долго.
Впрочем, все это только подтверждает отсутствие в моем
характере малейшей способности возглавлять и сплачи-
вать коллектив.

Идея создания передвижных живых декораций, — да простится мне столь циничное обозначение, — озарила меня
во время совместной командировки с Яшей Соколом в город Коломну.

Время от времени мы с Яшей объединяли усилия и
цели двух наших департаментов, устраивая короткий и
мощный десант в какой-нибудь городок ближнего или
дальнего Подмосковья. Но тут надо сделать короткое от-
ступление.

Были в Москве люди... нет не так: существовала в
Москве организация, о которой Яша не нарисовал ни одного комикса.

Христианская организация "Твердыня Веры" много
лет сотрудничала с Синдикатом. Основным постулатом их
религиозного направления была установка на то, что Спаситель придет тогда, когда все евреи соберутся на Святой
Земле. Вот они и разыскивали евреев в самых немыслимых
местах — в таких таежных поселках, на таких глухих полу-
станках, на таких заоблачных перевалах, что дух захваты-
вало. Они находили евреев и сдавали их нам для дальней-

шей обработки. При этом подчеркивали, что не миссионерствуют. Так и приносили в зубах адресочки и явки, крепясь изо всех сил, чтобы по пути не окрестить заблудших овец.

Правда, были и такие, у кого сдавали нервы, и они крестили своих подопечных. Что не мешало последним в свой срок *взойти*.

Утвердившись в должности, Яша немедленно навел мосты и завязал с "Твердыней" самые тесные дружеские отношения. Особенно подружился с Павликом, самым активным деятелем московского отделения "Твердыни Веры". Павлик был заботливым суетливым трудягой, истовым членом организации, самолично рыскающим по городкам и поселкам в поисках божьих овец.

Яшка же — неистребимая жажда странствий — в любую минуту готов был сорваться с места, собрав котомку и закинув ее за спину... Часто по ночам у него в квартире раздавался телефонный звонок, и сдавленный голос Павлика шептал:

— Яков Михалыч... в Перловке... три семьи... абсолютно крепкие... Я был у них вчера. Они сознались... Когда вас ждать?

— Часа через три, — говорил легкий на подъем Яша, взглянув на будильник — тот показывал пять двадцать утра.

Яшу не смущал грибниковый азарт Павлика. Он и сам, говоря об этих экспедициях по окрестным городкам вроде Серпухова, Коломны, Клина, Ступино, называл их — "ездить по грибы". Время от времени предлагал мне весело — поехали искать евреев?

Затхлые подмосковные городки — вот где была мертвая зона. Во всех смыслах — в еврейском тоже.

Он брал меня с собой, используя в качестве наживки для публики. Выглядели эти мероприятия так: вначале минут сорок я извивалась перед группой согнанных на встречу людей, как вот червяк перед тупым рылом сонной рыбины, — забавляла их, читая короткие свои рассказы и травя поучительные байки, которыми полны карманы моих джинсов, пиджаков, плащей и курток. После чего плавно передавала слово Яше для непосредственной обработки честного народа.

В тот раз, в Коломне, встреча была не из удачных: собралось всего человек девять. Мы вяло демонстрировали перед ними все прелести Синдикатовских программ для подростков. Они смотрели на нас с тусклой покорностью.

Это были не просто старики.

Это были не просто провинциальные старики.

Это были не просто еврейские старики.

Это были еврейские провинциальные старики...

...После унылых посиделок мы с Яшей решили пройтись по территории старинного Коломенского Кремля, своими клонящимися башенками похожего на Дворец из иллюстраций к "Сказке о золотом петушке".

Во дворе, неподалеку от ворот обнаружили могилу восемнадцатого века:

"Вечная память тебе,
Досточтимая игуменья Олимпиада.
Покойся в мире прах твой близ благолепного храма..."

Вздохнув всей грудью, Яша сказал:

— Господи, что за воздух, какой простор! И никакого Синдиката, никакого начальства, никакой бабы Нюты, безумного Изи, пьяного Петюни или слащавого Панчера... Надо вот так чаще выбираться из Москвы, к чертовой матери...

— Ну, при таких грибах не слишком выберешься. Что это за мероприятие при девяти чахлых евреях?

— А знаешь что? — воскликнул находчивый Яша. — Пора нам создать спецроту.

— С передвижной полковой кухней?

— Зря смеешься. Сколотить мобильную группу аро-
нычей, которых можно таскать по провинции.

— Зачем? — спросила я.

— Чтобы иметь возможность их сопровождать, — серьезно объяснил он.

Он шутил, конечно. Но именно в ту минуту у меня в памяти всплыла Фира Будкина. Она была одной из сотни проси-
тельниц — энергичная пожилая комсомолка, — организовывала для пенсионеров культпоходы, тематические вечера,
дискуссии... И это — от всей души, на голом задоре... В одну из первых наших встреч подсунула альбомчик с фотографиями своих *тусовок*. Словом, это был очередной "Теплый
дом". Теплый сумасшедший дом.

И вот в Коломне, на территории прекрасного древнего Кремля, вблизи могилы игуменьи Олимпиады, я сообразила вдруг, что провидение предлагает мне укомплекто-
ванную роту, хоть сей момент под ружье. И я не буду
метаться, обзванивать публику, выслушивая затейливые
проклятья Кручинера, стараясь в последнюю минуту заполнить зал для выступления какого-нибудь приезжего
израильского *клоуна* или пророка.

Вернувшись из Коломны, я велела Маше вызвонить Фиру. Та примчалась через полчаса, с испариной на лбу и пятью развевающимися кудрями. Маша принесла ей чай и
печенье.

— Послушайте, Фира, — сказала я решительно, по-
дождав, пока она откусит от печеньки и проглотит кусок.
(В беседах с российскими пенсионерами всегда надо было
учитывать невысокую квалификацию местных дантис-
тов). — Я назначаю вас прапорщиком, или кто там коман-
дует ротой?.. Вы получите жалованье — небольшую, но
стабильную сумму в условных единицах. Вы получите кое-
какие деньги на увеселения ваших ребят. Но за это в любой

{216} час дня и ночи может запеть полковая труба, и тогда ваши новобранцы обязаны будут встать под знамена. То есть отработать присутствием.

— Где? — подобострастно выпрямилась Фира, делая грудь колесом. Знамена взметнулись над ее головой, навеки посвященной хне, и я поняла, что попала в яблочко.

— Куда пошлют! — отчеканила я.

В трудных случаях, в дачные мертвые месяцы душного лета мы бросали на прорыв спаянную роту Фиры Будкиной.

И они отрабатывали сполна: задавали глубокомысленные вопросы, критиковали правительство Израиля, давали советы по арабской проблеме, оглушительно хлопали в конце вечера...

Словом, это было удачнейшее приобретение. Когда бы ни рухнула мне на голову комиссия из Иерусалима, или заезжий *посланец* с лекцией, или еще какая-нибудь напасть, в течение дня по звонку собиралась группа молодцов. Человек тридцать, тридцать пять... Семеро из них были еще крепкими, деятельными, симпатичными людьми. Человек восемь-десять — в почтенном возрасте, но вполне вменяемыми. Ну, и остальные — кроткие старички, еще на ногах и в своем уме...

Досаждал публике только Самуил-рифмач. Он неожиданно выкрикивал непристойности в рифму к словам лектора. Тогда Фира со своего места молча показывала ему кулак, и он унимался.

Так что при помощи этих *потемкинцев* я из любого приезжего шелкопера срабатывала нормальную *тусовку*. Все оставались довольны.

И все-таки нам явно не хватало собственного здания, где мы бы развернулись. Особенно я, по части *фенечек и тусовок*.

Когда *эти типы* из *УЕБ*а пригласили нас на церемонию открытия их нового культурного центра на Остоженке и весь вечер, злорадно ухмыляясь, водили по этажам великолепного особняка, отремонтированного по последнему слову строительного прогресса — с такими дубовыми лестницами, такими кожаными креслами, такими вазонами с фикусами-пальмами, а главное, с таким качественным банкетом... — нашему с Яшей смирению пришел конец.

Это был один из тех обычных вечеров, порядок которых сложился за последний десяток лет: небольшая торжественная часть с непременным, зачитанным вслух приветствием отсутствующего Гройса, с кратким сухим выступлением главы *УЕБ*а господина Оболенски, представленного Митей — "радушным хозяином этого гостеприимного дома". Радушный хозяин мрачно прожевал несколько фраз, буравя присутствующих взглядом мудрой кобры.

Присутствующие, однако, напряженно дожидались волнующей процедуры оглашения Главных раввинов — (порядок и титуляция), — двое из которых сидели на противоположных концах первого ряда, вперив строгие взгляды в ведущего, а третий пропадал в соседнем зале, где официанты накрывали столы для банкета. Под предлогом проверки кошерности, Главный раввин России Мотя Гармидер уже опрокинул рюмочки три водяры и вытащил пальцами из салатницы с десяток маслин.

В сущности, церемонию оглашения раввинов всегда можно было предсказать заранее: к этому времени давно вошла в силу формула "по версии". Но все-таки, каждый раз публика напрягалась, интересанты волновались; все им казалось, что в этой извечной игре перетягивания политического каната могут сместиться акценты, может прийти грозная телеграмма из Кремля, или приехать американ-

{218} ский Ревизор, или раздастся небесный глас из Неопалимой Купины, — словом, что-то такое, что поменяет приоритеты. Да и говоря по справедливости, в этой стране всегда надо чутко прислушиваться к порядку оглашения персон.

Между тем ведущая вечера перечисляла имена и должности глав крупнейших организаций-спонсоров. Услышав свое имя, мой начальник одобрительно кивнул и украдкой взглянул на меня. Я ему послала воздушный поцелуй.

— Мы также рады приветствовать в наших стенах Главного раввина России... (*пауза... шорох в зале*) по версии *ОРЕ*а... Манфреда Григорьича Колотушкина... (*аплодисменты*).

— А также Главного раввина России... по версии *РЕЗ*а... господина Залмана Козлоброда... (*аплодисменты*).

Дверь приоткрылась и в зал просунулся веселый Мотя Гармидер.

— Меня выкликали уже? — шепотом спросил он Яшу, прислонившегося к косяку...

— Мы неизменно рады приветствовать также Главного раввина России... по версии *Щадящего* иудаизма... Мордехая Гармидера...

Мотя покивал всем и вновь нырнул за дверь. Яша выскользнул следом.

— Мотя! Что нам сегодня наливают?

— Тс-с-с! — Мотя жестами призывал его за собой в соседний зал. — Только тебе и только по блату...

А в зале начался очень недурной концерт, и я осталась.

Играл легендарный Алексей Козлов в сопровождении гитариста и ударника из ансамбля "Арсенал".

В кожаной куртке, постаревший, сутулый, — он стоял к публике вполоборота, пережидая вступление, легонько кивая в такт, задумчиво прикрыв глаза. И вот вступал... Сипловатый голос саксофона одышливо втолковывал что-то, выдавливая длинную витиеватую фразу; устало-виртуозные пассажи прерывались всхрапами, выхрипами, чуть ли не кашлём... Но почему-то хотелось, чтобы этот стариковский разговор саксофона с гитарой не кончался, а все длился, длился до утра...

Ударник был гениален со своей избыточной мимикой: он округлял рот, вскидывал брови, страдальчески вскакивал и даже, кажется, вскрикивал, когда лупил по тарелкам.

Гитарист, плоский, как его гитара, клонился вбок, изгибался, кивал бледным угловатым лицом...

Бритый наголо Козлов делал два-три шага по маленькой сцене, иногда боком присаживался на стул и искоса посматривал на музыкантов, слегка усмехаясь. И вот он опять вступал: трубным окликом и — после паузы-вдоха... витиевато катящейся с горки бормотливой, спотыкливой мелодией...

...После окончания концерта двери в соседний зал распахнулись... Засияли накрытые для банкета столы, чуть тронутые Мотей и Яшей... Среди столов сновала наша Ниночка, старательно поглядывая — всюду ли есть салфетки, как там блюдо с куриными рулетиками... Ага, подумала я, значит и *УЕБ* прибегает к помощи Клещатика... А может, так: значит, и *УЕБ* не ускользнул от Ной Рувимыча...

Мы с Яшей — с бокалами в руках — столкнулись в небольшом уютном и уже меблированном по последней офисной моде зале, который они назвали "библиотекой", угрюмо оглядели ряды компьютеров на столах, ладно сработанные — под потолок — книжные шкафы и, главное, готовые к любой выставке застекленные витрины, молча чокнулись и посмотрели друг другу в глаза: оба мы пребывали в ревнивом служебном бешенстве.

{220} Наутро мы ворвались в кабинет к Клаве, закрыли за собой дверь и приступили к осаде.

Клава пыхтел, щурился сквозь дым сигареты, кивал, ярился, кричал нам:

— Что вы хочешь! Я хочу покуплять дом, я буду покуплять дом, мне уже подыскал *Норувим* целый... целый башня... Кремлин!.. Но — эти хуеваты в Иерусалиме... они хотят законности!

Иногда он переходил на свой особенный русский язык как раз тогда, когда в этом не было никакой необходимости. Словно ему легче было бороться с этими наречиями и приставками, чем с нами, напиравшими на него с такой убедительной правотой...

Получив устное добро от начальства — пока суд да дело, да придет "добро" из тяжелозадого Иерусалима — просто снять приличный особняк, мы бросились с последовательным упорством прочесывать пустые дома в поисках подходящего здания на съем, для полноценной культурной деятельности Синдиката...

В первую же неделю через маклерские конторы мы подыскали по крайней мере пять отличных особняков на съем. И все — в пределах Садового кольца, и все — недалеко от метро.

И все они отпадали один за другим, потому что в положенное время, в положенное место являлась *наша хунта,* Шая с Эдмоном, обнюхивали стены, лезли на крыши, входили в подъезды соседних зданий, спускались в подвалы, взбирались на чердаки и, отряхивая руки, брюки и пиджаки, волосы и ресницы от пыли и штукатурки, сурово качали головами. Нет. Если во-о-он в том подъезде напротив установить пулемет, то на подступе к этому зданию, которое вы, ребята, так легкомысленно хотите снять, можно перебить очень много народу...

Мы ругались, бежали к Петюне, тот склонял голову набок, свешивал узловатый нос, погремливал связкой ключей на поясе, рассматривал нарисованные Яшей планы зданий, сурово отчитывал нас и в конце, расцветая в улыбке, выдавал очередной анекдот — хоть стой, хоть ложись...

— Бедняги, — говорил Петюня, — вам негде играть в свои бирюльки? Так послушайте анекдот:

анекдот от Петюни:
Интервьюер — поп-звезде: — Расскажите немного о своем детстве.
Поп-звезда: — Я родился в такой бедной, такой нищей семье... что если б я не был мальчиком, мне нечем было бы играть...

...Так продолжалось несколько недель, пока мы не поняли, что духовные отцы нашего ордена вовсе не собираются вылезать из хорошо укрепленного детского садика.

Забор, колючая проволока, сигнализация — они отлично себя чувствовали среди этого лагерного антуража.

Яша, руководитель главнейшего департамента Синдиката, как никто другой шкурой чувствовал весь трагизм ситуации... Ведь, в отличие от меня, он отчитывался численностью *восходящих*... И давно уже горел синим пламенем во всех отчетах и графиках, столь ценимых в Центре...

В один из этих дней Изя Коваль заглянул к Яше; сначала, как водится, завел длинный обольстительный разговор по поводу нового мобильника ("глянь, сынок, у меня новая штучка: программа "Урчащая кошечка", мобильник-вибромассажер. Ты активируешь — через WAP— функцию и прикладываешь трубку к проблемным участкам тела... — А какие участки у тебя проблемные, старик?" — ну и прочие скабрезности...), и в заключение вскользь сообщил:

— Кстати, тут кое-кто внес замечательное предложение: провести ударное мероприятие по самон... си... фикации.

Изя, да и все остальные мои коллеги никогда не могли с первого раза выговорить этого многосуставчатого слова — *самоидентификация*.

Попытайтесь и вы, а я на вас полюбуюсь...

— Кто предлагает? — спросил Яша.

— Элитный клуб "Голубая мантия".

Яша вспомнил беснующуюся синими и желтыми огнями рекламу этого заведения на Тверской — "Оторвись по полной!".

— Ты с ума сошел? — спросил он. — Это же казино и притон со стриптизом.

Изя воскликнул с воодушевлением:

— А почему — нет? Я говорил с их менеджером, Серегой. Он сейчас сюда приедет... Просил всякую еврейскую и израильскую атрибутику — флажки, то се, всякую муйню. Украсить зал.

— Ну? — спросил с сомнением Яша. — А в зале? Голые девочки?

— Сынок! А тебе не все равно? А чем девочки плохи? Это ж молодежь, бля, наш контингент. Запишем как совместное мероприятие: ты — по Восхождению, я — по Загрузке ментальности.

Яша прикинул, повертел и так и сяк — получалось выгодно: за помещение платить не надо, наполним *тусовку* нашим содержанием, ведь наверняка среди публики есть и наш контингент имеющих *мандат на восхождение*. Можно вписать это в отчет как гигантское мероприятие по работе с молодежью, кстати... И пусть Панчер бесится, что это не его идея...

И он согласился.

Вскоре приехал Серега, и загрузка ментальностью началась. Втроем они спустились в подвал. Изя бродил по развалам печатной и наглядной продукции, рылся в тюках и мешках, время от времени бросая через плечо: — Брошюра "Свет завета" нужна?

— Нужна, нужна! — говорил Серега радостно. — Это все в масть.

— Плакат "Припади к истокам еврейской мысли"?

— Давай, давай! — кричал Серега. — Припаду!

В дело шло все — флажки Израиля, старые еврейские календари, наклейки с фирменным знаком Синдиката. Когда-то, на заре *Большого Восхождения,* этот знак для нас набросал на ресторанной салфетке известный российский художник, с которым, видимо, выпивали наши тогдашние вожди. Нельзя сказать, что этот знак был как-то по-особенному продуман. Наоборот, его простота огорошивала: конечно же, звезда Давида, несколько модифицированная и завуалированная двумя ладонями, не то заслоняющими ее, не то водружающими на некую умозрительную вершину... Словом, наш символ не отличался ничем особенным от знака какой-нибудь захудалой масонской ложи, дела которой приходили в медленный упадок...

— Смотри, — говорил Изя менеджеру, — тут в чем смысл: отслаиваешь пленку и клей наш значок на что хочешь, хоть на заборы, хоть на двери, хоть на лбы.

— Вот спасибо, — приговаривал благодарный Серега — Это ж надо — сколько добра...

— А что там у нас в программе вечера, — пытался уточнить обязательный Яша, всегда стоящий на страже интересов Синдиката.

— Да что, — беззаботно отвечал Серега, — что обычно: эстрада, песни, фокусы, танцы... "Казино-ревью" называется...

Напоследок с преувеличенной готовностью он записал продиктованные Яшей телефоны Эсфирь Диамант и руководителя капеллы "Московские псалмопевцы".

Наконец, тяжело груженный ментальностью, Серега уехал на "мерсе" последней модели, на прощание выдав все свои позывные и велев назавтра, в двенадцать ночи, приходить к клубу "Голубая мантия".

....

Microsoft Word, рабочий стол,
папка rossia, файл sindikat

"...когда не хватает рабочего дня — принять в Синдикате всех, кто просит о встрече, — я приглашаю симпатичных мне людей к себе, в Спасоналивковский. И наливаю — чаю, кофе и чего покрепче, если человека прижало...

Вчера приходил Миша Гребняк, руководитель ансамбля "Московские псалмопевцы". Голоса у них прекрасные, несколько человек поют в Большом, и по сути дела они сегодня единственные, кто профессионально изучает и исполняет древнюю еврейскую литургию. Разумеется, все это делается за три копейки. Миша долго сидел, рассказывал о страшном рабстве этих замечательных музыкантов. Они кочуют "от крыши к крыше", и каждый хочет только нажиться на них. В прошлом году их взял на содержание менеджер Яник Коцкий, возил на гастроли в Польшу. Передвигались на старом, разваливающемся на каждом повороте автобусе, нанятом Яником опять-таки за три копейки. Еда была: батоны и банки шпрот. Так они и колесили по Польше с концертами. Принимали их прекрасно, они неплохо (впрочем, неизвестно точно — сколько) заработали; деньги брал себе Яник, билетами торговала его баба.

В последний день ребята пошли прогуляться по Варшаве, купить сувениры, подарки домашним. Разумеется, потратили все, выданные Яником, гроши. Когда вернулись к автобусу, выяснилось, что Коцкий со своей блядью забрали все деньги и улетели в Москву самолетом.

Усмехаясь и позвякивая ложечкой в чашке с чаем, Миша рассказывал, как они добирались домой через Польшу, — без денег. У них оставались еще консервы, они меняли их на солярку, две банки за ведро... В двух городах, уже почти на границе, пели на улице, собрав немного денег. А то бы не добрались.

— А в этом году нас взяли под себя Фира Ватник, ну и Клещатик. Вы ведь знаете Эсфирь Диамант?

— Ой, да, — сказала я. — Говорят, она содержит несколько ансамблей?

— Это один ансамбль. "Русская затея".

— Русская? — усомнилась я. — Затея?!

— Ну да, — понимающе улыбнулся Миша. — Ансамбль многопрофильного назначения. Затеи там, в зависимости от аудитории. Костюмы ведь и переодеть можно. Так что Фира всю Москву держит в ежовых шароварах. Куда ни глянешь — всюду она со своим — "Скажи мне душевное слово..."

Да, я уже видела на каком-то концерте этот ансамбль Фиры. Танцоры высыпали на сцену из-за обеих кулис, высоко задирая колени в украинских шароварах, гикая и придерживая ермолки на головах. Этот танец, если не ошибаюсь, был объявлен, как "Еврейская плясовая"...

— Ну и мы подпеваем, — грустно добавил Миша. — Но Фира хотя бы платит.

— Сколько же? — полюбопытствовала я.

— Восемьдесят баксов.

— За концерт?

— Что вы! В месяц.

— Но ведь это рабство, Миша, настоящее рабство!

— Да, — согласился он. — А что делать?

— А при чем тут Клещатик? — спросила я. — Он что, и в эстраде заправляет? Может, он и поет?

Миша удивленно на меня уставился.

— Ну да, и поет... — сказал он. — Дуэтом. А вы разве не слышали?.."

{226} К двенадцати Яша с Изей явились на Тверскую. До этого они часа два сидели в ресторане "Гараж", тихонько потягивая джин с тоником и готовясь к мероприятию. Яша, честно говоря, беспокоился. Как прикажете рапортовать иерусалимскому начальству? Где проходила работа с молодежью? Как обозначить место?

— Да о чем ты, ей-богу, колготишься! — удивлялся беззаботный Изя. — Ну, обозначим, как Клуб. Молодежный клуб по интересам.

— По каким интересам? — напирал добросовестный и дотошный Яша.

— По профессиональным, — отмахнулся Изя.

Казино "Голубая мантия" издалека заливало празднично-рождественским светом окрестные дома и переулки. Густая сеть электрических гирлянд, широко простертых над подъездом, чуть заметно колыхалась, гнала волны голубых и желтых огней, выкатывала зазывку "Оторвись по полной!" и на мгновение вновь скатывалась в рулон. Это напоминало школьную самоделку "бумажный язык", которую мы все мастерили и выдували на уроках. Нет, все же, что ни говорите, подумал Яша, а весь этот праздник огней создает в душе что-то такое... веселящее такое, играющее...

И вот с таким веселящим и играющим в душе они прошли мимо двух неприметно дежурящих у входа охранников. Внутри им приветливо улыбнулись две девушки и молодой человек, выставленные, надо полагать, Серегой. Да и сам он мелькнул наверху широкой полукруглой лестницы с золочеными перилами, помахал им рукой и крикнул что-то приглашающее, они не расслышали, — играла музыка, довольно приятная. Они поднялись на второй этаж, в небольшое фойе с игральными автоматами.

— Место приличное, — оглядевшись, отозвался довольный Изя. Яша пока что помалкивал. Хотя, конечно, зеркала, недешевые ковры на полу и приглушенные светильники на стенах создавали доверительный настрой...

— Глянь-ка, — сказал Изя, кивнув куда-то в приятный полумрак.

Яша всмотрелся и увидел за огромным стеклом кого-то копошащегося, двух каких-то смутных толстячков.

— Да это же пингвины, бля!

— Как — пингвины? — поразился Яша.

Они подошли ближе, вгляделись: да, парочка пингвинов уныло перетаптывалась за стеклом в маленьком загоне.

— А чего это они такие... пятнистые, старик? — спросил сердобольный Яша, которому сразу резко не понравилось это мучительство благородных арктических (или антарктических?) животных. — И как это они тут... существуют... без льдины, там, без снега...

— А это вид такой, — пояснил Изя, у которого всегда находился простой человеческий ответ на любой вопрос. — Такие, вот, степные пингвины... Ну, брось их, на хрен, сынок, пошли, жрать хочется...

Надо отдать Сереге должное: наглядные пособия Синдиката не пропали втуне: из каждого угла, за каждым поворотом лестницы выглядывали флажки и заставки, на журнальных столах и тумбочках красивым веером были выложены брошюры "Свет Завета"... В ресторанном зале разносили подносы официанты с прицепленными пейсами. В каждой пепельнице торчал флажок Израиля.

— Послушай... — пробормотал Яша, усаживаясь за стол, куда их провел молодой и какой-то напористо-нежный человек во фраке, — а не слишком ли все это... опереточно выглядит?

— Ты что, сынок! — удивился Изя, который был настроен сегодня отдохнуть как следует вдали от начальства. — Варьете! Элитный клуб, бля! Ты что ждал — конференции, доклада о *Восхождении*? Или сам хотел лекцию прочесть? Оглянись — все честно, все по нашей теме... Ну-к, расслабься. Оторвись по полной!..

Началась культурная программа. На сцене ведущий — молодой человек с длинными пейсами, но в каких-то, подозрительно обтягивающих ноги, лосинах, объявил, что сегодняшний вечер тематически связан с маленькой страной на Ближнем Востоке, чей народ веками... ну, и так далее...

— Сынок, — спросил Изя официанта, — а покрепче можно чего попросить?

— А как же, хани! — пейсы болтались на нем, едва не попадая в бокал.

— Тогда, притащи нам для начала виски...

— ...и в продолжение нашего ревью, — объявлял жеманный ведущий, — вы получите возможность послушать ведущих мастеров эстрады, а также полюбоваться красочным эротическим шоу профессионалов с непроизвольным участием любителей...

— Как это — непроизвольным? — хмурясь, спросил Яша сам себя... Все-таки это было мероприятием обоих департаментов, и Яша считал себя обязанным держать руку на идеологическом пульсе.

Впрочем, вначале с идеологией все было в порядке. Первым номером вышли "Московские псалмопевцы" и затянули заунывный древний псалом "Из глубины взываю к тебе, Господи!". Бородатый бас вытягивал стоны из такой, действительно, глубины, — может, из мошонки? — что Яша уважительно подумал — не надорвался бы... И тенора так вторили, так занило, защемило сердце... Да... Из древней глубины, из самой древней глубины, взываем мы к тебе, Господи, уж какую тысячу лет... Словом, с идеологией все было в порядке...

Официант принес виски, они с Изей хряпнули...

Вдруг какой-то седой и патлатый господин во фраке выскочил из-за стола, подошел к сцене и громко попросил

"Псалмопевцев" исполнить что-нибудь "сладостное" для его милки. Яша повел головой в указанном рукою господина направлении. Довольно странная "милка" гигантского роста, в канареечном парике улыбалась глазами из-за распушенного веера. Чего не увидишь из глубины Твоей, Господи, удивился Яша, рассматривая этого гренадера в высоких кружевных перчатках, а когда опять перевел взгляд на сцену, увидел там дородную Эсфирь Диамант в бордовом концертном платье с таким рискованным для ее возраста и комплекции декольте, что дух занялся. Она посылала воздушные поцелуи всем в зале, особенный — господину, попросившему что-нибудь "сладостное" для милки. Оранжевой милке тоже был адресован поцелуй. Эсфирь Диамант объявила, что в сопровождении "Псалмопевцев" как раз и исполнит то, что просят из публики...

> Скажи мне душевное сло-о-во,
> о маме еврейской пропо-о-ой

Она закачалась, вытягивая брови кверху и лаская ладонями душу в области диафрагмы. "Псалмопевцы" подтягивали очень, надо отметить, профессионально. И в общем, надо признать, — довольно приятная мелодия, если не вслушиваться в текст.

— Ну! — весело изумился Изя, — Фира повсюду! Не было случая, чтоб не влезла в какую-нибудь *тусовку*.

— Да ты ж сам дал Сереге ее телефон, — заметил Яша, у которого неизвестно почему стало портиться настроение. Яше не нравилось это приятное заведение. Что-то его настораживало, но вот что — он не мог пока решить...

— Нет, не могу больше я этого слушать! — сказал он. — Пусть допоет без меня, — поднялся и вышел в соседний зал, уставленный игровыми автоматами. Но и сюда транслировали песню Фиры Ватник, причем к ее голосу присоединился чей-то густой баритон:

Когда ты ночами пустыми
мой трепетный сон стерегла...

Яша повлекся подальше от мамы, стерегущей трепетный сон, — в главный зал, уставленный двухъярусными столами для покера и блэк-джека.

Здесь было уже прилично публики. Большинство столпилось вокруг стола с рулеткой. Странно, подумал Яша, а кто-то мне говорил, что рулетка сейчас непопулярна. Если б он напрягся, то вспомнил бы, что эти достовернейшие сведения услышал от собственных дочерей. Вообще-то он никогда не играл и осуждал эту, распространенную во все века человеческой истории, страсть.

Если тебе некуда деньги девать, — так считал Яша, — жертвуй на сирот, сука. При этом мысль о дочерях всегда вызывала у него спазм в горле. Его собственные дети были сиротами. Настоящими сиротками, вот кем они были. Не надо больше пить, решил Яша.

Игрануть, что ли, — подумал он, между прочим, и лениво пошел в кассу — покупать жетоны.

Сначала он поставил на красное и выиграл пятнадцать долларов. Потом стал играть на линиях один к десяти и выиграл три раза подряд. Потом опять поставил на красное, и проиграл пятьдесят.

Все, надо возвращаться, — подумал он, у меня мероприятие по сам... мин... дефекации... Подозвал официанта и опрокинул еще грамм пятьдесят бренди. И почему-то не ушел, а опять стал играть на цвета на основном поле — игра шла массовая. Вокруг сопели, теснились... Под локтем у Яши оказалась тарелка с креветками и пальцами он машинально взял одну, закинул в рот... Девушка-дилер вращала колесо однообразным механическим движением. Яша пытался понять — насколько зависит попадание шарика в ячейку от скорости вращения колеса, помноженной на скорость движения шарика, он хотел установить связь между точкой запускания шарика и ячейкой, в которую тот попадет. Словом, несколько раз подряд он безнадежно проигрывал. В зале стало очень душно, гудели голоса, дым от сигарет поднимался к потолку. Однообразно вертелась рулетка...

— Папа, — проговорил над его ухом голос Надьки, — по-моему, тебя крутят...

— Почему так думаешь, душа моя?.. — спросил он, не оборачиваясь.

— Ты заглотал наживку, тебя прикормили. Теперь будут крутить до полного опускания...

Он резко развернулся и уставился в ее веснушчатую физиономию беспризорника.

Испытывая непреодолимое желание прибить на месте ненаглядное дитя, он прошипел: — Что?! Здесь?! Здесь, в этой клоаке?! Паразитки! Паразитки проклятые, нас вышлют из-за ваших фокусов!.. — но она уже вильнула хвостом, как рыбка в аквариуме, уже высвистела из другого конца зала Янку и обе, как в синхронном плавании, проникая сквозь толщу толпы, выскользнули из зала... В ярости проследив их заплыв, Яша обернулся и вдруг увидел за столом напротив раскрасневшуюся, с огромным декольте в бордовом концертном платье, Фиру Ватник. Она напряженно вглядывалась в игру через плечо бледного Джеки Чаплина, Главного бухгалтера Синдиката.

— Джеки! — воскликнул Яша, забыв обо всем. Впоследствии он не раз пытался припомнить, — почему более всего в тот вечер его поразило присутствие в зале не Фиры Ватник, не собственных паршивок, а этого славного парня с дружественной улыбкой...

Джеки Чаплин вздрогнул и уставился на Яшу.

— Что ты тут делаешь?! — крикнул ему Яша на иврите через стол, через головы людей. Тот смешался, заулы-

{232} бался и в гуле голосов неразборчиво пробормотал что-то, выбираясь из толпы...

Яша бросился почему-то за ним, словно это именно Джеки вытащил у него из кармана триста долларов за вечер... Но когда продрался сквозь толпу, то увидел только промельк серого пиджака в пролете лестницы, среди золоченых перил.

— Я-а-аков, Я-а-аков... — Яша дернулся, обернулся. За ним стоял благодушный Клещатик, улыбался пергаментными ямочками. — Что-то вы... — сказал Ной Рувимыч... — не отдыхаете... А ведь тут неплохое местечко... Хотя есть и получше...

— А вы здесь что — завсегдатай? — спросил Яша, как ему показалось, грубо.

Он вернулся в первый зал, где Изя, навалившись грудью на стол, меланхолично следил за происходящим на сцене.

— Ну что? — спросил Изя тяжело дышащего Яшу. — По-моему все неплохо, а? Слыхал, как тут Фира с Клещатиком пели дуэтом? Ну, это карти-и-инка, сынок... Садись, стриптиз объявили...

Яша рухнул на стул, пребывая отчего-то в жутком расстройстве. Решительно все в этом заведении ему уже не нравилось.

Под модный шлягер "Ты целуй меня везде" на сцену потянулась цепочка узкобедрых девочек. Они двигались голыми спинами к зрителям, покачивая лоскутками юбчонок. Достигнув середины сцены, все пятеро круговым движением бедер освободились от лоскутков, и перед зрителями предстал ряд довольно округлых ягодиц, изукрашенных чем-то голубым...

— О, Господи! — закричал Яша в отчаянии, — Изя, смотри, что у них на задницах!!!

...Да, надо признать, что Серега, главный менеджер этого почтенного заведения, проследил, чтобы наглядные пособия Синдиката были использованы вполне: на сцене, на виляющих попках девочек красовался знак этой славной организации. И кстати, выглядел вполне уместно: две руки поддерживали вихляющие ягодицы, как бы не давая им расползтись в стороны.

> Вагончик жизни покатился под уклончик.
> Никто, ребята, не поставит нам заслончик.
> Не надо пива и вина, мы самогончик пьем до дна...

— Это разве стриптиз! — заметил Изя заплетающимся языком. — Вот я в Лондоне видел, так там, знаешь, сынок, выходят девочки с бутылками кока-колы, выпивают их в процессе об-на-же-ния... затем начинается такое цирковое, я скажу тебе, действие!.. А эти здесь что!.. самоучки самобытные. За Западом пытаются угнаться... И ни черта у них не...

В этот миг все пятеро девочек разом подпрыгнули, крутанулись и... и Яша почувствовал, что теряет сознание. Ну, девочки там, ну со знаком Синдиката под юбками, это ж полбеды! — беда, что девочки-то оказались вовсе не девочками! Пятеро омерзительных козлов под куплеты выделывали на сцене такое, что черти бы плюнули!

— Изя, Изя!!! — завопил Яша. — Все кончено, мы погибли!!!

— Я ни хера не хочу... — меланхолично сказал поддатый Изя. — Ни хе-ра. Вот такая моя ментальность.

И громко стал подпевать:

> Гуляй, моя детка,
> ты будешь жить счастливо,
> А я уже, наверно, никогда!

Ошарашенный, оскорбленный, взбешенный, Яша оглянулся окрест и увидел, и понял, наконец, то, что выпирало перед ним, идиотом, весь вечер. Он понял — в какую компанию попал, в каком таком элитарном клубе проходит это поистине великое мероприятие по национальной самоде... ди... ин... тен... Короче, он увидел, что вокруг все, ну, повально все...

— Пидера кругом!!! — заорал он.

И разом перевернул стол вместе со всем, что на нем стояло. Изя тоже рухнул, не имея на что опереться грудью. Наклоняясь за бутылками, Яша принялся метать их на сцену, стараясь попасть в того, коренного, что посередке, и выделывается ядренее других.

И сразу засвистело, заверещали совсем не женские голоса, на него навалились сзади, но он лягнул, увернулся и пошел молотить уже без разбору, с ненавистью такого накала, что не чувствовал ударов и не видел — кого лупит. Драться он любил, умел и искал — всегда. К тому же в юности отдал дань модному в те годы карате... Может, поэтому его не сразу удалось скрутить серьезным ребятам в охране. Затем драка вывалилась в фойе к пингвинам, ради свободы которых Яша попытался разбить стулом стекло темницы... И зря: время потерял, темп, отвлекся от круговой защиты... Помнил только, что когда тащили его вниз по роскошной, с золочеными перилами, лестнице...

...распахивайте дверцы: идут крутые перцы!

...менеджер Серега, который, сука, еще увидит небо в алмазах, бежал рядом и повторял: я ж сказал — казино-ревью, я их по-честному предупреждал...

Очнулся он в наручниках, в милицейской машине, рядом с Изей, тоже — порядком изукрашенным... Вспомнил пингвинов и — заплакал...

....

Из "Базы данных обращений в Синдикат". {235}
Департамент Фенечек-Тусовок.
Обращение № 2.254:

Деловой женский голос:

— А вы все законы Израиля знаете? А вот, скажите, можно мне за мужчиной поехать в качестве второй жены? Нет, я имею в виду — единовременно второй... Ну, что непонятного?.. Разве у вас там не многоженство? Не-ет? А мне говорили, восточное государство... (гудки)

....

Microsoft Word, рабочий стол,
папка rossia, файл moskva

"...главная тягота и радость моей нынешней жизни — обилие новых и старых лиц, обрушившихся на меня настоящей селевой лавиной. Среди новых — Аркаша Вязнин, помощник атташе по культуре американского посольства.

Это человек, к которому необходимо предисловие.

Неприкаянный, странный, старый холостяк, он производит впечатление двоякое. Одновременно: очень откровенен, очень себе на уме.

На всех дипломатических приемах и встречах, на всех концертах, торжественных вечерах, конгрессах и банкетах Аркашу видно издалека: это высокий, лысый, румяный и улыбающийся человек в очках. Слегка заикается.

В прошлом — акробат. Может сделать сальто прямо на улице, с места. У меня где-то есть фотография: он идет по Питеру на руках, рубашка вывалилась из брюк и занавесила лицо, в центре обзора — голый впалый живот и волочащийся по земле галстук, на который он наступил рукою.

Мы познакомились на одной из культурных посиделок у Моти Гармидера, в уютном помещении *щадистов* в Безбожном переулке.

Разговорились. Аркаша, оказалось, читал меня давным-давно, в школе, еще в популярном советском журнале, когда и сама я была ученицей десятого класса... Наша общая юность подмигнула нам и увела чувака и чувиху на свежий воздух... Мы распрощались с Мотиными подопечными, вышли на улицу и долго шли, буквально с первых же минут разговора обнаружив с десяток общих знакомых и друзей в разных странах. Потом зашли в какую-то кондитерскую, заказали кофе, и Аркаша стал рассказывать, как, уехав в семидесятых годах из Ленинграда в Америку и вернувшись в Россию в конце 90-х в дипломатическом чине, он испытал странное и острое счастье: стал разыскивать людей, с которыми когда-то была связана его жизнь и с которыми он давно расстался. И находил, и связывал какие-то разорванные узелки...

С того дня мы не то что подружились, но постоянно держим друг друга в поле видимости. Иногда он звонит и приглашает на какое-нибудь действо. И я иду, не только потому, что мне интересно это действо, но чтобы хоть немного отвлечься от чиновных дрязг и бреда, от толкотни и дури Синдиката.

Вот, сегодня оказалась в "Гнезде Глухаря", на концерте известного барда, который явился со своим гитаристом Сережей.

Высокий, нелепый и изящный одновременно, гитарист сразу приковывает к себе внимание разборчивого глаза. У него странная мимика: во время игры лицо становится одновременно равнодушным, даже сонным, — и напряженным. Напряжение, усилие, совсем незаметное в руках и технике игры, выражается в том, что он жует. Подбородок, губы ходят ходуном. Небольшие припухшие глаза в это время чуть ли не спят. И этот разлад между верхней и нижней половиной лица придает всему облику гитариста дополнительное, слегка удивленное выражение. Кроме того, непринужденная, угловатая пластика движений сообщает всей игре особенное обаяние. И грацию. В игре он так органичен, так чертовски музыкален, что вроде бы скучает, играя. И даже отворачивает от грифа в сторону лицо, как бы делая вид, что не имеет к этим выделывающим кругаля рукам никакого отношения.

Впрочем, иногда вдруг подпевает чистым слабым тенорком.

Он совершенно свободен — от музыки, от публики, от песен, даже от себя.

Чего нельзя сказать о самом барде..."

Сразу после того как департамент *Бдительности* выкупил Яшу с Изей из КПЗ, и по возвращении Клавдия из Иерусалима — куда начальство срочно вызвало его на разбирательство по поводу скандала в "Голубой мантии" (и где, по слухам, он грудью стал на защиту *двух своих лучших синдиков)*, Клавдий собрал всех нас на *перекличку*. Долго и мрачно молчал, обводя каждого взглядом. Яша сидел бледный и трепещущий, как в задушевной песне Фиры Ватник, Изя — багровый, с мобильником в руках. Он держится за мобильный телефон, как за спасательный круг.

Деликатный наш добряк дал сначала выскандалить свою порцию бабе Нюте, — не было ни одной *переклички* синдиков, на которой старая танцорка не затеяла бы свару сразу со всеми главами департаментов: так гроссмейстер дает сеанс одновременной игры на двадцати четырех досках.

— В этот час позора, — сказала она, — не хочу отвлекать тебя, Клавдий, от справедливого суда над двумя этими проходимцами, один из которых — маньяк, а другой — алкоголик и идиот. Но даже эта бездельница (длинный палец с сиреневым ногтем в мою сторону), со своим департаментом хамов и снобов, даже Панчер, со своим департаментом развращенных ублюдков, не позволяют то, что позволил себе этот лысый кретин Шая...

Далее, собственно, шла жалоба на Шаю, — тот из соображений бдительности запретил Овадии, несчастному рабу бабы Нюты, командировку куда-то там в район Хабаровска, где только что громили синагогу...

Короткий и сильный скандал — ввиду более грозной бури — пронесся, как весенняя гроза над лесом: все вместе кричали, громче всех визжала баба Нюта; по взмаху Клавиной руки все разом смолкли. Не поднимая головы, Клавдий принял очередную бодрую рапортичку от Миши Панчера (численность его Базы данных возрастала не по дням, а по часам: ребята жаждали попасть в молодежные лагеря Синдиката), остановил его поднятой ладонью; терпеливо и отстраненно выслушал мой отчет о конференции переводчиков с иврита на русский...

Наконец проговорил с горечью:

— Ну... а ты, Изя? Ты, Яаков? Расскажите-ка, что новенького подают на десерт в казино у пидеров?

Яша опустил голову еще ниже, а Изя вскинул руку с мобильником, словно тот мог защитить его, оправдать...

— Что вы там забыли?! — загремел Клава сорванным голосом боевого полковника. — Что вы там забыли, мужики?! Вы искали приключений на свои задницы!? Мы работаем в тяжелое время абсолютного неблагоприятствования *Восхождению,* — с горечью продолжал он. — В прошлом году за этот период *взошло* вдвое большее число людей. И что мы делаем в этих обстоятельствах? Мы бьемся до конца за каждую душу из Базы данных? Мы организовываем кружки по изучению традиций, мы убеждаем, мы зажигаем их своим примером? Нет, мы развлекаемся в гнусных притонах этого города! Мы устраиваем пьяный дебош, избиваем солистов ансамбля "Русская затея" — мне уже представила счет эта пиявка в бархате, Эсфирь Диамант!.. Так почему, — тут его голос опять взлетел на высоты воззваний, — мы не задумаемся над тем — что нам делать, как быть, как работать дальше с людьми!!!

Тут Изя встрепенулся, судорожно набрал что-то на мобильнике и стал совать его Клаве под нос:

— Что, что!? — чуть ли не брезгливо отшатнулся Клава, — что ты мне суешь свой вонючий вибратор?

— Корабль, я же предлагал проект, — заволновался Изя. — Вот, смотри — я выяснил по Интернету все условия найма судна... Плавание, недели две, на корабле, по Волге: Самара, Саратов, Кострома, то, се... Лекции, игры, артисты-журналисты, короче: привозим их тепленьких, убежденных в самин-си-кации, готовеньких к *Восхождению*...

— Будь здоров, — сказал Клава, изучающе рассматривая Изю. — Твои масштабы всем нам просто смешны.

— Почему? — обескуражено спросил Изя, все еще показывая что-то в своем мобильнике

— Почему?! — вскричал Клава, переходя на русский, то есть выражая Изе свое презрение. — По той же причина, что у Папа Римский есть яйца! Я не знаю — почему! Он ими не пользуется...

Баба Нюта захохотала, далеко закидывая голову. Клава внимательно посмотрел на нее и сказал, нахмурясь:

— Хочу ознакомить вас еще с одним приказом из Иерусалима: через две недели Анат Крачковски покинет наконец наши ряды. Замбура!

Старая ведьма оборвала смех, с поразительной быстротой сложила по две дули на обеих руках и раскинула их широким танцевальным жестом в обе стороны: всем.

— Вот! — сказала она. — Вот, что будет со всеми вашими приказами...

...Далее по ходу совещания Клава сообщил, что для борьбы с упавшими показателями сюда приезжает еще один человек на ставку, которая вот только что изобретена в

Центральном Синдикате. Называется ставка — "Генератор {241} идей".

— Где его посадить? — устало спросил нас Клава. — Куда воткнуть этого генератора, в какую задницу? Миша, ты подвинешься? У тебя там, в *Юной страже Сиона,* кажется, есть еще закуток.

— О чем ты говоришь?! — ласково спросил Миша, подпрыгнув и без конца перекидывая левую ногу на правую и правую — на левую. — У меня, да? Плюнуть негде, да? Я свой стол выкинул, стою, качаюсь на ветру, как рябина, да?

Выяснилось, что сажать генератора негде, ну, буквально нет ни сантиметра в садике, ни уголка, ни стульчика, ни подоконника свободного...

— Сортир... — вдруг сказал Яша, не поднимая головы.

— Он еще острит, позор нашего народа! — выкрикнула баба Нюта.

— Я не острю! Правый туалет на первом этаже. Там все равно часто засор. Все равно мы с бухгалтерией бегаем на второй этаж...

— Гениально, да? — встрял Панчер. — Если выкинуть сантехнику, там встанет стол...

Выяснилось, что — да, идея плодотворная. И столик со стулом поместится, да и тумбочка...

Все вздохнули свободней, разговорились, стали обсуждать какие-то планы на ближайшие недели... Заискивающе смотрели на шефа. Тот молчал, выкуривая бог знает какую по счету сигарету. Наконец показал рукой, что *перекличка* закончена.

Все поднялись. Он остался сидеть, задумчиво глядя перед собой. Через минуту за столом сидели только он, Яша и Изя. Я тоже вернулась от двери, так как, неизвестно почему, чувствовала себя виноватой в случившемся. С минуту Клава молчал, выдыхая дым и покашливая. Наконец проговорил с горечью:

— Вам хорошо... Вам хорошо, *замбура*! А знаете — почему? Потому что за вашими спинами есть я... А мне плохо. Плохо мне! Потому что за моей спиной есть только моя толстая задница...

....

Microsoft Word, рабочий стол,
папка rossia, файл sindikat

"...бедный Яша подавлен случившимся, что не мешает ему продолжать рисовать свои комиксы на всем, что под руку подвернется. Вчера забежал ко мне минут на пять — посплетничать о корабельных планах начальства, — и после того уже, как он умчался, я обнаружила у себя на столе свой собственный отчет, только что отпечатанный Машей, на котором этот правдолюбец набросал новый шедевр на тему казино-ревью: Эсфирь Диамант, разевая невероятный зубастый рот щуки, в попытке проглотить микрофон, изрыгает облако перегара, с пляшущими буковками внутри: "скажи мне конкретное слово, у мамы — душевный запой..."

Яша говорит — ты обратила внимание, как они любят идею плавания? Мореходы, бля! Неужели они позволят Клещатику так раскрутить Синдикат, переживает он.

...Так вот, о корабельных мастерах.

Я вспомнила странный ночной звонок Клавы на фоне бледного балтийского неба и литературные ребусы, загаданные ему, как я понимаю, Noй Рувимычем, в аэропорту в Самаре. И смутное мое ощущение, что грядет некая крупная акция, окрепло. Изя, святая душа, тут, конечно, ни при чем...

В нашем детском садике происходит нечто, копошится, варится в каком-то потаенном котле. Вчера проходила мимо административного отдела и слышала, как Гоша Рогов говорил в трубку:

— Не, Ной Рувимыч, я сейчас советовался с одним корешем в Морфлоте. Такой маршрут под силу только пассажирским судам смешанного плавания класса 2СП, в крайнем случае, 3СП, Российского Морского регистра. Таких судов, к сожалению, построить не успели до развала Союза, хотя проект существовал. Но даже для такого судна, хоть бы оно и было, такая пассажировместимость нереальна. Теоретически, теплоход "Казань" мог бы пройти по этому маршруту, но практически и ему это не под силу, хотя как знать, судно ведь до продажи в Россию имело морской класс Итальянского Регистра, так что он думает, займись кто-то этим делом плотно, "Казань" могла бы ходить не только в Хайфу, но и по всей Средиземке и Балтике...

Он продолжал говорить, — я прошла мимо и дальше уже не слышала...

Беспокоит меня и возрастающая день ото дня активность департамента *Розыска потерянных колен:* дня не проходит, чтоб мне не прислали сообщения еще о каком-нибудь бездельнике, сдавшем кровь на принадлежность к призракам. Яша, склонный к высмеиванию, кличкам и прочим издевательским штукам, уже не знает — как еще обозначить эту охоту за библейским миражом. Активную деятельность департамента он называет "коленным валом" и уже настрогал несколько комиксов на эту тему. А в моей почте все мелькают то какой-то Петросян, Ованес Гургенович, из колена Ашера, то Минзрявичус, Стасис Йонисович, из колена Шимона... Галина Шмак напирает и требует запузырить большое интервью с главой этого таинственного и плодовитого департамента.

Кстати, о "Курьере Синдиката".

Не было еще ни одного номера газеты, выход которого не сопровождался бы скандалом. Причем Галина не просто путает фамилии персоналий, должности или даты, — это бы полбеды, — она так хитро закручивает адскую интригу (на голубом глазу и не подозревая ни о чем), что все мы диву даемся. Затевается скандал, она ввязывается в него с энтузиаз-мом, вступает в яростную переписку с жалобщиками.

Самой взрывоопасной оказалась рубрика "Звезда меся-ца". Это идея Галины: в каждый номер давать интервью с из-вестной персоной московской культурной элиты. В результа-те постоянных неожиданностей, стечения обстоятельств, жестокого флюса у Алешки, опоздавшего автобуса, короче — случая, в котором, конечно же, никто не виноват, — разра-жается скандал, звезда рвет и мечет, пишет грозное письмо главному редактору, то есть мне, а поскольку пишет на адрес редакции, то попадает все туда же — в квартиру Галины у метро "Кантемировская". Ничтоже сумняшеся, Галина пишет звезде ответные обличительные письма, которые, ради эко-номии времени, подписывает моим именем. В итоге — осле-пительный свет этого скандала, как свет далеких звезд, еще долго догоняет меня и буравит мою макушку...

Вот недавний случай с очередной звездой, известным драматургом, автором мюзикла, раскрученного за миллионы долларов. На просьбу дать интервью в наш "Курьер" звезда дрогнула, видно, вспомнила своего еврейского дедушку. На дедушке они все дают слабину, тем более что Галина берет интервью, подпуская дрожь в голос. Словом, звезда что-то там бормотала, после чего потребовала материал на сверку. Но жесткий график выпуска очередного номера, постоян-ный ремонт в новой квартире, незамиренный Алешка, каж-дый раз выдвигающий какие-то новые условия и что-то там не желающий переделывать... Короче, Галина забыла во-время послать текст интервью герою дня... В результате — страницы газеты явили читателям поразительные открове-ния. Если не ошибаюсь, спутав одну звезду совсем с другой, Галина написала во вступительной врезке к интервью, что звезда поменяла пол. При ближайшем рассмотрении — точ-нее, при свете мощного зарева очередного скандала, — звезда оказалась почтенным папой с двумя сыновьями и тремя внуками...

— Ну, хорошо! — кричала Галина, рыжая, как бешеная лисица, — Ну, я ошиблась! Мне всю ночь подбирать фото верстать Алешка совсем загибается не спал четверо суток потому что флюс и типография знаете как теперь они требуют чтобы заранее за три дня а у меня материалы!!!..

— Стоп! — говорю я, умирая от бессилия.

— Вот... — она сразу успокаивается. — Вот и я говорю: ну чего скандал поднимать? Как-то не по-мужски он это все... Он думает, что газету делать — это пьеску накропать?

В это время "Куплеты тореадора" грохочут литаврами откуда-то у нее из подмышки, она выхватывает мобильник и кричит: — как это гладкие как гладкие когда я сказала в деликатный цветочек ну поезжай на Войковскую там большой магазин обоев и помни только деликатный цветочек!!!"

....

"О, святой Базилик!"

Утром я столкнулась в проходной с Изей, который, пряча глаза, сказал, что привезли из Омска нашу Геулу, и должны отправлять ее домой, в Израиль, где вчера во взрыве погибла ее младшая дочь. Изя сказал меланхолично: в куски. Я зажмурилась.

Геула, *синдик широкого профиля*, жила в Омске одна, без семьи, что считалось особо тяжкими обстоятельствами службы. Ее семья оставалась в Афуле. Старшая дочь замужем, а вот младшая...

Поднявшись наверх, я столкнулась с этой группой. Геулу волокли по коридору Миша и Оля, молодая супружеская пара синдиков из Омска. Она висла на их руках и выла. Я подбежала и обхватила ее за спину, чтобы помочь ребятам. Высокая, статная и ухоженная женщина за день превратилась в старую тушу. В кита, выброшенного на берег. Мы дотащили ее до кабинета Клавы, который со вчерашнего вечера пребывал с инспекцией в Латвии, и с утра звонил каждые пятнадцать минут то Изе, то Яше, давая указания — как встретить Геулу, куда определить, чем кормить... Мы усадили ее в кресло, чтобы она звонила домой, мужу и старшей дочери, — те ждали ее с похоронами; но она только выла и валилась головой на стол.

Вбежал в кабинет Яша, с которым Геула была ближе, чем со мною, когда-то они занимались в одной группе на курсах синдиков в Иерусалиме. Я смотрела, как он обнял ее, и она к нему приникла, припала; ничего не изменилось, но голос ее, стоны ее как-то очеловечились, что-то она хотела ему говорить, Яше, что-то пыталась сказать...

— Но... тело?! — она захлебывалась в детском изумлении — Но хотя бы тело?! Но отдайте же мне хоть тело моего ребенка?!

Я смотрела, как он гладил ее по голове и молчал, гладил и молчал... Я завидовала ему, его естественной ненатужной ласковости. Моя проклятая, запертая на десять замков натура никогда не позволяла мне выдавить из себя хоть слово в подобных случаях. Ком в горле, пробка в мозгу — в беде я всегда выгляжу окаменелым чурбаном.

— Яаков... Яаков... Но почему, скажи... почему я не могу обнять моего ребенка? Где моя девочка, где она, Яаков?..

Я вышла и пошла к себе в кабинет, сильно сжимая зубы.

—....Звонила Клара. Тихонькая по поводу выплат на Вечер Памяти... — начала Маша... — и передала, что...

— Ко мне — никого! — оборвала я, и стараясь, чтобы дети не видели моего лица, закрыла за собою дверь. Села за стол, принялась чуть не вслепую шарить "мышкой" в почтовой программе, впуская стаи самых разных посланий-приветов-объявлений-зазывов-реклам-просьб, чтоб хоть чем-то занять руки, голову, мычащую душу...

Вот оно! — то, чего я ждала всегда, и всегда в первый миг цепенела: Азария. Он знал, будь он проклят, он знал! На этот раз прислал одну только фразу:

"Рахель плачет о детях своих, и не хочет утешиться о детях своих, ибо нет их..." (Иеремия 31:15)

На другое утро я вылетела в Днепропетровск.

"...некая симпатичная Маргарита, синдик департамента Восхождения в Украине, с которой мы долго договаривались по телефону о моем приезде, оказалась Ритой, вдовой художника Мити Красина. Она меня и встретила, и сразу мы обнаружили, что давно, давно знакомы, еще с той ярмарки художников в Султановых прудах, по соседству с Геенной Огненной, где когда-то, в первый наш год, лихо торговали художественными поделками своих мужей.

Вечером, как обычно, я выступила перед общиной, и Рита потащила меня ужинать.

Мы оказались в богато отделанном псевдо-трактире, теплом, деревянном, со шкурами на стенах, с чучелами медведей и оленей. Что действительно было там милым и необычным: с появлением новых гостей они выпускали кроликов, живых кроликов, которые бегали под столами, выпрашивая у обедающих кусочки еды.

На резных антресолях гуляла какая-то простая сердечная компания с аккордеоном и гитарой. И мы, которые, собственно, хотели поговорить, должны были докрикивать друг к другу отрывистые фразы.

Она курит тонкие длинные сигареты, одну за другой — вдова Мити Красина, еще молодая, прелестная женщина, мать четверых сыновей. У нее худощавое улыбающееся лицо, мимика такая. Улыбаясь, говорит о том, как спасалась от тоски после Митиной гибели, как должна была забрать из полиции машину, залитую Митиной кровью. Улыбаясь, рассказывает, как в последние страшные месяцы добиралась с работы в поселение Алон Швут — домой, к сыновьям...

— Знаешь, — говорит она, улыбаясь, — иногда мне кажется, что все это было в прошлой жизни, и не со мной. А иногда кажется, что это было вчера...

Сыновьям Мити — старшему 16, младшему — 10. Малыш, конечно, отца не помнит, ведь ему не было и двух лет, когда убийцы подстерегли Митю ночью, на шоссе, — но ему важно, что старшие братья, вспоминая об отце, всегда включают малыша в воспоминания, и он вроде все помнит тоже...

— Прости, — сказала я, — не помню, убийц нашли?

— Да, их настигли. Они сгорели в машине...

— Ты ездишь без оружия?

— У меня нет оружия, — сказала она. — У Мити оружие было... Кого это спасает?

Веселая компания вскоре спустилась с антресолей и стала отплясывать неподалеку от нас с таким щедрым здоровым усердием, что я невольно отворачивалась от оживленного, страдающего лица молодой женщины напротив и смотрела на отплясывающих, кружащихся в пьяном веселии теток.

Наконец мы расплатились и вышли. Кроликов, видимо, загнали в клетки. А может, плясуны распугали их по углам..."

....

В аэропорту меня встречал Слава.

— Как дела, Слава? Синдикат на месте?

— Да что ему сделается... Он вечный... — подхватил сумку, повел меня к выходу, приговаривая:

— Вчера опять какая-то группа ваших военных в штатском приезжала. Говорят, генералы, важные чины... А я смотрю, Ильинишна... какие-то они у вас там простые ребята: рубашки расстегнуты, галстуков в помине нет, смеются, как дети... Всему удивляются и все им до фиолетовой звезды... Ну, чисто, как говорит Рогов, клоуны. Опять кто-то из них в гостинице пачпорт оставил, гоняли нас дважды в аэропорт... У меня вот у самого кавардак в доме: супружница законная лежит с приступом остеохондроза: скукожилась, зацементировалась, засалилась. Ну, рекомендова-

{250} ли ей тут одного командировочного экстрасенса. Пришел он, уложил ее на пол, стал над нею эдак руками помавать... Я обошел кругом, смотрю — ее перекосило всю: сейчас либо помрет, либо враз излечится. Оказывается, прямо перед ее лицом этот факир своими штиблетами перебирает. А носочки у него позапрошлогодние, видать... Приезжий человек, у шурина остановился, а у того — то ли воду отключили, то ли очередь в ванну из жильцов всей квартиры...

— ...есть еще один факир, Кикабидзе...

— Певец?

— Нет, другой... Говорят, помогает...

Я села в машину и под говорок Славы, под куплеты "Русского радио".

    ...А мой кура-а-тор, районный психиа-а-тор,
    дал направленье мне на промискуитет...

Тут же уснула, просыпаясь на светофорах и ловя сквозь сон какие-то обрывочные его фразы, перемешанные с передачей "Святого распятия", прерываемого музыкальной программой "Русского радио".

— ...как только выпадут дня два свободных, я шасть — в деревню... колодец там чи-истый, глубо-окий, — душевные места. Туристы, вот, суки: где присел, там и нагадил... Ты ж видишь, гад, что это колодец, место святое, что ж ты бейсболкой воду черпаешь, всякий там свой ботинок полощешь! Ты ж не харкай веером, подлюга!

— ...тут, главное, не зарываться... Они, менты, лихоимцы, ночью на грабеж выходят... Там у них фуражки летят будь здоров... Там они их моют постоянно... Опять же какой-то билдинг вперли...

— *"...наставления мирянам и инокам преподобного Серафима Саровского: "сердце не может иметь мира, доколе не стяжет сей надежды. Она умиротворит его и вольет в него радость. О сей-то надежде сказали Достопокланяемые и*

Святейшие уста: Придите ко Мне все труждающиеся и обремененные и Я упокою вас"...

— ...одного только за всю жизнь помню... "давай, говорит, в сберкассу..." Сейчас, думаю, я тебе тут в сберкассу огородами побегу... Сую ему полтинник, говорю — "все, друг, давай на этом помиримся..." А он: "никогда ни у кого не брал и брать не собираюсь..." Ну и заставил меня в сберкассу бежать. Этот случай я единственный помню. Вот он мне в память врезался медально...

— ...ну и расстался я с некоторой толикой денег, да тут уже ни хрена не попляшешь. Если б я еще аскетом был, вина и женщин бы чурался... а так, думаю...

...Но в эту н-о-о-очь под сенью сонных стр-у-у-уй
Я всё-о-т-ки вырвал первый поцел-у-у-уй...

...Вдруг Слава заговорил на иврите быстро и гладко. Но как-то неразборчиво. Смотри-ка, подумала я сквозь дрему, вот что значит — опыт работы в Синдикате, помноженный на природные способности.

— ...Ильинишна!

Я открыла глаза. Темно, в окне машины — тусклая лампочка под козырьком подъезда. Слава сострадательно заглядывает мне в лицо.

— Пошли, отконвоирую вас до хаты.

— Не надо, Слава, я сама.

— Там у вас темно, вроде...

— Зато пожара нет...

...В подъезде кто-то вывернул или разбил лампочку. Я достала свой лазерный фонарик-крошку (десять лет гарантии) и, высвечивая перед собою красный кружочек на полу, стала осторожно подниматься по шести ступеням, на первую площадку; повернув к лифту, наткнулась на кого-то тяжело сопящего, громко рыгнувшего от столкновения. И — выронила фонарик.

— Что?! Вам кого?!

Кто-то большой, распространяющий тяжелый запах, молчал и перетаптывался...

— П-позвольте... — проговорила я прыгающими губами... — Позвольте... пройти...

Тут приоткрылась дверь соседней квартиры, и женский голос сердито позвал из щели электрического света:

— Альфа! Альфа, сволочь поханная, — домой!

...В лифте я прислонилась к стене и медленно съехала на свою сумку...

— ...А у нас тут новое развлечение, — сказал Борис, когда я вышла из ванной...

После его слов зазвонил телефон. Три часа ночи! Я инстинктивно рванулась — к трубке, но муж удержал меня.

— Не бери! Это он.

— Да кто — он?!

— Какой-то общительный псих. Звонит без продыху весь вечер и вот уже полночи. Не подходи, когда-нибудь ему надоест.

Действительно, звонок умолк. Но минут через десять, — мы уже легли и свет погасили, — зазвонил опять.

— Нет, ну это же не может продолжаться вечно!

Я вскочила, решительно и молча сняла трубку.

Там помолчали, сопя... Потом невнятный мужской голос пробормотал, вздыхая:

— О, святой Базилик, святой Базилик... не в то же сил по краю пить кровушки густой народной нять то краше... — и скатился в вялое бормотание...

— Вам кого? — сурово спросила я. — Вы понимаете, что сейчас глубокая ночь?

Он вздохнул и опять заволок монотонное бормотание с всплывающими мутными островками слов.

Я положила трубку. Борис стоял рядом в трусах, нервно поглаживая лысину.

Опять звонок.

— Послушайте! — рявкнула я, срывая трубку, — вы что, по милиции соскучились?

Это предположение, по-видимому, его развлекло. Он забормотал громче и возбужденней...

Я бросила трубку. Отключила телефон. Мы легли и часа два еще обсуждали — что бы это могло такое быть? Несчастный шизофреник? Развлекающийся подросток? Служака, скучающий на прослушке?

Утром, едва включили телефон, он злорадно зазвонил, словно подстерегал это мое движение — руки к розетке.

Монотонным отрешенным голосом псих — так казалось — читал по книжке, вернее, по нескольким, разложенным перед ним, книгам. Выхватывал слова, отдельные фразы, лепил их на скорую руку... "Спасите Конкорд... — сказал он мне на этот раз, — спасите Конкорд..."... Иногда, впрочем, внятно отвечал на вопросы. Хотя и несколько односложно.

...Главу департамента *Бдительности* я застала на карачках перед воротами детского садика, изучающим днище нашего синего "форда". На углу у "Гастронома" стояли три местных алкаша и с обалделыми лицами следили оттуда за странными действиями лысого "азера"...

— Шая, — сказала я, — свистать всех наверх! Наконец-то у нас неприятности!

Он вскочил, отряхивая брюки на коленях.

Я принялась подробно и в лицах, копируя интонации нашего телефонного взломщика, рассказывать всю историю, предвкушая бурную реакцию Шаи и не решаясь признаться себе, что давно ждала такого вот момента, — поглядеть, каковы будут действия *нашей хунты* в полевых условиях.

Когда закончила, он строго проговорил:

— Все очень серьезно, Дина! Мы не можем игнорировать твой случай! Неизвестно — кто этот тип и что он затевает. Мы обязаны отнестись к данному факту со всей ответственностью!

— Отлично, — сказала я, — вперед! — и пошла к проходной.

— Ты должна немедленно обратиться в милицию! — закричал он мне в спину. Я обернулась. На коленях его была грязь. Лысина сверкала. Насупленные брови перса чернели на лице яркой приметой. Он отлично продавал бы цветы на всех московских рынках.

За его спиной, у "Гастронома", под щитом "Пойми красоту момента" отдыхал в блевотине сильно побитый мужчина.

. . . .

Microsoft Word, рабочий стол,
папка rossia, файл psih

"...к восторгу нашей дочери и всего моего департамента, история с телефонирующим психом приобретает детективный оборот. Рассудительный Слава говорит, что надо на "Горбушке" купить определитель номера, застукать этого весельчака и... — И что? — спрашиваю я Славу. Тот отвечает: — ...а вы, Ильинишна, не задавайтесь тяжелыми вопросами бытия. Вы номерочек узнайте, а там уж я возьму дело в свои руки, и колбасить его будут не по-детски.

Я, конечно, не могу допустить Славиного самоуправства. Но после бессонной недели он буквально силой повез меня на "Горбушку", за пять минут определитель был куплен и еще за пять минут, — после возвращения домой, — заветный номер был считан с этого замечательного приборчика.

На работе Женя полезла в справочную Интернета — разыскивать данные абонента, и через минуту воскликнула: — Вот это да-а-а-а! Угадайте фамилию вашего психа!

Все мои вразнобой стали орать из обеих комнат: Шапиро! Рабинович! Черномырдин! Путин! Я сказала из своего

кабинета: — Буонарроти. Женя отозвалась: — Ну, почти. {255}
Ре-вер-дат-то!

Все заорали — не может быть! Женя, как всегда, — по-жалуйста, убедитесь. Все кинулись к экрану и — пожалуйста, убедились. Ревердатто В. Д.

— Наверняка еврей, — заметил Яша, забредший на ого-нек. — Давай поможем ему *взойти*?

Дома я сразу набрала сакральный номер с намерением напугать, пригрозить, растоптать — (большие были планы, роскошная обличительная речь)... услышала знакомый де-прессивный голос и в жуткой тоске проговорила что-то вро-де: — Ревердатто, сука, ты нас достал! Еще раз позвонишь — приеду с ментами.

Он позвонил секунд через двадцать.

— Ментовка?! Ментовка?! — выкрикивал он, — одна тут чисто как жидовка метит в бахрому на парус...

И мы повлеклись в ближайшее отделение милиции...

Там все, как было пятнадцать лет назад. Двухэтажный особняк в аварийном состоянии, на полу — продранный ли-нолеум, сверху падают куски штукатурки, на крыльце не-сколько служивых стоят, курят. Нас посылают к следователю по уголовным делам, по фамилии Пурга — словно для моей Базы данных. После всяческих объяснений, уговоров и посу-лов, он соглашается с каким-то еще своим подручным смо-таться к нашему психу, по предлагаемому адресу, на улицу академика Амбарцумовича... Боря мрачен и все пытается у меня выяснить — зачем мы едем? И кого тот должен испу-гаться, если он псих? И что будет дальше?

Угры всю дорогу рассуждают, что парень, конечно, шизо-френик: сезонное обострение. Долгая беседа на эту увлека-тельную тему. Потом оба задают вполне дикие вопросы об Израиле. Например, едят ли там помидоры? Подручный Пур-ги оборачивается к нам и спрашивает — а вы евреи?

Боря: — Да.

Тот: — А вы хорошо говорите по-русски!

Наконец приезжаем к логову Ревердатто, на улицу Академика Амбарцумовича.

Милиционеры велят, чтоб мы сидели в машине, а то мало ли чего — шмальнет через дверь... Сами входят в подъезд...

Мы сидим, смотрим в окна на двор... Шестнадцатиэтажный унылый блочный дом серого цвета, швы между панелями заделаны черной смолой. Если б я жила в таком доме, говорю я, то тоже звонила бы всем с безумными речами.

Боря в ответ: а ты, собственно, и жила в таком доме. В каком же еще, на улице-то Милашенкова?

Вышли они минут через десять, и сразу стала ясна вся никудышность этой затеи. Ревердатто не пустил их, сказал через дверь: — Таких, как я, не забирают. Я социально не опасен. У меня справка, вторая группа инвалидности...

И они, мол, не имели права войти... Интересно, как это наш псих так замечательно выстроил защитную речь?.. И никаких тебе Конкордов, и никаких святых Базиликов...

Словом, идиотская экспедиция... Назад ехали в молчании, дипломатических бесед про помидоры больше не затевали. Впрочем, они не виноваты. Никто не виноват.

Теперь на ночь мы отключаем телефон, а днем первым делом смотрим на определитель номера. Если высвечивается номер нашего психа, тот, кто подошел, кричит на весь дом: "Ревердатто!" — тоном, каким оповещают о летящем снаряде. Но я, по своей рассеянности и замученности, иногда забываю глянуть в узкий серый экранчик на подоконнике и беру трубку, — и тогда, ужасно обрадовавшись, что дозвонился, услышан, услышан! — он торопится рассказать мне весь странный, тревожный, диковинный мир, который обрушивается на него каждое утро.

Он стал тенью нашего здешнего существования.

Шлейф безумия волочится за всей этой жизнью в Москве..."

"Наша высокая стезя..."

...Прямо с утра ко мне пробился очередной писатель.

Вообще, я не любила утренних посетителей. В эти часы я включала компьютер, открывала почтовую программу и инстинктивно вжимала голову в плечи: казалось, на меня обрушивался изрядный кусок небесного свода. Помимо ежедневных, еженедельных и ежемесячных рассылок многих организаций, институтов, клубов и других сообществ, помимо приглашения на установочный пленум какого-нибудь нового, Еврейского Балтийско-Финского Конгресса за подписью Гройса; помимо служебных писем из разных департаментов в Центре; помимо ежедневных дурацких сообщений, что какой-нибудь Павел Росанович Ли зачем-то — для рифмы, наверное, — принадлежит к потерянному колену Нафта-Ли ("Нафтали — олень прыткий, говорит он речи галантные...") и прочая, прочая, прочая... на голову мою рушились — как отколовшиеся от скалы камни, — отдельные вопли-воззвания, письма-доносы, приглашения на какие-нибудь совсем уж необычные мероприятия.

Сегодня, например, обвалилось приглашение на акт самосожжения у здания Верховного суда РФ от Зайнутдинова Рафаэля Ибрагимовича, проживающего в Тюменской области, Нижневартовский район, поселок Излучинск...

"Это не суицид, — писал он — Это — протест против диктатуры беззакония, диктатуры коррупции"...

В первые дни, получая подобные письма, я вскакивала, чтобы бежать, предупреждать, предотвращать... кого? что?.. Но вскоре обессилела...

Мир угрожал навалиться на меня своей пьяной безумной, воняющей тушей, — придушить, *заспать* меня, — вот как пьяная баба придавливает во сне своего младенца... И я поняла, что буду раздавлена, если не облачусь в панцирь...

Так вот, именно в момент утреннего камнепада явился очередной писатель с очередной рукописью.

Вскоре я уже определяла их по тому, как они входили, — по этой замечательной смеси высокомерия с готовностью брякнуться на колени. Никто и никогда не напоминал мне так Михаила Самуэлевича Паниковского, как эти творцы в поисках дотаций и спонсоров.

Как всегда, ему не нужно было ничего. Ему лично. Нужно было людям, которые без его книги пропадут. Это роман-трилогия о пути нашего народа в пустыне Синайской... Называется "Наша высокая стезя"... Ведь никто никогда не брался вообразить — как, изо дня в день, они брели и брели по пустыне, шагая через барханы, зыбучие пески, перешагивая через кобр и гюрз... гюрзей... Как они блуждали...

— Интересно, как вы представляете себе Синайскую пустыню? — вяло попыталась вклиниться я.

— Да ведь это неважно, — ответил он высокомерно. — Пушкин тоже никогда...

— Да-да, Пушкин...

Так вот, некое издательство согласно напечатать его роман. Но ищет спонсора.

Я удовлетворенно кивнула. Я всегда с охотничьим замиранием ждала произнесения этого резиново-упругого, носового слова. И когда оно появлялось на сцене, рождалось из округленных губ посетителя, вылетало из-под усов, или окруженное колечком помады, я испытывала такую тоску, какие редко испытывала в своей прежней неначальственной, безответственной жизни.

Иногда они добавляли великодушно: — Мне незачем вам объяснять, что такое муки творчества. Вы ведь тоже пишите?

Этих шекспиров я, как правило, отфутболивала к Галине Шмак. "Пусть с вашей рукописью ознакомится сначала Галина Евсеевна", — говорила я, зная, что отсылаю автора с его будущей книгой в долину теней, откуда нет возврата.

Галина не могла не принять рукопись, но могла ее не читать. Могла потерять. И теряла. Учитывая условия, в которых делалась наша славная газета, а также еще пяток изданий для разных организаций, было бы удивительно не потерять какую-то несчастную рукопись в квартире, которая вот-вот должна была встать на ремонт. Или выйти из ремонта. Так корабль входит в зону тайфуна. Или выходит из нее.

Кстати, сама она появилась буквально минут через пять после того, как писатель вошел в кабинет и робко, но плотно прикрыл за собой дверь. Сначала издали зазвучали "Куплеты тореадора", потом у меня под дверью затеялась обычная свара между грубой Машей и дикой Галиной. Они всегда затевали небольшую, но интенсивную склоку.

— Ку-у-уда?! — шипела Маша. — Куда вы рветесь?! Там люди, понятно?!

— А у меня что шуточки шутятся типография требует проплатить а не то они хрен будут работать и Алешка сегодня с левой ноги и тут еще новых пять материалов...

"Тореадор" брцал литаврами, и Галина ухитрялась орать в мобильник, не прерывая свары с Машей:

— Палкирилыч, вы ж накладные не подготовили я не могу работать если файлы главный редактор вовремя не...

к среде Палкирилыч вот тут клянутся будет проплачено а вы уж пожалуйста... Маша не будь мерзавкой мне срочно выяснить по какому праву...

— Стойте, стойте, Галина!!! Ну, совесть у вас есть?!

Дверь распахнулась, на пороге возникла Галина, простирая ко мне руки в молящем жесте. За ней маячила злая Маша, от ненависти близкая к обмороку. Ругались они на фоне немедленно грянувших "Куплетов тореадора". Писатель околевал от ужаса.

— Вот так они и блуждали по пустыне, — сказала я ему. — Вот она, их высокая стезя. Познакомьтесь. Это Галина Евсеевна. Она-то и будет читать вашу рукопись...

Едва писатель был отправлен восвояси, а Галина умиротворена, проплачена, напоена чаем и с очередной папкой в рюкзаке удалилась под "Куплеты тореадора" — Маша вошла на цыпочках, плотно прикрыла за собой дверь:

— Там эти... катастрофисты. Че делать-то?

— Пригласи! И пожалуйста, Маша, — улыбка и любезность!

— Так они ж хамят!

Я сделала грозные глаза. Маша ретировалась.

Она была, в сущности, права: Клара Тихонькая, председатель фонда "Узник", была невыносимой особой. "Это, — говорил Костян, — как отключили воду, или, что точнее — канализацию".

Со мной в открытый бой Клара не вступала, я не позволяла этого, встречая ее и Савву Белужного вечно сочувственной улыбкой, выслушивая планы, скорбно кивая на все фразы, содержащие сакраментальное словопароль... Просимую сумму урезала всегда втрое, но что-то все же платила, стесняясь проверить — на что идут выплаты, вероятно, смутно памятуя... о чем? Да о чем же, прости Господи, как не о своей семье, расстрелянной под Полтавой!

С другими же синдиками, в частности, с Яшей — несговорчивым, въедливо проверяющим на что уходит каждый синдикатовский грош — эти двое бились самоотверженно, на ножах и кастетах, используя все запрещенные приемы.

Я поднялась, встретила, усадила их на диван. Велела Маше принести печенье и чай.

— ...Ой, нет, — томно сказала Клара, отодвигая чашку. — Это для меня слишком крепкий. У меня такое сердцебиение, вы не поверите! Я же все одна, все одна... Дайте цветочный.

— Не дам! — сказала Маша. — Цветочный остался один пакетик, для Дины.

— Маша!!! — цыкнула я. Бесполезно.

— Не дам. — Твердо повторила грубая девчонка. И вышла. Сейчас расплачется там, у себя за столом.

— Как вы держите такую хамку? — поинтересовалась Клара.

Я широко улыбнулась:

— Слушаю вас, друзья мои...

И у меня в кабинете грянула двадцатиминутная катастрофа, на которую, в этот раз, я денег не дала.

Проводить Клару и Савву вышла самолично. Открыв дверь, наткнулась на зады своих подчиненных. Ближе всех ко мне торчал обтянутый бархатными брюками упитанный зад Ромы. Рядом маячила тощая задница Костяна. Дальше — детская попа Жени в мальчиковых брючках из "Детского мира"...

Под аквариумом валялась на боку перевернутая корзина с мусором.

— В чем дело? — спросила я устало, уже предполагая, что мне ответят.

— Да вот... тут Эльза Трофимовна, бестолочь такая... — пробурчала Маша, медленно двигаясь на коленях по кругу и, как в пасьянсе, придвигая к сложенному из обрывков листку еще один оторванный угол, — это приказ Клавдия о...

— О чем? — спросила я раздраженно.

— О перестройке нижнего туалета, — кротко и жертвенно улыбаясь, отрапортовала Эльза Трофимовна, поднимаясь с колен. — А я даже не знала, что у нас внизу был туалет...

Затем я уехала на несколько деловых встреч; заодно, по просьбе Клавдия, встретила в Шереметьево одну иерусалимскую даму из департамента *Кадровой политики*, вернувшись, написала отчет по минувшей неделе, пообедала — по системе доктора Волкова — огурцом и обезжиренным йогуртом... Потом ко мне приходили: руководитель ансамбля "Московские псалмопевцы", Фира Будкина за очередной порцией денег на бублики-печеньки для своих ребят, режиссер из поселка Новозыбково под Клинцами с предложением оплатить моноспектакль по рассказам Василия Белова... И еще несколько посетителей, лица и голоса которых, — вне зависимости от пола, — слились у меня в какую-то петлястую дорожку, по которой, припрыгивая, катился Колобок, шепеляво приговаривая: я-от-бабушки-дедушки-спонсорскую-поддержку-на-святое-дело-возрождения-духовности-тотальным-фронтом-возвращения-к корням!

Сегодня — как обычно, если день выпадал загруженным и нервным, — словно в довесок, позвонил Эдмон, вежливо спросил:

— У тебя найдется двадцать минут?

— Ладно, приходи, — голосом жертвы проговорила я, хотя знала, что за этим следует.

Через минуту он явился, плотно уселся на стул...

— Скажи, Дина, что ты делаешь, когда начинается обстрел этого здания?

— Падаю на пол, — вздохнув, ответила я.

— Хорошо, — удовлетворенно кивнул он и умолк. Вдруг вскинулся, гаркнул: — Обстрел!!! На пол!!!

Я поднялась с кресла и свалилась на несвежий, затоптанный сегодняшними посетителями пол. Перед моими глазами шаркали кроссовки Эдмона... Прошло с полминуты... Я приняла более удобную позу и, в сущности, вставать уже не хотела...

— Можешь подниматься, — разрешил он наконец, внимательно наблюдая, как в три приема я принимаю опять вертикальное положение.

Что там говорить!

Наш департамент *Бдительности* честно и упорно отрабатывал зарплату.

И в завершение дня меня вызвал Клавдий.

— Вот, думаю, ужинать мне или нет...

— Не ужинай... — ответила я почти машинально. Я сильно сегодня устала.

Он обиделся.

— Я думал, ты скажешь — конечно, ужинай, Клавдий, дорогой... Что, я такой толстый и страшный, что мне уже и не ужинать?

Я спохватилась, долго виляла хвостом, стараясь загладить ошибку. Но вызвал он меня, конечно, не за этим.

— Ты вот, я знаю, получила высшее музыкальное образование, — сказал Клава. — Тогда скажи мне: сколько Израилю нужно оперных певцов?

Я выдержала паузу. Мой любимый начальник часто ставил передо мной неразрешимые вопросы.

— Понимаешь... к этому делу нельзя подходить с наскоку.

— Вот опять! — воскликнул он. — Опять ты крутишь, изворачиваешься, и слова простого от тебя не добьешься! Отвечай мне по-военному: сколько!

— Да ты объясни сначала — для чего тебе!

Он вывалил в корзину под столом полную пепельницу окурков, тут же закурил новую сигарету. Всегда он при мне курил, хотя я угрожала выйти, кашляла, жаловалась и стонала... Он спохватывался, гасил сигарету, гонял, чертыхаясь, огромной мягкой ладонью дым, и сразу же рассеянно закуривал новую...

— Был я в Центре, у Верховного... Зашел, как всегда, разговор о... ну, ты понимаешь — с какой стороны там меня трахают... Словом, то, се, Верховный и говорит: — слушай, чем у тебя там, в России, занимаются твои синдики? Ни хера, мол, они не делают! Вот, Иммануэль недавно был в опере, и говорит, что там требуются восемьдесят пять оперных певцов!.. Почему твои мудозвоны не объявят *призыв на Восхождение* оперных певцов? Чего это, говорит, они собирают по крохам каких-то механиков, программистов... всякую мелочь?..

Ну, я скажу тебе: никогда не был в опере. Я ее не люблю... Но любопытство меня взяло, пошел я... Здание красивое, ничего не скажешь... если согнать туда певцов, и чтобы встали плечо к плечу, то не меньше тысяч десяти народу, думаю, утрамбуется... Захожу к директору, спрашиваю: тебе нужны восемьдесят пять оперных певцов? Он вытаращился, говорит — ты в своем уме? Я вчера двоих последних уволил. — А кто же тебе нужен, — спрашиваю?

— А вот этот... — и руками так перебирает, как будто на веревке поднимает в окно корзину с яблоками. Я понял, он имел в виду этого, который занавес опускает... Ну, мы с ним поговорили... Я разного поднабрался... Погоди, вот тут у меня написано: "Мадам... Батер-фляй"... "Пинкер... пинкер..." кто это — "Пинкертон?" А, вот еще — "Аттила!"

— Может, "Отелло"? — спросила я.

— Нет, тут ясно написано — "Аттила"...

— Это опера Верди...

Он вздохнул, выбросил бумажку в корзину...

— Слушай, ты отмалчиваешься, а я хочу знать: как тебе идея с этим ледовым шоу, что нам впаривает *Норувим*?

— Денег жалко.

— А ты не жалей! Мне нужно, чтобы все гремело, сверкало, знаешь — как на военном параде! *Норувим* притащит мэра, этого, лысого, как я... Мне надо отчитываться перед Иерусалимом. Знаешь, сколько задниц усядутся в "Лужниках"? Тысяч семь. Будет большой бум — столько народу! Мы пригласим парочку тузов из Израиля. Может, Президент приедет... Я, так и быть, дам Послу сказать пару слов, пусть просрется!

— ...ну, разве что ради этого... Но ты представляешь, сколько вытянет на такой бум в "Лужниках" Ной Рувимыч?

— Ничего, вчера мы с ним опять сидели в "Лицее" — ты была там? Официанты идиоты и ряженые, а кухня — говно, и я сказал — не больше шестидесяти тысяч. Шестьдесят тысяч и точка! Он согласен. Он притащит знаменитых певцов!..

— Он притащит Фиру Ватник!..

— ...он называл ансамбль... этот... забыл название... Я мало понимаю в музыке... Ну, это такая группа, там три манды и один поц... Нет, там, кажется, четыре манды и два поца... Ну, что ты вскакиваешь? Ты уже должна идти? — он вздохнул, взглянул на часы... — Нет, знаешь, я люблю военные песни, вот такие... — и еще минут десять напевал мне тот или иной мотив, дирижируя сам себе рукой с зажатой между пальцами сигаретой, каждый раз спрашивая — а это помнишь? А это? А вот это?.. И каждый раз я отвечала — нет, Клавдий, я не могу это помнить... Во-первых, я не служила в ЦАХАЛе, во-вторых...

— Значит, ты понимаешь в музыке еще меньше, чем я, — сказал он, вздохнув.

....

Из "Базы данных обращений в Синдикат".
Департамент Фенечек-Тусовок.
Обращение № 2.898:

Исполненный величия бас:
  — *Вам не нужен композитор в штате Синдиката?*

....

— А что, Ильинишна, с утра у вас там очередь вьется?

Я пристегивала ремень безопасности под насмешливым взглядом Славы. Я всегда упрямо пристегивала ремень безопасности. Израильская привычка: большие штрафы.

— Какая очередь, Слава?

— Ну, дак, за сараюшкой... На заднем дворе... Я случайно сунулся, смотрю: народ стоит, человек двадцать... Это они там чего дожидаются? Путевки в рай?

"Ну, почти..." — подумала я. Вслух проговорила неохотно:

— Да нет... Это *восходящие*... Те, кто готовятся... Они кровь на анализ сдают...

— Что за анализ-то? На холеру?

— Да нет... на принадлежность к колену...

— К чему? — он покосился на меня. — Вы, Ильинишна, пашете, как безумная... Так ведь и рехнуться можно, часом... К колену! Принадлежность. А к заднице принадлежность там не проверяют?

Пришлось, несмотря на усталость, пускаться в объяснения. Сначала кратенький пробег по истории угнанных израильских колен — разделение Соломонова царства на

Израиль и Иудею, поверженное израильское царство, опустошение земель Салманасаром... Затем, горделивая памятка о наших удивительных ученых, черт бы их побрал. Затем уже о результатах в моей ежедневной электронной почте... Трудоустроились, ребята... кузнецы своего счастья...

Слава слушал совершенно зачарованно.

— Ло-овко! — ахнул он. — Вот это очковтиралище! Вот это сла-а-авно!

Он подумал, переключил истеричный куплетик с "Русского радио" на "Святое распятие":

— "...Ибо не послал Бог Сына Своего в мир, чтобы судить мир, но чтобы мир спасен был чрез Него..."

— Вот все же народ-то ваш, Ильинишна... нескушный, а?! — и головой покрутил...

А что ж... Пожалуй, что нескушный...

Когда у нашего подъезда я выбралась из машины, Слава наклонился к окну и сказал:

— Подойти, что ль, по блату пальчик уколоть?

Я удивилась: — Да вам-то зачем, Слава?

— Эк вы, Ильинишна, высокомерная! А мне, может, тоже хочется раскопать в себе что-нибудь древнее-древнее... притулиться к какому-нибудь... Левиафану. А? Может, Вячеслав Семеныч Панибрат от змея какого-нибудь происходит, от падшего аспида... Или еще от какого херова архангела...

*Microsoft Word, рабочий стол,
папка rossia, файл moskva*

"...круг знакомств Аркаши Вязнина огромен, и это понятно: должность обязывает. Но вот что мне бесконечно в нем симпатично: он никогда не устраивает у себя пышных приемов, как делает это Козлов-Рамирес, — когда в гостиной у стола толпятся человек пятьдесят, и доступ к салатам можно сравнить только с доступом к документам на предприятиях особой секретности, да и по-человечески ни с кем поговорить нельзя...

Аркаша любовно и мнительно подбирает крошечные компании, похожие всегда на искусную икебану в неброском керамическом сосуде, где-нибудь в тихом кабинете, на подоконнике.

И всегда готовит сам — не много, но вкусно и изысканно: обычно это красная рыба, запеченная в духовке, и свежие овощи с рынка, подобранные по цвету, так что глазу весело: оранжевые, желтые, красные перцы, нарезанные вольно мужской рукой, крупные греческие и испанские маслины, хорошее сухое вино...

Нас с Борисом он обычно монтирует с Норочкой Брук, Абрашей Ланским и известным писателем Ф. И мы сидим долго, до ночи, и никак не можем разойтись, ибо разговор всегда выруливает на неожиданные темы...

На этот раз известный писатель Ф. попросил перевода и разъяснения некоторых еврейских слов — он работал над новым романом, где должны были фигурировать какие-то польские евреи... Разговор покатился, с польских перешли на отечественных. Абраша Ланской заговорил о том, что еврейство в России сегодня — это совершенно другие люди, даже по сравнению с уехавшими в 90-е годы.

— Феномен еврейской истории, — добавил он, — в очередной раз еврейство, как змея, меняет кожу. Сменилась популяция. Сняли слой, точно так, как снимают слой почвы, и на поверхности сейчас совсем другой по "минеральному составу", слой людей...

Вязнин на это:

— А у меня тоже есть теория различных физических состояний, в которых пребывает еврейский народ в России. До революции он был в твердом состоянии — поскольку находился в границах черты оседлости, население которой было реальным и осязаемым. После революции перешел в состояние жидкое, так как массы его перетекали туда-сюда по всей территории различных советских республик. Сейчас он пребывает в газообразном состоянии. С одной стороны — евреи везде, с другой стороны — их невозможно ухватить руками...

И все сразу заговорили о том, что в России сегодня наблюдается возникновение антисемитизма вовсе не в той среде, в какой привычно было антисемитизм наблюдать, — в среде либерально настроенной интеллигенции. Она обанкротилась, либеральная интеллигенция, потерпела провал на сломе эпох. Поэтому ненавидит и завидует всем, маломальски преуспевшим. А поскольку преуспевшие — как всегда — предприимчивые евреи, волна раздражения направлена против них...

— Странно, — добавил Вязнин, — что заступники еврейства сейчас — либерально настроенная бюрократия.

На что Абраша возразил, что ничего странного в этом нет, и все это было уже в еврейской истории. Вообще, было все. Давно живем.

— Абраша, — спросила я неожиданно для себя самой, — а что вы думаете о десяти потерянных израилевых коленах?

— А что там о них думать, — отозвался он, — десять колен, конечно, утеряны безвозвратно, зато обретены в мифологическом сознании, особенно современном... так же, впрочем, как и теория Кеслера насчет хазарского происхождения русских евреев... ну а по другую сторону баррикад — антисемитский миф Гумилева о народе-химере.

— А вот, говорят, наши ученые изобрели методы проверки, и с точностью до...

— Шарлатаны, — отозвался он. — Посудите сами: что мы знаем об этой массе еврейского населения Израильского царства? Флавий пишет, что Израильское царство уничтожил Салманасар, царь Ассирии, и угнал все население, причем он так и пишет — "весь народ" — в Мидию и Персию... А в Самарию, соответственно, переселил хуфейцев...

— Абраша, а эти хуфейцы, между прочим, подразделялись на пять племен... — вставила Норочка, — и каждое почитало свое божество... Шрадер, кажется, ищет их в средней Вавилонии... подайте-ка мне рыбу, а? Аркадий, где вы такую рыбу покупаете?

— Да нет, этот народ еще никому не удалось точно идентифицировать! — раздраженно буркнул профессор Ланской... — В отличие от евреев, которые даже и растворившись среди всех...

— ...обычная красная рыба, Норочка, вот тут у меня, на Даниловском...

Озадаченный писатель Ф. помалкивал и, видимо, уже жалел, что послужил причиной всех этих бесконечных, чуждых ему соображений. И поделом: может, поймет, что с наскоку евреев еще никто не изобразил достоверно, и слезет с чужой темы...

— Минутку, — осторожно и почтительно встрял он, — Вы хотите сказать, что каждый из нас хоть немного... еврей?

Нелицеприятный профессор Ланской, остро глянув на собеседника, рассмеялся и сказал: — ...Ну, уж вы-то точно...

Писатель смутился, почему-то похлопал себя по карманам пиджака, словно его обвинили в краже чужих сигарет, криво как-то усмехнулся и буркнул: — Нет уж... Я о себе точно знаю, что я — осетин...

Вязнин поднялся и принялся доливать в бокалы вина... А Абраша сказал мне:

— Смотря с какой точки зрения вас интересует эта тема. Есть научный взгляд, есть подход религиозный... спросите, в конце-концов, у Мишки Каценельсона... Этот красавец заморочит вам голову, но чем-нибудь эдаким увлекательным обязательно попотчует... А если подойти к вопросу со стороны мистико-религиозной, то обратитесь к Берлу Сужицкому... Он парень серьезный, хотя и пройдоха, и кажется, даже бандит...

Я постаралась свернуть этот разговор...

...Многие очень известные и талантливые люди тянутся к Вязнину, он и сам — вполне личность, — хотя, конечно, и американский дипломатический ореол придает достаточно лоску.

По поводу лоска:

Недавно, на исходе приема в посольстве Германии, когда я совсем уже собралась уходить, он вдруг говорит:

— Слушай, тут "Московский комсомолец" устраивает к 1 апреля шуточный шахматный турнир. Будут разные симпатичные люди, много знакомых... Меня просили и тебя позвать.

Он перечислил приглашенных, было действительно много симпатичных людей, в том числе моя Марина Москвина.

— Придешь?

— Почему бы нет... А где это будет?

— В элитном клубе "Голубая мантия" — сказал беспечно Аркаша. — На Тверской.

Я направилась в гардероб, он — следом за мной. Помог надеть плащ, внимательно смотрел, как я обматываю шею длинным черным шарфом.

Вдруг сказал:

— А хочешь, встану на голову?

Подошел к стене, его лаковые туфли сверкнули, совершили широкий полукруг и двумя лодочками сомкнулись где-то над моей головой.

— Аркаша, это было замечательно, — сказала я. — Спокойной ночи…"

Любой выход из дома Марина всегда превращала в странствие. Она не шла прямо по адресу, куда ее приглашали, где ждали, где назначена была встреча. Она просто выходила из дому и шла, куда глаза глядят, иногда по пути вспоминая о каких-то давних нуждах, заруливая в магазины, ателье или ремонтные мастерские, заглядывая в парки, проезжая на метро остановку-другую дальше, чтобы выйти на Коломенской и увидеть цветение вишни в бывших монастырских садах... Она шла с рюкзачком за спиной, в котором всегда на всякий случай лежали ролики и вязание. Ни минуты у нее не пропадало зря.

Собираясь на вечер, организованный "Московским комсомольцем", она вышла из дома часа на три пораньше (по своим, конечно, внутренним часам, — то есть за двадцать минут до начала вечера) и, вынырнув из метро в районе театра Дурова, пошла к Екатерининскому скверу. В центре его стоял памятник какому-то полководцу. Марина в детстве жила тут неподалеку, гуляла, но никогда не помнила фамилии этого военного мужа. Она всегда чувствовала, что объем эмоций отпущен человеку в ограниченном количестве и понимала, что надо тратить его экономно. Поэтому, когда лет пять назад в Иерусалиме увидела раввина, каббалиста, — в белом шелковом камзоле, белых чулках и в белых туфлях с пряжками, — она остолбенела, и так и стояла, пока он не прошел мимо плавной вневременной поступью. И помнила это всегда. А вот фамилии памятника {273} так и не выучила.

В этом парке, спроектированном в старину отличным садовым архитектором, чувствовалась та твердая линия, что была проведена когда-то талантливой рукой на листе бумаги. И что бы ни делали с этим парком впоследствии, благородные линии все же остались, по ним и сейчас прокладывали дорожки. А по обочинам высаживали траву или цветы.

На задах театра Дурова, как и прежде, стояли вагоны, какие-то коробки, ящики, загоны... Уголок Дурова не вмещался в отпущенное ему здание. Гуляя тут, Марина видела то лису, беглянку из неволи, то медвежонка, который шел, ставя лапы таким загребущим манером, что зад его смешно подтанцовывал, — так и хотелось наподдать ногою...

Такой большой город, все в него вмещалось...

Увидев фотоателье в глубоком подвале монументального сталинского дома, она вспомнила, что давно стоило бы заменить молодой советский паспорт на российский. Значит, нужна фотография.

Фотограф, мрачный молодой человек, разговаривал, глядя в глазок камеры.

— Так! Сели! Голову влево! Прямо! Ниже! Ниже! Выше! Левее... Убрали улыбку.

— Не хочу! — сказала Марина, улыбаясь.

— Но у вас зубы!

— Это хорошо. Значит, они у меня есть.

— Это нельзя!

— Можно.

— Нельзя!

— Можно.

— Вы заплатили шестьдесят рублей! Вам придется платить дважды.

— Не ваше дело, — сказала она, улыбаясь...

{274} ...А уже на Тверском бульваре, по пути к "Голубой мантии", Марина увидела небольшую кучку демонстрантов, в основном молодежи, с хорошо выбритыми загривками, но были среди них и две старухи. Они курили, опираясь на большой транспарант "Жиды, выметайтесь из России!", и выглядели гораздо более оживленными и полными жизни, чем квелая молодежь.

Почему это во всех молодежных российских движениях, подумала Марина мельком, полно сумасшедших бабок, и вечно, тряся своими старыми сиськами и мятыми задами, они требуют, добиваются, вопят и рвутся куда-то под знаменами...

...Вдруг два милиционера вынырнули в толпе, заломили руки какому-то парню и поволокли его. Марина дернулась и устремилась следом, приговаривая: — Друзья мои, что вы делаете, зачем вы ломаете руки этому молодому человеку?

Милиционер сказал: — Женщина, отойдите!

— Давайте же уважать свободу и неприкосновенность друг друга, — волнуясь, бормотала она. — Отпустите шею этого прекрасного юноши, друзья мои!

— Женщина, я кому сказал — отойдите! — прошипел тот.

Но Марина продолжала идти следом, уговаривая быть любящими, дружественными, просто физически не в состоянии отстать, остановиться...

— Если вы сейчас не уйдете, — сказал милиционер, — пеняйте на себя!

Она все шла и шла обреченно до самой их милицейской машины.

Наконец тот взмолился.

— Слушайте, — сказал он, — ну что вы прицепились! Вы знаете, кто он такой? Он сейчас в подъезде девушку изнасиловал!

Шутливое первоапрельское действо в элитном клубе "Голубая мантия", куда пригласили и нас с Мариной, являло собой торжество пошлости, начиная с зазывной статьи в "Комсомольце", где все приглашенные писатели, актеры и дипломаты были откомментированы. Про Марину написали что-то вроде — "лихая путешественница, которую не раз ссаживали с самолетов, поездов и из воздушных шаров за то, что она всюду забывала билеты". Про меня, — что я "вернулась из жаркой ближневосточной страны на Родину, где читатели приняли с распростертыми объятиями блудного своего писателя"... Словом, это был непременный в последние годы ироничный стебок российских средств массовой информации.

Торжество пошлости сияло в позолоченных перилах полукруглой лестницы, ведущей на второй этаж, в двух несчастных, почему-то пятнистых пингвинах; словно — опустившиеся аристократы, — они пропили свои фраки в придорожном кабаке или обменяли их на засаленные зипуны холопов... Торжество пошлости глядело со всех стен, из всех зеркал, сияло во всех хрустальных подвесках казино, а то, что это казино, посетитель видел с порога: прямо в фойе стояли игральные автоматы.

Но сам шахматный турнир разыгрывался в верхнем зале, который был поделен столами на две половины: на одной происходило само действо, на второй довольно тесно были составлены игральные столы. За участие в турнире гостям выдавали бонус: жетон на 25 долларов, так что я поняла, почему эта акция оказалась для многих привлекательной. Разнообразные мои знакомые уже крутились вокруг игральных столов. Среди них перед объективами двух телевизионных камер прохаживался шахматный обозреватель газеты и нес в микрофон примерно то, что написал в газете, — то есть чудовищную пошлость.

Наконец все были приглашены сыграть партию. Я вытянула номер шахматной доски — моим партнером оказался известный поэт, к тому же отличный шахматист...

{276} Ему я покорно и жизнерадостно сдалась в первые же десять минут, еще и потому, что хотелось поближе взглянуть на аттракцион, ради которого сюда созвали публику: на шимпанзе, играющего шахматную партию. Его привела хозяйка — смуглая, явно цирковая женщина с железными руками и негромким резким голосом.

Одетый в ослепительную рубашку с бабочкой и строгий, изящно сидящий на нем костюмчик, шимпанзе производил впечатление трогательное до слез. Самым ужасным было то, что вместе с бабочкой на шее у него был надет ошейник с длинной цепью, за которую хозяйка постоянно дергала и куда-то его тянула. Он сидел над шахматной доской, позируя фотографу, который бегал вокруг и щелкал фотоаппаратом. Сидел, опустив лоб на сгиб необычайно длинной волосатой кисти руки, настолько человеческой, что назвать ее лапой было просто невозможно. Когда съемка кончилась, хозяйка дернула за цепь, шимпанзе послушно и безучастно слез со стула, на котором сидел, болтая недостающими до пола ногами в маленьких, потешных, но очень настоящих ботиночках, и вперевалку пошел к выходу. Он шел прямо на меня, и мы засмотрелись друг на друга. Я — потому, что сразу полюбила его всем сердцем, он — потому, что на мне была серебристая блузка. Вдруг он остановился, распахнул длинные, как крылья, объятия и засеменил ко мне вперевалочку. Мне тоже вдруг страшно захотелось его обнять, а я не всякого человека тянусь обнять даже и по убедительному поводу, — я тоже раскинула руки и подалась ему навстречу... Но его хозяйка тихо и резко прикрикнула:

— Руки в карманы!! — дернула за цепь, он покорно упаковал кисти рук в большие оттопыренные карманы и повернул в сторону выхода.

Зато меня обняла Марина...

Она выиграла партию у Аркаши Вязнина. Тот помахал мне приветственно из-за стола, вновь выстраивая на доске фигуры.

— Ты выиграла?! — спросила я подозрительно. — Не может быть! Аркаша — мастер спорта по шахматам. А ты разве играешь?

— Вообще-то нет. Вернее, знаю, как ходит королева — буквой "г". Правильно? Королева — это что? Это с зубчиками по верху?

Аркаша улыбался мне поверх столов, выстраивая фигуры, чтобы сразиться с художником Петрушевичем.

— Да, с зубчиками, — пробормотала я рассеяно, потому что за входными стеклянными дверьми увидела вдруг нашего бухгалтера Джеки Чаплина. Он заглянул за бархатные занавеси в зал, узнал меня, улыбнулся приветственно и удивленно. Кажется, он удивился тому, что увидел меня здесь, гораздо больше, чем я — при виде его.

— Привет, что здесь происходит? — спросил он, подходя. — Ничего не могу понять...

— Да так, — сказала я, — дурацкая пиар-акция одной газеты... А сейчас мне нужно проиграть 25 долларов, и я не знаю — как. Ты знаешь, как играть?

Он резко оживился. Поволок меня к столам, стал объяснять разницу между блэк-джеком и "пай гау покером"... Наконец, придя в отчаяние от моей тупости и всегдашней апатии в любых играх, просто сыграл за меня, и выиграл двадцать долларов.

— Отлично, — сказала я, — пойдем, пропьем...

— Как?! — воскликнул он. — Ты не станешь играть дальше?!

— Да на черта же мне?

— Ты что... ты что, выиграв, вот так просто уйдешь?!

Джеки невозможно было узнать. Черты лица его заострились, как-то сконцентрировались в одно, упорное выражение немедленного достижения близкой мелкой цели. Такое выражение в детстве появлялось на лице моего сына, когда он ставил задачу выколотить из меня мороженое любой ценой.

{278}   Голубые, всегда улыбчивые глаза парня налились красным, по лбу бежали две блестящие дорожки.

— А ты здесь — что, сидишь все свободное время? — тихо спросила я.

— Я? Нет-нет, что ты... — он смутился, выдал коротккий смешок... как-то неловко потер ладони... — Просто... Просто сегодня меня Эсфирь обыграла подчистую, ну, я и подумал...

— Фира Ватник? — удивилась я. — Она здесь бывает?

— О, — он усмехнулся, — вот эта женщина как раз и есть настоящий профи...

Я смотрела в жалкое и напряженно улыбающееся лицо Джеки, пытаясь связать, вернее, развязать множество нитей, опутывающих здешнее мое существование.

— Да на каком же языке вы с ней общаетесь? — спросила я. — На английском?

— Ну, язык... — пробормотал он... — Это не главное... А числительные... — да, числительные на английском... Слушай, — он оживился, смущенно-ласково уставился на меня. — Не могла бы ты одолжить мне эти выигранные деньги? А я, если повезет, верну тебе завтра вдвое?

— Джеки... — сказала я мягко. — Мне не жалко, бери, вот... Но, послушай... я советую все же тебе уйти.

Почему-то он напоминал мне одного из пингвинов там, за стеклом, в фойе второго этажа, одного из этих бывших аристократов, проигравшихся в пух и прах, облаченных в грязные сальные зипуны...

— Конечно, конечно! — воскликнул он, вытягивая деньги из моей руки. — Я тебе верну, верну, вот, завтра, наверное, или послезавтра... — но отбежав на несколько шагов, вернулся и, вглядываясь в мое лицо, сказал, улыбаясь и часто сглатывая:

— Но ты же... понимаешь, что это случайность, что я сегодня здесь? Ты не станешь докладывать Клавдию?.. Я ведь на самом деле никогда этим не увлекался...

Не-ет, это все не для меня, не-е-т... И ответственность, которую я несу... Огромные средства организации...

Я отвернулась, мне стало неприятно, тошно, словно нечаянно я подглядела его в интимнейшую и тяжелую минуту жизни...

Из противоположного конца зала ко мне устремилась Марина, как всегда — улыбаясь всем вокруг нежно и изумленно и никого не узнавая... И мы с ней стали пробираться к выходу...

Через пять минут мы ехали в метро по направлению к Коломенскому. И вскоре, сросшись боками в толпе, возносились на эскалаторе. В брюхе ее рюкзачка постукивали друг о друга ролики...

...Уже зацвела вишня — зыбким белым цветом; махровыми хлопьями цветов была облеплена груша, только-только пошла сирень выглядывать темно-фиолетовыми, полузакрытыми гроздьями. Мы шли вдоль каких-то чудом сохранившихся плетней бывших деревенских садов, мимо ровных посадок деревьев старого монастырского сада.

Был солнечный ветреный день. Мы спустились по деревянному мостику вниз, к оврагу. На перилах его, среди вырезанных имен и дат, среди банальных "здесь были", попалось вдруг умоляющее: "Наташка, люби!.." и вдруг: "Хороший был сегодня день...".

И мы с Мариной заговорили об этой неискоренимой жажде человека остановить мир, запечатлеть минуту, миг, об этой тоске и страсти, и счастье и догадке, что ничего никуда не девается, оно остается, — а вот, как, какими путями и способами это оставшееся оприходовать, сохранить, в каких запасниках, какими бегущими ловчими знаками? Мы говорили о том, какое это счастье — уметь остановить мир словами, записанными на бумаге, и какие мы счастливые, что нам отпущено это мастеровое умение, этот знак цеха сторожей времени...

Прошли маленькими искусственными водоемами, поднялись к собору, похожему на космический корабль на старте. Его покрасили в белый цвет. Марина, отрочество и юность прожившая в этих краях, стала рассказывать о своих школьных бешеных годах, о том, как в девятом, десятом классе убегала с собакой сюда поздно ночью: зима, снег и — сквозь арку ворот на черном звездном заднике неба — эта церковь, уносящаяся ввысь...

— Посиди, — сказала она, — вот тут, на скамеечке... А я прокачусь с ветерком.

Она надела ролики, и с полчаса я сидела, провожая глазами проносящуюся мимо Марину, ощущая этот редкий день как физически прощупываемые границы счастья, блаженный привал в моем длинном пути, небольшой костерок на стоянке, в пути моего бесцельного и бесконечного восхождения...

Потом мы возвращались в полуночном вагоне метро: грохот, лязг, колыхание вагона... Все, без исключения, считанные пассажиры этого вагона были ненормальными. И огромный, застывший дядька — мясистой рукой он держался за поручень, с большого пальца свисала тяжелая связка ключей, которая от движения поезда тяжело моталась. Во всей его неподвижной фигуре двигались только глаза и эта связка ключей.

Напротив него копошились двое пьяных. Один явный кавказец — жгуче черный, с большим почему-то крестом в расстегнутой рубашке. Едва войдя, он завалился на скамейку — спать. И от каждого рывка сползал на пол. Опять взбирался на сиденье, и через минуту очухивался на полу. Другой обеими руками, как ребенка, держал изумительной красоты грязного щенка коккер-спаниеля, время от времени роняя его на пол, шатаясь, опускаясь на задницу рядом со щенком, снова заграбастывая его в объятия... Девушка на противоположной скамье, в неестественно, пронзительного цвета, бронзовой кофточке, смотрела на них, не отводя взгляда. Странно улыбаясь, на ощупь она медленно перелистывала страницы книги, лежащей на коленях...

Было ощущение, что души всех этих людей, их слепые пьяные души от рывков вагона вываливаются из тел и ощупью пытаются влезть обратно, сослепу промахиваясь, не сразу попадая в тела...

— Видишь, как хорошо, что я вытаскиваю тебя гулять без охраны, — довольно проговорила Марина. — А то ты совсем не познакомишься с нашим народом.

Она достала из рюкзака какую-то небольшую штуковину, обшитую телесного цвета тряпочкой, смутно непристойную, как отрубленная деталь фаллического культа, объявила, что это — нос Пушкина, что они с Леней делают для выставки в Гамбурге новую инсталляцию, в которой присутствует кукла великого поэта, — в данный момент она должна закончить нос.

— ...и сегодня я поняла — каким он должен быть, — сказала Марина.

— Каким же?

— А вот таким, как этот шимпанзе в "Голубой мантии"... С цепью на шее... Он ведь в нашем народе никогда не гулял сам по себе...

Словом, она достала этот обрубок с болтающимися, не пришитыми ноздрями, что-то там соединила, обтянула, показала — как будет.

— Узнаешь материю? — спросила она. — Нет? Балда, это ж твои старые летние брюки, помнишь, ты мне оставила их перед отъездом в 90-м...

— А почему у Поэта две горбинки? — спросила я. — Что за вольность?

— Такой нос, — пояснила Марина и воткнула иголку в тряпичную переносицу, делая новый стежок...

Горящий бассейн "Пантелеева"

Растерянный и даже потрясенный Яша бродил по разгромленному "Пантелееву" в сопровождении директора этого несчастного заведения — Николай Палыча — простого радушного человека, всегда приветливо улыбавшегося любой группе, привезенной на любой семинар. Сейчас он перешагивал через кучи мусора на полу, выломанные паркетины, валявшиеся повсюду дохлые презервативы... Вокруг громоздились кровати, поставленные на попа или сложенные шалашом...

Группа "Юных стражей Сиона" произвела страшные разрушения в и без того гнусном, бардачном "Пантелееве".

Основным плюсом холодного "Пантелеева", с его ржавыми трубами, щербатым кафелем пола, облезлым паркетом, облупленными подоконниками и прочими приметами нашего счастливого детства, — была кошерная кухня. Это — если кто не знает, — предприятие хлопотное, трудоемкое, да и недешевое. Так что до всего остального — скажем, до нормального ремонта или какой-никакой побелки, — руки у администрации "Пантелеева" просто не доходили...

Лаковая мебель шестидесятых годов прошлого столетия, червленые проказой зеркала в номерах и протекающие — над кошерной столовой — потолки, вкупе с потрескавшимся и разбитым асфальтом на заросших крапивой аллеях, встречали все новые и новые группы *потенциальных восходящих*.

— Что, что можно делать на этих кроватях?! — убито повторял директор, — Это какой-то одесский погром!

Яша подавленно молчал. Не мог же он объяснить, что наделали все это как раз потомки тех, кого громили в Одессе...

Этот приют убогого чухонца не пустовал никогда. В "Пантелееве" проводили свои семинары Изя Коваль, Миша Панчер и бедный Яша, которого обязали заполнять "Пантелеево" дважды в месяц, по выходным. Он проводил там семейные семинары для *готовых взойти*. Дважды в месяц проводил свои *молодежные семинары еврейских лидеров* Миша Панчер. Они чередовались. И Яша, разместив почтенные семьи по номерам, вынужден был выслушивать жалобные стенания администрации "Пантелеева", вкусившей на прошлой неделе утехи молодежных лидеров.

— Пойдемте, я покажу вам кое-что еще... — вздохнув, проговорил директор и повел Яшу на воздух, в парк, некогда уютный и густой... Они прошли заросшими бурьяном и лопухом аллеями, где натыкались на изуродованных гипсовых пионеров и инвалидок-физкультурниц, пока, наконец, не вышли, раздвинув кусты, к пустому бассейну, представлявшему собой сейчас кошмарное зрелище. Бассейн был сожжен, обуглен... На дне его валялись прокопченные, раздавленные голубые плитки, кучи серого пепла от нескольких кострищ, какие-то тряпки...

Эта была любимая забава молодежных лидеров, аттракцион чудес библейского масштаба: Иона в чреве кита! Горящий бассейн "Пантелеева"! Ребятишки спускались на глубину 2,5 метра, устраивали огромный очаг, пекли картошку, пили горячительные напитки и горланили похабные песни... После песен воцарялась любовь без границ и без оглядок на присутствующих...

Зато Миша Панчер, единственный из всех синдиков, рапортовал неуклонным ростом юных стражей Сиона, желающих участвовать в *тусовках* Синдиката. Таких веселых, таких *безбашенных тусовках*...

— А... доктор Панчер... видел он все это? — мрачно спросил Яша.

Николай Палыч отвел глаза, проговорил:

— Так вот здесь и проходили занятия по этой... психодраме... Доктор Панчер считает, что ребята должны самовыражаться... Нельзя, говорит, стискивать их воображение, их внутреннюю... эту...

— Понятно, — сказал Яша.

Непонятно было только одно: как можно сегодня вечером завезти сюда группу приличных людей, семинар *готовых взойти* семей, как и где расселить их по номерам, как пригласить в разгромленную столовую...

— Понимаете, персоналу у меня маловато, — уныло повторял на обратном пути Николай Палыч, — люди за такую зарплату не желают все это терпеть и каждый раз, каждый раз...

— Но что же делать! Сегодня вечером сюда должны въехать мои семинаристы!

— Прямо не знаю, — развел руками директор. — Сейчас кликну Юрку, массажиста, и парикмахершу Клавдию Семеновну, сам присоединюсь... Ну, прямо не знаю!

— Хорошо, — сказал Яша, снимая пиджак и закатывая рукава рубашки. — Зовите своих орлов, приступаем немедленно...

. . . .

— Вот вы ездите где-то, — сказала моя грубая секретарша, — а вчера вас Яков весь день искал с какой-то бумагой.

— С какой? — спросила я кротко.

— Ну, почем я знаю! Вон она, лежит у вас на столе...

— В следующий раз, — так же кротко сказала я, — бумагу изучить, проблему ликвидировать, — желательно, без моего участия. И докладывать нежно и подобострастно, как ангел небесный. А то ведь выгоню, в конце концов, к чертовой матери. Понятно?

Она засмеялась и сказала: — Поня-а-тно.

Бумага лежала на столе в сложенном виде, той стороной, на которой Яша, конечно же, набросал комикс: кадр первый: двое толстощеких детей тянут какую-то огромную кошелку к дверям хижины, приговаривая: "Тятя, тятя, наши сети притащили!.." Во втором кадре всклокоченный с перепою тятя с вытаращенными глазами выталкивает слова в выдуваемый пузырь: "Паразиты, сколько раз повторять: не трогайте сетей!"...

Дальше я рассматривать не стала, уже предчувствуя, что содержит внутри эта бумага.

И точно: мне сообщали, что такой-то, с моей фамилией, израильский гражданин, свалившийся в результате пьяной драки в Ниагарский водопад, скончался в госпитале в Монреале, не приходя в сознание. И меня просят забрать тело как можно скорее, в противном случае...

Маша несла мне чай, но расплескала его, услышав мой вопль из кабинета.

— Свяжи с Козловым! — в холодной ярости велела я.

— В смысле, с Рамиресом?

— С Козловым!!!

Она поставила чашку на стол и, вытирая на ходу мокрые руки о джинсы, помчалась выполнять...

— Фелип-пе... — вкрадчивой растяжечкой начала я, услышав в трубке голос Козлова. — Зачем вы допекаете меня этим мертвецом?

— Но... разве вам безразлично, что ваш родственник?.. — сделал вид, что удивлен, шокирован...

— Он не родственник мне, и я вам это уже говорила... — я разгонялась, раскачивая голос и готовясь к прыж-

{286} ку... — Понимаю, что моя фамилия более распространена, чем, скажем, Козлов-Рамирес... Но все-таки, запишите себе где-нибудь: если еще раз мне будет послана депеша насчет этого парня, я действительно приволоку его из Монреаля и сгружу у ворот Посольства...

Но тут, к моей досаде, открылась дверь кабинета, показалась голова Джеки, как всегда, приветливо улыбавшегося. Увидев, что я на телефоне, он заполоскал в воздухе какими-то зелеными бумажками, отпрянул, скрылся... Его обаятельная, всегда дружественная улыбка сбила меня с драчливой ноты...

Я опустила трубку, позвала Машу.

— Что хотел Джеки?

— Деньги занес, — сказала она. — Пятьдесят долларов, говорит — долг. Страшно благодарил...

....

Из "Базы данных обращений в Синдикат".
Департамент Фенечек-Тусовок.
Обращение № 3.145:

Кликушечий женский голос:
— Куда мне еще обращаться, куда?! Я уже звонила в вашу израильскую церковь, молила: — Да за ради Хоспода Боха нашего Христа, помохите!

....

Microsoft Word, рабочий стол,
папка rossia, файл sindikat

"...наши ледовые сатурналии в "Лужниках" подготавливаются в ситуации тревожного ожидания чего-то страшного. Вчера на перекличке, во время обсуждения, в дверях показалась Рутка, бледная и испуганная.

— Что?! — крикнул ей Клавдий. — Кто тебе поставил {287}
пера?

— Там... — проговорила она, как-то жалко вякая блед-
ными губами... — там...

Клава крякнул, вышел из-за стола и проковылял к двери.
Вернулся через полминуты и мрачно проговорил: — Мы получать телефон, что еще несколько минут мы будем "бум!".

Все воззрились на Шаю. Вернее, на его пиджак, словно
тот мог сейчас запросить духов — прятаться ли всем нам под
столы, или не стоит...

Далее, ведомые Шаей и Эдмоном, все мы, как на учени-
ях, выстроились в темном коридорчике возле Юной стражи
Сиона. Топтались, перешучиваясь... Однако под ложечкой довольно мерзко посасывало...

Разумеется, тревога оказалась ложной...

Собственно, ничего нового не предвидится. Дни такие —
день рождения фюрера, да еще проклятый этот футбольный
матч на большой арене, и буквально в те же часы. Уже с неделю какие-то мозгляки беспрестанно звонят и голосами
юных онанистов обещают расправу. Жалко, что попадают
они не на меня, с моим прославленным сквернословием, а на
Машу, которая, будучи сама грубиянкой, при звуке грубого
голоса падает в обморок — самым натуральным образом.

А вчера звонила вернувшаяся из Подмосковья, совершенно истерзанная научной своей деятельностью Норочка
Брук и с истерическими нотами в голосе рассказала о некой
только что прошедшей научной конференции в доме отдыха
"Пантелеево". О Пожарском, который на заре перестройки
стал сколачивать еврейские просветительские общества по
провинциальным городам. Такой непоседливый Минин-По-
жарский, грубая просветительская работа.

Его гвардия — в основном, конечно, водопроводчики,
но — еврейские водопроводчики. С запросами. Они уже
прочитали учебник университета Вечной учебы для дистан-
ционного образования, грянули оземь и обернулись лектора-

ми. И теперь желают залудить конференцию. Делается это просто — переписка учебника и провозглашение его с амвона. И поскольку Нора возглавляет Коллегию профессоров при Центре Иудаики, то обязана мотаться по таким вот незатейливым мероприятиям.

Ну, "Пантелеево" как "Пантелеево" — не ремонтировался лет двести, в столовой — макароны на макаронах и макаронинами погоняют, и так далее. Но Пожарский не хочет менять место встреч, говорит, что Клещатик дает самые низкие цены. (Еще бы не низкие, — за этот бассейн, за это — как там, в фамильной его ктубе? — "прелестнейшее имение под небом")...

Ну-с, наутро — торжественное открытие конференции. Пожарский сияет, горит и провозглашает. Затем — пленарная установочная лекция — "Великие евреи — мужчины и женщины".

На трибуне буфетчица из зенитного училища — роскошная грудь, подпертая роскошным животом. Роскошные бронзовые кудри по плечам, видать, с утра побывала в местной парикмахерской у Клавдии Семеновны. Начинает говорить — профессора околевают на своих стульях. Это не лекция, это поэма! Обилие деталей, подробности, рвущие сердце: "Юдифь ступала медленной чувственной поступью... Садилось солнце... Ослик, привязанный к ограде позади шатра Олоферна, издал короткое ржание"... И так далее... Короче — пилотная образцовая лекция.

Я, говорит Нора, почувствовала, что сейчас начну чесаться. По рядам ко мне пробирался Абраша Ланской, светило и гений, зажимая рукою живот с мученическим выражением лица (впрочем, у него, с его дисбактериозом, всегда мученическое выражение лица). "Нора! — прошептал он задушенно, — не вздумайте воспользоваться здесь туалетом! Нет воды!"

"Абраша, — ответила Нора, — как вы могли подумать... Я вообще им не пользуюсь, никогда!"

— "Шатер освещало полуденное солнце... Оводы облепили морду ослика..."

Тогда поднялся профессор Конецкий — известный ученый, автор трех монографий и двух словарей — и спросил обморочным голосом: — Скажите, откуда вы все это взяли?

Она тряхнула бронзовыми кудрями и, торжествующе глядя на босса, — на Пожарского, — который, сука, наслаждался содеянным, отрезала:

— Но допустим же полет воображения!..

...С Норой у нас не только взаимная симпатия. Синдикат поддерживает некоторые научные проекты, например, ежегодные международные конференции по иудаике, весьма серьезные. Впрочем, и *УЕБ* поддерживает их: на образование, на молодость, на талант давать так же легко, как на прокормление старости. И Нора — редчайший дипломат — старается, чтобы и на таком, весьма научном, действе спонсорам досталась толика их удовольствий. — Послушайте-ка, родненький, — говорит она мне, — я слышала, что ваш сайт Синдиката, — его ведь делает этот милый мальчик?..

— Это девочка, Женя, — привычно поправляю я.

— ...ах, да? Она так похожа на мальчика... я слышала, что ваш сайт — один из лучших... Почему бы нам в качестве факультатива не презентовать его на конференции? По-моему, будет здорово... Так я включаю в программу, да?.."

С наступлением весенних дней как-то уплотнилась жизнь, события бегут, бегут, светает раньше, праздники наезжают один на другой. На носу — торжественный Вечер Памяти Шести миллионов, вокруг которого продолжаются войны, интриги, челночные телефонные переговоры и прочая спровоцированная Кларой Тихонькой и Главными раввинами непристойная возня.

На днях опять состоялось которое уже по счету совещание глав организаций-спонсоров. И опять все то же: истерика Клары, брошенная сумочка, энергичное запудривание носа, мрачный Виктор, зам. по финансам Еврейского Совета, отсутствующий, но приславший теплое приветствие и ценные советы Гройс...

И лукавый Берл Сужицкий, при виде которого я опять вспомнила веселого хулигана, катившего обруч вдоль арыка, по запятнанной солнцем ташкентской улице.

В разгар Клариного скандала я написала, скатала в шарик и пульнула ему через вишневый стол записку: "надо поговорить". Он кивнул и после совещания мы с час примерно сидели в ближайшей кондитерской... Он действительно очень образован в специальных религиозных вопросах. И вообще, вызывает у меня смешанное чувство опаски, симпатии и уважения.

— На что вам эти раскопки, землячка? — спросил он, улыбаясь, с узбекским акцентом: "зэмляшькя"...

— Нужно, — коротко ответила я. — Поверьте. Нужно.

— Ох... Так, с чего начать... — он помедлил, взял пакетик с сахаром, надорвал и высыпал содержимое в стакан, неторопливо размешал...

— В целом, в еврейской традиции достоверной считается информация, записанная в Талмуде или переданная кем-нибудь из великих законоучителей, вроде Рамбама или Саадии Гаона. Непререкаемый авторитет источника — гарантия того, что непроверенную, искаженную или недостоверную информацию они от своего имени передавать не станут.

В Талмуде, как вы знаете, есть два источника информации: *Мишна* и последующая за ней *Гемара*...

— Слушайте, Берл, — перебила я, — пожалуйста, не церемоньтесь и не деликатничайте по поводу моих комплексов и амбиций. В этой области я не знаю ни черта. Так что валяйте, разъясняйте подробно...

Он одобрительно засмеялся, кивнул, покрутил ложечкой лимон на дне стакана...

— Отлично! Итак, два источника информации: *Мишна* и *Гемара* — то есть комментарии *Мишны* и *Агада*. На основе

Мишны выводятся законы, следовательно, все, что записано в ней и в *Гемаре*, — абсолютно достоверно... Ну а *Агада* — это сборник этических постулатов и тайных знаний, зашифрованных так, чтобы недоумок или чужой самостоятельно из них ничего извлечь не смог.

Так вот, о коленах есть два упоминания. Одно в *Мишне*, другое в *Агаде*.

Трактат *Санхедрин* в 11 части, страница "куф" — что, кстати, в гематрии равняется 100 или 10 умноженное на десять — цитирует *Мишну*. Передаю приблизительно к тексту, смысл таков: два колена (мы, то есть), в будущем вернутся в Эрец Исраэль, а десять не вернутся, ибо утратили свою долю в будущем мире из-за оголтелого идолопоклонства. Имеется в виду, конечно, не конкретный человек, — среди сегодняшних евреев есть, несомненно, потомки разных колен, — а именно колено, как некое национальное целое... Например, Рамбам в своих письмах — *игрот*, — упоминает, что часть колена Дана ушла в Эфиопию с царицей Савской, и приводит информацию, соответственно которой они живут там и придерживаются еврейского образа жизни. Нынешние эфиопы — их потомки, перемешавшиеся с местными племенами и утратившие почти все признаки еврейскости. Кроме внешности... Вы, конечно, встречали в Израиле эфиопов, поразительно похожих на какого-нибудь вашего родственника, только черных... ну, и пушкины у вас там и сям бродят...

Более романтичная *Агада*, — я не помню точно на какой странице, — повествует о волшебной реке Самбатион и 10 коленах, якобы проживающих на ее берегах, но это не более чем намек на какие-то духовные реалии или скрытые сущности. Почему только намек? Ну, посудите сами: евреи всегда очень заботились о своей родословной и тщательно выбирали, с кем породниться.

Скажем, в Трактате *Явамот* есть целый раздел, — в конце, кажется, 9 части, где обсуждается — что будет, если "мамзер", рожденный во грехе, женится на девушке из семьи "коэнов", священников, или когда юноша из хорошей семьи женится на "штуки," — то есть на безотцовщине... Представляете, там подробно и скрупулезно описывается, в какой местности Вавилонии жили какие части колен, и кто являлся потомком рожденных во грехе, а кто из других видов смешанных и незаконных браков.

Вообще, Талмуд приводит... вы не устали следить за этой вязью, уважаемая? — спросил он, вновь добавляя в речь узбекского акцента, отпил чаю из стакана... — Насколько все-таки, разумнее и удобнее, чем стаканы, наши узбекские пиалы... вы не находите? Так вот, Талмуд приводит десятки названий городов и мест, подробно указывая — в какой местности преобладало население с определенным ущербом в родословной, где селились потомки иностранных рабочих, строивших Храм Соломону, и женившихся или просто переспавших с еврейками, где жили потомки женщин, изнасилованных вавилонскими солдатами во время изгнания... Все про всех всегда знали, как, впрочем, и мы сегодня. — Он улыбнулся. — Начни наводить справки про какого-нибудь знакомого, хоть в Австралию он забейся, хоть на остров Пасхи, и на втором телефонном звонке тебе начнут такое о нем и его семье рассказывать, что только рот раскроешь от удивления.

— Значит, вы считаете, что никакого чуда с обнаружением того или иного колена быть не может? — спросила я. — А версия Эли Визеля о неких землях в Америке и проживающих на них, забывших свою историю коленах... — то, из-за чего Колумб пустился в плавание? А известная теория о том, что японцы — потомки этих колен, смешавшиеся по пути с племенами где-то в отрогах Гималаев? Причем, насколько я знаю, эта теория подтверждается...

— Бросьте, — перебил он. — Невозможно, чтобы вдруг возникла неизвестно где находящаяся страна, с волшебной рекой и чудесным образом уцелевшими коленами. Это аллюзия на нечто, чего я не знаю. А те, у кого я интересовался в

Бней-Браке, — тоже не знают. Скорее всего, эта информация {293} потеряна или относится к части тайного знания, куда меня с моим свиным рылом суетного функционера не подпустят никогда. — Он взглянул мне в глаза и твердо проговорил уже без акцента: — Вот что я вам скажу, землячка: тайное потому и называется тайным, что не продается тиражами в тысячи экземпляров и не распространяется по Интернету..."

Глава двадцать первая
Ничто не должно повториться!

*Microsoft Word, рабочий стол,
папка rossia, файл katastrofa!*

"...просыпаясь ни свет ни заря, первым делом я вспоминаю обо всех делах — звонках, поездках, тусовках, встречах, — которые должна прожить сегодня, пробежать, проползти по-пластунски, не высовывая головы под огонь неприятеля. Страшная тоска наваливается на меня в эти первые минуты пробуждения. Кажется, я даже стону, во всяком случае, Борис уверяет, что момент, когда я прихожу в сознание после короткого оглушительного сна, он всегда чувствует...

День, в который должен, наконец, состояться Вечер Памяти и Скорби, начинается у меня с мигрени такой силы и скорби, какой нечасто могут похвастать даже пенсионеры "Теплого дома" Фиры Будкиной.

Мгновенно проносится передо мною огненный хвост последних скандалов и подготовки к событию: я вспоминаю, что Рамирес каким-то образом, вероятно, своими латиноамериканскими уловками, сумел навесить на меня обязанность встретить израильскую певицу Моран Коэн и привезти ее прямо в зал, что надо еще связаться с председателем дружественного нам фонда "Мир всем религиям" отцом Сергеем Коноплянниковым, который вызвался выступить с речью по теме, и продумать — как и его доставить к месту событий... Ну, и прочее, прочее, прочее. А главное — как вытащить на сцену Клавдия?

Проглотив таблетку "мигренола", я сажусь за телефон и принимаюсь будить всех своих. Сначала Костяна: в порядке ли звуковая аппаратура...

— Дина, — говорит он, — есть ли у вас хоть капля жалости? Полседьмого утра... Аппаратура давно в зале, все подключено, все крутится-вертится... Я лег вчера в час ночи...

Далее, Женя: — выложена ли на сайт информация о Вечере?

— ...а-га-а...

— разосланы ли зазывки средствам массовой информации?

— ...а-га-а...

— готовы ли для раздачи слонам и крокодилам *фенечки* (календарики с эмблемой и адресами Синдиката)?

— ...а-га-а...

— Ты что, спишь?

— Нет, просто все это вы у меня спрашивали вчера, и я уже говорила, что все сделано.

Так. Теперь Маша... Ладно, эта пусть спит, она слабенькая.

Но вслед за этой мыслью раздается звонок. Взгляд на определитель: НЕ РЕВЕРДАТТО!

— Да?

Полузадушенный голос Маши:

— Дина, вы помните, что сегодня Вечер Памяти?

— Маша, ты грубишь.

— Так кто ж вас знает! Может, вы как раз вчера выпили, загуляли, забыли... а я только докладываю: чокнутой Фире Будкиной с ее старперами я уже звонила, чтоб все они, как штык!.. Машины у Рогова заказаны, певичку встретит ваш Слава и отволочет в зал ко времени, поп готов, как пионер, и от машины отказался, приедет сам...

— Маша, умоляю: вежливо, ласково, деликатно!

— Обойдутся...

Ну, хорошо, дальше: распорядиться об увековечении этой *великой тусовки*.

— Эльза Трофимовна, сегодня, как вы знаете, Вечер Памяти Шести миллионов погибших.

— Так-так... конечно... скольких миллионов?

— Эльза Трофимовна!!! Сегодня!!! Фонд "Узник"!!! При поддержке Синдиката, *УЕБа*, Посольства и прочих организаций проводит Вечер Памяти и Скорби! Этим мероприятием мы занимались последние три месяца!

— ...так-так... конечно... я что-то не в курсе...

— ...я звоню предупредить: любые сообщения об этой *тусовке* в средствах массовой информации выловить, обозреть и отослать начальству в Иерусалим.

— Ну, это само собой...

И, наконец, Рома. О-о-ох...

— Рома, доброе утро, я...

— О! Хорошо, что вы позвонили! Предупреждаю, сегодня у меня черт-те что, и сбоку бантик! На даче батарею прорвало, все водой залито, у Гройса ангина, да еще на вечер Послица зазвала нас на чай...

— Вы хотите сказать, что не явитесь сегодня на мероприятие департамента?

— Да не хотелось бы... Но у меня по нему вот какие соображения...

Я бросаю трубку и в ярости начинаю метаться по квартире, выговаривая самой себе все, что думаю о Роме, о Гройсе, о сегодняшнем Вечере и заодно о Синдикате, со всей его коллегией.

Поэтому, когда звонит телефон, неосмотрительно хватаю трубку.

— Да?!

— ...кашеварим-кашеварим, а хлебают масоны... — тяжело вздыхая, тянет прямо в воронку больного моего виска

знакомый гнусавый голос... — душа народная, кровь народная на нем, — за него та травушка взойдет-колышется...

Ревердатто, голубчик ты мой, птица ранняя, как и я, —
здравствуй!

День начался..."

Часов в одиннадцать меня вызвал Клава.

С полминуты разглядывал меня на пороге кабинета,
сощурившись и гоняя рукою дым.

— Как тебе удается так худеть?

— Я же рассказывала, специальная диета...

— Нет, просто ты мне назло...

Но сегодня у него не было настроения упражняться
со мной в русском.

— Садись. Я буду курить в сторону... Слушай, — что,
сегодня вечером я должен быть на этой торжественной
замбуре?

— Обязательно! — воскликнула я. — Ты будешь выступать. Я добилась, чтобы тебя вставили между Послом и
священником.

— Пусть все они вставят себе в жопу морковку...

— Это очень важно, Клавдий! В последнее время эти
посольские наглецы так и норовят указать нам место в ие-
рархии.

— О, Боже... А я хотел пойти на рынок, выбрать баранью ногу и запечь ее с чесноком и травами по-венгерски...
Знаешь, как я это делаю?.. Ну, ладно, — спохватился он. —
Так, напиши мне какую-нибудь душевную *замбуру*. Только
коротко и просто... Без своих писательских штук...

...Минут через двадцать он уже тренировался под моим руководством читать несколько простых, сдержанных
фраз... Потом задумался и сказал:

— Слушай... у нас в одном городке под Клужем был
такой случай... Немцы гнали на расстрел колонну, в кото-

рой шла одна семья, и самая младшая у них, трехлетняя, была такая беленькая, совсем арийская девочка. Немец, офицер, который сопровождал колонну, увидел ее, спрашивает — а этот ребенок откуда? — вышвырнул из строя и прогнал. Всю семью через полчаса благополучно расстреляли.

А девочка побрела назад, и когда подошла к дому, увидела в окно, что за их столом уже сидит и дружно выпивает соседская большая семья. И эта кроха, эта умница, как-то поняла, что домой заходить не нужно. Она пошла к синагоге, но синагогу сожгли накануне... И тогда она — трехлетний ребенок! — пришла в церковь. И священник спрятал ее в подвале. И четыре года держал ее в подвале, по ночам только выпускал подышать воздухом. У нее отросли такие чудные белокурые волосы, в темноте они были, как ангельское сияние вокруг головы... Ну, и скоро поползли слухи, что по ночам по городку бродит последний еврейский ребенок. И что на самом деле это ангел, который спасает людей... Там, понимаешь, недалеко был лагерь... И тех, кому удавалось бежать, она провожала до старого римского моста, там у священника был тайник... Ну, что ты плачешь? — спросил он, вытирая большим пальцем правый глаз. — Не плачь, она осталась жива. Я эту историю знаю от брата, он там у нас, в Яд-Ва-Шем, принимал эту женщину, и они сажали в честь священника дерево, знаешь, в Аллее Праведников?

— ...а что с?..

— ...вот именно... Священника немцы прикончили случайно, по ошибке. Приняли его за... собственно, за того, кем он был... Вот так-то... Да... постой, я еще раз прочту эту *замбуру*... — и он опять забубнил по-русски те несколько фраз, которые я накатала для него за десять минут.

— Где список выступающих, по которому Клара будет объявлять?! Где список, кто его составлял?! Кто за кем идет?!

По огромному фойе концертного зала "Родина" бегал Митя, мальчик господина Оболенски.

Костян возился с техникой, мы раскладывали повсюду наши газеты "Курьер Синдиката" — непременную нашу кладь. Так у бедуина, главное — его цветастый тканый мешок, что перекидывает он через спину ослика.

Уже металась где-то вокруг Галина Шмак, заставляя встречных наговаривать ей на диктофон *впечатиления*. Отовсюду — то из-за кулис, то из фойе, то из оркестровой ямы, то с колосников раздавались "Куплеты тореадора", и голос Галины, усиленный замечательной акустикой концертного зала, гремел:

— ...а почему финский смеситель когда договаривались на немецкий и в позапрошлый четверг я тоже уже была на Тишинке и искала обои в деликатный цветочек тем более что по пятницам у меня идет такая верстка всех материалов что дым из ушей и Алешка паршивец в самый момент прикинулся с гриппом так я одна на всех и козлы в типографии туда же...

Уже явились рядовые спецроты Фиры Будкиной во главе с командиром. Они чинно разгуливали по фойе, рассматривая нашу выставку и фотографии певцов и актеров на стенах ("смотри, тут она просто куколка, а ей ведь хорошо за семьдесят..."), и были абсолютно спокойны: я распорядилась выдать старикам билеты из золотого запаса — в первом ряду, где обычно сидит чиновный цвет еврейских организаций.

— Где последний вариант списка, тут явились от Козлоброда с требованием ликвидировать Колотушкина, а господин Оболенски заявляет, что...

— Митя, — перебила я, — отвалите от меня с этой чушью. Списки у Клары, она утверждает, что у нее последняя версия...

— Что-о?! Где ж эта... эта...

Он ускакал вниз, потом возник на лестнице и взвился на третий этаж. Клары нигде не было...

Появился мой Слава, который за руку вел диковинную птицу — израильскую певицу Моран Коэн, похожую, как и все восточные евреи, — то ли на индианку, то ли на таитянку... Она шла, с заплечным мешком, в каком-то длинном платье, вернее — цветастом оборванном сари, — как ребенок, вцепившись в Славину руку и оглядываясь вокруг с видом Али-Бабы, угодившего в пещеру к разбойникам.

— Очуметь можно, — сказал мне Слава. — Чисто канарейка: пела всю дорогу, и все непонятное, тычет пальцем в окно, ахает, вскрикивает, как блажная, всему удивляется, и все поет, поет... Вы уж с ней поговорите по-вашему, Ильинишна, а то у меня опасение, как с тою птичкой — как бы концы не отдала. Может, корма насыпать, водички дать, погреть ее как-то?

Костян сказал ему: — Разбежался, — погреть!..

— Хай, Моран, как дела, как доехала, все в порядке?

Услышав родной язык, она вскрикнула, обняла меня и... запела... Господи, вот этого мне еще тут, посреди всей этой *замбуры,* не хватало: возиться с непосредственностью творческой *сабры.*

— Мне надо распеться, надо проверить микрофоны, я сегодня в форме, хочу петь часа два!

Я испугалась. Поющей *сабре* по программе выделили пять минут. Со страшным скрипом.

— Знаешь, к сожалению, сегодня много выступающих, большая торжественная часть.

— Отлично, я буду сопровождать все выступления тамбурином!

Она проворно скинула с плеча мешок, извлекла оттуда тамбурин и стала распеваться прямо в фойе — сначала негромко, потом все более воспламеняясь. Постепенно вокруг певицы стала собираться публика, и она, улыбаясь, подмигивая каждому, замечательно легко и устремленно двигаясь по кругу, гибкими своими руками ритмично выколачивая из тамбурина дробь, запела уже во весь голос.

Маша побледнела и схватилась за голову.

— Дина, — заметила Женя, — а у нас намечается довольно веселый Вечер Скорби...

Вокруг собралась уже приличная толпа зрителей, не очень близко знакомых с культурой восточных евреев. Приглашенные на Вечер Памяти и Скорби, они с обалделыми лицами глядели на блиц-представление пестрой раскованной бродяжки.

— Эт что это? Цирк? Шапито? — спросил кто-то рядом со мной.

— Да кто ж ее знает... По-туркменски поет, что ли... Лиза, может, мы не туда пришли?

Наконец мне удалось вклиниться между песнями восточной дивы, утащить ее в гримерку, послать Женю за бутербродами, чтобы покормить прелестную эту, ни в чем не виноватую девочку. Не переставая щебетать, она достала из того же заплечного мешка какие-то свои, совсем воздушные, лоскуты, и сбросила туфли, и без того слишком легкие для этого времени года в Москве.

— Понимаешь, исполнять это надо босиком, а иначе страсть не рвется наружу... Босые ноги — символ обнажения души, искренности чувств, я буду петь сегодня до ночи, нет, до утра!..

В сильной тревоге я вышла из комнаты и, проплутав по темному коридору, неожиданно оказалась за сценой, где в самом разгаре шла дикая свара между Митей и президентом общественного фонда "Узник". В полутьме кулис за ними возвышался бледный Козлов-Рамирес, пытавшийся встрять с какой-то своей заботой, и каждый раз отпихиваемый крепкой рукою Клары.

— Кто вам сказал, что первым выступает Козлоброд?! С чего вы это взяли?! — кричал Митя, потрясая своей вер-

{302} сией списка. — Господин Оболенски немедленно покинет зал и вычтет с вашей забегаловки все наши деньги!

— А если Козлоброд не прочтет первым кадиш, то деньги вычтут они! — кричала Клара. — Мы все уже обсудили, вы одобрили, и ваш Оболенски одобрил! Колотушкин должен приветствовать, а Козлоброд читать кадиш.

— Минутку!!! Что тут у вас написано — Главный раввин России?!

— А кто? А что? А кто он, — хрен моржовый?!

— Он — по версии *РЕЗ*а! Ре-За!!!

— Версия-шмерсия!!! Какая разница, что вам — жалко, назвать его Главным раввином?

— Но по нашей версии, Главный раввин — Манфред Григорьевич, а если вам угодно главного — Козлоброда, то и оставайтесь с ним, но впредь никогда не обращайтесь в *УЕБ* за финансированием ваших проектов!

— Постойте! Постойте, Митя, мы все сейчас перепишем, как надо, мы все ула-а-а...

Тут опять встрял Козлов-Рамирес со своим списком в руках, тыча его Кларе. Та отпихнула Рамиреса, и, потрясая своим списком, с воем помчалась хватать Митю за пятки...

Я сказала Козлову:

— Там ваша протеже, в 16 комнате, слева по коридору. Пожалуйста, объясните ей, что сегодня не ее сольный концерт. И вообще, займитесь девочкой. Она полна энергии.

— Да-да, — засуетился Рамирес, — сейчас, немедленно... Понимаете, чует мое сердце, что сегодня не обойдется без неприятностей. Ведь если Посол не выступит первым, то...

— Ну да, он в вас швырнет чем-нибудь тяжелым... Вы, кстати, обратили внимание на достойнейшую позицию моего босса? Он единственный не трясется за свое место в списке, и вообще...

...я хотела добавить — и вообще, с бо́льшим удовольствием сегодня запек бы мясо по-венгерски... но вовремя остановилась.

— ...и вообще, вы, конечно, помните, что Клавдий должен выступить непосредственно после Посла и ПЕРЕД Козлобродом?

— Боюсь... — сказал Рамирес, — боюсь, что... в *моей версии* списка...

Опять промчались мимо Клара и Митя, на ходу что-то чиркая карандашом в своих бумажках. За ними, пыхтя и приговаривая: — ...нет, позвольте, позвольте, согласно договоренности, *в нашей версии* списка... — поспевал Миша, бухгалтер *ОРЕР*а, кассир в кошерной их лавочке.

— Каким номером Клавдий? — крикнула я им вслед, но они уже испарились...

До начала вечера оставалось пять минут. Я осторожно выглянула из-за кулис в зал: он был почти уже полон. В первом ряду торжественно восседала Фира Будкина, окруженная своими кавалергардами.

Я пошла встретить отца Сергея из фонда "Мир всем религиям", а заодно и Клаву...

Отец Сергей Коноплянников уже бродил по фойе и — в черной своей рясе, с большим серебряным крестом на груди — совершенно выпадал из толпы зрителей. Был он худ и высок, порывист, с молодыми седыми волосами вдоль щек; славился своим подчеркнутым и всюду декларируемым юдофильством, из-за которого, по слухам, давно пребывал в опале в епархии... В своем фонде он то и дело организовывал какие-то конференции и прочие гуманистические круглые столы, которые часто заканчивались скандалами и потасовками (но он не оставлял стараний). Раза два мы с ним объединяли усилия и проводили межконфессиональные семинары, часто я приглашала его на наши *тусовки*, особенно музыкальные или литературные: отец Сергей был меломаном и вообще, вполне светским, интеллигентным человеком. Он даже иврит немного знал, что сближало его с израильтянами, участвующими в наших семинарах. Единственно, что всегда смущало в разговоре с ним, — явная нехватка у него зубов. Но и это лишь говорило о его весьма скудном жалованье и бесконечной порядочности...

Я проводила отца Сергея за кулисы, и пока мы шли, он горячо — вообще, на мой вкус, он был слишком горяч и пылок в своих выступлениях — говорил: — А я, вы знаете, дорогая моя, сегодня намерен покаяться перед еврейским народом. За позицию нашей церкви во время всей этой неслыханной трагедии. Да, покаяться, покаяться!!!

Я хотела осторожно посоветовать ему каяться не перед всеми и осмотрительно... но на нас вылетела Галина Шмак с микрофоном, который немедленно вдвинула чуть ли не в рот отцу Сергею, выкрикивая:

— Несколько слов о ваших впечатлениях от выставки в фойе и вообще если не возражаете я хотела бы с вами интервью в рубрику звезда месяца вы фигура значительная и положительная для нашей организации...

Обычно, взяв интервью у очередной звезды и приготовив материал для нашего "Курьера", Галина затем выгадывала из оставшихся, не вошедших в статью кусочков, обрезков и лоскутов, небольшой текст для "Еврейского слова", несколько абзацев для "В начале сотворил..." и фотофакт для кого-то еще... Так бабушка в детстве учила меня разделывать курицу и готовить из нее несколько блюд. "Смотри, мамэлэ, — говорила она, — первым делом ты снимаешь белое мясо и крутишь из него котлетки на завтра... Из того, что осталось, ты варишь бульон — вот тебе первое, вынимаешь мясо и тушишь его с овощами, — вот тебе второе. Но у курицы есть еще шейка, которую надо фаршировать, и это совсем отдельное блюдо на субботу..." — словом, Галина вознамерилась прямо тут, сейчас, в темноте закулисных

коридоров, за три минуты до начала вечера приготовить из
отца Сергея и котлетки на завтра, и первое-второе, и особое блюдо на субботу... Но из-за пазухи у нее грянули
"Куплеты тореадора", и вопя в мобильник нечто строи-
тельное, она завихрилась по коридору прочь... Откуда-то
из-за дверей раздавался мелодичный голосок нашей дивы
под монотонный гром тамбурина... Она репетировала, моя
трудяга...

За сценой уже стоял страшный подготовительный ор.
Одновременно орали все организации, каждая *со своей версией* порядка выступлений. Я оставила отца Сергея и пошла сесть в первый ряд, где приберегла место для Клавы. Он
уже сидел, озираясь с мученическим видом.

— Оболенски пришел, — сказал он мне. — И Козлоброд здесь, вон, видишь — отсел подальше от Колотушкина... все делят места в раю, замбура! Они не знают, что в
нашем еврейском раю с раввинов запрашивают втрое дороже. — Он искоса взглянул на меня (все-таки злился, что
я вытащила его выступать) и добавил: — Я пожал руку и тому, и другому, и третьему.

— Ну и правильно, — отозвалась я.

— Что за монаха ты привела? Нарываешься на неприятности?

— О, это очень милый человек, не волнуйся...

— Они все милые... Я тут недавно в ресторане позна-
комился с одним грузином. Он сидел за соседним столиком, а по соседству — мы с Петюней выпивали... Знаешь,
этот, "В старом фаэтоне" — там неплохо готовят "пистоле-
ты" — на бараньих ребрышках. Но я их делаю, чтоб ты знала, гораздо лучше. Так вот, он вдруг подходит и говорит: —
"Простите, уважаемые, на каком языке вы говорите?" Когда услышал, что мы — израильтяне, принес бутылку шам-
панского, поставил на стол, и говорит, что хочет выпить за
нашу страну, что очень любит евреев и уважает их.

— "И знаешь, за что? — говорит, — за то, что в отличие от проклятых абхазов, евреи никогда, — тысячелетия-

ми живя на грузинской земле, — не претендовали на нашу землю".

В этом месте своего рассказа Клава поднял палец и сказал: — Понятно? Ты будешь жить с ним бок о бок тысячи лет, его земля век за веком будет заглатывать все новых твоих покойников, а он все равно уважать тебя будет за то, что ты не претендуешь стать для него своей.

— Нет, это другой случай, у нас гуманитарные связи...

— То есть, он не станет крестить всех нас без разбору?

— Не думаю, — засмеялась я.

— Смотри, ответишь головой, если в один прекрасный день я проснусь и не обнаружу свой обрезанный...

Тут грохнуло в динамиках (вот Костян! А уверял меня, что все установлено!), зашуршало-заметелило по залу, потом все стихло, публика расселась, занавес раздвинулся, открывая Клару Тихонькую, которая, тряся голубым коком и дико жестикулируя, объясняла что-то бледному Козлову-Рамиресу. Обнаружив себя на миру, она одернула пиджак, чеканным шагом вышла к микрофону и привычно пророкотала:

— Прошу всех встать! Вечер Памяти и Скорби, посвященный жертвам Катастрофы, мы по традиции открываем минутой молчания.

Застучали откидные сиденья, Клава стал высвобождаться из кресла, опираясь на больную ногу, все умолкло на фоне сухого частого покашливания... И в наступившей тишине заливисто вознесся голос Моран Коэн под рокочущий гул тамбурина. Она распевалась, моя птичка, где-то там, в комнате номер 16...

Клара дернулась, махнула кому-то за кулисами, и пение вскоре смолкло. Может быть, Рамирес придушил девочку.

Вообще, за кулисами что-то происходило, как будто огромная кастрюля с таинственным зельем стояла на огне: что-то вскипало, булькало, всплывали какие-то приглу-

шенные голоса, раза два кто-то вскрикивал, будто ошпа-
рившись...

— Кого там убивают? — спросил меня Клава. — Пой-
ди-ка, разберись...

Пригибаясь, я побежала вдоль ряда к боковой двери
зала. Клара как раз предоставляла слово Послу. Воображаю волнение Козлова-Рамиреса...

За кулисами царила воодушевленная ненависть. Клара уже не разговаривала с Митей, Миша, бухгалтер *ОРЕР*а,
нагрубил всем, заявив, что если Колотушкин не получит
слова немедленно после Посла...

— Да после Посла уже никто ничего не получит! —
мрачно заявил Виктор, зам. по финансам Еврейского Совета, и похоже, это было правдой.

Посол государства Израиль не знал языка страны, которую представлял, и не знал языка страны, в которую
приехал. Зато по-английски мог говорить часами. Подчиненные боялись его и не решались показать на циферблат
часов. Остальные не могли до него достучаться, так как,
оказавшись в капсуле родной речи, он закукливался и пе-
реставал кого бы то ни было видеть. Как опытный баскет-
болист, заполучив мяч, долго не отдает его всевозможны-
ми увертками и трюками, так и Посол, получив слово, уже
не выпускал его из рук...

(Помню, в один из первых дней нашего приезда, на
посольском приеме, посвященном Памяти Рабина, некий
российский политолог, давний мой знакомец, говорил до-
верительно:

— Да, ваш Посол, конечно, — фигура из музея мадам
Тюссо... С другой стороны, хорошо, что он мужчина. Вот
до него был Посол — женщина. Ничего не имею против, —
симпатичная женщина, но, — как по команде, — три первых советника — тоже девки. Да не, вполне нормальные
они были девки, но здесь многие вопросы решаются в сауне. Что мне — сиськи себе отрастить?!)

{308} В первом ряду длинной цепочкой восседали подопечные Фиры Будкиной. У них был донельзя довольный вид: они видели все, хотя и были лишены возможности шипеть впереди сидящим: "Прекратите вертеться! Ничего не видно! Снимите шляпу или пригните свою голову!"

Вся сцена была перед ними, как на ладони и... на этой сцене ровным счетом ничего не происходило! Какой-то пенсионер в солидном, хорошо сшитом костюме, все говорил и говорил не по-русски, все стоял и говорил, покачиваясь, иногда сморкаясь в хорошо выстиранный и отглаженный платок, возобновляя монотонную речь... Над залом, как дымок ухи, уже потянулась скука... Особенно скучал Самуил-рифмач. Он вообще начинал скучать, когда на него слишком долго не обращали внимания.

Но для начала ему нужно было услышать хоть одно понятное слово, а там уже все могли не волноваться: Самуил-рифмач мог подобрать рифму мгновенно, к любому, самому трудному слову.

Наконец, Посол заговорил о ситуации в Израиле. "Ариэль Шарон..." — услышал Самуил... — "Шарон..."

— Шарон-гандон! — выкрикнул он с места.

Зал оживился... Я схватилась за голову.

Но Посол не понимал по-русски. Возможно, он решил, что господин в первом ряду поддержал какие-то тезисы его речи... Фира, пригнувшись, уже пробиралась по цепочке к этому бодрячку... Но не успела... "Вашингтон... — послышалось в речи Посла. — ...Вашингтон..."

— И Вашингтон — гандон! — крикнул Самуил. И тут Фира настигла его. Надо будет сказать ей, чтобы на следующий вечер с самого начала вбивала Самуилу кляп в горло.

— Вы видите?! — сказала Клара Козлову, — Вот он, ваш идиот Посол! Он говорит уже 20 минут. Идите и убейте его!

— Он завершает... — защищался Рамирес. — Я чувствую по смыслу, он завершает... еще две-три минуты...

— Нет, вы не по смыслу, а по должности, идите и убейте его!!! — закричала Клара. — Господи, он сорвет мне весь вечер! У меня и так все наперекосяк, с этой оравой раввинов! Нет, это последний раз я... к этим сраным спонсорам... к этим сраным раввинам...

Мимо них, худой и страстный, в черной рясе, нервно прохаживался отец Сергей.

— Будьте любезны, уважаемая... — обратился он к Кларе на очередном витке, — нельзя ли меня как-то пропустить вперед, у меня в девять важная встреча с отцом Митрополитом...

— ...вас?! — ужаснулась Клара, — вас вперед? Перед Главными раввинами? Побойтесь Бога!

Дикой жестикуляцией она пыталась привлечь внимание переводчика, бубнящего за Послом, отчего сдвоенный фон совсем уж непонятного наречия плыл над залом. Там уже кто-то ходил, кто-то громко переговаривался над рядами... Посол, как обычно, не слышал и не видел ничего...

Прошло еще десять минут...

— Все!!! — рявкнула багровая Клара, после очередной безуспешной попытки сигнальными взмахами остановить полнейший обвал вечера.

Она схватила закулисный микрофон, взметнула своим петушиным гребнем и прогремела над муторно гудящим залом, поверх утробно гундящих Посла с переводчиком.

— Слово... пр-р-р-едоставляется...

— Козлоброду!!! — подсказывал Савва со списком в руке...

— Колотушкину!!! — шипел Митя со *своей версией списка*...

— Козлоброду! Согласно очер-р-редности! Тут написано!

— Пр-р-редоставляется... — Митя стал вырывать у Клары из рук микрофон, та сопротивлялась.

Савва кулаком бил по Митиной руке, чтобы тот выпустил его, приговаривая "уберите... свою... колотушку..."

— Гр-равному!.. Лавину!.. Л-л-асии... манн...залм... грлвн...

Тогда отец Сергей вынырнул на сцену в своей черной рясе с большим серебряным крестом, с распростертыми вширь руками, словно хотел обнять всех — и остолбеневшего Посла, и переводчика, и публику в зале. Это была столь неожиданная, столь яркая картинка, что все ахнули и умолкли, и в наступившей тишине священник произнес:

— Братья и сестры!!! Да, я не оговорился: братья и сестры!!!.. ибо все мы на земле этой родные люди...

Сквозь щелку в занавеси я видела лицо Клавдия и представляла — что он скажет мне потом, но, слава Богу, не завтра — наутро я уезжала в командировку в Самару и Саратов, на целых три дня... а сегодня не собиралась уже возвращаться в зал ни за какие коврижки.

Во втором и третьих рядах сидели наши синдики — их обязали явиться на столь важное для всей делегации мероприятие. Трое из них получали явное удовольствие: Изя, который умел извлекать удовольствие из всех проявлений жизни, доктор Панчер, смакующий сладострастно любой скандал, и баба Нюта, ненавидевшая меня всей душой.

А отец Сергей продолжал говорить горячо и убедительно о жертвах, которые даже не вопиют с земли, потому как, став дымом, улетев в небеса, пребывают в раю, у престола Всевышнего... Он говорил и говорил в застывший зал, простирая руки, борясь с рыданием, не обращая внимания на звуки борьбы за спиной...

Это была страстная и рискованная речь о вине своих и чужих, о вине времени и отцов, об ответе сыновей, о трудном сближении вер, о вечном их противостоянии.

— За все за это... — говорил он, — за то, что пришлось пережить вашему многострадальному народу, — простите, братья и сестры!

И, закончив, низко, размашисто поклонился, так что {311}
седые его волосы чуть не коснулись дощатого пола сцены.

Старые евреи в первом ряду ревели белугами...

Я выскользнула в коридор мимо дерущихся, пыхтя-
щих и матерящихся Клары, Саввы и Мити, и наткнулась
на Козлова-Рамиреса. Он ходил взад-вперед по коридору
и нервно курил...

— Что, коллега... — спросил он сочувственно, и в голосе его не было ни капли насмешки. — Похоже, мы с вами оба влипли сегодня в историю... Черт бы их всех побрал!.. Мой меня прибьет, — добавил он в отчаянии.

— А мой... — гордо сказала я, — мой... — вспомнила
лицо Клавдия, круглое, ошарашенное, с ямочкой на подбородке... и упавшим голосом закончила: — Мой меня —
тоже...·

...Выскользнув через служебный вход, я отыскала
где-то на задах концертного зала "жигуль" со спящим Славой и плюхнулась на сиденье, тяжело дыша. Он мгновенно
открыл глаз, покосился на меня:

— Ильинишна, да за вами, никак, погоня?

Я молча махнула рукой. Мы поехали...

— Тут, главное, что: — сказал Слава, выбираясь по
переулкам Замоскворечья. — Главное, решить — от чего
бежишь... И стоит ли... Иногда лучше остановиться и посмотреть опасности в ее бельменные зенки... У меня в молодости был коричневый пояс по карате...

— Это — новая для меня страница вашей незауряд-
ной биографии, Слава, — все еще тяжело дыша, проговорила я, застегивая ремень безопасности.

— Э-э, погодите, моя незаурядная биография куда
как увлекательней иных детективов. В ней много страниц... Олимпиаду помните, в тот год, что Высоцкий
умер?.. Так вот, наша спортивная школа карате показала
блестящие результаты. Ну, мы, молокососы, загордились,
заерепенились... Носы-то задрали, загуляли вовсю... По-

мню, подцепили где-то с приятелем Андрюхой двух тертых девок, закупили четыре бутылки вермута, каких-то шпрот или морской капусты, привели к Андрюхе домой, а те увидели скромный наш харч и распрощались. Ну, мы огорчились, но не показывая друг другу вида, матеря девок на чем свет, выпили весь вермут и заколбасили... Я вспомнил, что дома у меня в морозилке — пачка пельменей, — правда на другом конце Москвы, — но бешеной и пьяной собаке, как известно, километраж — до фиолетовой звезды, и мы отправились на разных перекладных трамваях-троллейбусах, по пути ввязываясь в драки и потихоньку подгребая ближе к дому... В одном, помню, гастрономе расколотили чьи-то бутылки из под кефира и продолжили наш круиз. Короче, тормознул нас милиционер. Что-то такое он сказал Андрюхе, что тому не понравилось. Ну и завязалась драка... Короче, вы представляете, во что вылились двум соплякам легкие телесные повреждения у стража порядка? Два года дали, и то по блату, — Андрюхина мать где-то в центральной коллегии адвокатов знакомства имела...

— А тюрьма?

— А что — тюрьма? Там люди тоже живут... Я, например, продолжал тренироваться и других тренировать...

...Дома я заявила, что трубку буду брать, только если звонит Ревердатто, и весь вечер сидела у компьютера, наковыривая какие-то старые записи, отправляя письма, время от времени нетерпеливо щелкая мышкой на синий конвертик в окошке. Наконец, часу в двенадцатом, в строчку вспрыгнуло его имя жирным курсивом: "*azarya*". Я защелкала, как безумная, открывая письмо:

"Подобны беременной женщине, что при наступлении родов корчится, вопит от мук своих, были мы пред Тобою, Господи! Мы были беременны, мучились, мы как бы рожали ветер..."

— ...ну, ладно, читали все эти библейские выспренние вопли. Это меня уже не колышит, парень. Тут чего покрепче надо...

И он выдал покрепче! Я отшатнулась. Страницы на две шел текст из пивной, причем пивной задымленной и грязной, пропахшей вонью рыгающих алкоголиков... Я, далеко не кисейная барышня в изъявлении своих чувств, не решаюсь здесь приводить его, ни одной фразы. Но помимо непроизносимых ругательств было в этом тексте столько презрения и бессильной ненависти, столько боли и злости на соплеменников, что я, пожалуй, и эти несколько фраз оставлю непредъявленными. И только в конце, когда у него, вроде, иссяк запал и осталась лишь безумная усталость, которую я ощутила чуть ли не физически, он выдохнул из Захарьи: *"Но сказал Господь: "Козлов накажу!"*, и вновь из Исайи: *"...Станет вам крепость фараона позором, и убежище в тени Египта — посрамлением"*...

...И всю ночь передо мною в страшном сне под тамбурин Моран Коэн танцевали на сцене *песни борцов гетто* Главный раввин России Манфред Колотушкин, держа за талию Главного раввина России Залмана Козлоброда; следом в затылочек пристраивался Главный раввин России Мотя Гармидер. За ними, крутя задом и поддавая пахом вперед, семенил глава *УЕБа* Биньямин Оболенски, Клава отчебучивал очень смешные па своими больными ногами... пытался пристроиться в эту шеренгу Посол, но не попадал в общий ритм... затем цепочка терялась в тумане и дыме какого-то очередного пожара в моем беспокойном сне... какой-то занавес опять горел у меня за спиной, и во сне я думала: да это же комикс... настоящий комикс... это просто комикс...

В шесть утра за мной заехал Слава и отвез на вокзал, к самарскому поезду...

Из "Базы данных обращений в Синдикат".
Департамент Фенечек-Тусовок.
Обращение № 3.895:

Обстоятельный мужской голос:
— Я вот что хотел сказать... штоб вы все поздыхали, жиды окаянные!

. . . .

По грибы

*Microsoft Word, рабочий стол,
папка rossia, файл sindikat*

"…Клава оставил мне сообщение на мобильном своим тяжелым хрипатым голосом усталого командира: — Хорошо… Ты делать вид, что тебя нет на природа… Хорошо… Ты увильнуть хвостом, а из мой задница пусть Иерусалим выдирал все перья. Так я скажу тебе, кто ты: ты труса, вот ты кто!"
И он прав…

Хотя вчера, поздно вечером, звонила Маша и рассказывала, что после страстной проповеди отца Сергея вечер постепенно *наладился*… Выступали узники лагерей со своими воспоминаниями, замечательно пели кадиш "Московские псалмопевцы", и в конце концов, даже Моран Коэн дали выступить по-человечески, и девочка публике очень понравилась: выступала босая, заливисто горланила нечто восточное, почему-то объявив это "Песнями борцов гетто". Не знаю уж, говорит Маша, — что за гетто она имела в виду… На закуску, само собой, — "Скажи мне душевное слово…" Фиры Ватник, хотя в душевных словах недостатка не было. Раввины, правда, ушли сразу же, страшно обидевшись, потому что Колотушкина Клара объявила "нашим дорогим ребэ", а про Козоброда сказала, что он — по версии, но не уточнила —

чьей, таким образом, не назвав Главным России ни одного... Получается, — и она хихикнула, — что Главный у нас только Мотя Гармидер, но он и не претендовал, а весь вечер зажимал в углу какую-то свою прихожанку... Единственно, что, — у Фиры стряслась небольшая неприятность с ее пенсами: у одной из ее бабок во время плача по жертвам выпала на пол вставная челюсть. А у второй, которая хотела поднять ее палкой, но чересчур наклонилась, тоже выпала челюсть. И весь оставшийся вечер они никак не могли опознать свои челюсти. Им вокруг советовали примерить. Одна говорит: а если это не моя, что — я буду в рот ее брать? Я брезгаю!

Причем все это происходило в VIP-ряду, который с такой щедростью мы им выделили...

Я слушала и верила каждому слову: никакого преувеличения или искажения фактов Маша бы не допустила: у нее нет чувства юмора...

...А сейчас среднерусский рассвет, и — благословение прогрессу! — я сижу за письменным столом в прекрасной гостинице купеческого, особняково-виньеточного Саратова, ссыпаю цепочки букв в свой плоский чемоданчик-накопитель рваных мыслей и чувств, и с удовольствием вспоминаю весь вчерашний день. Самарская община принимала меня торжественно и трогательно. Для того чтобы меня увеселять и занимать, выделили двух славных, каких-то размягчено-добродушных на вид юношей с автомобилем... Юноши оказались весьма жесткими бизнесменами, владельцами черт-те каких угодий на Волге... Вывезли меня на простор речной волны, куда-то на пойму, — если я правильно понимаю это слово, — показали Волгу с высоты гигантского обрыва. Река изгибалась толстой зеленой змеей, в одном месте раздувшись, как удав, проглотивший кролика.

После пейзажных потрясений они повезли меня обедать куда-то в сверхэлитный ресторан "Панама-мама", где последним пунктом изысканного меню значится: "Непроизвольный отказ от пищи — 100 рублей".

Все прекрасно, только из Самары в Саратов они заказали мне {317} билет в простом купейном.

А по строжайшей инструкции департамента *Бдительности* синдики в поездах обязаны передвигаться в вагонах СВ. Например, такой завзятый, по выражению Гоши Рогова, "мотало-болтало", как Овадья — муж бабы Нюты — передвигается только в СВ. Правда, Яша, например, признался мне однажды, что покупает место в обычном купейном вагоне, еще с тремя пассажирами.

— Зачем? — спросила я, ценящая покой и одиночество превыше всего на свете.

— А интересно! — ухмыляясь, признался он тоном пятиклассника, выкравшего у отца из письменного стола сигару и выкурившего ее в подъезде с тремя такими же бездельниками.

Кстати, Овадья: мы столкнулись с ним в поезде. Он из своего элитарного СВ проходил моим плебейским купейным в вагон-ресторан. Увидев меня, страшно обрадовался. Мы поболтали минут десять, стоя у окна в коридоре.

— Такая огромная страна... — проговорил он, и в голосе его слышались нотки мечтательного восхищения.

— А я думала, тебе надоело разъезжать... — осторожно заметила я.

— Нет! Нет! — он, казалось, не мог оторвать зачарованного взгляда от унылой равнины за окном, с редкими нищими деревнями и серыми будками дачных участков... — Иногда мне кажется, что я везде уже был... Но наступает день и появляется какой-нибудь новый город, который мне страшно хочется увидеть... Мне жалко не увидеть его, понимаешь?

— Понимаю... — я улыбнулась...

— А вот, если ездить так из края в край без остановки, — спросил он, — как ты думаешь, — за сколько лет я объеду всю Россию?

— Трудно сказать...

Мы попрощались, и он направился в вагон-ресторан...

Я обернулась. В двух шагах от меня стоял мрачный мужчина в ушанке — в вагоне, несмотря на весеннюю пору, было холодно.

— Извините. Можно задать вам вопрос? — спросил он требовательно-вежливым тоном...

— Пожалуйста...

— Скажите, когда будет мир между нашими народами?

Так... подумала я... Какого хрена я согласилась ехать этим чертовым купейным...

— Ну, почему вы такие агрессивные?! — напирая голосом, продолжал он, изо всех сил стараясь тормозить на последней приличной интонации.

— Кто — мы?

— Ну, вы — мусульмане!

Я вздохнула. Выдохнула.

— Мы не мусульмане, — проговорила я мягко.

— А кто? — нахмурился он.

— Мы — евреи.

Он с размаху хлопнул себя пятерней по лбу, так что ушанка съехала на затылок и простонал: — О, бля-а-а-а!..

...Я вошла в купе, обнаружила, что дверь не запирается, села, завернулась поплотнее в плащ и приготовилась коротать эдак ночку. В соседнем купе гораздо веселее меня коротали ночь четверо пьяных летчиков. Во всяком случае, профессиональный уровень беседы не оставлял сомнений в том, что они именно летчики: "...я ему: у меня шасси неисправно... разрешите зайти на посадку, бля! А он мне — погуляешь, бля! Я ему — у меня 60 пассажиров в салоне, у меня руль сейчас на хер полетит совсем! А он мне — погуляешь, бля..."

Я сидела, завернувшись в плащ, как герои средневековых испанских новелл, и с обреченным ужасом думала, что вот они-то меня завтра и повезут — из Саратова в Москву я летела "Аэрофлотом".

Страх же мой перед отрывом от земли, а Земля по горо-
скопу — моя стихия, может сравниться только с моим же
страхом перед огнем. Однако же мы, синдики, застрахованы
все на огромную сумму. Чуть ли не на миллион шекелей. Так
что в полетах, на всех этих старых этажерках, на чертовой вы-
соте, оторванная от земли, как Антей, я только вцепляюсь в
подлокотники мертвой хваткой и бормочу себе: "большая
страховка... большая страховка..."

Перед самым Саратовым долго, с час, стояли в поле...
Редкий дождь длинными нитями опутывал в окне какой-то
хутор на пригорке, превращая его в кокон.

Я выволокла сумку в тамбур (всегда я тащила в наши филиалы гостинцы-фенечки: книги, брошюры, календари, изда-
ваемые нашим департаментом), там уже стояла и курила проводница, ждала, когда дадут путь. И мы разговорились. Она
живет под Саратовом, у нее — дом, хозяйство. Жизнью своей, думаю, довольна, хотя все критикует: российская привычка. Рассказывает, что в селе у них устроили церковь в
бывшем Сельсовете. Иконы внесли, освятили, — все, как полагается, а все же дух этот советский въелся в стены, пропитал их... Ни свечи не помогают, ни лампады... "Проходили
вчера с матерью мимо, я говорю: "смотри, мам, у нас из одной крайности в другую: то из церкви конюшни устраивают,
то из конюшен — церкви..."

...В Саратове, который сразу понравился мне куда больше
длинной, вытянутой вдоль реки Самары, я выступала в университете, как оказалось — огромном и замечательном, в зал
набилось человек пятьсот, лица все чудные, молодые —
услада писательского сердца... А после выступления в одной
из аудиторий устроили нечто вроде импровизированного
банкета для "своих", которых собралось человек двадцать —
говорунов и застольников. Но главным, и самым талантли-
вым говоруном оказался председатель и спонсор местной
общины, профессор, доктор наук, искусный матершинник и

вообще — веселый пират Володя К. Я всегда радуюсь, когда на подобных, организованных после моих выступлений, застольях оказывается такой вот тамада-сам-себе-затейник, которому охота и меня посмотреть, и себя показать... В таких случаях я просто отдыхаю, улыбаюсь и тяну с тарелки кружки копченого сыра...

Кстати, профессор-пират Володя прекрасно осведомлен о жизни великой московской общины, часто бывает в Москве. Рассказывает после девятой рюмки, глаза блестят, и видно, что и я ему нравлюсь, и он сам себе нравится:

"А синагога там, на Поклонной горе... бывали, конечно, да? Надпись там золотыми буквами — "Без прошлого нет будущего..." — ну и так далее, да? Мое сочинение! Я случайно прочитал, что они конкурс объявили на лучшую надпись, ну, и по пьянке как-то факсанул один из своих афоризмов... да и забыл. А тут вхожу и читаю, и узнаю свой текст... Да? Ну, я и раньше, приходилось, печатался... там, научные труды, статьи... но — зо-ло-том?!! Подхожу к раввину, говорю — а вот это, мол, нельзя ли узнать — кто автор вот этого? Он: — зна-а-ете, зачем вам это пона-а-добилось...

— Ну, как-то интересно, — говорю, — в смысле гонорара...

— Вас это не должно интересова-а-ть... Этот человек находится здесь, и то, что он — автор, знают двое — он и Бог.

А я как раз приехал не один, а с Эдиком, бандитом, хорошим парнем, — он много трудится, занимается благотворительностью... Говорю ему — что, Эдик, третьим будешь? — А это, — говорит, — Володечка, — смотря по тому, какая компания...

— А компания, — говорю, — я и Бог, — тебя что, не устраивает?"...

Ну, и так далее... За столом он царит, окружен совсем еще молодым бабьем, рядышком сидят две бывшие его жены, третья бегает, подает на стол...

...А вчера, вернувшись в Москву, обнаружила в детском садике некоторую неудобную перестройку на первом этаже, которую успели произвести за те несколько дней, что меня не было: туалет слева тоже превращен в кабинет для нового сотрудника, присланного из Синдиката. Мельком видела его вчера: незаметный, щуплый человечек без единой приметы. Ни за что не узнаю, если встречу где-нибудь. Это наводит на мысль. Кстати, он освобожден от наших бесконечных *перекличек*. Не откликается, говорит Яша, и уверяет, что это весьма серьезный господин как раз по теме десяти потерянных колен. Все это очень мило, конечно, но очередь в единственный туалет наверху выстраивается с утра, и до вечера никогда не редеет. Вот уж в этом строю все мы равны. Даже Маша, преданная мне до икоты, свою очередь не уступает никогда...

На вчерашней *перекличке* опять затеялся разговор о катастрофическом снижении темпов *Восхождения* и грядущем приезде еще одного начальника-наблюдателя. Яша спросил:

— А до витру куда?..

Воображаю новый его комикс на эту тему...

Зато мне страшно повезло: я проездила великое, — как называет это Яша, — "ледовое побоище", Праздник Страны, продукт творческой энергии Ной Рувимыча, — трепещущий надо льдом бело-голубой стяг, *душевное слово* Фиры Ватник, "Еврейскую раздумчивую" в исполнении ее ансамбля "Русские затеи", и торжественное выступление Посла, о котором никто в моем Департаменте не может вспомнить без содрогания. Проездила и ежегодный послепраздничный банкет, и хохотала, как безумная, когда мой муж в лицах рассказывал: зайдя после банкета в туалет, он увидел покачивающегося над писсуаром Петюню.

— Борис... — проговорил тот проникновенно. — Если уж мы с вами встретились в таком интимном месте... не захватите ли цветы для Дины?

...Единственные, кто очень всем понравился, — "площадной театр", израильские клоуны, весь вечер работавшие в фойе, трое веселых бродяг под командованием одного из них, "капитана Дуду", — так называли его остальные двое: парень с рыжей овечьей гривой и девушка, наоборот, — бритая наголо, с двумя прядками, оставленными надо лбом и закрученными рожками...

Клоуны задержались в России еще на неделю, съездили в Питер, оттуда — в Самару и Саратов, а по возвращении в Москву мне их всучили на целый день, чтобы я сводила их на Красную площадь.

Долго буду помнить эту прогулку. На Красной площади, перемигнувшись, они раскатились вдруг от меня в разные стороны, и в разных этих трех сторонах вдруг принялись — мгновенно преобразившись, — работать на публику: капитан Дуду нацепил на нос красный теннисный шарик, напялил какой-то серебряный кургузый сюртучок с фалдами, достал складную выдвижную тросточку с крючком на конце, которой стал стаскивать кепки и шляпы с российского народонаселения, и жонглировать ими... Девушка-чертик играла сразу на дудке, на губной гармошке, звенела какими-то колокольцами и крутила такие сальто, что публика только ахала. Лохматый как замер, так и стоял, не поводя даже белками глаз. Но вдруг менял позу, издавая горлом, животом, черт знает — чем, такие жуткие звуки джунглей, что народ от него прядал в стороны, как от дракона.

(Вечная моя любовь к фиглярам, клоунам, пересмешникам... Прошло столько лет с тех пор, как в школе я — едва учитель на минуту покидал класс, — развлекала соучеников своим кривляньем и, как говорила бабушка, "штучками"... Я давно уже довольно мрачный, погруженный в себя человек, стремящийся к покою и одиночеству... Откуда же этот порыв любви, эта теплая волна в груди, этот спазм в горле всякий раз, когда я вижу клоуна перед толпой?)

Вокруг уже толпилось столько публики, что я подпрыгивала, стараясь поверх голов как-то отследить ситуацию и боясь только, что с моими клоунами начнут разговаривать, а те в ответ станут отвечать что-то на иврите... Но они только звенели, играли на колокольцах, гармошках, дудках, крутили сальто, жонглировали, рычали и блеяли... я, расталкивая локтями толпу, лезла вперед, в огромный круг, в котором они работали, представляя, как накостыляет мне Шая за этот импровизированный концерт... Стояла и тряслась от страха, совершенно счастливая..."

. . . .

Поздно вечером позвонил Яша, сказал:

— Слушай, тут нам "Твердынюшка" подсудобила общину в Серпухове. Человек двадцать. Поедем в среду? На тебя они соберутся, ты ж популярная.

— Поедем, — сказала я, вздохнув. Меня опять использовали как живца, но не хотелось огорчать Яшу отказом. Да и вырваться лишний раз из стен Синдиката было не вредно.

...Словом, Павлик надыбал для нас в Серпухове штук тридцать евреев. Два-три отборных, остальные — не обессудьте.

Паша был святым, чистым человеком. В четырнадцать лет сел в тюрьму за грабеж и наркотики, и просидел 11 лет с перерывами. Наркотики же употреблял семнадцать лет. Кололся, воровал, грабил, находился в розыске, кололся, покрылся язвами, болел туберкулезом, желтухой, сифилисом, воровал, грабил, кололся... словом, пропадал окончательно... И вдруг повстречал одного приятеля, который, как говорит Паша, в то время "уверовал" и с наркотиками завязал. И этот вот приятель, вместе со всей своей общиной, стали молиться за Пашино исцеление, пробуждение и осознание.

"И отмолили. И наш Бог Израилев мне помог", — говорит Паша просто, тоном, каким рассказывают о сантехнике, которого вызвали починить протекающий бачок, и он пришел и починил.

После чего Паша отработал несколько лет в наркодиспансере, ухаживая за наркоманами; некоторых спас, большинство похоронил...

Стали и дальше происходить с ним чудеса. Стали закрывать на него "дела". Потом встретил девушку, которая рискнула связать с ним судьбу... Родились один за другим сыновья...

"Жена у меня прекраснейшая, — говорит он со слезою в голосе. — И вот шесть лет уже я живу такой моей новой жизнью".

...По пути прежде всего заехали мы за Пашиным начальством — датчанкой Барброй и мужем ее, бельгийцем Чарльзом. Время от времени они сопровождали нас в поездках, — видимо, стараясь убедиться в размахе нашей деятельности. Кроткие и улыбчивые, они взобрались в минибус и, подпрыгивая на ухабах, ойкая и тихо переговариваясь друг с другом на каком-то своем языке, доехали с нами до Серпухова.

Встреча была организована в "Областном обществе охотников" — старом одноэтажном доме в глубине кривого переулка. В прихожей нас встречала кабанья голова на стене, и напротив нее — голова огромного лося. Косяки и притолоки входных дверей были обиты связками бамбука. По стенам, крашенным старой масляной краской, висело бесчисленное множество оленьих рогов и между ними — стенгазета "Стрелок". В маленьком зале перед высокой, как коробочка, задернутой красным плюшевым занавесом, сценой, для нас поставили стол и два удобных крепких табурета. Мы сели.

Барбра и Чарльз сидели на венских стульях в первом ряду, слушали непонятную речь, светло улыбались и кивали, и пока мы с Яшей выступали, они несколько раз фотографировали нас — им ведь тоже приходилось отчитываться перед своим начальством о проделанной работе.

Собравшиеся чинно выслушали Благую весть о Синдикате, Яша долго распинался о льготах, выгодах и замечательном будущем тех, кто решится на *Восхождение*... Народ безмолвствовал. Наконец, в третьем ряду подняли руку и с места спросили: — А в Германию вы не посылаете, случаем?

На этом мы вечер завершили... Улыбающихся и очень счастливых своих начальников Павлик повез в Москву. Нам же с Яшей возвращаться в ночь-полночь не имело никакого смысла. Накануне он заказал два одноместных номера в здешней гостинице, и наутро собирался показать мне какие-то, по его словам, потрясающие монастыри...

Последнее, что успела заметить я в этом чудном заведении, был "Устав охотника" в рамочке на стене, в котором я запомнила только первый пункт: "Уважай старших по званию и возрасту охотников"... Монументальный кирпичный, с не запирающейся дверью, туалет во дворе, зиял шестью черными, густо посыпанными хлоркой, пугающе большими отверстиями в полу. Как будто это помещение предназначалось не для охотников, а для крупной рогатой дичи.

Это был заповедник нетронутой советской власти — весь город Серпухов. И было это, — продолжу я былинным запевом, — в ста километрах от Москвы.

...Наутро мы взяли такси и поехали смотреть обещанные Яшей монастыри...

Все они восстанавливались, и частью уже были заселены. На входе в мужской монастырь мне велели надеть юбку, Яше — поверх шортов, — длинные штаны. Среди вещей, наваленных в жестяной бак, я разыскала черную юбку и надела ее поверх брюк. Яша нашел и напялил на себя огромные тренировочные штаны. Мы стали похожи на афганскую семью из Пешавара.

Потом во дворе монастыря мы сидели в тени от огромного тополя, и Яша рассказывал, как в восемьдесят седьмом году они с Маней гуляли здесь, — повсюду стояла трава по пояс, окна все были выбиты, краска с куполов облезла, в пустой и страшной колокольне гудел ветер... И даже бомжи сюда не забредали... Ни души... Тихо и поэтично... Сейчас же здесь кипела жизнь, шныряли туда-сюда богомольцы, послушники...

Яша пригорюнился и умолк, и я молчала, не мешая ему думать о Мане... В сторонке, у выхода с территории монастыря нас ждало такси, нанятое за полтора доллара в час.

По дороге в гостиницу я обратила внимание на огромную — несоразмерную для такого небольшого города — статую Ленина.

Таксист скучливо сказал:

— Он раньше стоял с протянутой рукой... Потом на руке один тут повесился. Актер тут, местного драмтеатра... он лениных всегда играл... Так, говорят, похож был... даже без грима... Ну, в общем... перестройка тут, всякое такое... Перестали представлять по театрам. Человек работу потерял... Пил, пил... потом пошел и повесился. Ночью, на руке Ильича. И руку убрали.

— Как убрали? — воскликнул Яша.

— Ну... отрубили и переделали. Сунули в карман.

— А ну-ка, сдай назад... — попросил Яша. Таксист безропотно дал задний ход.

Да, Ленин стоял в несколько развязной позе: одна рука слегка заведена за спину, другая — в кармане. Ну, и пресловутая кепка на затылке.

— Тот еще типчик, — заметил Яша.

Мы стали вспоминать все памятники вождю, виденные в разных городах. В Ростове, например, Ильич стоял, выставив левую ногу и протянув вперед руку, как бы указывая — какие он оторвал себе классные ботиночки.

В Истре — домашний божок, метр пятьдесят, густо покрытый серебрянкой, он похож был на елочную игрушку.

В Клину — видимо, незримое присутствие великого композитора в исторической ауре города действовало облагораживающим образом даже на Ленина, — он и внешне был похож на Петра Ильича. Стоял в сквере, в свободной позе, без этих навязчиво указующих жестов в неизвестном направлении, одной рукой держась за отворот пиджака, ловко на нем сидящего, другую опустив в карман брюк, тоже неплохо скроенных, — элегантный англизированный денди. И выкрашен не пошлой серебрянкой, как Истринский, а краской цвета топленого молока, приятной для глаз.

Но, как правило, устремленный вперед вождь возвышался на центральной площади, грозно развернув плечи, в каком-то чугунном пальто...

Ленин по-прежнему оставался святым покровителем русской провинции. После года блужданий по российской глубинке, Москва стала казаться мне миражом, гигантской летающей тарелкой, случайно приземлившейся на берегах Москвы-реки и в любую минуту готовой сняться с места и исчезнуть в бездонном брюхе Вселенной...

...В час за нами приехал безотказный Павлик, и вновь проезжая мимо страшного памятника, Яша обернулся ко мне и сказал:

— А представь: ночь, ветер, поземка... ни одного фонаря... И на протянутой руке большого Ильича качается маленький...

Из "Базы данных обращений в Синдикат".
Департамент Фенечек-Тусовок.
Обращение № 3.895:

Робкий но настырный мужской голос:

— Я вас потревожу, можно? Такое дело: у нас в Но-возыбково дом, ну, домик такой, две комнаты... Одну под овощной склад сдаем азербайджанской мафии... Грузовики разгружают тут беспризорники, голота обдолбанная... Вот, окна нам разбили, дважды поджигали нас... Ну, и мы решились ехать... в ваши края, деваться-то некуда... Так у меня вопрос: мы не потеряем там в качестве жизни?

. . . .

Наш золотой лев

*Microsoft Word, рабочий стол,
папка rossia, файл israel*

"...через час надо поднимать моих, собираться в аэропорт... Хотя дочь, я уверена, уже не спит и предвкушает, как, едва приземлится самолет, она немедленно начнет обзванивать свою *хевру*, к которой рвется постоянно... Уже, вот, слышу ее шаги по комнате — застилает постель своим выцветшим заштопанным флагом... Квартира остается здесь на неделю под присмотром Жени... Бедная девочка все еще не может прийти в себя после скандала на презентации сайта... Я и сама, признаться, до сих пор очухиваюсь... Как вспомню эти позы... И главное, черт дернул нас подготавливать все так торжественно: приглашать Главного раввина России Колотушкина, соответствующих людей из *УЕБ*а и других организаций, даже Гройс, сам Гройс, науськанный Ромой, *почти* явился на презентацию нашего сайта, во всяком случае, прислал письменное, весьма милое приветствие. Костян подготовил всю техническую часть безукоризненно: большой экран, динамики, чтобы слышна была речь экскурсовода на демонстрации "Прогулки в Яффо" — наш сайт ведь действительно один из лучших, и мы гордимся... гордились им вполне заслуженно. Рома говорит — кто-то нас сглазил... Кой черт —

сглазил, возражает заплаканная Женя, — просто, кто-то из этих конкурирующих мерзавцев взломал сервер... Ну, уж в трех словах, так как надо бежать — готовить завтрак: Норочка Брук великодушно включила нашу *Интернет-тусовку* в программу ежегодной конференции по иудаике, что проходит в гостинице "Космос". В положенный час в зале "Юпитер" собралась приличная толпа: все-таки, молодежь по уши сидит в Интернете, а Женя — наша Женя, как это ни умильно, имеет репутацию одного из лучших дизайнеров... Белый экран скромно ожидал своего часа. Женя страшно волновалась. Костян до последней минуты возился с проводами, проводками и проводищами... Наконец выступила Нора Брук — в своем стиле: как прекрасны наши друзья и спонсоры... Потом я сказала несколько скромных и горделивых слов о том, как весьма небольшими силами мы сумели... и так далее. Потом минут десять выступал Главный — по нашей версии — раввин России Манфред Григорьевич Колотушкин: глобальные изменения в мире при сохранении Божественной власти... Наконец, я дала отмашку Костяну, тот погасил свет, сидящая у компьютера Женя включила экран... И первое, что увидела научная публика, студенты, аспиранты, профессура, священнослужители, — это огромные, во весь экран, нечеловеческие груди, которые с трудом удерживала на растопыренных ладонях какая-то блондинка с лицом удивленной гимназистки. Словно этот нежданный подарок свалился ей с неба. У меня потемнело в глазах, Костян ахнул, Женя завизжала и стала метаться. А кадры — все волнующие и разнообразные позы любви — сменяли друг друга на большом экране с какой-то чертовой резвостью.

Словом, — скандал, скандал, скандал... Нора утешает меня, я — ради Жени — делаю вид, что ничего страшного не произошло. Но настроение у всех нас соответствующее...

...Как обычно, пригоршни огненного бисера внизу воз- {331}
никли в иллюминаторе неожиданно. Я всегда стараюсь
уловить приближение этого праздника огней, но каждый
раз гигантская наклонная равнина бисерных россыпей
электричества с черной пропастью Средиземного моря
распахивается внизу сразу и вся... Дочь, еще не налетавшая
столько взлетов и посадок, как я, вскрикивает от счастья и
обморочно затихает.

— Представляешь, — сказал Борис. — Нинка Кугель не успевает расписать своего льва, у нее в апреле выставка в Си-
ене, — и готова отдать его мне. Болванка сидящего льва...
Можно было бы сочинить что-то... эдакое... Жаль, пришлось отказаться...

— Почему? — Я стояла перед окном, глядя на улицу и
грызя яблоко "золотой налив".

— Все равно за неделю не успею...

— ...Был бы у нас в Иерусалиме свой лев...

— Пап, а если б ты его расписывал, — подала голос
дочь из соседней комнаты, — каким бы ты его сделал?

— Не знаю... О чем говорить, когда все равно не...

— Давай, пусть бы он был золотым, как утро...

— Ну, хорошо... оставь меня...

— ...и пусть бы сидел и улыбался... На пьедестале...
Гордо и царственно, ведь он — Иерусалимский лев!

— Ладно, ладно... Займись чем-нибудь...

— А где бы его поставили?

— Не знаю, это решает кто-то в муниципалитете...

— А я знаю: — сказала она задумчиво... — Мы поста-
вим его на Маханэ-Иегуда, пусть сторожит рынок... Рынок — самое лучшее место... Самое веселое, богатое, орущее,
пестрячее...

Я стояла у окна, грызла яблоко "золотой налив", слушала их голоса у себя за спиною и представляла этого на-

шего несбыточного Золотого льва где-нибудь на стыке центрального рыночного ряда и улицы Агриппас — крикливой, старой, тесной, пропахшей специями улицы, названной в честь последнего иудейского царя...

. . . .

...На этот раз чуть не полдня потратила я в Долине Призраков на поиски этого парня. Прочесывала кабинеты на всех этажах, один за другим. Просто заглядывала и спрашивала: — Азария не тут сидит?

В одном из последних кабинетов мне посоветовали искать его в новом здании в Гиват-Шауле. А я, как Эльза Трофимовна, не знала даже, что у них есть какое-то новое здание. Словно недостаточно армии чиновников тут, на этих пяти этажах.

— Ну что ты! — закатила глаза знакомая из департамента *Кадровой политики*, — здесь-то у нас — так, сторожка в лесу. Вот там офис помощнее будет...

. . . .

Выйдя из здания, я вспомнила, что оставила в кабинете у Иммануэля свою шляпу. Возвращаться не хотелось, я и так потратила много сил на поддержание в нужном тонусе и эмоциональном градусе мышц своего лица. Будучи и сам взрывным устройством, Иммануэль не терпел, когда кто-то рядом с ним пребывал в мало-мальски спокойном состоянии. Беседуя с ним, надо было энергично жестикулировать, громко хохотать, подмигивать, нетерпеливо постукивать кулаками по столу, высоко задирать ногу на ногу и проделывать еще множество подобных штук... Немного быть Кларой Тихонькой. Тогда он верил, что ты отлично понимаешь ситуацию с *Восхождением* и прилагаешь все силы, чтобы увеличить темпы работы с *восходящими*...

Ради шляпы я не в состоянии была проделывать вто- {333}
рично все эти спортивные упражнения.

Ну и отлично, подумала я, вот и куплю, наконец, знаменитую черную шляпу у старого барыги...

Он сидел все там же, на своем высоком табурете, как
петух на насесте, читая газету поверх очков и не обращая
внимания на прохожих...

— Что пишут? — спросила я, подойдя. Он поднял голову, внимательно посмотрел на меня.

— Слушай, — проговорил он, — ты куда-то пропада-
ешь так надолго! Я уже думал, с тобой что случилось.

— Я пропадаю в России... — сказала я, кивнув подбородком в сторону серого здания Синдиката через дорогу...

Он понимающе вытянул трубочкой жирные губы,
присвистнул...

— Вот оно что... Я как-то не подумал... Ты такая зако-
выристая дамочка... А мне всегда казалось — во всяком случае, все их ребята так выставляются, — что это дело опасное, нет?

— Ну, что там опасного...

— Что ж ты там делаешь?

— Да так, по мелочи, что придется: бывает, с парашю-
том прыгнешь, или, вот, погоня за тобой, и ты по крышам
вагонов пробежишься... А иногда кого-нибудь замочить
требуется... и ты поджидаешь его в подъезде, в гриме, потом
месяц бороду отцепить не в состоянии...

У него на секунду вытянулось лицо... Потом он понял, расхохотался:

— Да-да, понимаю... Ты не можешь говорить... Но
скажи, все-таки, Россия — она большая? Как, по размеру?

— Приличная по размеру...

— На сколько больше нас?

— Не морочь мне голову, — сказала я. — Лучше слезь
со своей табуретки и поезжай куда-нибудь в отпуск...

— Не могу, — сказал он. — Кто торговать будет? Жена такая больная, ты не поверишь — все у нее болит...

И тут глухо и страшно сотрясло весь город, долбануло в затылок звуковой волной, и разом взвыли в конце улицы несколько машин "амбуланса", пронесшись мимо нас в сторону Яффо.

— Опять!!! — вскрикнул он. — Сегодня это второй! Утром они взорвали автобусную станцию в Хадере, ты слышала?!

Зазвонил мой мобильный, я выхватила его из сумки, и голос дочери прокричал в ухо:

— Мама!!! Где ты, где ты?!

— Я тут, я целая, не волнуйтесь...

— Где ты?! — это уже Борис выхватил у нее трубку...

Я помахала моему шляпнику и, набирая телефон родителей, быстро пошла вниз по улице...

. . . .

— У Фани такой ужас, — сказала мама. — Они уже несколько тысяч выкинули на психолога для девочки...

— ...психолога? — рассеянно переспросила я, зная по опыту, что маму нужно переспрашивать, спорить, уточнять, но не молчать ни в коем случае.

— Ну да, разве я не рассказывала тебе этот страшный случай? Они попали в теракт. Фаня с внучкой. Не пострадали. Просто ехали в своей машине за тем автобусом, который взорвался в центре. Фаня водит машину на старости лет, ты знаешь? Я преклоняюсь перед ней. Правда, знает только два маршрута — к детям, через Гиват-Зеэв, и на рынок... Эта безголовая местная полиция, чтоб они были здоровы, дает права любому слепо-глухо-парализованному... И хорошо, что прокладывают трамвай в Иерусалиме, может быть, многие сумасшедшие перестанут разъезжать на машинах. Если, конечно, этот трамвай когда-нибудь пустят...

— Так что — Фаня?

— Они не пострадали, но в выбитое взрывом лобовое {335}
стекло их машины влетела рука и упала девочке на колени.

— Рука?!

— Ну, да. Чья-то рука, из автобуса. А так — не пострадали. Но девочку уже пять месяцев водят по психологам. И эти психологи, я тебе скажу...

....

Microsoft Word, рабочий стол,
папка rossia, файл israel

"...вчера утром навещали в "Адассе" Кирочку. Она попала в этот последний теракт, в пиццерии "Сбарро". Но удачно: уже выходила из дверей, когда внутри рвануло. Пострадала рука, правая, в основном средний палец, он останется недвижен, и — ожоги на лице. Но это пройдет. Она вся забинтована, постанывает, но главное не в этом, а в том, что всегда лучезарная, — просто на удивление! — светлая девушка, совершенно погасла. Боюсь, долго она будет выкарабкиваться из этого ужаса... В ее палате только легкие, зато в соседней — очень тяжелые. Когда уже попрощались с Кирочкой и вышли, мы столкнулись с Марой, она как раз выходила из "тяжелой" палаты. Мы спустились в буфет и минут пятнадцать (она мчалась куда-то еще по муниципальным делам) говорили. Мара по-прежнему член комиссии муниципалитета по безопасности. В ее же обязанности входит посещение в больницах пострадавших и семей погибших в терактах. Она очень мрачна, говорит, — самое страшное, что нет воли к сопротивлению. Боимся слова "возмездие". Почему-то прежде маленький Израиль всегда вдвойне отвечал на любое посягательство... Я очень поздно возвращаюсь, говорит она, дорога пустынна, я смотрю и думаю — Боже, сколько понастроили! Какая, в сущности, веселая, безалаберная страна была, как в ней хотелось жить, сколько очарования!.."

Одновременно с этим, — говорит, — постоянные банкеты. Чуть ли не каждый месяц торжественно провозглашают какие-то очередные евро-азиатские и афро-европейские еврейские конгрессы. Причем зачинают их где-то "там, у вас" — говорит она. Ловкие люди, вроде этого российского Гройса, раскручивают какой-нибудь тугой кошель, — хоп! и очередной бурято-монгольский еврейский конгресс осчастливливает Израиль. Почему-то свои центральные пленумы они предпочитают проводить здесь, в отелях на Мертвом море, или в Кейсарии, или в Герцлии, — какие не снились, друг Горацио, всем вашим мудрецам... Заседают, провозглашают, пишут куда-то воззвания и петиции... Пир во время чумы...

Впервые в Иерусалиме состоялся так называемый Парад гордости, — говорит Мара, — человек 60–70 пидеров и лесбиянок маршем прошли по истерзанным террором улицам. Иерусалим, как одряхлевший лев, лишь отмахивался от этого шествия.

Мара торопилась: в двенадцать на горе Герцля, на военном кладбище хоронили двух солдат, погибших вчера на Севере. "Я исхоронилась своих соотечественников, — говорит она, — у меня в сумочке всегда лежит черная косынка — для кладбища".

...За эти несколько дней как-то решительно и сразу повзрослела дочь. Вчера, рассматривая разворот газеты с фотографиями жертв — и все, как на подбор, белозубые, бровастые, кадыкастые ребята, — проговорила сухо, почти бесстрастно: "Погибают мои женихи...".

Сильно вытянулась за последнее время. Похудела.

И больше не плачет..."

По летному полю аэропорта Бен-Гурион, так же, как и по всей стране, свободно разгуливали кошки. Мы стояли в буфете на втором этаже, в зале ожидания вылета, и через огромные окна смотрели вниз, на самолеты. Вдоль летного поля наперегонки мчались две повозки со сложенными трапами. Они были похожи на колесницы, двое молодых людей в ядовито-желтых жилетах авиационных служащих сидели на них, откинувшись, в позах возниц, вот только лошадей прогресс выпряг из упряжки и пустил на колбасу.

...В самолете за нами сидела молодая женщина с годовалой дочкой, все время плачущей, — очевидно, у нее резались зубки. Сосед по креслу, пожилой господин строгого вида, забрал у женщины ребенка и весь полет ходил с младенцем на руках взад-вперед по самолету. Когда мать пыталась забрать ее, девочка поднимала оглушительный рев. Господин говорил без улыбки: — вот это комплимент! — и продолжал ходить по проходу до самого конца полета, пока не объявили снижение.

Борис сложил вчетверо газетный лист, откинул голову и закрыл глаза... Я заглянула в лист и прочитала абзац из статьи Саши Чернавского, нашего соседа, политолога: "...надеяться на какие-то моральные ценности, когда юный террорист перед терактом звонит по мобильному матери — "мама, что мне делать?" — в надежде, что она уговорит его бежать... И что отвечает мать, которая выносила этого ребенка под сердцем и вырастила его? Мать отвечает: — "Да укрепит Аллах твое сердце, сынок!"...

Поскольку темпы *Восхождения* с началом войны в Израиле снижались все больше и больше и, наконец, опустились до нижней критической отметки, зашевелились и зарычали американские спонсоры. Они изрыгнули пламя, которое припекло аллигаторов в Центре. Аллигаторы разинули пасти и клацнули зубами, у Клавы затлела толстая задница.

В Центре придумали и утвердили несколько новых ставок. Пригласили несколько умных университетских голов — очередных идиотов, которые ни черта не смыслили ни в России, ни в деле *вдохновления на подъем*.

(На языке Синдиката это, правда, называлось другим словом — "призыв". Наши кормчие до сих пор мыслили военными категориями. И это понятно — более полувека, со дня основания, Страна находилась на осадном положении. Поэтому у многих местных, которые в этом родились, сдавали нервы.

Понятно, что Страна постоянно нуждалась в новых "призывниках" — те, как правило, если не уезжали, принимали положение таким, каким получали в пользование, и жили той жизнью, какую Страна на них наваливала. Тем более что было в этой жизни, помимо тягот, еще и странное, трудно объяснимое посторонним, родственное очарование...)

Словом, приглашенные советники изобрели очередной блицкриг, операцию "Горячее слово", сроком на четыре месяца. Вызванный в Иерусалим и там, как обычно, наполучавший от начальства пенделей, Клава по приезде собрал всех синдиков на *перекличку*.

Идти в народ — вот был основной мотив его ора.

— Идите, убеждайте, говорите! — кричал он. — Что вы сидите в своих кабинетах?! Евреи не *восходят* сами собой, их надо убедить!

Посреди *переклички* вбежала Рутка с Клавиным мобильником, — вытаращив глаза, молча исступленно жестикулируя. — Из Аргентины!!! — шипела она. — Из Аргентины!!! Таким обычно было у нее лицо, когда Клаве звонил сам Верховный. По-видимому, он и звонил. Из Аргентины. В связи с их экономическим кризисом, несколько семей тамошних богатых евреев ринулись в Израиль. Так что в Синдикате воспряли, расправили плечи и уже намечтали себе новое направление деятельности. Но разве под силу было танго-гитарной Аргентине перешибить могучую, топкую, сивушную Россию по части поставки *восходящих!*

Клава вскочил и, прижимая мобильник к щеке, засеменил в свой кабинет. Вышел оттуда минут через пять с потрясенной растерянной улыбкой. Разговор, по его пересказу, состоялся приблизительно следующий:

— Клавдий, — сказал Верховный Синдик, — вот я стою на трапе самолета и смотрю вдаль, на Буэнос-Айрес. И у меня хорошо на сердце... А в сторону России я не хочу смотреть, и на сердце у меня печаль... Ты понимаешь меня?

— Нет, — сказал ошалевший Клава.

— Я скажу тебе — что делать, Клавдий: надо работать. Надо сделать сначала одно, потом другое, потом — третье.

{340} Сначала сделать одно, и только потом другое, а уж потом и третье... А теперь я улетаю, прощай.

Все это Клавдий пересказал нам, по-прежнему пытаясь осознать, — уж не напился ли часом, по-человечески, наш Верховный.

— В подробности не вдавался? — спросил доктор Панчер.

— Нет, — ответил Клавдий...

Он сказал задумчиво: — Чует мое сердце, они пришлют нам еще какого-нибудь... надзирателя... И ведь его тоже надо будет куда-нибудь законопатить... Мы лезем из садика, как тесто из кастрюли, *замбура*! Не убить ли мне кого-нибудь из вас, а, ребята? Например, тебя, Анат Крачковски...

— Это я, — перебила его баба Нюта задорно. — Это я буду по всем по вам сидеть шиву...

— Я знаю! — вдруг проговорил Петюня. — Знаю, что делать! Предоставьте мне решение этой проблемы.

На моей памяти это был единственный случай, когда Петюня не только не отбрыкивался от порученного ему дела, но сам вызывался работать. Наверное, сильно выпил, подумалось тогда многим.

Но никто не предполагал — насколько в тот раз он сильно выпил.

. . . .

Минут через тридцать после *переклички* Клавдий вызвал меня и велел написать *сценарий беседы с потенциальным восходящим*.

— Нет, — сказала я, — это не входит в обязанности моего департамента.

— Ну, прошу тебя, как человека! — взмолился Клава. — Ты же писатель, черт там тебя знает, — что ты пишешь... Чего тебе стоит!

— Я оговаривала этот пункт при подписании договора, — упрямо возразила я. — Никаких воззваний, никакой
пропаганды, никаких уговоров... Мой департамент — *Фенечек-Тусовок*. Мы вегетарианцы... Мы пляшем и поем. И в
бубен бьем.

— Тогда вот что: — сказал Клава. — У тебя газета. Там
есть вроде рубрика — "Каждомесячная звезда". Я хочу интервью с *Норувимом*.

И поскольку я вытаращила глаза, он твердо повторил:

— Интервью с Клещатиком. Это рекламная акция...
Мы собираем людей на корабль. Отбирать будем... ммм...
особенных... И когда наберем, корабль поплывет...

— Куда? — спросила я.

— А вот тебе все скажи сразу. Это будет такой Большой пикник. Сначала турне по Волге... Потом гораздо
дальше и гораздо веселее... Вообще, будет весело...

— Клавдий, — спросила я, — что задумал Клещатик, а?

Клава выпустил колечко дыма, глянул сквозь него на
меня слезящимися своими глазками...

— А вот в самое ближайшее время я приглашу его на
генеральную перекличку. Хватит вилять и скрывать свои
планы. Хватит прятаться! Пусть представит синдикам свой
проект. И это, — скажу тебе, — революция! Такого не было
еще в Синдикате никогда! Эта идея, знаешь... такая гло-
бальная, такая историческая и патриотичная... просто дух
захватывает, *замбура*!.. Мы им вставим...

— Кому? — перебила я.

— Этим, иерусалимским бездельникам, которые
только и знают, что учить меня работать... Мы им вставим
такую *замбуру*... — он взглянул на меня, увидел выражение
моего лица и осекся...

— Не беспокойся, — проговорил он. — Ты насчет
Норувима... Я все знаю. Я контролирую ситуацию. Ему не
удастся околпачить меня, боевого командира!..

Microsoft Word, рабочий стол,
папка rossia, файл sindikat

"...меня не оставляет в покое мысль о грядущем плавании: что это? Что за странная идея, с какой целью? Между тем слухи уже ползут, и слухи весьма аппетитные: кому не охота отдохнуть и расслабиться на водных просторах за счет идиотов-израильтян. Даже бессребреник Абраша Ланской позвонил вчера мне и, помявшись, спросил: — А что там за прогулка по рекам и озерам в вашем ведомстве? У меня, знаете, супруга одержима идеей позагорать на палубе. Это что — реально?

Я пока мычу в ответ. Но весьма скоро мне придется что-то говорить.

Интересно — почему меня это так тревожит...

Мне вчера даже приснился сон: Клещатик будто бы нанял ледокол... Начальство отозвало всех синдиков из всех городов необъятной России, законопатили всех на корабль, подняли швартовы и поплыли по водным артериям России: Клавдий — на капитанском мостике, Петюня — боцман... ну, и вся остальная команда, как один... Утром на работе я рассказала Яше этот странный сон, он немедленно набросал комикс: полуголый Клава с головой, обмотанной майкой, похожий на опереточного пирата, объявляет *Проект* под кодовым названием "Операция "Жестокий романс". А в конце комикса — ледокол терпит крушение, размотавшаяся майка на голове Клавы, конец свисает вдоль щеки, лицо сурово, как у Лоуренса Аравийского.

Пожар в трюме...

Конец Синдиката..."

Павлик — энтузиаст, неутомимый следопыт, бесценный для Синдиката кадр, звонил обычно Яше часиков в пять утра...

— Яков Михалыч, — он бурно вываливал какую-нибудь свеженькую идею и замирал в ожидании, — как эта идея понравилась? Прислушаются ли, оценят ли?

— Я вот что подумал: а не двинуть ли нам по тюрьмам, по этапам, по лагерям?..

— Считаешь, пора? — озадаченно спросил его Яша...

— Да там нашего народу — убийц, насильников, аферистов, — сколько душа пожелает!

Яша поколебался...

— Думаешь, мы исчерпали число приличных... ну, хотя бы, — обычных людей? — неуверенно спросил он. — А эти у нас... думаешь, приживутся?.. Наша страна, вообще-то, не криминогенная...

Павлик замолк, засопел — вероятно, обдумывал ситуацию... А может, недавнее прошлое вспомнилось...

— Ладно, — вздохнув, проговорил он, — стану искать что-нибудь такое... обычное...

. . . .

Петюня Гурвиц, апостол Петр нашего Синдиката, был назначен главой штаба кампании "Горячее сердце".

Он вызвал Яшу и велел сочинить несколько дацзыбао, в которых Синдик должен взывать к *потенциальному восходящему* (сначала, конечно, он обратился с этим ко мне, но я состроила такую брезгливую гримасу, что он сразу понял, что обратился к герцогине с просьбой подоить корову).

Итак, он вызвал Яшу и сказал ему:

— Понимаешь, мы должны им что-то говорить... Такое, чего не говорили раньше. Говорить что-то такое... Понимаешь? Вот что ты ему скажешь, — такого? Вот, ты приходишь, и что ты говоришь?

— Надо подумать...

— Вот, иди, подумай и напиши.

— Как — напиши? — удивился Яша.

— Словами. Что ты — ему, что он — тебе. Что ты ему на это в ответ, а он — тебе, значит... И так далее...

— Но... — замялся Яша... — Ведь невозможно заранее знать — что тебе возразят.

Петюня поморщился: — Возможно, возможно... Что такого особенно неожиданного может он тебе сказать? Как и ты ему, впрочем...

— Зачем же тогда писать? — спросил Яша.

Петюня закатил к потолку голубые плутовские глаза наклюкавшегося на Тайной вечере апостола:

— Ты меня спрашиваешь?

Улыбнулся лукаво и спросил: —

— Хочешь анекдот?

Анекдот от Петюни:

Дама на приеме у врача:

— Я такая больная, доктор, такая больная... И здесь вот давит, и тут тикает, и там вот щемит...

— Хорошо. Раздевайтесь...

— Доктор, я так стесняюсь...

— Хорошо, давайте я опущу занавес и погашу свет...

Спустя минуту в полной темноте:

— Доктор, я не вижу — куда класть одежду.

— Кладите на мою... ˙

. . . .

...Азария... Никогда невозможно угадать — какую форму выберет он для своего послания. Однажды прислал чье-то разводное свидетельство, над которым я сначала хохотала, потом задумалась. Выглядело оно так:

"В третью субботу пятнадцатого дня месяца Хешван, пять тысяч семьсот пятьдесят семь лет со дня сотворения мира по летосчислению, что ведем мы в Иерусалиме, лежащем на водах текущих и на водах застывших, Вадим, зовущийся Вадик, сын Александра, зовущегося Шуриком, дал жене своей Татьяне, зовущейся Татулей, развод по вере Моисея и Израиля в присутствии нижеподписавшихся свидетелей развода:

Ицхак Золотухин, сын Василия, свидетель
Иехезкиель, сын Мордехая, свидетель

Разрешается женщине выходить замуж за другого, кроме *Коэна*, по истечении 93 дней.
Печать районного суда Иерусалимского Раввината."

Иногда, довольно редко, его послания были написаны в духе частного письма.

"Ты спрашиваешь, друг мой..." — так начиналось одно из писем Азарии, хотя я ни о чем давно уже его не спрашивала, а только жадно листала каждое утро почту, высматривая его имя.

"...Ты спрашиваешь, друг мой, — писал он, — как продвигается проект всенародного трамвая в городе, где и пешеходы выглядят лишним приспособлением к миру... Все путем: улицы трижды перекопаны и четырежды закопаны вновь, на площади Давидки щит рапортует о завершении работ на данном участке пути. Прочитав это сообщение, народ озирается в поисках рельс, без которых трамвай, при всем торжестве прогресса, из-за угла не появится. Очевидно, на данном участке пути план по разграблению средств уже выполнен. Двинемся дальше..." Но, начав в иронически-горьком ключе, он постепенно накручивал себя, раскалял свой бубен, переходил на излюбленный слог разгневанного пророка и к концу письма уже бил в набат очередной цитаты, раскачиваясь в исступленном вопле:

"...Ибо все столы полны блевотиной; нет места чистого...

Поэтому слушайте слово Господне, люди глумливые, правители народа этого, который в Йерушалаиме... Вот в ос-

нование положил Я на Сионе камень, камень надежный, крае-
угольный, драгоценный, основание крепкое; верующий не по-
спешит.

И сделаю Я суд мерилом и справедливость — весами, и
сметет град покров лжи, и смоют воды укрытие... Когда бич
стремительный пронесется, будете им исхлестаны... и толь-
ко ужас испытаете, когда поймете весть. Ибо коротка бу-
дет постель, чтобы растянуться, и узко покрывало, чтобы
завернуться..."

. . . .

Microsoft Word, рабочий стол,
папка rossia, файл sindikat

"...после того как Клавдий трижды напоминал мне об интервью с Клещатиком, мне ничего не оставалось делать, как на-
пустить на того Галину Шмак. Надо сказать, ее безотказность
и надежность я оценила только сейчас, когда убедилась в
том, что нет такого задания, которое она не взялась бы вы-
полнить. Ее можно засылать на интервью к космонавтам на
орбите, к водолазам в минуты глубоководного погружения, к
шахтерам в аварийную шахту...

Возьмите у него интервью, Галина, сказала я, только не
давайте завираться, вопросы ставьте четко, песни о собственном творчестве и величие замыслов режьте на корню;
вообще, резать материал буду лично я! — и положила трубку, чтобы не услышать опять бесконечную сагу без препина-
ний о сволочах в типографии, подлеце Алешке и обоях в деликатный цветочек...

Вечером она уже рапортовала о выполненном задании,
а на другое утро перекинула на мой электронный адрес довольно странный файл: это была смесь из эпики Гомера, сви-
ста соловья-разбойника, Соломоновой Песни Песней и голоса сирены, манящей в морскую пучину...

Ной Рувимыч Клещатик, главный подрядчик Синдиката, соавтор песни "Скажи мне душевное слово", драматург и черт еще знает — кто, представал перед читателями "Курьера" опытнейшим мореходом, подробно объясняющим разницу между классами кораблей, маршрутами, командами и специальными терминами... Он расписывал будущую акцию с поистине поэтической страстью, перечислял всех выдающихся пассажиров, кто украсит эту замечательную поездку — актеров, писателей, журналистов, дипломатов; не были забыты и шимпанзе Дориан с хозяйкой, и цыгане с медведем, капелла "Московские псалмопевцы", известная певица Эсфирь Диамант; он подробно перечислил все увеселения гурманов, с упоминанием вин разных стран и блюд китайской, японской и прочих кухонь, которые ждут пассажиров на корабле... Я читала все это со смешанным чувством восторга, изумления и брезгливости. Опять представила себе галеон времен Ост-Индской компании... Наконец, села за работу и на всякий случай отчекрыжила всю романтику напрочь. Вверх тормашками полетели цыгане с медведем, "Московские псалмопевцы", Эсфирь Диамант и блюда изысканных кухонь. В опубликованном интервью Клещатик сдержанно сообщал о новой готовящейся акции Синдиката: двухнедельном турне на пароходе "Илья Муромец", приглашал звонить и записываться по следующим телефонам (приводились номера департамента *Фенечек-Тусовок*). Добавлял, что некая компетентная комиссия впоследствии отберет достойнейших. При этом критерии, по которым будет проходить отбор пассажиров, в статье не перечислялись."

— Представляете, Дина, — сказала Женя расстроенно. — Во дворе убрали песочницу. Такая жалость! Я брала в ней камушки для аквариума... Теперь все кончено. И самокат Шая запретил заводить во двор. Говорит, это опасно: к нему можно прицепить взрывное устройство...

Хотелось погладить ее по голове, утешить... На самом деле в трех наших комнатушках Женя развернула настоящий рыбий террор: меченосцы и гупии плодятся с таким остервенением, что вот уже месяца три как Женя выклянчила у меня разрешение поставить на мой стол "ма-а-ленький аквариум литров на сорок", для мальков, чтобы тех не сожрали родители.

Я согласилась, — а что делать? Мальков тоже жалко. К тому же в отдельных случаях, в беседах с некоторыми гостями, я могу скрывать за аквариумом невольное выражение лица...

....

По тому, с какими вытаращенными глазами прибежала Рутка с сообщением об очередной *перекличке*, я поняла, что грядет бо-ольшое начальство, что придется опять отрабатывать номер: "а без меня тут ничего бы не стояло". И что вновь нам придется слушать "Песнь ГОЭЛРО".

Так и есть: когда все мы привычно сгрудились за круглым столом, Клава достал фонарик-крошку и сказал: — Дина, отодвинься от карты, несмотря на то, что ты сильно похудела в последнее время...

И повел зачин...

Это были трое из Объединенного Совета Покровителей Синдиката.

Глава Опекунской Комиссии, Джошуа Бекон, с мордой ротвейлера, его секретарь Луизиана Гопп, старуха, с лицом одновременно изумленным и сонным, то есть оторопелым, и хлыщеватый молодой человек с ярко-зеленым галстуком в лазоревую крапку, которым он занимался без устали и, похоже, бессознательно, — как двухлетний малыш теребит и тянет свое крошечное оружие мужественности.

Клава, как обычно, тянул эпохальную "Песнь ГОЭЛРО", разгуливая лазерным фонариком по просторам

бывшего СССР, торжественно сообщая цифры, факты, {349}
сражая гостей расстояниями. Он вонзил красный огонек в
Японию и начал торжественно-хозяйским тоном: — Тут
Япония.

Совершил рукой круговое движение в сторону Кали-
нинграда и провозгласил:

— А тут Калининград. Лету одиннадцать часов...

Яша рядом со мною закатил глаза и прошептал траги-
ческим голосом:

— Я больше не могу это слышать. У меня будет мозговой спазм.

Джошуа Бекон угрюмо следил подозрительным взглядом
за полетом красной точки, словно хотел поймать Клаву в
жульничестве на километрах или человекоголовах. Молодой ферт поигрывал языком галстука, то обмахивая им лицо, то щекоча им свои нос и подбородок.

Бабка после каждой цифры восклицала: — О, май
га-ад!

Клава от ее испуганного восторга хмелел и закидывал
гостей цифрами, совершая фонариком огромные дуги от
Скандинавии до Таймыра.

— Это Камчатка! — сурово и торжественно говорил он.

— О, май га-ад!!

— А это — Аляска!

— О, май га-а-д!!

По всему видно было, что старая калоша впервые
встретилась с картой мира.

Я вытянула под столом ноги, наткнулась на чьи-то
туфли, искоса заглянув под стол, увидела снятые туфли
Джошуа Бекона — лаковые, с идиотскими пряжками, наверняка, очень дорогие. Человек с маломальским вкусом
ни за что не согласился бы надеть такую обувь.

Рядом елозили по полу корявые растоптанные лапти
моего любимого начальника. Он никогда не мог надеть

{350} новые туфли. Его правая нога была искорежена тяжелым ранением в войну Судного дня, поэтому месяца два туфли растаптывал для него кто-нибудь из домашних.

Я взглянула на Клаву. Лысина его багровела от служебного рвения, толстые ляжки свисали со стула, синяя рубашка прилипла к жирной спине.

Я обожала его.

Я готова была разнашивать его туфли.

Справа от меня, доброжелательно обводя взглядом всех за столом, сидел наш Шая.

— А это остров Ямал. Там живут четырнадцать евреев...

— О, май га-а-ад!!

— ...хррять, сучий потрр... — прохрипел пиджак Шаи.

. . . .

Утром, проходя по двору нашего детского садика, я увидела на скамейке троих, смиренно дожидающихся кого-то, мужчин с котомками. Сидели они, видимо, давно, и вид имели вокзальный. Таких навалом околачивалось у "Гастронома" на углу, но как же они попали в Святая Святых Синдиката? Между тем, Эдмон прохаживался неподалеку и не подавал никаких признаков беспокойства при виде этой, явно алкогольной, троицы...

— Эдмон, — спросила я его, — какие симпатичные ребята загорают тут у нас на скамеечке. Ты где их подобрал?

Он остановился, смерил взглядом мятую троицу и сказал:

— Это строители. Гурвиц распорядился пропустить...

— А... И что же они тут будут строить?

Он пожал плечами:

— Гурвиц говорит, дом. Вон там, на месте песочницы...

Я оглянулась, не очень доверяя осведомленности Эдмона. Бывшая наша песочница была обычного детсадов-

ского стандарта. Да и вокруг поля не простирались... Ин- {351}
тересно, какого рода помещение намеревался возвести
здесь наш вечно пьяный апостол?

Из "Базы данных обращений в Синдикат".
Департамент Фенечек-Тусовок.
Обращение № 3.895:

Бабий страдательный голос:

*— Ой, я же вся больная, вся больная... анализ за ана-
лизом, анализ за анализом, и ничего не показывает... Уж
если мне родная страна не поможет, так кто?!*

*Microsoft Word, рабочий стол,
папка rossia, файл marina*

"...звонила Марина... Она разыскала книгу по физиономис-
тике какого-то известного автора и сейчас размышляет над
внешностью Пушкина. Какой формы нос или ухо что означа-
ют. Прикидывает, забраковывает те или другие нос, глаза,
лоб...

— Послушай, — говорю я ей. — А не сделать ли просто
точную копию его портрета? Чего уж там, пусть будет, каким
был...

— Нет, — с сомнением отвечает она. — Не могу пустить
это дело на самотек. А вдруг какой-нибудь опытный физио-
номист скажет потом, что у нашего Пушкина лоб дегенерата,
а нос карточного шулера?"

В июле Иерусалим навалился на нас с особенным начальственным жаром. Видать, очередной варяг, приглашенный на беседу с Иммануэлем, выдал очередную нетленную мысль: организовать идейный форум-прорыв, обеспечить могучий интеллектуальный рывок. На месте. В России.

На встречу с Верховным, специально для этой цели залетевшим к нам на один день по пути в Рим, в "Пантелеево" свезли инструкторов по *восхождению* со всех концов бывшего СССР.

Клава распорядился, чтобы вся коллегия синдиков собралась там же. Предполагалось, что присутствие Верховного стимулирует мозговой штурм на выработку методов *ускорения Восхождения*.

По этому поводу в "Пантелееве" торопливо побелили два деревянных столба, символизирующих въезд в дом отдыха, заасфальтировали две, особенно глубокие, колдобины на центральной аллее, по которой пролегал путь Верховного, вычистили и закрыли на замок туалет, на случай, если Верховному понадобится заскочить по нужде, и в столовой водрузили большую вазу с цветами на колченогий стол. Кроме того, подмели, наконец, конференц-зал, где, собственно, мы должны были штурмовать интеллектуальные вершины.

Вначале в конференц-зале был собран узкий круг посвященных.

Клава рапортовал Верховному о положении дел. Как любой военный, он обожал цифры, неважно — что в них воплощалось: километры, люди, или еще какие-нибудь виртуальные сущности. Например, в начале своего отчета привел поразительную цифру: за год в Синдикат поступают 63 тыс. *обращений*.

Я-то знала, что это за обращения...

Хотя попадались и обращения настоящие. Яша рассказывал, как на прошлой неделе к нему явилась интеллигентная дама и с дрожью в голосе поведала о своем горе: ее единственный ребенок, мальчик восьми лет, болен шизофренией, поэтому, она хочет отправить его в кибуц.

— Куда? — не понял сердобольный Яша.

Видите ли, она слышала, ей рассказывала приятельница, что есть такие кибуцы, где за подобными детьми ухаживают, с ними играют дельфины, верблюды, лошади и павлины...

— И вы отправите такого ребенка одного? — не веря своим ушам, спросил Яша.

— Я бы к нему часто приезжала... — доверчиво объяснила эта милая женщина.

— Но вы понимаете, — начал Яша, все еще подыскивая слова, — что в чужой стране, среди чужого языка он переживет стресс, может убежать, бродить один, голодать, покончить с собой от тоски?!..

— Вы так считаете? — прошептала она... — Я думала... дельфины, лошади... ослики...

Яша, трепетный отец, самолично покупающий дочерям все, — от свитеров до прокладок, — смотрел на эту измученную жизнью идиотку и испытывал нестерпимую жалость, безадресную тоску и желание прибить ее, на хрен.

...пока Клавдий забрасывал нас цифрами, с тщанием ребенка, играющего в песочке на морском берегу, Верховный сидел в грязном пластиковом кресле и был похож на засыпающего филина. Время от времени он засовывал в рот указательный палец, выковыривая что-то из зубов или добывая из-за щеки какие-то огрызки, — только что вся московская коллегия Синдиката торжественно отведала в столовой "Пантелеева" селедку под майонезом, обугленную ногу кошерной курицы с бурой подливкой и запила это пиршество богов липким, кисейно-розовым киселем...

С Верховным приехала одна из чиновниц его канцелярии — толстая бесформенная дылда в широченных ко-

{354} ротких брюках и мужских сандалиях на босу ногу. Вся она была завешана пегой крашеной гривой, рассыпанной по толстой спине, по пудовым грудям, по могутным плечам... Кого-то она мне мучительно напоминала.

— На кого похожа эта женщина? — спросила я Яшу, взывая к его легкому на подъем воображению карикатуриста... Он поднял голову и почти без паузы отрывисто бросил:

— На морского льва...

У Клавы вид был загадочный, он поглядывал на часы и явно ждал кого-то, кто явится сейчас с бо-ольшим сюрпризом.

И явился. Двери конференц-зала открылись, в них стоял Клещатик... В этом было даже что-то кинематографическое. Я сразу поняла, что наш Дед Мороз приехал не с пустыми руками...

— *Норувим*! — воскликнул Клава, — ты опоздал, *замбура*, я тут почти сдохнул!

Верховному он пояснил на иврите, что Синдикат в настоящее время готовит грандиозную акцию, предназначенную стать историческим символом эпохи. Операция будет названа *"Возвращение из глубин"* и, безусловно, войдет отдельной главою в новейшую историю Синдиката, да и всего еврейского народа... Господин Клещатик, всем известный наш генеральный подрядчик, но, кроме того, и генератор творческой мысли, шлифовальщик, так сказать, идеи, сделает краткое сообщение о сути Проекта... Яаков, брось эти скабрезные почеркушки, займись своим прямым делом — *Восхождением*. Переводи *Норувима!*

Яша обреченно поднялся... Он, с его талантом прирожденного синхрониста, всегда отдувался на таких вот чиновных тусовках...

Клещатик не торопился... Я загляделась на то, как готовится он к речи: легкая улыбка по сторонам — предвестником грядущих перемен... Беглый, но не суетный осмотр манжет, высвобождение платиновой запонки из петли, деликатное покашливание, плавное, успокаивающее (вы в надежных руках!) потирание ладоней... Вообще, на фоне непрезентабельных и, по обыкновению, расхристанных израильтян (баба Нюта не в счет) он выглядел элегантным...

— Собственно... — наконец проговорил он негромко, — сама идея Проекта лежала на поверхности и витала в воздухе с тех пор, как был организован департамент *Розыска потерянных колен*... С гордостью замечу лишь, что этот департамент, во многом инициированный моим наитием о нерасторжимости генетической и психологической связи разных этнических групп еврейского народа, за последние месяцы выдал беспрецедентные результаты! И сейчас можно смело предсказать, что с течением времени все потерянные колена — вернее, их развеянные по всей земле потомки, конечно же, будут идентифицированы, собраны и ориентированы — согласно идеологии Синдиката — на *Восхождение!*

И первой ласточкой станет нестандартный рейс, совершенный сюрприз для самих *восходящих*, полагающих, что взошли по трапу на обычное туристическое судно, везущее их на двухнедельную речную-морскую прогулку... Индивидуумы, которых мы отберем для этого исторического рейса, якобы выиграют бесплатные билеты в одной из наших всегдашних лотерей. Всех их ждет удивительная метаморфоза: они взойдут на корабль, еще не догадываясь о своей великой миссии, — в конце концов, героическая история Синдиката изобилует если не подобными, то схожими операциями, проведенными в тайне, под покровом ночи: все помнят знаменитые переброски эфиопских евреев — "Операцию Шломо", "Операцию Моше"... Да и в Стране никто (за исключением отдельных ответственных лиц) не будет ожидать ту поистине мировую сенсацию, которая буквально взорвет весь народ в средствах массовой информации... А на судне тем временем психологи, инструктора и специалисты по *Загрузке ментальности* активно будут работать с мировоззрением тех, кто не подозревает о своей сокрытой до поры до времени миссии: восстать из пепла истории, из забвения народа, из вековечной мечты о воссоединении...

Яша переводил, и выражение его лица невозможно было описать! В бессильной оторопи он шарил взглядом по лицам коллег, пока не наткнулся на мое лицо. Несколько мгновений мы глядели друг на друга... я покачала головой, он отвел глаза...

Перестав ковырять в зубах, Верховный внимательно прислушивался к обволакивающему речитативу Клещатика. Да и все остальные, честно говоря, поплыли по волнам его голоса... Клавдий сиял: наконец-то он вставит *замбуру* всем этим иерусалимским бездельникам! Наконец на него перестанут сыпаться шишки, — наоборот, хоть толика лавра, который так любит он добавлять в свой коронный *паприкаш*, увенчает его добрую потную лысину!

— Да, это потребует от Синдиката немалых затрат, возможно даже затрат гигантских! — грозно возвышал голос Клещатик и был похож на привставшего на цыпочки дирижера, показывающего *fortissimo* группе духовых... — Да, надо будет потревожить дополнительных спонсоров, потеребить фонды, не надо бояться миллионных вложений. Но когда первые три сотни из восстановленных колен *взойдут* на вновь обретенный берег, когда Верховный синдик протянет приветственно руку первому *взошедшему из потерянных колен*... О, вообразите эти фотографии, этот восторг журналистов, историков, простых людей... Можно смело предсказать, что подобный рейс станет лишь первой ласточкой в начале великого пути *Восхождения из глубин* прошлого!

Так-так, подумала я, очень интересно... Предупредить Абрашу, чтоб жена загорала на другой какой-нибудь палубе, не на этой...

— Класс! — воскликнул Панчер, подпрыгнув и высоко закинув ногу на ногу. — Мои поздравления, Ной Рувимыч! Здорово заверчено! Только условие: частью *восходящих* колен станут мои Юные стражи Сиона!

— Но ведь это мой проект, мой! — вдруг со страшной обидой воскликнул Изя Коваль. — Это была моя идея!

— Дорогой мой, — с мягким нажимом возразил Клещатик, — идеи, как известно, витают в воздухе... Или... или приплывают по воде! — и усмехнулся своему каламбуру.

И дальше он перешел к технической части своего проекта, — а по затратам это уж был всем проектам Проект: подробно разъяснял — каких средств потребует изменение обычного маршрута, ночная пересадка на морской лайнер... и прочие частности, которые я уже не слушала... Выловила только своим писательским скабрезным слухом, что первым теплоходом станет "Илья Муромец", а вторым — "Очарованный странник"... У меня не было причин предполагать в этом какой-то специальный умысел Ноя Рувимыча, я только вообразила себе группу заспанных очарованных странников на верхней палубе, в полном остолбенении рассматривающих купол Бахайского Храма, портовые помойки и улицы утренней Хайфы, петляющие по горе Кармель...

Затем поднялся Клавдий и строго предупредил о сугубой секретности Проекта. Напомнил, что при найме на работу в Синдикат мы подписывали соответствующие бумаги о неразглашении определенной информации. Так вот, настоящий Проект как раз и является таким засекреченным материалом. И если кто-то из нас...

Мы с Яшей опять переглянулись. Все равно, подумала я, Абраше позвонить, нагородить, наврать, дезинформировать...

Между тем в продолжении исторической генеральной *переклички* несчастные инструкторы местных наших отделений, согнанные в спешном порядке в "Пантелеево" из всевоз-

{358} можных Курска, Петропавловска-на-Камчатке, Сочи, Самары сидели в большом зале и с трепетом ожидали — как благоговеющая паства ожидает появления Папы Римского — выхода к ним Верховного.

В конференц-зале Клещатик продолжал разъяснять мельчайшие, давно продуманные детали Великого заплыва колен, приводил суммы — дикие, на мой взгляд, но ничуть, похоже, не пугавшие Верховного, который проснулся, порозовел, приободрился и, вероятно, представлял уже свой доклад перед Ежегодной Комиссией жертвователей.

Минут через сорок он поднес к глазам руку с часами, наклонился к Клавдию и что-то тихо сказал. И судя по тому, как оживился Клава, можно было догадаться, что Верховный проголодался, следовательно, мозговой штурм захлебнулся, не начавшись: Верховного увозили обедать.

Тогда встрепенулся Яша, поднялся и сказал Клаве по-русски, не глядя на Верховного:

— Клавдий, я хочу напомнить, что в соседнем зале уже два часа томятся люди, на приезд которых Синдикат потратил хрен знает сколько...

— А, *замбура*!!! — воскликнул Клавдий, хлопнув себя по лбу. — Я забыл!!! — наклонился к Верховному и горячо что-то стал втолковывать.

— Хорошо, — проговорил тот слабым голосом, — я обращусь к ним с горячим словом...

Клавдий метнул на Яшу знакомый взгляд, означающий, что тот должен переводить инструкторам речь высокого начальства.

Тот поднялся, нескрываемо злой, бормоча:

— А сейчас Великий Мастурбатор раздаст народу леденцы...

Синдики цепочкой потянулись за Верховным в зал, где в страшной духоте сидели и ждали выхода к ним высокого начальства пожилые, по большей части, люди...

Видно было, что они уже и не знали что подумать, истомились и давно занимались своими делами: кто-то жевал привезенный из Курска бутерброд или яблочко, несколько баб, собравшись в кружочек и налегая грудьми на столы, изучали флакон с какой-то мазью, купленной в киоске на станции Дорохово, кто-то сидел на подоконнике и читал детектив. Но вот в дверях показался Верховный, плетущийся на ватных ногах так, словно отсидел их давно и навсегда, и наша провинциальная публика вскочила и с радостным испугом зааплодировала.

Быстро они расселись...

Во все глаза я смотрела на этих людей, пытаясь прочесть в лицах хотя бы каплю иронии, насмешки, недоверия... Ведь это к ним в первую голову являлись *потенциальные восходящие* изо всех медвежьих углов. Каждый из наших страдальцев-инструкторов мог бы рассказать (и рассказывал, и я сама частенько слушала!) невероятные байки, сущие анекдоты, безумные диалоги с сумасшедшими.

Нет, они внимательно слушали умирающий голос Верховного, которого бесстрастным тоном переводил злой как черт Яша.

— Вы должны всеми способами убеждать людей *восходить*! — вдохновенно выпевал Верховный. — Если б мои родители не *взошли*, я сейчас сидел бы здесь, с вами! Да, многие опасаются, что не найдут в Стране работы, — особенно те, кому между сорока и пятьюдесятью. Ну что вам сказать?.. Я тоже в этом возрасте, и тоже опасаюсь, что когда кончится время моего пребывания в должности Верховного Синдика, мне придется искать работу...

Инструкторы зааплодировали с явной симпатией и пониманием...

Эти люди получали зарплату в 100 долларов. Все как один, они бы облысели от ужаса, если б краем глаза им позволили заглянуть в распечатку банковского счета Верховного Синдика.

. . . .

Microsoft Word, рабочий стол,
папка rossia, файл sindikat

"...вчера сидели с Яшей допоздна, обсуждали мореходную аферу Клещатика.

Он слегка отошел от потрясения, обдумал ситуацию и считает, что мы не должны вмешиваться в эту *Великую совместную акцию Синдиката с Норувимом по рекордной дойке американских спонсоров* и что тех не убудет, если три сотни российских граждан прокатятся до Хайфы...

Я спросила — до Хайфы... а дальше? Яша сказал охотно — до Хайфы и обратно. Ты ведь не думаешь, что двухнедельной морской прогулки, даже и в компании с психологами и с мастерами заплечных дел по *Загрузке ментальности*, для кого-то, будь он самым распоследним идиотом или сумасшедшим, будет достаточным для того, чтобы поверить в эту мыльную оперу с коленами, бросить свои квартиры-дачи... работу-досуг... и... остаться в Израиле?!

— Но мы же бросили, — возразила я упавшим голосом...

На что Яша резонно и терпеливо ответил, что время было другое, и мы были другими. Вернее, стали другими...

— Но Клещатик ни словом не обмолвился об обратном рейсе!

Мало ли — не обмолвился... А куда он денется, этот корабль? Отгремят салюты, Кнессет отметит торжественный многоколенный приезд, ну, может, кто-то из пассажиров лайнера и решится, так и быть, взять *пакет на обустройство*, положенный каждому *взошедшему*... быстренько вставить зубы или, там, снять катаракту на левом глазу... А потом — шалишь: детки-детки, по домам...

Я совсем расстроилась... Тем более что за последние месяцы в отдел Инструктажа департамента *Восхождения* обращаются, в большинстве своем, действительно, сумасшедшие.

Являются поговорить о своей судьбе. О судьбе России. О судьбе Израиля. Разведать — что где могут дать. И вообще, покалякать, заполнить на всякий случай анкеты — пусть будут. Российский человек привык к всевозможным бланкам и верит в них больше, чем в Господа Бога.

Я видела эти анкеты. Иногда к нам на второй этаж прибегают давящиеся от смеха девочки-инструктора. Например, один старикан, заполняя графу "дети", написал, что у него пятеро дочерей, — это бывает. Но всех пятерых звали Ольгами. Наши девочки строят предположения: все дочери у него от разных матерей, и каждой матери нравилось имя Ольга. Оказывается, все куда как проще. Все дочери, действительно, от разных матерей, рожденные в разное время. Они не знакомы друг с другом. Старикан в течение жизни сходился с женщинами и, узнав об очередном рождении новой дочери, давал ей имя Ольга. Ольга Ефремовна Перемойник 47 года рождения; Ольга Ефремовна Перемойник 52 года рождения; Ольга Ефремовна Перемойник 59 года рождения; Ольга Ефремовна Перемойник 64 года рождения; и, наконец, — младшая, любимая, "а мизиникл", услада отцовского сердца и венец творения — Ольга Ефремовна Перемойник 70 года рождения!

Дело в том, что это было имя фронтовой медсестры, вытащившей его на себе из боя...

Помню, эта история довольно долго наводила меня на размышление о нашем времени поголовного клонирования мыслей, визуальных образов, чувств, наконец, бесконечной череды рекламных щитов и тысячи раз повторяемых клипов... Как-то она символически вписывалась в нашу действительность и подтверждала ее...

В группы по изучению иврита тоже набирается всякоразного люда. Практически, с улицы. Правда, непременным условием является *мандат на восхождение*... Одна дама ходит на занятия в домашнем халате, в тапочках на босу ногу.

Другой — директор вечерней школы, член клуба Фиры Будкиной. У него все в порядке, кроме ноги, которой ниже колена не хватает. Завсегдатай на наших *тусовках*, большой и заочный патриот Израиля, он, вот уже несколько лет, собирается *взойти* в самое ближайшее время… Фигурирует у нас во всех отчетах… Все надеялся добыть медицинскую справку для курсов вождения… Явился вчера с опрокинутым лицом — не то чтобы задумчивым, а потрясенным.

— Куда я еду… — сказал он медленно, — куда я еду из страны, где за 25 долларов мне сейчас дали справку, что у меня две ноги и все в полном порядке?..

…Вообще, новое веяние: одинокие сумасшедшие рвутся в Израиль. Вот история полуслепой и абсолютно сумасшедшей Аси Перельмутер. Она продала свою однокомнатную квартиру на метро "Улица 1905 года" за тридцать тысяч долларов и сошла с ума. Ей показалось, что она миллионер. Свой старый рояль послала в Израиль самым дорогим рейсом компании "Люфтганза". Он остался стоять в аэропорту Бен-Гурион, и стоимость каждого дня хранения его — 100 долларов… Попав в Иерусалим, Ася, презрев все советы чиновниц, сняла номер в самом дорогом отеле и стала жить. Ездит она только на такси, расплачиваясь таким образом: дает пачку долларов водителю и говорит — я плохо вижу, отсчитайте, сколько нужно.

Через три недели администрация гостиницы запаниковала, потому что, окончательно сойдя с ума, высокородная старуха, профессор со швейцарским образованием, перестала мыться и стричь ногти на ногах и руках. Так что сейчас Яша мечется, дозванивается до соответствующих ведомств и организаций там, в Израиле, — устраивает ее судьбу — из Москвы… Зато Израиль приобрел новую гражданку.

Одинокие старики приходят к нам в отдел инструктажа, заполняют анкеты и объясняют, что мечтают умереть в Израиле. Хорошенькое, выгодное приобретение для Страны воюющей, тем более, что, приехав, они не торопятся исполнить мечту, а сначала вставляют за счет государства зубы, снимают катаракты на обоих глазах, вырезают грыжи и проходят операцию на открытом сердце. После чего еще лет тридцать получают пенсию. В это время их детишки трудятся — или не трудятся, — на процветание Канады или получают пособия в *Дойчланд-юбер-аллес,* ненавидя при этом ни в чем не повинных немцев.

Мы отфутболиваем стариков в Посольство. Там уж консулы вертятся, как караси на сковородках, чтобы выдавать таким визы, мягко говоря, не торопясь, постепенно... особенно, если у человека проблемы с психикой.

И вот группа сумасшедших, которые в течение полугода не могли получить визы в Израиль, объединились и подали иск в БАГАЦ — Высший Суд Справедливости Израиля. Догадались ведь! И — дотянулись. Интересно, какой ушлый адвокат научил их эдакому финту...

БАГАЦ, совесть нации, гроза всех министерств и ведомств, высокопоставленных чиновников, министров, президентов, и прочая и прочая, — иск их признал справедливым.

Я горжусь и любуюсь всеми этими людьми:

...и сумасшедшими стариками, которые уверены, что государство, коему они не посвятили ни дня своей жизни, ни часа работы, ни кровиночки судьбы, обязано в старости кормить их с ложки, менять подгузники и хоронить на своих кладбищах под сенью пальм и эвкалиптов;

...я горжусь и крючкотворами из Высшего Суда Справедливости, которые, вопреки всей справедливости, вынесли по иску горстки старых наглецов положительное решение.

Я горжусь и любуюсь ими, ибо за неслыханной наглостью одних и неслыханным простофильством других проступает мощь библейской морали моего народа, согласно которой старые пердуны *имеют право взойти* в Святую землю, а Израиль *обязан* их принять!

Точка."

"...Целую в десны!"

...5 сентября заканчивался срок действия моей российской визы. Об этом я узнала случайно, дней за пять до
срока, от нечего делать листая паспорт на очередной *перекличке* синдиков. Испугавшись, побежала в администра-
тивный отдел, чтобы мне срочно делали новую визу. Гоша
Рогов сказал — ничего не попишешь, ты должна лететь в
Израиль.

Я возопила, что никак, никак не могу! Что у меня выставка, конференция, презентация, концерт, демонстрация,
торжественное празднование, заседание комиссии, выпуск
газеты, гранки, и *замбура, замбура, замбура!!!*

Тогда Рогов развел руками и послал меня к Гурвицу.

Петюня нахохлился, скосил на сторону свой вороний
нос, прикрыл глаза и мрачно сказал:

— Ладно. Разберемся. Я поговорю с Роговым. Послушайте лучше анекдот.

И я покинула его кабинет под аккомпанемент очередного скабрезного анекдота, по своему обыкновению
полагая, что вопрос решится как-то сам собой. Например,
что визу мне продлят месяца на два, а потом, ближе к де-
кабрю, я съезжу в отпуск домой и явлюсь назад с новень-
кой визой.

Буквально за день до полета в Одессу мне на стол положили паспорт с вложенной в него визой и какой-то бумажкой. Рогов сказал небрежно:

— Ты там посмотри и зазубри, тебе написали — какая версия.

— Что значит — версия? — спросила я недоуменно. Впрочем, в этот день происходило очередное мероприятие нашего департамента в музее Цветаевой, и я умчалась, бросив все эти бумаги в сумку.

Назавтра утром, в семь часов, Слава должен был заехать за мной и увезти в аэропорт.

Вернувшись после *тусовки* домой в одиннадцать, я быстро собрала дорожную сумку, поставила будильник на пять тридцать утра и, понимая, что спать осталось совсем немного, а завтра лететь и выступать, легла, и сразу отключилась.

Через час меня словно подбросило. Во сне я вспомнила, что должна что-то там "зазубрить". Я поднялась, включила свет, достала паспорт. В записке, вложенной в паспорт, было написано чужим почерком:

"Для Д.: Пусть выучит версию: она "выехала" из Москвы 25 августа. "Въехала" — 7 сентября. Визу должна была получать в Карловых Варах, но не смогла. Получал наш сотрудник по доверенности и привез в Израиль. А уже из Израиля Д. "въехала" в Россию. Визу заказывали в Карловых Варах, — потому что там дешевле".

На отдельном сдвоенном листочке визы, на моей постной физиономии стояла печать российского консульства в Карловых Варах.

Свет настольной лампы померк в моих бессонных очах. Все смешалось в доме Облонских. В совершенно пустом, надо сказать, доме, ибо своих я уже неделю как отправила в Израиль на осенние праздники.

Сидя на краешке кровати, в тонкой зябкой пижаме, одна в пустом доме, с колотящимся сердцем я стала изучать новенькую липовую визу и мой паспорт, мой честный синий паспортягу, верного служаку и товарища-заступника моего в бесчисленных поездках. Он тоже был осквернен двумя липовыми штампами таможни Шереметьева. Но куда я въехала и откуда вернулась — по паспорту оставалось загадкой. Стоило таможеннику отлистать две-три странички, и он убедился бы, что с 25 августа по 7 сентября я зависла в стратосфере и пребывала в небытии.

До утра у меня чередовались два состояния: я металась по дому из угла в угол или сидела и разглядывала документы в полном оцепенении...

В семь я спустилась вниз. Славин "жигуль" уже стоял у подъезда.

— В чем дело, Ильинишна? — спросил он, бросив на меня первый же взгляд. — Что за видок у вас? Я многих своих клиентов к последнему упокоению препровождаю куда как в более авантажном виде...

Я села в машину и рассказала все. В сущности, я ко всему была готова. Слава выслушал, сильно двигая желваками...

— Ну, что... — сказал он, наконец, выруливая со двора, — дело нормальное. Но как же эти бандиты не боятся приличного человека подвергать таким вот эскападам?

Всю дорогу до Домодедово он материл Рогова, Петюню, сокрушался о подлостях жизни, и все это — под включенное "Русское радио":

По башке жизнь ключом
Только все нипочем
Ты играй-играй-играй-играй, гармоника-а-а-а...

Потом отвлекся, как всегда, на критику окружающей действительности, которая, в основном, и подбрасывала темы для его монологов.

— Ну, вот, возьмите эти рекламные щиты повсюду. Вы почто, нехристи, мою душу бередите, а?! Вон, над кио-

ском, видали — "Сытый солдат — Родины щит"?! Я его сегодня уже пятый раз в другом месте вижу... К кому обращаются они с этим вот призывом? При чем тут обыватель?
Кормите своих солдат до отвалу, к чертовой матери, что вы
от людей-то требуете! Я, что ль им, солдатикам, недодаю?!
Это ж вы своим военно-промышленным комплексом от-
нимаете у наших старух кусок хлеба! Чего вы мне в глаза
тычете на каждом углу?! Мелькают, как мельница... У меня уж с утра в мозгу скороговорка: "Щирый солдат Родине ссыт!"... Лучше займитесь, блин, подрастающим поко-
лением! Вчера, ползу пробкой по Ордынке, о жизни
думаю, о воспитании своего олигофрена. По левому борту у меня, из педагогического техникума имени Ушинско-
го, выходят две нимфетки, матерятся уверенным баском и
гасят окурки о подошвы тяжелых бутс... Ну что, думаю, я
могу быть спокоен за сына. Его образование в надежных
руках...

Я видела его вчера в новостях,
Он говорил о том, что мир на распутье,
С таким, как он, легко и дома, и в гостях,
И я хочу себе такого, как Путин...

Такого, как Путин, полного сил,
Такого, как Путин, чтобы не бил...

— ...У меня сосед по гаражу — дядька почтенный,
полковник в отставке, всю жизнь на страже безопасности
Родины, двоюродный племянник Буденного, между прочим... "Волга" у него, знаете, с оленем на капоте... Он за
ней всю жизнь ухаживает, как за невестой. Так, в понедель-
ник кручусь я, значица, в гараже, смотрю — старикан вы-
катывает своего оленя, чистит, драит, но сам какой-то кве-
лый. — Что, говорю, Герасим Палыч, невеселы?
— Дак, Славик, — говорит, — попал вчера в закавы-
ку... Еду на дачу по Ленинградке, смотрю — девчушка голо-

сует. Такая тоненькая, юбчонка как-то не по погоде, куртя-шечка обдрипанная... Озябла, наверное. Торможу. Она — к окну: — "Отец, — говорит, — минет — триста рублей". А я, Славик, сижу и прикидываю: Минет — это до Зеленограда или после?

Скосил на меня свой узкий татарский глаз, видимо, соображая, — чем еще меня повеселить, развеять... Не при-думал и замолчал — редчайший случай.

Я же отмалчивалась или даже тихонько скулила, пото-му что время от времени к печени у меня подкатывала ле-дяная волна прибоя.

...В Домодедово, как обычно, Слава проводил меня до самого барьера таможни.

— Я подожду, — сказал он, — постою тут. Ежли вас за-ломят и поведут, — что ж, значит, я должон бежать впере-ди собственного визга в Синдикат и поднимать там ор на весь мир.

Пока я стояла в очереди к окошку паспортного кон-троля, я еще видела его. Несколько раз он махнул мне успо-коительно, даже подмигивал, но лицо было напряжено — видно, не очень-то он верил в моего ангела-хранителя.

Наконец высокий мужчина в плаще забрал с подо-конника проштемпелеванный документ, и я подошла и протянула свой.

Молодая женщина в окошке полистала паспорт, рас-крыла визу. (Несколько бухающих в висках, тяжелых, душ-ных мгновений).

— Я не поняла, — проговорила она. — Вы что, полу-чали визу в Карловых Варах?

— Должна была, — сказала я небрежно.

Опустила руку в карман плаща и нащупала там по-ходную расческу дочери с маленькими острыми зубчика-ми...

— Так вы ее не получали?

— Сотрудник получил по доверенности, я не смогла.

— А почему — в Карловых Варах?

— А у меня гастрит...

Она впервые подняла глаза от паспорта. Посмотрела на меня с интересом.

— При гастрите, — пояснила я, — хорошо пить карловарские минеральные воды.

— Ну? — Она продолжала на меня смотреть. — Так вы получали визу в...

— Нет, — сказала я терпеливо. — Не попала я туда.

— Почему?

— Да меня так скрутило, что уже не до питья было. Сослуживец по доверенности получил, и привез мне.

Вот тут, по закону развития диалогов (уж мне ли, написавшей километры диалогов, этого не знать!) — должен был последовать убийственный вопрос — куда привез? — И я буду вынуждена ответить — в Израиль.

И ей ничего не стоит перевернуть две странички и увидеть, что штамп таможни Израиля напрочь отсутствует. И тогда — наручники, арест, высылка всей мудозвонной организации домой, в глушь-в-саратов, в самарийские холмы.

Так что главное было, чтоб не всплыло вообще это сакраментальное во все времена имя — Израиль.

— Куда привез? — спросила она.

— Куда, куда! В центральный офис! — раздраженно воскликнула я, продолжая в кармане терзать расческу. — Девушка, если там что-то не в порядке, так дайте я позвоню, предупрежу, чтоб меня не встречали, к чертовой матери!

— Погодите, не кипятитесь, — сказала она, и с паспортом в руках вышла из кабинки. Я поняла, что все кончено. Минуты через три она вернулась с другой бабой, постарше и построже. Вероятно, начальницей... Они обе вошли в кабинку, и та, что постарше, склонилась над паспортом и визой.

— Та-а-к... — проговорила она. — Значит, вы получали визу в Карловых Варах. Почему?

— У нее гастрит, — торопливо подсказала первая девушка.

Начался второй раунд допроса. Нет нужды повторяться. Все вопросы были заданы, кроме главного — куда, собственно, была привезена мне новенькая виза и откуда 7-го сентября я "въехала" в Россию.

— А почему вы решили получать визу именно в Карловых Варах? — дотошно спросила вторая, старшая по смене. Она потянулась к телефону и набрала номер. Внутри у меня все одеревенело. Вернее, всю внутренность свою я ощущала как огромное дупло в дереве...

— Ой, девочки, вы меня чего полегче спросите! — сказала я в сердцах. — Начальство решило, что там дешевле! Деньги на сотрудниках экономят, сволочи! (тут я была предельно искренна). Я ж человек служивый, подневольный, командировочный, ну что вы, ей-богу, как будто сами по себе не знаете!

— Знаем, — сказала первая, вздохнув... Старшая по смене, не дозвонившись, опустила трубку, тяжело стукнула печатью по листочку визы и подвинула мне паспорт. И у меня еще хватило отчаянной наглости задержаться у окошка и, понизив голос, спросить:

— Девочки, а что там — какой-нибудь бардак в бумагах, как всегда у нас?

— Да нет, все у вас в порядке, — сказала старшая по смене. — Счастливого полета!

Я вышла в небольшой зал с буфетом в углу и рядом кресел, на которых уже сидели пассажиры одесского рейса, но сесть у меня никак почему-то не получалось. Я продолжала бегать по залу и между кресел, не в силах остановиться. Наконец, заставила себя глубоко вздохнуть, остановилась и вынула из кармана руку — взглянуть на часы... И уставилась на свои окровавленные пальцы, — видимо, по-

ранила их об острые зубья забытой в кармане нашего общего плащика Евиной расчески, которую скребла и терзала,
пока стояла и, улыбаясь, смотрела на круглое лицо девушки в окошке паспортного контроля.

Яша Сокол, преданный идее *Восхождения* самым серьезным образом, не всегда доверял своим сотрудникам еже-
дневный инструктаж по телефону. Когда бывал на рабочем
посту, в офисе Синдиката, требовал, чтоб секретарша переводила такие звонки прямо на его номер...

И сегодня, едва появился он в кабинете, раздался
звонок.

Мягкий женский голос спрашивал — нет ли возможности устроиться на работу в Синдикат... Вообще-то Яша
не любил голосов подобного тембра — их обладатели вцеп-
лялись в собеседника мертвой хваткой.

Он вежливо ответил, что на сегодняшний день в Синдикате, к сожалению, нет свободных ставок.

— Понимаете, — проговорила она. — Я очень люблю
евреев.

Яша закручинился. Обычно подобные фразы произносил кто угодно, только не евреи.

— А вы, — осторожно спросил он, — имеете к евреям
какое-то отношение?

— Понимаете, — проникновенно сказала она. — Я
всю жизнь очень любила евреев. Я даже иврит немного
знаю...

— Ах, иврит? — оживился Яша. — А где вы его учили,
на наших курсах?

— Нет... в семинарии...

— Где?!

— В семинарии... Поэтому я так хочу устроиться к
вам. Мне бы хотелось поработать с вашим народом. От-

{372} крыть ему глаза на истинную веру, познакомить с пламенем Откровения.

— Ой... — произнес Яша... Он понял — откуда эта страшная мягкость, эта хищная сострадательность в голосе. — Вот этого можно, не надо? Вот, насчет пламени... Мы, знаете, как-то еще не соскучились... Нас уже знакомили с пламенем в середине прошлого столетия. Да и до того, в меньших масштабах, но тоже, — довольно интенсивно... Давайте мы уж как-нибудь сами. У нас есть своя концепция истинной веры...

— Так что, вы хотите сказать, что не заинтересованы узнать Откровение?! — спросила она.

— Н-не очень, — сказал Яша. — Ну... не сейчас.

— Вы хотите сказать, что не верите в Спасителя?!

— Почему же, в Спасителя — верим, — сухо проговорил он. — Но насчет предлагаемой вами кандидатуры как-то сомневаемся...

— Вы сомневаетесь, что он уже пришел?!

Яша замялся, внутренне застонал... Что и говорить, работа у синдиков была не сахар, вредная была работа...

— Знаете... — промямлил он... — Можно как-то... не сейчас, а? У нас, честно говоря, скоро обед. Буквально минут через десять...

— А вам повар не нужен? — спросила она вдруг совершенно здоровым деловым голосом.

— А вы умеете? — обрадовался Яша, которому совершенно не нравилась кухня "Метростроя". И дальше минут двадцать они обсуждали разнообразные блюда и расстались очень довольные друг другом.

— Так бы и сказали сразу, — говорил он ей.

— Так я ж не знаю, может, вам какая духовность наоборот нужна...

— Какая там духовность! — бодро восклицал Яша. — Тут нам в булочках недавно тараканов привозили!

— Вот сволочи! — подхватывала она. — Я вам таких {373}
булочек напеку, таких куличей! Такой мацы...

Из "Базы данных обращений в Синдикат".
Департамент Фенечек-Тусовок.
Обращение № 4.345:

Вдохновенный голос юноши:
— Аль-лёбля!!! Аль-лёбля!!!
*(Неостановимый однообразный матерный текст.
Отбой)...*

Microsoft Word, рабочий стол,
папка rossia, файл odessa

"...в Одессу из Москвы летает "Як-40", почти забытый мною
самолет из моего детства, тот, что с дыркой в заднице, под
хвостом. Мест в нем, кажется, 20, не больше. Теснота страшная. И вновь — обморочный страх отрыва от земли и единственная обреченно-спасительная мысль о большой страховке, которая не даст осиротевшей семье пропасть с
голоду.

Едва приземлились, в самолет вошла служащая аэропорта, стала выкликать VIP-персон, какого-то Добина, который
не хотел отзываться. Остальных пассажиров придерживали
плотной толпой в узком проходе. Интересно, где этот мудак
Добин? Выпал из иллюминатора по дороге? Наконец, один из
пассажиров, горластый чернявый парень, крикнул: — Девушка, а вам не надо подрочить вприсядку? Что за дела, не
понимаю! Еле из Москвы вырвались! Я еще родную землю не
целовал!

И стюардессу смели на пути к родной земле. Неоткликающимся мудаком Добиным оказалась я, они перепутали фамилию.

Встречала меня целая делегация: сама Маша Благода, сотрудник ее офиса Сеня и невозмутимый водитель Жора, в прошлом — судовой механик.

Маша очень колоритна, и в должности своей органична. Она бывшая одесситка, красавица, пышности и размаха необыкновенных. На вопрос к ней одесских скандальных стариков, — а вы, собственно, кто? — Маша отвечает: — а я, собственно, наместник.

Она невозмутима, распорядительна, неповиновение подчиненных разит на месте одним ударом хлесткого, неутомимого и богатейшего одесского языка...

— Сеня, ты сядешь спереди, Дина сядет сзади, я тоже сяду сзади с нашей гостьей.

— Мне можно оставаться на моем месте? — хмуро спрашивает водитель Жора, глядя в зеркальце. Он в постоянной оппозиции к начальству.

Меня привозят на Ланжероновскую к какой-то роскошной, только что отделанной гостинице "Моцарт", рядом с Оперным театром, светящимся в темноте огнями... Я выхожу из машины и, раскинув руки, восклицаю: — Боже, это же знаменитое место!

— Шоб оно не стало еще более знаменитым, — говорит Жора, доставая из багажника мою дорожную сумку, — сойдите с проезжей части...

Маша поднимается со мною в номер, показать — как встречают гостей настоящие одесситы. Номер действительно превосходный, гостиница дорогая, уютно-домашняя... Я ежеминутно помню, что там, внизу, Машу дожидаются Жора и Сеня. Но ее этим не прошибешь. Маша, в отличие от меня, рождена быть начальством...

Она повествует, как Шая наш, приехав с очередной инспекцией *"за бдительность в Одессе"* душевно проговорил с ней до рассвета, после чего накатал на нее телегу в Иерусалим.

— Он у меня теперь будет гулять по Одессе один, биться лысиной о фонтаны! — обещает Маша.

Когда через час я осторожно напоминаю, что там, внизу, дожидается Жора... Маша говорит:

—...Смотри, этот жлоб получает триста долларов только за то, чтобы провезти меня в офис через Дерибасовскую, а потом в пять отвезти обратно. Я спрашиваю недавно — "Почему Миша ходит с постной рожей?" (это другой наш жлоб-водила), — "У него плохо с финансами". Я говорю: "Смотри, сейчас я сяду, и стану плакать над Мишиными финансами сидя, стоя у меня не выйдет". А он мне: — "Если уж вы ищете поплакать над финансами, поплачьте над моими". Я ему: — "Жорик, Незнанский не имеет столько времени писать свои детективы, сколько ты имеешь времени их читать... А если тебе не нравится твое материальное положение, я могу сейчас рассказать сценарий твоего увольнения: сейчас ты поднимешь мои сумки до квартиры, и, перед тем, как закроешь дверь, я скажу тебе, что завтра ты можешь не выходить на работу".

— "А сколько, вы думаете, мы, шофера, должны получать?!"

— "Ты? Нисколько! Ты уже заработал геморрой на Незнанском"...

И так далее... Ее голос перекатывается, как ручей, одна тема сменяет другую, и все — в точку, все смешно, так что я хохочу, не останавливаясь.

Наконец остаюсь одна... Время — первый час ночи... Я медленно стелю, долго, растягивая удовольствие, стою под горячим душем...

Мысль, что я — в Одессе, в легендарной Одессе, не дает мне покоя... Наконец ложусь, включаю телевизор и попадаю на одну из тех передач, которые, собственно, являются современной заменой Колизея. Они предназначены раззадорить зрителя, ублажить его какой-нибудь дракой между оппонентами, расковырять немного внутренности каждого из участников и продемонстрировать их публике... Словом, включаю, и вдруг вижу Мишу Каценельсона. Он сидит по одну сторону стола — жизнерадостный и боевитый, закидывая пряди волос со лба и заводя их за уши, — а по другую, рядом с ведущим, сидят трое характерных лиц: бородатых, угрюмых и как-то безадресно раздраженных... и минуты через полторы я догадываюсь об источнике этого раздражения. Главный их, косноязыкий, с тяжелым лицом, что-то говорит, но не владеет ни собственным языком, ни темой... Миша улыбается, перебивает, восклицает, речь его, как обычно, закручивается в такие брюссельские кружева, что, не вслушиваясь в текст, я вижу, что Миша *делает их, как хочет*, одним мизинцем — а заодно с ними и ведущего, просто потому, что никто из оппонентов, а также редакторов передачи, а также зрителей, не понимает его слов, и, следовательно, не может возразить...

Я зеваю, тянусь по одеялу к пульту — выключить этот аттракцион, но вдруг замираю, уловив несколько понятных мне слов. И если вычленить смысл, если обнажить средь Мишиных кружев простую вязку смысла, то сказанное им может звучать примерно следующим образом:

— ...к этой теме, теме потерянных израилевых колен, надо подходить с осторожностью, на ней кто только не катался и чего только ни настрочил в самозабвенном упоеньи... По мнению Талмуда, 10 колен утеряны навсегда, и никогда не вернутся, все поиски и розыски, предпринимаемые сегодня, есть не более чем погоня за сенсациями отдельных авантюристов.

Но эта легенда глубоко пустила корни во всемирный фольклор и часто используется во всяких "эзотерических" книженциях. Например, в "Баудолино" Экко тоже не преминул в группу, разыскивающую таинственную страну пресвитера Иоанна, включить еврея, естественно, раввина и, конечно же, Соломона — других ведь имен и занятий у евреев нет и быть не может! Этот раввин вместе со своими христианскими собутыльниками разыскивает пропавшие десять колен и мифическую реку Самбатион. Экко играючи соединил вместе два предания, и получается, будто десять колен живут в стране пресвитера Иоанна и, наверное, как же иначе, исповедуют там истинную христианскую веру, — то есть, по сути, уже не представляют для своего народа никакого интереса...

И далее Миша с удовольствием говорил уже вовсе непонятное о потерянных коленах с точки зрения Кабалы: мол Творец, дабы проявиться в своих созданиях, распространился в десяти свойствах, создав лестницу Его постижения...

Я зевнула и выключила телевизор.

...На другой день, перед выступлением, — а Маша сняла зал на пятьсот мест, и он — как обещает она — будет полным, — меня везут в резиденцию — местное отделение Синдиката. Это непременная часть визита. Каждый синдик считает своим долгом похвастаться перед москвичами своим хозяйством. Как правило, у всех действительно прекрасные офисы. И только мы в Москве продолжаем сидеть в своем оборонном детском садике.

Мы проходим анфиладой каких-то просторных помещений, все встают, вытягиваются, и — не скажу, что падают ниц, но впечатление такое, что весьма к этому близки. Пройдя мимо подчиненного, Маша вполголоса комментирует, представляет, рекомендует:

— Рая Фирман, весит 20 кеге в тапочках, но баба хорошая.

— Фима Крутик, хороший парень, еврейская душа, жлоб, работал вышибалой в пабе в Израиле...

И на ходу, чуть притормозив: — Рая, как папа?

Рая, одесским зачином: — Ой, он опять хочет кого-то в дом... Я говорю, — папа, ты приведешь шиксу, она отсудит квартиру, ты кончишь на скамейке... Вчера соседка завела к нему свою сестру, Клаву, хорошую женщину... Так он поставил пластинку, "Аидише мамэ", сидит, плачет... Говорит — Клава, а почему вы не плачете? — А почему я должна плакать? — Если вы не плачете как я, вы — антисемитка, Клава... Она обиделась и ушла. Так шо он уже обратно свободный мужчина...

...Разумеется, мне "показывают Одессу" по полной программе: Дюк... лестница... Приморский бульвар... Какой-то пожилой господин, приветственно машущий из окна угловой гостиницы.

— Сеня Бужерович... — говорит Маша, посылая тому воздушный поцелуй... — Приехал в Израиль лет тридцать назад, валялся на скамейках в парке — ночевал там, больше негде было. Потом — без паузы — стал адвокатом, не зная иврита, и не узнав его никогда. Он нашел нишу: права инвалидов войны. Посадил писать прошения старого еврея из Польши, и дело пошло... Довольно быстро на моих глазах разбогател. Когда встречал меня на улице, кричал: — "Люба моя! Зайди в контору!" Он был писаный красавец. Сейчас ему 75, он и сейчас интересный мужчина со слуховым аппаратом. Регулярно приезжает в Одессу, — ты видела эту гостиницу? Одна из самых дорогих... — много жертвует, ставит памятники. Привозит старых евреев-одесситов с Брайтона, из Филадельфии, из Балтимора...

...На Дерибасовской мальчик лет 17-ти, с фотоаппаратом и каким-то зверьком в руках, кричит нам:

— Молодые люди, обратите внимание! Секунда времени и память на всю жизнь!

Мы подходим. Это шиншилка, юркая, пепельно-серая, теплая...

Он мне: — Вы знаете, сколько таких вам нужно на шубку?

И мы торжественно снимаемся с шиншилкой на фоне памятника Утесову.

Наутро водитель Жора, бывший судовой механик, заезжает за мною и — так Маша велела! — на прощание *делает мне круг по Одессе*. Со мной он говорит много, охотно и откровенно, — вероятно, чувствует во мне это нежелание начальствовать. Очень самостоятельные суждения. Своеобразная лексика. Говорит не "развалили Союз", а "развалялся". Мы совершаем круг по центру Одессы, по Молдаванке — темной и облезлой, мимо синагоги Бродского, некогда великолепной, а ныне тусклой и серой, — сейчас там городской архив... Наконец Жора привозит меня к какому-то скверу. Сюда, говорит торжественно, с соответствующим *накатанным* выражением лица, — в войну евреев сгоняли и отсюда увозили в разные гетто...

Интересно: когда подобные места мне показывают чужие и рассказывают о происходившем здесь, — возможно, действительно, сочувствуя, — я не ощущаю ничего, я — камень, скорлупа моллюска, скрывающая свое пульсирующее нутро.

(Так было в Лейпциге, где милая женщина, редактор моей книги на немецком, показывала мне памятник на месте сожженной синагоги: высокий подиум, на котором рядами стояли привинченные к бетону стулья, просто — пустые металлические стулья.

Я вежливо слушала, спокойно смотрела.

Вечером, оставшись одна в номере гостиницы, вспомнила ряды этих пустых стульев и вдруг расплакалась, — жалея, что не позволила себе сесть и посидеть на одном из них).

...Напоследок — ожидание вылета в VIP-зале, в котором сидим только я и еще одна пара: молодой человек, тот самый, что летел сюда со мною, так желал припасть к родной земле и так скоро, как выяснилось, вновь ее покидал, и юная с ним, длинноногая спутница.

Он кричал кому-то в мобильник: — ну, короче, нас тут обыскивают, и типа допрос снимают... Сейчас заломят-поведут... Все, короче, — целую в десны!!!"

"...и колеблются основы земли"

На элитарную телепередачу "Ультра-литература" Марина явилась веселая, раскованная, — как всегда. После долгой прогулки по летней зеленой Москве. Конечно же, опоздала, поэтому сразу ее усадили гримироваться. Зашел ведущий, Кирильцев, предупредил: — Мы с тобой поговорим о Войновиче.

Не отрывая взгляда от зеркала, Марина сказала легко, через плечо: — А я его не читала.

Повисла пауза, как пишут в подобных случаях. Все окоченели — редактора, гример, операторы и осветители...

— Как?! Вы не читали Войновича?

— А что там? — доброжелательно спросила Марина, — ну-ка, расскажите мне быстренько, — о чем там, кто там герой? Сделайте мне ресницы подлиннее...

— Ну... как же... Ты что, не читала "Чонкина"? — спросил великолепный Кирильцев.

— Нет, а что? Ну, давайте, расскажите мне по-быстрому, а я всегда готова поддержать разговор... Мы что, передачу о Войновиче делаем? Я могу. Там — когда происходит? Война? Какая? Про что? Да вы, друзья мои, сами ничего не знаете... Забыли уже... Сделайте мне тогда румянец во всю щеку!

— Ну, там он хохмит... — наконец выдавила помощник режиссера Ира.

— Ага, это что, — нечто среднее между "Василием Теркиным" и "Приключениями Швейка"?

— Да нет... — с досадой проговорил Кирильцев. — Девочки, принесите энциклопедию...

Пока Марине делали начес и пудрили нос, кто-то
приволок энциклопедию, нервно, всей группой, искали
нужную страницу, наконец открыли ее и прочли, что знаменитый роман Владимира Войновича "Чонкин" по лите-
ратурному своему исполнению представляет нечто среднее между "Теркиным" и "Приключениями Швейка"...

. . . .

Я в это время сидела на террасе кафе, в скверике перед
консерваторией, где мы договорились встретиться. Большая Никитская улица — плотная, неширокая, очень по-
столичному насыщенная, кипела пешеходами, машина-
ми, велосипедистами.

Я пила чай без сахара и разглядывала купол церкви на-
искосок напротив — звездчатый, как елочная игрушка... И
думала о том, что торцы старых домов — желтые, осыпаю-
щиеся известкой и осколками красных кирпичей, — на всех
этих Масловках, Мясницких, Пятницких, Ордынках, — ра-
зоблачают тайны квартир. Словно разрезали дом гигант-
ским ножом, а на срезе — окна не вровень, а вразнобой, одно выше, другое ниже... как разбросанные по столу карты...

За соседним столиком сидела целая компания.

Женщина, по виду японка, обернулась и спросила у
приблизившейся к ним девушки в длинном черном, явно
концертном платье... — ...Отыграла?!

Мне одного взгляда на нее, на этот багровый желвак
слева на шее достаточно было, чтобы определить — на каком инструменте она "отыграла". Родимый знак скрипа-
чей, родимое уродство цеха... Девушка была хрупкой, чер-

{382} новолосой, очень красивой, несколько сутулой. Облокотившись на перила террасы, она тихо и освобожденно
улыбалась, положив щеку на сгиб локтя. Несколько минут
что-то неразборчиво для меня они обсуждали, я не прислушивалась...

Странно, что и спустя двадцать пять лет после расста-
вания с моим ремеслом, все это — всех этих людей, бурля-
щую и бубнящую музыку из окон, я до сих пор восприни-
мала как свою братву, своих людей, мой цех...

Наконец явилась Марина, и мир вокруг, — как обычно, —
сразу удвоился, расцветился, раздался и одновременно —
как под линзой — *выпер*, — мы стали спускаться вниз по
улице, и сразу перед нами, за нами и вокруг нас закружи-
лись сумасшедшие старухи и бомжи, замелькали по правому и левому борту "кислотные", как говорят теперь, юнцы
и юницы с оголтелыми физиономиями.

Первой — набежала, как волна, растрепанная баба в
шароварах из материи в турецкий огурец.

— Вы не знаете где акции? — тревожно-умоляюще
воскликнула она. — Где здесь продажа акций?

И не дожидаясь растерянного нашего ответа, устремилась дальше. На углу висела реклама "Продажа..." — но
не акций, а авиабилетов. Кстати, за углом, на Большой Никитской, к дверям одной забегаловки вынесли треногу, на
которой было-таки вывешено: "Акция — Японский ланч".
Но и это была, скорее всего, не та акция. Улица кренилась,
растягивалась и строила рожи, как в кривых зеркалах.

Это проверенный эффект: просто мы с Мариной вышли на охоту. И весь мир подготовился, выстроился, рас-
селся на лучших, передних местах — поглазеть на нас вво-
лю, — мир безошибочно чувствует клоунов.

Словом, мы шли, а они так и сигали мимо — по оди-
ночке, парами и стайками, словно просились на страницы
ненаписанных еще книг. Мелькнула старуха в каракулевой

шубе — это в сентябре-то! Потом сзади, с громкими криками: — Скотина, скотина еврей Кац, — ты такой же мэр, как я пьяная! — с нами поравнялась и обогнала нас совершенно пьяная, на опухших старых ногах, с седой стрижкой учительницы младших классов на пенсии (а может быть, она и была учительницей младших классов на пенсии?) фурия. Затем проскакала девица в колготках, алых, как вечерняя заря перед дождем...

Неожиданно по правому борту возникла ослепительная витрина очень дорогого магазина ковров; Марина толкнула дверь и затянула меня внутрь.

На полу и на стенах красовались персидские ковры авторской работы — ни одного повторения, каждый тысяч по пять, по семь "зеленых". И как бывает в таких никчемно-роскошных бутиках, — к нам сразу устремились трое предупредительных молодых людей, до той поры в полной нирване блуждающих средь ковров, как юные восточные принцы по дворцу падишаха.

Мы немедленно подхватили "оп-ля!", — Марина предъявила свой бессрочный пропуск в колумбарий Ваганьковского кладбища, молодые люди уставились в него, переглянулись и растерянно посторонились... Мы ринулись в просторы радужного ворса, всячески показывая, что не прочь подыскать штуку-другую вот этих вот, — для своих загородных вилл...

Марина остановилась над стопой волшебных ковров-самолетов, расстеленных на полу, принялась ахать, припадать к ним, как мусульманин в молитвенном трансе, нежно гладить ворс и объяснять мальчикам — сколько тут узелков в узоре, и какая техника, и как достигается такой размытый нежный цвет, — мол, ковры моют в семи водах, — ну, и прочие глупости.

Мальчики тоже опустились на корточки и, стремясь понравиться таким тонким ценителям, стали заворачивать ковры, как блины, один на другой, — чтобы показать расцветку еще одного, и еще одного... и вот, еще того, что под ним... А уж вот этого-то!.. И после каждого такого заворота, когда распахивалась нежно-палевая с бирюзой, или сине-бордовая, с райскими птицами, или кремово-розовая, с алым медальоном, тканая гладь, мы с Мариной долю секунды держали паузу, потом издавали протяжный стон, волнующе-восторженный вопль; то вскакивали и отбегали на шаг-другой, как живописец, оценивающий положенный на холст мазок, то вновь опускались на карачки, как мусульмане на хадже, припадали ладонями к нежной щетинке, к шелковым разводам, охали, томно вздыхали, закатывали глаза, качали головами, помавали руками...

Наши плутовские физиономии профессиональных коверных озарялись все новыми и новыми отсветами райских узоров на павлиньих хвостах...

— Вот, пожалуй, этот — в залу... — говорила мне Марина громким полушепотом...

— Нет, — возражала я горячо, — в залу больше подходит малиновый с колокольцами. А тот, с розовыми фазанами, — в кабинет...

Кажется, если б в момент распростертого нашего восторга один из ковров поднялся вдруг в воздух, унося нас обеих к чертовой матери, мальчики совсем бы не удивились.

В завершение заложив еще один вираж по этому зачарованному царству радужного ворса, в котором, разумеется, никогда ничего не собирались покупать, и самым величавым образом распрощавшись с юнцами, две моложавые дамы — престарелые опытные комедиантки, — отчалили в дальнейший круиз по Тверскому бульвару...

Ежегодный грандиозный *Слет синдиков* в этом году начальство собрало в Минске. Это была старая добрая традиция — свезти в какой-нибудь недурственный отель все коллегии из стран бывшего СССР, ухнув на трехдневные бдения, обеды, экскурсии и банкеты страшные, непредставимые деньжищи...

Первое время я, со свойственной мне убогой мелкой хозяйственностью, пыталась выяснить у Яши — зачем Синдикату такие гигантские траты и почему бы не потратить деньги толково, с пользой для дела. Отвлекаясь от какого-нибудь докладчика, который открывал новые, неизвестные мне доселе данные, я снова и снова приставала к нему с идиотскими вопросами:

— Ты слышал? — в странах Азии и Кавказа проживают 50 тысяч имеющих *мандат на Восхождение*. — Я придвигала к себе калькулятор и — нерадивая ученица Маши! — принималась по нему щелкать... — Все, работающие там синдики, получают за год около полумиллиона зарплаты. Если разделить эту сумму на каждого, проживающего там *потенциального восходящего*, получим около 10 тыс. долларов на человека. Дайте людям эти деньги, и они немедленно помчатся покупать билеты на самолет. Почему это не делается?

— Неинтересно же, — объяснял мне Яша. — Пропадает элемент игры.

К тому времени я уже привыкла проплывать мимо этих многочасовых заседаний в огромных аудиториях гостиничных комплексов, пропуская мимо ушей отчеты, доклады контролеров, перспективные планы и прочие заморочки, не имеющие к нашей работе в Москве никакого отношения...

Обычно мы сидели рядом с Яшей, тихо переписываясь и шепотом обсуждая разные вопросы. Я даже не заглядывала в листочек программы.

— ...Погоди, — сказал вдруг Яша, прослеживая взглядом фигуру высокого, седого неприбранного с виду человека, идущего к кафедре. — Знаешь, кто это? Профессор Гедалья Бакст — эколог, демограф...

— Ну, это совсем худо. Все экологи и демографы страшно портят настроение.

— Этот — классный мужик! Он читал у нас на курсе... — и отмахнулся. — Погоди, потом... Сейчас он всем вломит, мало не покажется...

Действительно, профессор Бакст начал свое выступление с места в карьер, сразу же посадив двух предыдущих докладчиков пренебрежительным замечанием о полной их неспособности оценить ситуацию в стране. Говорил он грубости рявкающим тенором, не заботясь о выражениях, неприлично тыча пальцем в зал, попеременно в каждого из начальников:

— ...Бедуины покупают себе арабских женщин в Газе, их роды записывают как роды законной бедуинской жены, — она приезжает рожать с документами той, после чего весь обширный клан получает денежное пособие от государства Израиль на всех этих детей! И никто из врачей не удосужится проверить компьютер и убедиться, что некая жена бедуина в этом году родила уже четыре раза! Сядьте и проверьте базы данных в Институте национального страхования! Я проверял, глаза мои лезли на лоб: сотрудники этого института, мои приятели, ухмыляясь, рассказывают, как анекдот, о некоем покойном ныне бедуине, чья разветвленная семья уже без него самого стоит государству Израиль 60 тысяч шекелей ежемесячно!!! А я, осел, плачу из своего кармана налог на эту семейку!

Он выкрикивал, как пророк Исайя, грозные обвинения, предрекая, — как и положено пророку, — скорый апокалипсис. Его интонации, его грубость и почти физически ощущаемая душевная боль так мне кого-то напоминали!..

— За последние два месяца 70 тысяч арабов из окрестных сел, узнав о строительстве защитной стены от террора, мгновенно перебрались в Восточный Иерусалим! Как вам нравится эта демографическая динамика?! А иностранные рабочие?! В Израиле триста тысяч иностранных рабочих, и

сейчас уже ясно, что они никуда не уедут! У них уже родились здесь дети, чей родной язык — иврит! Они учатся в
гимназии Бялика!!! И главное, все эти дети хотят пить, а
воды не становится больше! Можно только представить,
что будет через двадцать лет с водой, воздухом, окружающей средой, наконец! С геологическим слоем... впрочем,
мне лично уже будет все равно, к тому времени я сам стану
геологическим слоем!!!

Черт возьми, думала я, а может, он и есть — Азария? Может, он взял себе это имя, чтобы анонимно высказать все,
что думает обо всех этих людях, о стране, о своих сопле-
менниках? Но — почему все это — мне? Что же я могу? Я-
то? Что я могу?!

В холле гостиницы "Минск" выступал дуэт: арфистка ак-
компанировала певцу — совсем юному мальчику. У него
был прекрасный тенор, и это очень шло к его внешности
скворца — с острым клювиком, круглыми глазами, медленно закрывающимися пленкой, к белой сорочке на вы-
пуклой грудке. Он пел "Санта Лючию", улыбаясь, поводя
клювиком...

...После ужина, заскучав, Яша спустился в бар... Из компании девочек, подкарауливающих клиента, к нему за стол
подсела высокая, тонкая, явно за тридцать, женщина. В
былые времена он легко шел на подобные приключения,
которые часто перерастали в полуприятельские связи... Но
здесь, под недреманным оком главы департамента *Бдительности*, он обязан был хранить кристальную верность
делу *Восхождения*.

     Но не мог же он турнуть даму, подсевшую к нему за
стол... К тому же черты лица этой, остервенелой на вид,

брюнетки, наводили на мысль о возможном у нее наличии *мандата на Восхождение*... Яша оглянулся и, конечно же, увидел за стойкой бара Эдмона, равнодушно поглядывающего на него сквозь высокий бокал с каким-то безалкогольным коктейлем.

И он разозлился. Заказал даме пятьдесят коньяка. Хрен с ними, скажет потом, что проводил беседу с *потенциальным восходящим*...

Она, как это ни странно, вела себя довольно вызывающе для курочки, которая хочет залучить петушка... Он все понял, когда, так же вызывающе, она объявила, что сама полученка, полуосетинка. Подрабатывает здесь. Дома — муж, сын. Дома, конечно, не знают, чем она здесь занимается. Яша поставил ей еще коньяку, и она стала откровеннее.

Яша умел разговаривать с этими птичками просто потому, что никогда не считал их ниже себя, потому, что встречал среди них отличных девок — душевных, надежных, потому, что понимал их, и часто нанимал — позировать. Это было вечное сочувствие художника к полуголодной шлюшке-модели...

Выпив вторую рюмку, она потеплела лицом, глаза оживились... Стала рассказывать: вот так и живет здесь.

— Прямо здесь, в отеле? — спросил Яша.

Да, прямо здесь. Мазу держит милиция. В день она платит милиционеру 50 долларов и за номер в гостинице — 50. Итого, вынь да положь сотню в день. Вот вчера, говорит, был пустой день. Ну, потеряла сотню. А позавчера заработала 300. Минус сотня, двести — чистый заработок. А заработать ей нужно 5 тыщ. Две у нее уже есть.

— Почему именно пять тысяч? — спросил Яша.

— Дом для сына строю, — ответила она. — У нас там примерно эти деньги нужны на дом...

Она поинтересовалась — откуда Яша, он сказал — из Питера. Правила департамента *Бдительности* он знал неплохо. На Эдмона не оборачивался, просто спиной чувствовал, что уже оба они — и Шая тоже, — торчали у выхода, на случай, если Яакова заманят и вознамерятся брать в заложники...

Яша заказал рыбный салат на двоих, еще по пятьдесят коньяку, они с Анджелой выпили (имя она, конечно, придумала...), он стал расспрашивать о жизни там у нее, дома... о событиях последнего времени.

Она сказала:

— Зря сунулись в Афганистан. Не надо затеваться с исламом. Плохо будет. Не стоит трогать ислам!

Яша, все еще помня правила *Бдительности*, осторожно заметил что-то о методах ведения войны мусульманами, об их излюбленной манере — резать головы пленным гяурам.

— Так мы же сначала предлагаем принять ислам! — запальчиво возразила она.

— А вот ты, — спросил Яша, — если б тебе предложили христианство принять, — ты как, согласилась бы?

Она искренне удивилась:

— Конечно! Можно согласиться, а потом опять молиться своему богу. Жизнь же дороже! А если ты такой дурак, что тебе жизнь недорога, так поделом тебе: голова с плеч!

Потом она уже прилично захмелела, стала слишком громко рассказывать о своей жизни, жаловаться, убеждать Яшу подняться в номер. Он оглянулся на входную дверь. Стоят... Маячат...

— Нет, детка... — вздохнул он... — Ты не гляди, что я такой здоровущий на вид... Я знаешь какой больной... Ужас!

И она смирилась с убытком на этот вечер. Яша еще поставил рюмочку, решив, что насрать ему на этих героев там, за дверью... Слушал сбивчивый рассказ неюной женщины о жизни в бывшей республике Союза ССР... Вот, говорила она, вот до чего вы, русские, нас довели...

И когда, назло стоящей в сторонке *нашей хунте*, он проводил ее до лифта, напоследок она сказала ему:

— Я рада, что наконец-то нашла такого русского, чтобы высказать ему в лицо все, что о вас думаю!

...В холле все еще пел скворец под аккомпанемент арфистки. Даже сидя, та выглядела высокой: спина натянута, как струна. Ладонью она успокаивала струны арфы... Странно, подумал Яша, за всю свою жизнь ни разу не встречал некрасивой арфистки. Все они были хрупкими и статными одновременно, со строгим лицом и сильными руками старательной прачки...

. . . .

Microsoft Word, рабочий стол,
папка rossia, файл sindikat

"...непременный "экшн" любого гранд-слета синдиков, где бы тот ни проходил — торжественная Церемония поминовения жертв.

Это удобно: наша история в середине двадцатого столетия сложилась таким образом, что чуть ли не в каждом лесу вы наткнетесь на какое-нибудь кучное захоронение от десяти — чего там мелочиться! — до ста, а то и больше тысяч народу. Так что гранд-слет можно назначать, вслепую ткнув пальцем в карту...

В Минске это знаменитая "Яма" — нечто вроде киевского Бабьего Яра.

Нет ничего более унылого, более для меня принужденного, чем эти церемонии. Сентябрь, слякотный, мелко моросящий дождем день, чиновные бонзы Синдиката; впереди и позади автобусов — нанятый эскорт милицейских машин; казенные венки, фальшивящий хор девочек местной еврейской школы; высотный жилой дом, так буднично, так пошло громоздящийся на краю ямы, и несколько жителей, с любопытством глядящих из окон на толпу евреев внизу.

Все было собрано, все согнано так, чтобы и эта церемония прошла обыденно и сухо, как все вообще человеческие церемонии с установленным каноном.

Но вышел раввин, стал читать простуженным голосом "Изкор"[1], потом "Эль меле рахамим"[2], девочки запели слабыми голосами какую-то молитву, и — готово дело: все это замкнуло во мне мгновенно хороводом желтых листьев в сером тяжелом небе, отчаянным, страстным, обморочным порывом любви ко всем этим моим братьям и сестрам — и тем, кто упал здесь под головокружительной каруселью голых ветвей, и тем, кто стоял сейчас, бормоча "Амен" перед лицом полной неизвестности в самом ближайшем будущем...

И горло сжалось от безнадежной этой, обреченной любви.

Что это? Что это? Откуда это во мне, к чему, и когда все это кончится?.."

....

Из Минска вернулась я вечером, и хоть очень устала, сразу полезла под душ. Все-таки вода лечит, производит, как в старину говорили, — умягчение злых сердец...

Потом долго сушила волосы, и крики поначалу не слышала из-за ровного гудения фена... И только когда Борис заколотил в дверь ванной кулаком, я испуганно выдернула штепсель из розетки.

— Мама!!! Выходи!!! — кричали они оба. — Горим!!!

Я выскочила — в халате на голое тело, босая... Дверь на лестничную клетку была распахнута, оттуда в квартиру валил едкий вонючий дым. Борис набросил на меня плащ, я поймала ногами какие-то его сандалии, Ева схватила бело-голубую тряпицу своего флага... Втроем мы скатились вниз по лестнице, вылетели из подъезда. Там уже толпились со-

1 Изкор — молитва "Вечная Память" (*иврит*).
2 "Эль меле рахамим" — молитва "Господь, исполненный милосердия" (*иврит*).

{392} седи из всех подъездов, стояла пожарная машина... — знакомая, в общем, картинка...

— Гос-ссподи!!! Кончится это когда-нибудь?! — надрывно крикнула рядом со мною соседка с третьего этажа, та самая, с которой я столкнулась в лифте в первые дни. Все мы стояли, в чем придется. Дочь, обернутая в свой штопанный израильский флаг, тряслась мелкой дрожью рядом...

— Вон он!!! Во-о-он!

— Где?! — вскрикнуло несколько голосов.

— Где?! Где?!

— Да вон побежал, вон, за углом!

Несколько мужчин бросились куда-то за угол, где рядом с клиникой "Дента-вита-престиж" всегда стояло множество машин... Но вскоре вернулись ни с чем... Мерзкий мальчонка опять улизнул...

Часа через полтора нам позволили войти в дом. На месте лифта зияла черная дыра, прогорела насквозь вся шахта. Я дрожала от холода и явно уже простудилась, — иначе меня невозможно было бы загнать в эту смердящую душегубку. Измазанные летающей в подъезде гарью, мы поднялись к себе, раскрыли все окна и двери...

Зазвонил телефон.

— Возьми трубку! — крикнула я дочери из ванной. — Только глянь на определитель.

— Мама, тебя...

Я подошла. Это был певец из Нью-Йорка, Фима Долгинцев, исполнитель идишских песен, он должен был на днях выступать в Москве на нашем концерте, посвященном еврейскому Новому году.

— Миленькая... дорогая... — проговорил он каким-то странным, насморочным голосом. — Вы понимаете, что я не смогу вылететь...

— А что случилось, Фима?! — воскликнула я. — Вы заболели?

— А вы разве еще не знаете? — спросил он, словно в обмороке. — Включите телевизор. — И повесил трубку.

Я включила телевизор и попала на кадры одного из тех тупых боевиков, снимаемых в студиях на макетах, которыми уже объелись даже подростки: в башню небоскреба на полном ходу врезался самолет и пробуравливал ее насквозь, так что от башни, как от торта, отваливался аппетитный кусок и валился вниз с хвостом чернобурки... Я принялась скакать по каналам, пытаясь хоть где-то поймать новостную передачу. Но повсюду почему-то гоняли именно этот идиотский боевик...

Когда-нибудь они доиграются со своими апокалиптическими компьютерными съемками, раздражаясь, подумала я, они научат кого надо — что делать с цивилизацией...

...пока наконец не поняла, что это и есть — новости. Новости нашей несчастной безумной эры. Новости нашей цивилизации.

Я завопила. Прибежали мои...

Мы стояли рядышком перед телевизором, я — босая, в халате, с феном в руке, дочь — завернувшись в истрепанный мятый флаг истрепанной мятой своей страны, — не в состоянии хотя бы сесть; стояли, как новобранцы, которым командир не дает команду "вольно!", стояли, и молча смотрели, как все падал и падал кусок башни, валился набок, заваливался, дымился и горел, как в бок ее вонзался смертельным перышком самолетик, и вновь все падало, дымилось, горело... как взбесившийся Программист все множил и множил файлы этой зловонной разлагающейся туши, — нашей Великой цивилизации...

Зазвонил телефон, мы наперегонки бросились к трубке, не глядя на определитель. Я успела схватить ее первой.

Это был Ревердатто. Почему-то он пел — довольно чистым и даже приятным голосом какую-то мелодию неуловимо-сталинского пошива... Я страстно его обматерила, он закудахтал и стал изображать горлом что-то рокочущее. Я бросила трубку.

— Узнаешь, что он пел? — спросил Борис, который стоял рядом и слышал громкое пение нашего шизофреника.

— Что-то знакомое...

— Ну, как же! — мрачно усмехнулся мой муж. — Песня-то известная, историческая... "А вместо сердца — пламенный мотор!"

...Я поплелась к компьютеру, потыкалась, как слепой котенок, "мышкой" в почтовую программу, обреченно увидела на строке знакомое имя. Что, что на этот раз отыщешь ты в наших провидческих книгах, мой вопящий пророк с белыми от ужаса глазами?

"...но сказал: чахну я, чахну я, горе мне! Изменники изменяют и изменнически поступают изменники. Ужас и яма, и тенета на тебя, житель земли! И будет, бегущий от крика ужасного упадет в яму, а выбравшийся из ямы будет пойман в тенета, ибо окна в вышине раскрылись и колеблются основы земли. Сокрушена будет земля, разбита будет земля вдребезги, содрогнется земля! Зашатается земля, как пьяный, и затрясется, как шалаш, и отяготит ее грех ее, и падет она..."

Я встала и поплелась в спальню... Рухнула в постель, завалила голову подушкой...

...и звала, звала к себе свое море... свои базальтовые плиты под прозрачной зеленоватой водой... свою финиковую пальму, встряхивающую гривой, будто она плыла мне навстречу... вставала над водой и снова уходила под воду, и все стремилась укрыться в толще воды, нырнуть поглубже, спрятаться от этого мира... Она всплывала... погружалась... всплывала... погружалась...

Всплывала и погружалась под воду...

Конец второй части

ЧАСТЬ ТРЕТЬЯ

"Христианский бог — еврей,
В его голосе звучат слезы.

Мусульманский бог — еврей,
Кочевник с голосом хриплым.

И только еврейский бог — не еврей...
...Он родом из будущего, из абсолюта,
Абстрактный бог, не идол, не дерево и не камень"

Иегуда Амихай

"Все слова утомляют"
"Екклесиаст", 1:8

В начале октября разразился скандал в одной из крупных страховых компаний, работающих с Синдикатом последние лет сорок.

Медицинская страховка возмещала синдикам расходы на поддержание пошатнувшегося здоровья. Кроме, разумеется, лечения зубов — резцов, клыков, вставных челюстей и прочего черепного антуража — клац-клац! Но синдики выходили и из этого положения — клац-клац! ("А для чего у тебя такие большие зубы?" — "Для страховой компании, малышка, клац-клац!!!")

Делалось это просто: на справке, выданной дружественным и понимающим врачом, должно было быть написано что-то вроде: "воспаление полости рта"...

Почему-то все синдики лечили зубы у мужа одной из российских сотрудниц Синдиката. Считалось, что он хороший врач — может быть, потому что был неоправданно дорог. К тому же все-таки "свой".

Короче: этот зодчий, перекинув мост через пасть доктора Панчера, в справке, выданной ему, написал: "флегмона левой ягодицы", а через неделю, выдрав четыре клыка из пасти апостола Гурвица, написал тому "флегмона правой ягодицы". Эти листики журавлиным клином полетели в бухгалтерию Центрального Синдиката, откуда своим по-

{400} рядком пересланы были в страховую компанию, где некий ушлый сотрудник удивился столь поразительной симметрии боевых свершений этих, раненных в жопу, полковников... Были потревожены еще кое-какие бумаги... Запахло жареным... Повалил густой и удушливый дым... Синдикат залихорадило, причем, с головы: буквально недели через три сняли Штока, пламенного Гедалью Штока, траченного лишаями патриция, больше всех взывавшего к ответственности и самоотверженности в работе.

В нашей тяжелой работе.

Яша в это баламутное время как раз оказался в отпуске и, как положено, в один из дней явился в Синдикат — для отчета и выслушивания свеженьких идей иерусалимского начальства. Он-то и рассказывал мне, предварительно плотно прикрыв дверь моего кабинета, о том, как расходились после скандального заседания члены Контрольной комиссии...

Одни были просто очень богатыми американцами. Другие — немыслимо богатыми американцами... Завершая процессию, из конференц-зала вышел — кто бы ты думала? — Ной Рувимыч Клещатик, а за ним выскочил Мотя Гармидер, тоже оказавшийся в Израиле по делам, для встречи с одним из американских покровителей. Они с Яшей обнялись, и Мотя шепотом пересказал новость про Штока... Кстати, в коридоре Штока ожидала его зазноба из Дзержинска, куда переправлял он огромные суммы. Эта женщина (наша бывшая Большая Семейная Тайна) смиренно сидела поодаль на стуле — так у дверей "Гастронома" ожидает хозяина привязанная собака.

— А эта что здесь делает? — кивнул в ее сторону Яша. — Разве она имеет право присутствовать?..

— Имеет! — оборвал его ухмыляющийся Мотя. — А если б ты умел делать минет, как она, ты бы тоже присутствовал везде, а не только в детском садике за колючей проволкой... — это он договаривал уже на бегу, потом крикнул в конец коридора: — Ной Рувимыч! Если обедать, так только в "Симе" — пупочки-сердечки-печеночки с жареным лучко-о-о-м!!!..

...Так что, в связи с некоторыми событиями, на нас одна за другой валились разнообразные комиссии, каждой из которых необходимо было демонстрировать размах оголтелой нашей деятельности, втолковывать — на что идут огромные американские средства, объяснять, что без нас здешние евреи закиснут, уснут, обездвижат и никогда не поползут *восходить* самостоятельно...

Мне же оставалось только благодарить свою счастливую наследственность по отцовской линии: что-что, а стоматологические заботы у нас в семье возникают после семидесяти...

Сидя в "перекличке" в ожидании очередной комиссии, Клава нервничал и поэтому много шутил. Сначала он преследовал выписывающего по комнате кренделя Мишу Панчера, прицельно гуляя огоньком лазерного фонарика по его заднице и уверяя, что обязан вылечить тому флегмону до приезда комиссии.

— Доктор Панчер, — бурчал Клава, — им понадобятся твои здоровые ягодицы. Они будут трахать тебя не за страх, а на совесть...

Потом пустился в гастрономические рассуждения... Достаточно заглянуть в холодильник каждого из синдиков, сказал Клава, чтобы все понять о его характере. У Джеки можно найти только макароны, холодные, как яйца покойника... У Петюни холодильник вообще пуст, как ограбленная гробница, когда его открываешь, кажется, что он хочет тебя поглотить. И только ряды бутылок разной наполненности стоят, как кегли, в ожидании броска... Дина вот уже два года увиливает от того, чтоб пригласить меня в гости, и я подозреваю, что она держит в холодильнике освежеванную тушу убитой ею Клары Тихонькой, что-то давненько та не просит денег, пора б уже объявить розыск... У Изи холодильник полон, сам видел, — но чем, о Боже?! Окорочка, аппетитный шмат сальца, вареные раки, свиные отбивные... — хорошенький набор для еврейской сам... фик..ции... А Яаков? Яаков каждое утро варит манную кашку для дочерей. Вы видели его дочерей? — худенькие, робкие, настоящие ангелочки, — сердце сжимается! Яаков, отпускай их гулять только с гувернанткой...

Затем он принялся рассказывать — что приготовил вчера на обед, на который пригласил главу *УЕБ*а Биньямина Оболенски, с женой и племянником. Минут тридцать перечислял блюда с подробными объяснениями... Я громко ахала и закатывала глаза, зная, что это доставляет ему удовольствие. Баба Нюта встречала, поправляя его, препираясь — когда следует добавлять лаврушку в *марак-кубэ*... от чего Клава на мгновение сатанел, потом принимался перечислять дальше...

— У меня много кулинарный книга, — сказал он мне хвастливо, переходя на русский. — Когда ты идешь читаешь Пушкин, я читаю кулинарный книга... И я не держу в тайна своя рецепты, зачем? Все волшебство — в пальцах, в носе, в любви... Пожалуйста, могу рассказать, как делаю жаркое из оленины... Беру нежная корейка оленины, обжариваю, добавляю базилик...

...Наконец привезли группу американских контролеров. С ними же явился Ефим Кашгарский, русский журналист из Израиля, направленный из Центра для выступления. Тамошние мудрецы полагали, что тот сможет адекватно отразить сегодняшнюю политическую ситуацию в Стране и диаспоре и поддержать в глазах американцев авторитет московской коллегии Синдиката... Но все мы —

едва увидели эту харю — засомневались в успехе предприятия.

Накануне у него вынули два передних зуба (учитывая семейные синдикатовские беды, это могло бы показаться оскорбительным намеком), и в моменты речевого возбуждения слюна прыскала изо рта сквозь зияющую дыру, как из небольшой клизмы. Шестиконечная золотая звезда запуталась лучами в жестких кустах на груди; несвежая майка, залитая позавчера на брюхе кетчупом в популярной московской забегаловке "Печки-лавочки", спускалась чуть не до колен. Он явился в чем приехал из Израиля: в шортах и кибуцных сандалиях на босу ногу. И в пальто, которое ему одолжили сердобольные знакомые, поскольку в Москве начинались ранние заморозки.

Наши интуитивные опасения подтвердились, как только он открыл рот. Без особых предисловий, он начал с необходимости трансфера палестинцев и с проклятий американским псевдолибералам.

Яша, обязанный переводить его дословно, делал глаза, наступал ему на кибуцный сандалий, тянул за шорты, дергал за майку, цедил: — Ефим, вы понимаете, что я должен переводить вас как есть?

Тот отвечал злорадно: — Вот-вот, переводите! Я сейчас скажу им все, что думаю!

Американцы застыли, и только один из них хватался за голову, надрывно повторяя тезисы Кашгарского:

— Трансфер?! О, май га-а-д!! Убийство Арафата?! О, май га-а-ад!

Все было напрасно. Тот закусил удила, кричал, что высылать надо не только палестинцев из Израиля, но и американцев отовсюду, а то обнаглели, сволочи, решили, что могут миром командовать, кричал, что надо их мордой, мордой в их же собственное дерьмо! И отлично, что полетели их башенки! — наконец они поймут, как чувствуют себя израильтяне на улицах своих обескровленных городов!!!..

Яша переводил что-то вроде: руководству Соединенных Штатов следовало бы пересмотреть свою позицию по вопросу борьбы с... — и так далее. Но и это было слишком дерзко для американцев. Американцы околевали от ужаса.

Клава тоже околевал от ужаса, так как знал русский и понимал, что Яша спасает Синдикат, висящий над пропастью. Словно каскадер, держит его за шкирку зубами, также изнемогая от ужаса. Да и все мы, вытаращив глаза на террориста Кашгарского, боялись шелохнуться.

Вполне ощутимые облачка этого, выдыхаемого всеми, едкого ужаса носились под потолком, сбивались в тучи и грозили просыпаться побивающим градом, да простится мне это высокопарное сравнение.

Закончив свою обличительную речь нового пророка, Кашгарский обтер шею грязным носовым платком и сказал: — Уф! Ну вот, высказал — и полегчало...

— Ах ты, сука, — тихо сказал ему Яша, улыбаясь американцам.

А я подумала — не эта ли тошнотворная рожа вот уже два года шлет мне обличительные письма под библейским псевдонимом?

....

Из "Базы данных обращений в Синдикат".
Департамент Фенечек-Тусовок.
Обращение номер № 6.249:

Старческий тенорок:

— Алле, дорогие? Меня слышно?.. Я насчет корабля по Волге... Алле! Слышно меня, уважаемые господа? Нет? Дорогие, уважаемые, слышно меня?.. (себе, вполголоса)... Ни черта не слышно... Нет никого... Все брешут! Аферисты... бездельники...

"...сегодня вспоминала об одном нашем родственнике, в сороковые годы отсидевшем на полную катушку в лагерях и тюрьмах. В лагерях ему, разумеется, было чем заняться. Он уверял, что самыми тяжелыми были не лагеря, а два года в тюрьме. Чтобы не спятить, каждый вечер он порол свою рубашку. А с утра сшивал ее вновь. А вечером порол опять половинкой лезвия бритвы, которое ему как-то удалось пронести через все проверки. Вечером порол, каждое утро опять сшивал. Это помогало организовать мысли, говорил он.

Я просыпаюсь в три часа ночи и до утра принимаюсь перебирать все, что необходимо сделать за день. Мысленно называю это "постирушкой".

Порой мне кажется, что в моей жизни не было ничего и никого, кроме Синдиката, — *обращений*, Галины Шмак с газетой "Курьер Синдиката", Ной Рувимыча, семинаров, концертов, приемов, конгрессов, комиссий и бесконечной вереницы персонажей, каждый из которых мог бы стать героем повести или романа, и многие из которых уже всучили мне рукописи своих воспоминаний, или как говорят они обычно, — "пробу пера"...

Чего стоит одна только христианская "Твердыня Веры", с твердолобым упрямством разыскивающая евреев повсюду, куда ступала и не ступала нога человека. На днях в Синдикат явился Павлик и ликующим голосом сообщил, что в Ненецком автономном округе обнаружен северный еврей. Он ездит на собаках, воспитывает одиннадцать детей от двух жен, ест сырое мясо... Надо срочно помочь ему *взойти*, призывал Павлик, вместе с женами, оленями, собаками и санями...

— А чего ему на Севере не сидится? — поинтересовалась я, — если уж он так пророс в их гостеприимный грунт?

— ...антисемитизм давит! — воскликнул Павлик. — Много еще антисемитизма, слепой ненависти. А ведь в Писании сказано: за полу одного еврея уцепятся десять неевреев. И спасутся!

Иногда я серьезно опасаюсь за свой рассудок. И есть чего бояться: в истории Синдиката было немало случаев помешательства синдиков. Куда уж дальше ходить: на днях срочно эвакуировали из Самары Кузю Кавалерчика — бедняга допился до белой горячки. Вообще оказался слишком тонким и нервным. Под впечатлением инструкций Шаи и при постоянных возлияниях в одиночестве над Волжской ширью (я вспоминаю красивейшую *пойму*) — он спятил.

Я видела эту неприглядную картину в кабинете у Клавы: почерневший от пьянства, небритый, подпрыгивающий на стуле и топочущий ножищами, Кузя орал безостановочно: — Ребята, меня захватили террористы! Меня держали в плену, меня пытали! Меня пытали, ребята, но я ничего не сказал и никого не выдал! Потом они отрубили мне вот эту, вот, руку и выбросили в окно!! И тогда я бежал!!!

Мы стояли вокруг него — вся московская коллегия, — потупив глаза, лицемерно качая головами и вздыхая, и только по-настоящему сердобольный Яша время от времени давал Кузе оплеуху, и тот, почему-то удовлетворенный, умолкал... Словом, мы еле дождались, пока приехала "скорая" и Кузю в сопровождении Эдмона уволокли в аэропорт...

В Синдикате вообще происходит черт-те что: чуть ли не каждую неделю на *перекличках* Клава заводит разговор о сокращении штата, и наряду с этим поговаривают, что пришлют еще одного синдика — для анализа ситуации. Во дворе трое алкоголиков возводят странное и опасное сооружение — без чертежей, без инженера, без слез, без жизни, без любви...

Яша называет его то собачьей будкой, то теремком, то сарайчиком, то сауной... и уверяет, что при строительстве не соблюдаются никакие нормы, в том числе противопожарной безопасности, что будка может вспыхнуть в любой момент от чего угодно — от обогревателя, от сигареты, от матерного

слова... — короче, пророчествует о грядущих ужасах. И у {407}
меня нет причин ему не верить: все-таки Яша в свое время
закончил МИСИ — инженерно-строительный институт...

Наш бравый-солдат-швейк Клава не может заниматься
каким-либо вопросом больше полутора минут, он начинает
нервничать...

Когда Яша открыл ему, что в будку во дворе нельзя поместить людей во избежание смертельной опасности, он напрягся, побагровел, вызвал Петюню, который немедленно
принялся юлить и врать, и косить набок вороний нос...

Не волнуйтесь, сказал он, вот уже я звонил пожарным,
они приходили и... и осмотр помещения вселил в них опти-
мизм... Лучше, говорит, послушайте анекдот...

К тому же, на днях обнаружилось, что новое помещение
не предусматривает наличия туалетов. Эта скандальная ситуация выяснилась на одной из *перекличек*. Петюню взяли за
жабры, он сник, погрустнел и задумался...

— В конце-концов, — наконец сказал он, — можно купить биотуалеты.

— Я не хочу биотуалеты, — оборвал его Клава.

Петюня поднял нос: — Почему?

Клава нахмурил лоб, задумчиво затянулся сигаретным
дымом и наконец весомо произнес:

— Они воняют!

Петюня понял, что пахнет жареным, и засуетился, потерял лицо... велел Рутке вызвать со двора строителей.

Те явились. Видимо, он и вправду привел их с вокзала, и
неизвестно, где они ночевали и мылись, — во всяком случае,
облик этой троицы не посвежел с начала Великой стройки.

— У вас есть проект? — строго спросил Петюня старше-
го, возможно, бригадира.

— Нет... — простодушно удивился тот...

— А как же вы строите?

— Но ты же нам нарисовал на проездном талоне.

— Так я только приблизительно объяснил — чего я хочу!

— Ну, вот мы и строим...

Они глядели друг на друга взором давних собутыльников. С виду Петюня вполне мог присоединиться к этой бывалой бригаде и даже возглавить ее...

...И только письма Азарии...

Уже не раз я обнаруживала, что в особо тяжкие минуты его письма, вопреки всему, несут в себе такую нежность, такое утешение, что слезы благодарно наворачиваются на глаза. В такие дни его свистящий бич проносится в небе, не задевая моей макушки. Наоборот: строки лирических стихов или чьих-то писем, извлеченных им откуда-то из небесных закромов, как всегда, крадущиеся по зыбкому краю моего настроения, отвлекают, обращают взгляд в другую сторону, в совсем иную жизнь... Бывает, он просто цитирует стихи: "Иерусалим — Венеция Бога..." — и вообще, любит поэзию Амихая...

Иногда, оборвав описание очередного теракта, спрашивает меня голосом Эмили Дикинсон: "Жив ли еще Бог? Друг мой — дышит ли он?"

Меня пригласили на спектакль в один из тех небольших театров, которые носят имя затеявшего их режиссера или актера. Я, как обычно, не нашла в себе сил отказаться, хотя уже много лет театр не люблю и, глядя на сцену, испытываю неловкость и недоумение. Это была пьеса известного драматурга-символиста — долгие тирады, напыщенная речь, актеры "изображают" по условиям игры и с первого своего появления подмигивают зрителю: — "Мы изображаем, ты ж понимаешь!".

Главный герой говорил что-то вроде: — Свободная жизнь, волны света, свет, плывущий на волнах света, воздух, вливающийся на волнах воздуха... — и так далее...

Я сидела, тосковала и думала — когда ж я научусь отводить от себя эту мороку, и кто мешал мне сказать, что начальство срочно посылает меня в Казань или Ростов? Чертовы канальи, думала я, до каких пор вы будете морочить людей?

В антракте мы с Борисом забрели в буфет, взяли по чашке кофе и сели за столик у окна. Оно выходило во двор — проходной двор, образованный еще двумя домами по соседству. Все они были выкрашены в тот особый бледно-желтый цвет, каким в большинстве своем выкрашены старомосковские дома в центре города. Осенью, после дождя, он всегда оставляет впечатление последнего, еще не совсем погасшего солнца...

Я смотрела на низкую и глубокую арку, на крытый черным толем сарай, на ствол огромной липы, в высокой развилке которой застрял мятый футбольный мяч, угодивший туда, может быть, года три назад. Рядом с аркой кривилась водосточная труба, за колено ее цеплялась бельевая веревка... И все это было так трогательно и по-настоящему поэтично, — чего недоставало и пьесе и актерам, — что я смирилась с потерянным вечером, и долго еще этот тихий старый двор в центре города-монстра стоял у меня перед глазами...

. . . .

Microsoft Word, рабочий стол,
папка rossia, файл santa-luchia

"...за последние дни несколько раз удавалось вырваться из загаженной атмосферы Синдиката. Вчера, например, встретилась с Мариной в "Старом фаэтоне". Мы заказали итальянский салат, мой любимый, — моцарелла с помидорами, — и сидели часа два, обсуждая, — кто бы прислушался к нашему разговору! — куда деваются люди, когда они умирают, ведь они явно остаются существовать в пространстве... Но как и в каком?.. Марина рассказала, как умер на днях один ее друг, дрессировщик в уголке Дурова, как долго она собиралась и никак не могла прийти к нему на выступление, как он позвонил ей из больницы накануне смерти, и какой это был точный по репликам, удивительный разговор двух людей, похожий на обстоятельное обсуждение хозяйственных дел того, кто уезжает, с тем, кто остается на хозяйстве...

Потом заговорили о детстве, вспоминали *людей детства* — я вспомнила слепую старуху-нищенку, иногда я отдавала ей свой бутерброд с повидлом, который покупала в

школьном буфете за 4 копейки. Самым страшным было подойти и отдать, положить в сморщенную грязную ладонь этот
бутерброд, передать его так, чтобы не коснуться ее жестких
ухватистых пальцев... Вспомнила, как однажды бесшумно
шла за ней по липовой аллее, хищно прислушиваясь к бор-
мотанию: "Липа... это липа пахнет... липа хорошо от кашля
помогает... От всего липа помогает... и только от слепоты
моей проклятой ничего не поможет..."

Я описывала странное свое чувство, что старуха где-то
жива. Прошло с тех пор лет сорок... Марина кивала, говорила: — да-да, конечно, совершенно живехонька...

...Так начался этот *тематический* вечер, подготовлен-
ный каким-то прохвостом-издевателем не из самых высоких
чинов, — там, над нами...

Часу в седьмом мы поднялись и вышли, и на Большой
Никитской, возле витрины театра Маяковского, остановились
в остолбенении: на строчке "Сегодня" было написано: "концерт Робертино Лоретти".

— Что-что? — спросила я. — Как это? Он разве жив?

— А ты разве жива? — спросила Марина.

— Нет, ну я в том смысле, что о нем ведь сколько не было слышно, а? Помнишь — "Джяма-а-аайка!"... Как я была
влюблена в него в первом классе!

— И я тоже, — сказала она.

— Я ради него, знаешь, на спор перепрыгнула широчен-
ный арык, на дне которого валялась страшная железная ар-
матура...

...И мы, как сном влекомые, пустились искать кассы, которые
почему-то находились не в самом театре, а где-то в другом
подъезде. И кассы заворачивали за угол, ускользали и прята-
лись в каких-то подъездах и смежных магазинах.

На ступенях одного из них стоял молодой человек с билетами в руках.

— А почем ваши? — спросила Марина.

— У меня по три тыщи, — сказал он, — но я дешевле отдам, я их в "Книжном казино" выиграл, а моя девушка не пришла.

— И почем же вы отдадите?

— Ну... а вы сколько можете дать?

— Мы? Сто рублей, — сказала Марина быстро, отстраняя
меня вместе с выхваченным из сумки кошельком. (Она говорит — ты выхватываешь кошелек из сумки молниеносным
движением, как оскорбленный горец — кинжал.)

— Ну, нет, — сказал он, — за сто рублей я лучше выбро-
шу их совсем. — Аккуратно порвал, посыпал на асфальт и
ушел, а мы вошли в какой-то магазинчик по соседству, где в
углу в окошке сидела тетка, скучала.

— Я ничего не понимаю, — сказала ей Марина. — Где
толпы фанатиков, где истеричные старухи, бывшие перво-
классницы, прыгающие через арыки ради Робертино? Почем,
вообще, концерт?

Та помедлила и сказала: — Цены разные... от ста на га-
лерке до...

— Вот и налейте два по сто, — дружелюбно перебила ее
Марина.

Мы спустились в гардероб, сдали пальто, и я взяла бинокль, страшно волнуясь. Я не помнила лица Робертино Лоретти и не представляла себе, как может сейчас выглядеть
кумир моего детства. В моих ушах звучал только небесный
голос итальянского ангела, пропитанный запахами ташкентского лета.

Мы вошли в пустой, практически, зал, сели в партер, где
несколькими группками сидели немолодые поклонники
"итальянского чуда", и стали ждать начала концерта...

Но его все не начинали. Очевидно, незадачливые орга-
низаторы поджидали еще пяток-другой народу. Время от
времени мы принимались неубедительно хлопать.

Наконец вышла дама с картонным "адресом", раскрыла
его, стала читать про легендарное имя Робертино Лоретти,

про его всеобъемлющую славу, про то, как замер в тревоге весь мир, когда стал ломаться голос гениального мальчика, и как спустя время этот голос возродился настоящим итальянским бельканто... Далее она распевно повествовала — с каким оглушительным успехом концертирует маэстро по всему миру. Горстка публики покорно ждала выхода певца. Дама захлопнула "адрес" и ушагала со сцены. Наступила тишина... Публика ждала...

И наконец на сцену выбежал, подрагивая ляжками, толстенький господин, похожий на хозяина пиццерии. Я нащупала бинокль и обреченно приблизила его к глазам. Ничем не напоминал он певца — в сером будничном костюме, полосатой рубашке с отложным воротником, ремнем под круглым животиком...

Грянула "фанера", певец дунул в микрофон и запел... Все переглянулись. Звука не было. Продолжая петь, он показал на ухо, покачал головой, делая знаки кому-то за кулисами, что ай-яй-яй, микрофон не в порядке...

— Смотри, не свались в свой арык, — сказала Марина, не поворачивая головы...

Никогда, пожалуй, мне не было столь ясно, что этот вечер уже существовал у кого-то в воображении, что его сочинили, подготовили, выстроили с какой-то дьявольской иронией и тщанием, любуясь созданной ситуацией, еще и еще подбавляя деталей: — а вот тут маленько, а вот, сбоку чуток...

...В паузах он откашливался в сторону, а в перерывах между песнями заигрывал с публикой, выстреливая заученными шутками. Переводила его речь немолодая женщина в платье с какими-то сельскими оборочками на груди и рукавах.

Было страшно и непонятно, — зачем все это, зачем он вышел петь.

— Наверное, он очень беден, — сказала Марина... — похоже, у него даже нет концертного костюма...

Иногда мы переглядывались в темноте, особенно когда милосердная российская публика хлопала и кричала "браво" после песен.

Господи, главное, чтоб не запел он "Санта Лючию"!..

Все свое сознательное детство я мечтала солировать с этой песней в хоре районной муз.школы. Более того: засыпая на раскладушке, в папиной мастерской, я каждый вечер представляла себе, как пою эту песню — в театре!

Но руководитель нашего хора Алевтина Борисовна говорила: — "Нет-нет, это партия для первого сопрано, а у тебя — надежное второе".

— А сейчас! Робертино! Споет любимую всеми народами песню "Санта Лючия"! — объявила переводчица с сельскими оборочками.

Он запел, показывая залу, чтобы все подпевали...

— Пошли, — сказала я. Сердце мое обливалось кровью. Кто-то жестокий поставил нас в угол за невыполнение какого-то очень важного урока... Мы шли по проходу между рядами, на сцене маленький пухлый человечек дирижировал вразнобой мычащей публикой... Знойный Ташкент всеми, открытыми по-летнему, окнами моего детства дышал мне в спину глубоким голосом ангела, выводящего "Са-ан-та-а-лю-у-чи-ийа"...

...Напоследок мы заскочили в туалет, неожиданно просторный и гулкий.

— Акустика-то здесь, а? — сказала Марина из соседней кабинки. — Лучше, чем в зале... — И запела: — "Лод-ка — мо-я — лег-ка, весла су-хи-и-е..."

— Как — "сухие"? — крикнула я. — Весла — сухие?!

— А какие? — доверчиво спросила она из-за стенки.

— Весла — большие! "Ло-одка моя легка, весла бо-ольши-ие"...

Мое надежное второе сопрано, отзываясь от кафельных стен, зазвучало глубоко и полно, осуществляя, наконец, мою давнюю мечту: я пела "Санта Лючию" — в театре!

Мы одновременно спустили воду и дружным дуэтом закончили: "Са-анта-а-Лýу-учи-и-я, Сан-та Лючи-ия!!!"

"...и приобщитесь к дщерям израилевым..."

К очередной Хануке мы с моими ребятами затеяли гранди-озное действо: исполнение в зале Чайковского оратории Генделя "Иуда Маккавей". Один из моих друзей добыл в Иерусалиме редкие эти ноты — на английском. Я заказала перевод текста на русский язык и самолично отредактиро-вала его за две ночи.

Один из лучших в России камерных оркестров, с со-листами из Большого, под управлением молодого и уже знаменитого дирижера должны были исполнять эту жем-чужину классической музыки, посвященную победе гор-стки еврейских повстанцев против отлично вооруженной армии греко-сирийских захватчиков... Время действия — период Второго Храма. Одна из сакральных и неумираю-щих тем нашей таинственной истории.

— А кому *адресовано* это мероприятие? — задала на совещании департамента свой извечный вопрос Рома Жмудяк, которую я осмелилась попросить направить при-глашения посольствам и VIP-персонам...

И как всегда, я ответила:

— Вам! Лично вам, Рома... как ценителю классичес-кой музыки.

— Но Посольство уже привозило сюда какой-то ор-кестр пару лет назад с чем-то подобным... Они могут

взвиться и потребовать, чтобы Посол сказал два приветст-
венных...

Я взвилась и потребовала, чтобы мне не морочили голову с этими дип.мудаками... Тогда Рома сказала, что никак
сегодня не сможет никого обзвонить, потому что на даче у
нее прорвало батарею, а Гройс как раз должен улетать на
Гавайи для организации нового межконфессионального
Конгресса, и его надо простирнуть, погладить и собрать...

На другое утро в моем кабинете раздался звонок, и
вкрадчиво-укоризненный голос Рамиреса, виясь, как локон
вкруг моего уха, сообщил мнение Посла: мы обязаны на
программке концерта указать, что впервые это выдающееся
произведение Генделя было, хотя и частично, исполнено
под эгидой Посольства... Кроме того, Посол хочет выступить перед концертом с приветственным словом на две...

Я сухо отвечала, что мы собираемся исполнить орато-
рию пол-ность-ю, а не какой-нибудь нарезкой, так что не
обязаны вспоминать — кто, когда и где пропел арию трем
пенсам, пускающим слюни на живот... И кроме того, у нас
есть собственный начальник, который горазд выступить с
приветственным словом перед кем хотите, поскольку и
сам до известной степени является — не побоимся этого
слова — Маккавеем, а именно, — израильским воином.

На протяжении двух недель, под тайное ликование
гуляющей кошки Ромы шла возбужденная переписка с
Козловым по поводу того, кто первыми — мы или Посольство — должны войти в Царствие Небесное под звуки оратории Генделя.

Наконец, взбешенная всей этой возней, я удачно во-
рвалась к Клаве, и пока он, брезгливо морщась, ел жидкое
картофельное пюре из столовой "Метростроя", — насту-
чала на Посольство, причем красок не пожалела.

До каких пор, говорила я, нас будут щелкать по макушке, до каких пор мы будем отдавать им честь на каждом
углу, до каких пор ты, Клавдий, обязан отчитываться перед

старым ослом, не имеющим никакого касательства... — словом, накрутила его за милую душу. Давно я так славно не трудилась.

— Ладно! — тяжело сказал Клава, облизнул оловянную ложку "Метростроя" и перешел на русский: — Они делают мне война? Я тоже буду делать им война! Я лучше делаю война, чем мир...

. . . .

Главный — по версии *Щадящего* иудаизма — раввин России Мордехай Гармидер, по сути дела был попом-расстригой. Получив хорошее традиционное образование в одной из бруклинских ешив, он быстро сориентировался и переметнулся в стан чисто выбритых, элегантно одетых и не берущих в голову вековечный еврейский бунт *щадистов*... И достиг таких выдающихся успехов в деле мягких объятий и ненавязчивых молитв на одной ноге, что организация отправила его завоевывать Москву, тем более что родным его языком был русский... Однако на Москве (смотри выше) — сидели два других Главных раввина, стерегущих все, переданные нам в вечное пользование, законы и установления... И несмотря на легкий нрав и дружественный настрой во все стороны, Мотя оказался раввином без синагоги...

Однако он не унывал. *Щадисты* снимали большую квартиру в Безбожном переулке, в одном из старых особняков в стиле модерн, и, как остальные сто восемьдесят шесть организаций, вели жизнь трудовую, праздничную, учебную и боевую... Причем, сам-то Мотя был человеком веселия и кротости необычайных. Это против него боролись все канонические евреи из других Главных синагог. Ведь Мотя приоткрывал заветный лаз, через который приглашал пролезть в тот дивный сад, где на деревьях росли *мандаты на восхождение*... И несмотря на то, что официальный религиозный Израиль не признавал *щадистов*,

{418} Мотя все же помогал пройти *гиюр* русским женщинам, которым зачем-то *гиюр* нужно было пройти. Так в детстве помогаешь подружке пролезть под забором в соседский сад — протягиваешь руку, вытаскивая наверх, или толкаешь в зад, пропихивая вперед...

Понятно, что ни *традиционалисты* из Главной синагоги под управлением Манфреда Колотушкина, ни тем паче *ревнители* со двора Залмана Козлоброда не подпускали Мотю к своим *миквам*[1] на пушечный выстрел. А без *миквы* с проточной водой, как известно, в деле *гиюра* далеко не уедешь. Это все равно, что креститься без купели. Иоанн Креститель в полной боевой готовности, а Иордан — высох, такое дело...

Но Мотя выкручивался. На то он был и Либерал с большой буквы, чтобы с честью выходить из трудных положений, в которые загоняли себя представители ортодоксальных течений и без того сурового иудаизма.

В конце концов, на микве Главной синагоги свет клином не сошелся.

В среду вечером субтильный Мотя, похожий на прилежного первокурсника, явился в сауну, уютно и неприметно расположенную на одной из тихих улиц в Сокольниках. За ним следовали пятеро женщин, желающих осуществить переход в еврейскую веру. Это были пятеро русских красавиц: рослых, грудастых, пышущих здоровьем телиц без изъяна. Администратор — пожилая и всяко повидавшая здесь дама — сильно удивилась, увидев такую диспропорцию.

— Вам на сколько часов номер? — спросила она Мотю, изумленно-уважительно его оглядывая.

— На час хватит, — сказал он.

— Пива, креветок? Музыки?

— Ничего не потребуется! — сурово отрезал Мотя.

1 М и к в а — ритуальный бассейн для омовений (*иврит*).

Вся процессия дружно проследовала в номер и, достав молитвенник, Мотя велел девушкам раздеваться. Догола, — как и положено по канону. При этом, конечно, он вежливо отвернулся.

Пятеро пышнотелых красавиц, сияя крутой сдобой ослепительных ягодиц, одна за другой погрузились в бассейн, и сосредоточенный Мотя принялся за подобающий моменту ритуал. Прошло несколько минут, воздух согрелся и наполнился парфюмерными ароматами: одна из девушек, Оля, как выяснилось, принесла с собой импортный гель для ванны (не пропадать же сауне! — объяснила она), и остальные девушки, одобрительно рассматривая дорогой флакон, тоже выдавили чуток на ладонь, принялись растирать и вдыхать запах...

— Ну, довольно! — велел томящийся в свитере Мотя. — Ритуал закончен, поздравляю вас с переходом в веру Авраама, Ицхака и Яакова... Собирайтесь, девочки, у меня сегодня вечером еще прием у Козлова-Рамиреса по случаю Хануки...

Но девушки разогрелись, разомлели и не хотели уходить: почему ж не воспользоваться случаем... Они освоились, стали плескаться, шутливо обрызгивали Мотю водой.

— Мотя, давай к нам, водичка — класс! — приглашали они.

Ну что ты будешь с ними делать? Другой бы осерчал, затопал бы ногами, закричал, — как можно смешивать высокий обряд Веры с помытьем бренных тел! Но Мотя, повторяем, был человеком добросердечным, легким, веселым. Либералом с большой буквы. Да пусть их девочки поплещутся, добродушно подумал он... Обряд закончен, можно и расслабиться...

Жара меж тем стояла в помещении страшенная. Мотя снял свитер, оставшись в майке, и присел на резную — а ля рюсс — скамью...

Тут Оля принялась брызгать на него из бассейна обеими мощными ручищами, и в одну минуту, несмотря на

{420} Мотины предостерегающие возгласы, залила брюки Главного раввина так, что пришлось немедленно их стянуть и повесить на просушку.

И вдруг одна из девиц, выпрыгнув из воды на манер большого розового тюленя, с визгом навалилась на Мотю, облапила так, что лишь вопль выдавился из Мотиной души, прижалась горячей душистой грудью и спихнула в бассейн... Девочки, хоть и перешли минуту назад в иудейскую веру, не так скоро могли отрешиться от исконно русских банных забав...

И далее пожилая дама-администратор на протяжении получаса слышала восторженные вопли, женский визг и песни на непонятном языке, которые распевал бодрый мужской голос. Минут через двадцать в номер затребовали пива и креветок, попросили "врубить музычки"...

Часа два спустя распаренные, раскудрявленные новые дщери Сиона чинным гуськом выходили из кабинета. Их сопровождал Главный раввин России Мордехай Гармидер, во влажных брюках на голое тело. На прием к Рамиресу по случаю Хануки он уже опоздал. Да па-а-шел этот Козлов куда подальше, весело думал поддатый Мотя, сжимая в пакетике крепко выжатые свои мокрые трусы...

— Приходите еще! — говорила им вслед совершенно обескураженная Мотиной мощью, администратор. — У нас и свои девочки есть. Можем предложить, не разочаруетесь...

....

Из "Базы данных обращений в Синдикат".
Департамент Фенечек-Тусовок.
Обращение номер № 7. 102:

Деловой мужской голос:
— ...Ну, это... можно, значит, разработать специальный курс корабля, но это вам будет стоить дополнительных вложений. Можно так: через Волго-Донской ка-

*нал в Азовское море, через Керченский — в Черное, потом
через Босфор, а там — Мраморное, Эгейское... ну и Средиземное... Только не знаю — зачем так крутить, когда есть
нахоженные... Что?! А кто это? Я разве не в "Глобал-Цивилизейшн" попал? Не к Ной Рувимычу? А-а-а... Извините, ошибка... (Отбой.)*

....

В один из вечеров позвонила Марина, сказала:

— ...Он почти готов. Осталось только пришить голову к туловищу. Сейчас сидит в кресле, а голова — на коленях. Сюртук уже сшит, ноги в гетрах продеты в элегантные
ботиночки... Во всяком случае, когда его тело лежит на
столе, Серега не может есть. Мы вот только думаем о кон-
цепции выставки... Кто он? Кто?

— Что значит — кто? Он — Пушкин.

— Вот видишь, ты тоже банальна, как и все. Да, он
Пушкин, но — зачем?! Каков смысл его появления в мире?

— Знаешь, — сказала я устало, — безумия мне хватает и в Синдикате...

....

*Microsoft Word, рабочий стол,
папка rossia, файл sindikat*

"...в последнее время я, как царь Соломон, события пережи-
ваю с провожающим мудрым взглядом — "гам зе яавор..." —
"и это пройдет"...

Вот уже прошла Ханука, слава Богу, без особых скандалов, к которым я теперь на всякий случай готова всегда. Наоборот, — исполнение оратории Генделя в знаменитом зале
знаменитым оркестром придало событию высокий смысл и
проникновенную торжественность...

Без официоза все равно не обошлось, но все же я максимально постаралась смягчить его до домашнего уровня.

Мы заранее договорились с *нашим* Главным раввином Манфредом Григорьевичем Колотушкиным, что он зажжет восьмую свечу. Бросились искать многострадальный этот святильник — наследную *ханукию* Синдиката, которая верой и правдой служила на всех ханукальных праздниках, вечеринках, представлениях и сборищах. Ее нигде не было... Наконец Яша вспомнил, что в последний раз ханукию отвозили в ночной клуб "Голубая мантия", где проходил вечер душевного единения с Израилем и где неизвестно что, — вернее, хорошо известно, — что происходило под трепетным светом ее тусклых электрических лампочек...

За ханукией в "Голубую мантию" я послала Костяна, который вернулся с вытаращенными глазами, — примерный муж и преданный отец, он даже вообразить не мог, что подобные заведения процветают в столице его Родины...

Так что *наш* Главный раввин торжественно прочел благословение и зажег на сцене восьмую свечу, то есть опасливо крутанул лампочку, которая зажглась не сразу, а с помощью красавицы-ведущей в строгом концертном платье.

Да и Клава, зубривший те несколько фраз, которые я написала ему — *замбура*! — на сцене вдруг сложил листок вчетверо, сунул в карман и сказал:

— Вот, я помню всех убитый товарищ мой... Их много... они не думал о высокий слов, когда защищал свой земля. Они просто умирал, не родив сына-дочь... Это всегда со мной — их хорошие лица... У нас служил Габи, мой друг, он взорваться на Синай... Пусть этот концерт, этого, тоже еврей, значит Маккавей, — Гендель, — я делать ему память. Габи, я помнить тебя до мой собственный смерть!

За кулисы он вернулся взволнованный, с багровой лысиной.

"Ну, как?" — тревожно спросил меня, я показала большой палец, и мы молча обнялись...

Великая все-таки штука — ритуалы, особенно ритуалы в искусстве, тем паче — в таком искусстве, как музыка... Как организуют они, выстраивают, углубляют пространство души, вытягивают в ней своды, в которых эхом отзываются звуки старинных мелосов...

С удовольствием вспоминаю сейчас, как на пустой сцене отдыхали на боку — словно прилегли на стулья — три контрабаса.

Как выкатили рояль, как встали музыканты, как стремительно вышел дирижер, пожал руку первой скрипке...

Затем с обеих сторон из-за кулис цепочкой на сцену потянулся хор, поднимаясь по одному на подставки: белые клинки рубашек на груди с эфесами бабочек, и — в руках певцов — огромные вишневые бабочки раскрытых партий.

И герб СССР над органом.

Спустя часа два после начала концерта я поднялась со своего кресла и тихонько направилась в туалет, боковым зрением отметив, что из тоскующих рядов Фиры Будкиной отделился человек и тоже поспешил к выходу. Выскользнув из зала, я с ним столкнулась: это был Самуил-рифмач. Он стоял передо мною с развернутым на груди листом бумаги, на котором было написано: "Прошу молчать!!! Мне нужно сообщить вам в конфиденциальной обстановке пути спасения Израиля!"

Молча, как и было мне велено, я развернулась и трусцой побежала обратно в зал.

Клавдий со своего места проводил мой пробег страдальческим взглядом...

Бедный Клава, вынужденный высидеть до конца оратории! На утренней *перекличке* он похвалил "такую замбурную тусовку, которую замастырила Дина в этом красивом зале". Правда, добавил, что лично он, Клавдий, любит военные марши, любит, когда грохочут барабаны, когда очень громко и весело всем вокруг... А вчера эти недо..анные бледные бабы тянули "а-а-а"- и "у-у-у"- и "о-о-о-о", и видно было, что им не помешало бы хоть часовое общение с нашими Маккавеями, особенно когда те выходят в отпуск и фармацевтическая промышленность Израиля сразу выполняет план по продаже презервативов...

Но заметил выражение моего лица и сказал: — Ладно-ладно, не смотри на меня так. В конце концов, я высидел целый вечер. Я заслужил медаль на брюхо..."

Каждое утро я заходила в свой кабинет, с затаенной опаской приближаясь к компьютеру... Я давно испытывала искушение если не падать ниц перед ним, то, по крайней мере, кланяться... Вздорный его норов я чувствовала совершенно так же, как чувствуешь тяжелый нрав самодура. Иногда — довольно редко, в дни государственных российских праздников, — он пребывал в ровном благодушном настроении. В такие дни электронная почта приносила лишь несколько писем от друзей из Америки или Израиля, от сестры из Новой Зеландии, какое-нибудь милое письмецо от Норы Брук, одновременно и деловое, и обязательно — как булочка изюм, — содержащее в себе забавную историю, случай, анекдот; письмо-привет от Аркаши Вязнина с приглашением на какой-нибудь концерт, выставку или в гости, письмо от Веронички, моей чешской переводчицы, со списком вопросов по переводу романа; напоминание руководителя литературного салона "На Плющихе" о моем творческом вечере, который состоится тогда-то...

Но гораздо чаще, открывая почтовую программу, я окаменевала в тоске, в предвкушении тяжелых работ по расчистке Авгиевых этих конюшен. В мои закрома сыпались и сыпались весь морок и суета этого мира: страдания и горечь, оторопь и слезы, вражда и нужда, настоятельные просьбы и напористые устремления, рукописи графоманов, никчемные проекты, воззвания сумасшедших, протесты обойденных, пиры-во-время-чумы и пиры-валтасара...

Итак, вдох... Открываю почтовую программу... Строка заполняется черной дорожкой, бежит, бежит... Я уже знаю, что из коробка́ высыплятся на меня сорок семь писем... Тридцать процентов наполнения... шестьдесят семь... восемьдесят два... девяносто шесть... Сто!.. Ну-с, теперь вдохнуть поглубже, и — поехали с орехами:

рассылка "Народного университета" Пожарского;

рассылка Панславянского Объединенного Союза против засилья американо-сионистского спрута;

рассылка Чеченского Союза борьбы с оккупацией;

рассылка секты "Истинные дети Израиля";

просьба от священника Георгия Лунина "оказать посильную помощь в восстановлении нашего сельского храма. Из-за ветхости (ему сто лет), деревянный, изувеченный в безбожное время храм сейчас находится в аварийном состоянии и требует скорейшего к себе внимания... Если вам не чужды милосердие и благотворительность..." Ах, милый ты мой, не чужды, не чужды...

Далее...

приглашение от Гройса на Пленум вновь учрежденного Межэтнического еврейского Конгресса...;

рассылка радио "Святое распятие" — слушайте наши передачи!!!

Приказ главы департамента *Кадровой политики* об увольнении Анат Крачковски и немедленном отзыве ее в Иерусалим;

Приказ главы департамента *Кадровой политики* о восстановлении в должности Анат Крачковски и продлении срока ее службы на три месяца в связи с отсутствием достойной замены;

наконец, сообщение из департамента *Розыска потерянных колен*, что Садыков Насыр Файзуллаевич, 49 года рождения, профессия — следователь по особо важным делам, принадлежит к потерянному колену Дана ("Дан будет судить народ свой: как одно — колена Исраэля. Да будет Дан змеем на дороге, аспидом на пути, что язвит ногу коня, так что падает всадник его навзничь. На помощь твою надеюсь, Господи!")

Кажется, все... Нет! Вот, на закуску, письмецо, подписанное неуловимым, неподкупным и неугомонным *Азарией*:

"Ветер... Ветер носит тебя, как щепку, повсюду... Ветер... Ветер..."

. . . .

Азамат и Рустам

В начале января я собиралась в командировку в Калининград. Меня давно приглашали выступить перед местной общиной, я предвкушала довольно приятную поездку и собиралась прикупить дешевого янтаря — надвигалась лавина дней рождений разных моих баб: подруг, сестры, врачей...

Дня за два до отъезда в кабинет ко мне строевым шагом вошла Угроза Расстреловна Всех и командным тоном заявила:

— Вот что! Вы, я слышала, едете в Калининград? Нужно передать деньги в наше тамошнее отделение. Скажу откровенно: никому бы не доверила, потому что никому не верю, — не будем называть имен. Но вы, с вашей патологической бестолковостью к расчетам... Короче, с вами я готова передать деньги...

— Много? — недовольно осведомилась я.

— Да нет, пустяк. Тысяч сто пятьдесят... Ведь вы прямым едете, без пересадок?..

Не дожидаясь ответа, она отмаршировала прочь, и пять минут спустя из бухгалтерии мне принесли увесистый пакет... Все это было очень некстати, тем более что вчера Слава сказал:

— Ильинишна, вот какое дело, если вам невнапряг: там ведь, в тех Кенигсбергских краях, янтарь дешевле, чем

{428} у нас. Так не в службу, а в дружбу: дам я вам несколько таллеров, а вы уж своим женским чутьем выберите побрякушку — законной моей на юбилей...

Ну и, как обычно, Костян под завязку нагрузил меня литературой — я всегда в филиалы везла в подарок те книги, календари и прочие *фенечки*, которые мы издавали в нашем департаменте...

— ...Калининград! — говорил Слава, по дороге на вокзал, — Это ж там могила Канта? Нашел где помереть... — он по привычке включил радио, которое немедленно затянуло:

Сингарела, Сингарела!
Кто целует твое тело?
Сердце от любви сгорело,
На другого посмотрела,
Что же ты со мною сдела..?

— У меня отец в тех краях воевал, рассказывал всякие ужасы. Как немцы их из окопа несколько дней не выпускали... От жажды он чуть не умер, совсем уже загибался. Но тут рядом его товарища убило, и в упавшую каску крови натекло. Тогда отец каску-то поднял и одним залпом той крови и напился...

....

...В отличном настроении я заняла свое хорошо запирающееся и отлично протопленное купе СВ, развесила шубку, попросила у проводницы чаю и расслабилась: наутро меня должны были встретить инструктора калининградского отделения Синдиката. Самым приятным было сознание, что меня никто не потревожит, — в последние месяцы я часто пересекала границы, без конца вступала в рискованные выяснения отношений с представителями этого рода войск и порядком устала от такой здоровой встряски организма...

Я переоделась в пижаму, и довольно долго, поджав ноги и опершись локтями на столик, сидела у окна, глядя в постепенно меркнущую белизну полей, проступающее в окне мое смутное лицо, позволив себе наконец вспоминать такой вот, почти забытый, зимний путь, проделанный когда-то мною в молодости — напрасно...

....

Microsoft Word, рабочий стол,
папка rossia, файл azamat-rustam

"...спустя три дня могу, наконец, попытаться бегло, конспективно передать мои безумные приключения...

В самом деле, какого черта я решила, что в поезде, следующем через несколько стран, меня не побеспокоят пограничники, что мне не понадобится транзитная виза?! И до каких пор можно надеяться на военную точность синильного Рогова, который, похоже, и сам не знает — какое государство с каким граничит! После всего случившегося Яша говорит — если б Шая узнал о происшествии (а я не пишу докладную в департамент *Бдительности*, жалея старого дурака Гошу) — то он пустил бы Георга Рогге в расход выстрелом в затылок прямо во дворе детского садика. Я криво усмехаюсь этой шутке, но неизвестно, как восприняла бы я ее недавней морозной ночью, прыгая с подножки поезда в сугроб под конвоем пограничников на заснеженном глухом полустанке — вот, как в старых советских фильмах, гремя жестяным чайником, ныряют под составы и бегут на станцию за кипяточком...

Нет, все-таки надо по порядку...

Начать с того, что милая привычка проводников поездов всех постсоветских стран — посредь ночи открывать своим ключом купе — разбивается об инструктаж департамента *Бдительности*: всегда поднимать боковой предохранительный язычок на двери. Много раз я наблюдала, как, рванув на границе дверь купе и натолкнувшись на сопротивление штырька, они почему-то сатанеют от неожиданности и кричат: — Документы приготовить!!!

Словом, ночью, часа в два, — я в поездах сплю как младенец, — шебуршит ключ в двери, она приоткрывается на щелку, и взбешенная проводница взвывает, как полуночная ведьма: "Документы приготовить!!!" Я вскакиваю, открываю — ко мне вламываются трое белорусских пограничников...

У меня нет сомнений, что их специально наводят проводники на те купе, в которых едут иностранцы, да еще в одиночку. Так что я подобралась.

К счастью, я искренне полагала, что виза мне не нужна, поэтому была подтянута, азартна и зла, как черт. Если б знала, что виза-таки нужна, а наши бездельники из административного отдела просто — как говорит Яша, — сей факт *прохлюпали хлебалом*, я бы, наверное, померла от страха.

Так вот, они вламываются, и минуты три листают так и сяк мой справа-налево паспорт...

— У вас же визы нет!

— Да и хрен с ней, ребята! — говорю приветливо я, безумная матрона. — Еду я в Калининград. Святую землю Беларуси не оскверню.

Все трое стекленеют от такого поворота беседы. Вялые, с лицами, будто слепленными из отварного картофеля, они, похоже, и сами не уверены — нужна или не нужна мне транзитная виза. Долго ищут какой-то пункт в потрепанных инструкциях. Наконец, один связывается по рации с начальником смены, тот является и, — как в дурном сне, — начинается перепалка, в которую я вкладываю весь опыт дворовых разборок своего ташкентского отрочества:

— Вы должны ехать в Минск!

— ...в гробу я видала ваш Минск!

— Но вы только там сможете получить белорусскую визу...

— ...в гробу я видала вашу белорусскую визу!

Проверено многажды: в такие моменты я напрочь забываю, сколько там у меня книг, переведенных на сколько там иностранных языков, и в скольких энциклопедиях есть обо мне статьи... я просто ныряю в происходящее с головой самозабвенно, проникаясь событием во всех его ипостасях — фактическом, языковом, смысловом, осязательном. И возможно, потому, что в любом повороте жизни хочу видеть корень здравого смысла, я с ослиным упрямством добываю этот самый корень из предлагаемой ситуации, — даже если для этого надо обматерить всех присутствующих. Кстати, мат в такие вот минуты очень помогает — он играет роль оплеухи, которой приводят в чувство потерявшую сознание дамочку...

— Две минуты на сборы, мы снимаем вас с поезда!

А между прочим, январь, ночь, 18 градусов мороза.

Замедленные кадры: я надеваю шубку, подхватываю тяжеленную сумку, собранную и до отказа утрамбованную *фенечками* добросовестным Костяном, и прыгаю с подножки поезда на заледеневшую насыпь... Удар бешеного ветра и ледяной огонь, хлынувший в легкие так, словно проникает туда не через носоглотку, а прямо в отверзтую грудь, приготовленную для *водвинутого* слова какого-нибудь нового пророка. И мгновенные слезы выступают на глазах.

Сопровождаемая конвоем пограничников, на каблуках, я ковыляю вдоль полотна в сторону приземистой, как показалось мне, сторожки... Вокруг на сотни километров — заснеженный лес, ни намека на человеческое жилье — словом, вариант "Доктора Живаго"... Американская экранизация...

...Дальше действие разворачивается в каптерке глухой пограничной станции Гудайгай.

Декорации таковы: три скамейки, на которых спят два бомжа, зарешеченое окошко кассы "кошт за праезд", под которым на кафельном полу растеклась гигантская лужа, так что каждый, кто желал бы уплатить этот самый кошт, должен в этой луже постоять. Правда, билет мне взять невозможно никуда из-за отсутствия белорусских рублей. Обменять деньги на "зайчики" тоже невозможно из-за отсутствия обменного пункта. Позвонить домой невозможно из-за отсутствия телефона, а мобильная связь не действует в этих глухих пограничных низинах. Все остальное, само собой, совершенно невозможно из-за отсутствия туалета. ("Да тут недалёко, с полкилóметра вдоль полотна...")

— Яжайтя в Минск, в свое Посольство, — говорит мне один из этих парней, наиболее сочувствующий по виду. — Выправляйтя визу и дуйтя, куда желаетя. Хоть в Калининград.

Вместо того чтоб подобострастно умолять их помочь... хоть чем-нибудь, я продолжаю ругаться с ними самым нещадным образом, пытаясь совладать с идиотской логикой всей этой системы и понять: если, не имея транзитной визы, я не могу сидеть в поезде, то как без этой визы я могу ехать в Минск? И зачем?!

Они топчутся, прячут глаза и, кажется, не знают, — что делать с этим моим напором, каким-то неиностранным бесстрашием и грамотно употребляемым матом.

(Позже я поняла, что это-то меня и спасло... Они не решались отнять мою сумку, обыскать меня, вывести в лес... Я же в те несколько часов — защитная реакция организма, — опасности совершенно не чувствовала, пребывая в бешенстве и досаде).

В Калининград, куда я не приехала, я уже ехать не желала. Я желала вернуться в Москву. В свою, хоть и съемную, но теплую квартиру. Лечь в горячую ванну, закрыть глаза... Тем более что представляла, как, не встретив меня утром, озадаченные калининградские коллеги звонят ко мне домой, и — дальше нетрудно вообразить ход мыслей моего несчастного мужа...

Итак, глухая ночь на глухой станции Гудайгай в глухой стране, где пропасть человеку ничего не стоит. Пропасть буквально — исчезнуть, сдав желающим кошелек; умиротвориться до весны в каком-нибудь сугробе. Кстати, дверь в Беловежскую пущу, или как там этот лес именовался, не заперта. Время от времени из соседней двери с табличкой "таможня" в комнату входят пограничники, окидывают помещение скучающим взглядом и опять скрываются. Похоже, они не возражают, чтобы я покинула их гостеприимный кров, дабы не возиться со мною. Да только — куда пойдешь? Далеко ли? В десять утра здесь останавливается московский поезд, на который я не могу купить билет, — обменный пункт сегодня выходной...

На длинной деревянной лавке вдоль стены, головами друг к другу храпят два бомжа. У противоположной стены на другой лавке дремлет, откинув голову, какой-то, вполне приличного вида, молодой человек... Время от времени, когда возобновляются мои громкие разборки с пограничниками, он открывает глаза и выслушивает все с интересом, после чего опять погружается в дрему... Это он мне объяснил в одно из своих пробуждений, что мобильник здесь не работает.

"Я и сам по глупости назначил здесь встречу с братом, — говорит он, зевая, — а его все нет и нет, видно, где-то на границе застрял..."

Лужа на кафельном полу пополняется из протекающей батареи. В какой-то момент дверь снова открывается, и в каптерку с мороза входит... негр. В ватных штанах, в ушанке — одно затрепанное ухо книзу, другое задорно торчит шнурком вверх... За ним весело трусит белая грязная собачонка. Улыбаясь совершенно черным лицом, негр проходит по луже к батарее, щупает ее и удовлетворенно говорит: — Ну, тёпло тяпер?

Опять передо мною появляется вялый пограничник. И вместо того, чтобы угомониться и смиренно сидеть, прижимая к груди сумку со ста пятьюдесятью тысячами казенных денег, да с моими, да со Славиными таллерами, — вместо того, чтобы заискивающе улыбаться и умолять о помощи или часов десять просто ждать здесь без еды и туалета московского поезда, я кричу ему, что они гады, мерзавцы, фашисты и ответят за это беззаконие перед Посольством моей страны...

Тут один из бомжей, спящих на скамье лицом к стене, повернулся на другой бок, и я буквально онемела, опознав в нем Овадью... Улыбаясь, он спал, привычно подложив ладонь под щеку...

Я подошла и тронула его за плечо. Он открыл один глаз, узнал меня, обрадовался, открыл другой... сел на скамье... Стал тереть ладонями свое смуглое морщинистое лицо индуса...

— Что ты тут делаешь? — спрашиваю я.

Он улыбается:

— Поезда жду...

— Какого? На Москву?

— Зачем — на Москву?.. В Москве скучно... Город... — что я там не видел? Тель-Авив тоже город...

— А куда же ты едешь? — ужасаюсь я, заподозрив, что Овадья, наш восточный человек Овадья, просто сошел с ума.

— ...дорога приведет... Вот, в девять тридцать есть скорый на Тбилиси... Или в десять — на Новороссийск... Такие просторы, слушай, такие поля... леса...

Я смотрела на его грязную куртку производства швейной фабрики города Ришон ле-Циона, на затоптанную шапку, закатившуюся под скамью... Боже мой, подумала, надо как-то дать знать нашим ребятам — Шае, Эдмону...

— А где ты еще не был? — с внезапным интересом спросила я.

Он задумался... стал раскачиваться... забормотал: — Где еще не был?.. Где не был? Саратов — был... Самара... Харьков... Киев... Тамбов... Липецк... Душанбе... Алма-Ата... Сухуми... Сочи...

Молодой человек, тот, что объяснял мне — почему не работает здесь мобильная связь, поднялся с лавки, прошелся по комнате, разминая затекшие ноги, подошел и сказал:

— Послушайте... Если мой брат все-таки прорвется через границу, мы могли бы подбросить вас до вокзала в Минске, а там московские поезда часто ходят... Попробуйте там купить билет, если, конечно, вас менты не остановят...

— Спасибо! — Я ужасно обрадовалась, взглянула на часы: шел четвертый час ночи... — А когда ваш брат может появиться?

— Да кто ж это угадает!.. Видите, какие здесь порядочки... Я его здесь уже четыре часа жду... Будем надеяться...

— ...в Минске был, в Мичуринске был... — продолжает бормотать Овадья, монотонно раскачиваясь... — В Смоленске... Угличе... Костроме... Орле...

Несколько раз еще появляется сочувствующий пограничник, предлагая "попробовать поменять доллары". Но я чую, что не стоит доставать кошелек, дабы хищник не почуял запаха крови. Он потоптался и ушел...

— А тебе не холодно? — жалостно спросила я Овадью...

— Что ты! — Он оживляется. — Я уже привык... Мне нравится... Я даже и не знаю — как вернусь назад, в жару... — взял меня за руку, говорит таинственным шепотом, приблизив свое узбекское лицо: — Не хочу возвращаться... Сергей говорит, — можно остаться...

— Какой Сергей?

— А Сергей, священник...

Я отшатнулась...

— Ну, помнишь, который на иврите говорит?.. он хороший, добрый... Возил меня в такое место... Монастырь... Знаешь, где? Называется — "Оптимальны пусто"...

— Оптина Пустынь, — поправила я...

— Вот, вот!.. А Анат пусть уезжает... Пусть она уезжает наконец. Совсем...

Надо сообщить ребятам, подумала я, а то пропадет парень, сгинет где-нибудь на такой вот станции... Или в монастырь уйдет — вот скандалу-то в Иерусалиме не оберемся... Хотя... — что я могу сказать Шае? Где встретила этого чудака? Как сама здесь оказалась? Да меня замучают разбирательствами, докладными записками, объяснительными бумагами...

Проходит еще полчаса... Ночь стоит кромешная... Овадья дремлет на скамейке, как младенец. Я беспрестанно меряю шагами эту комнатенку и каждый раз в приоткрытую дверь вижу два огромных сугроба, как два могильных кургана, наваленных неподалеку от хибарки...

— Слушай, — Овадья просыпается окончательно, садится на скамье, и, будто почуяв недавний ход моих мыслей, говорит: — Только, знаешь... не рассказывай нашим придуркам, ну, — Шае, Эдмону, что видела меня здесь... ладно?

Я задумчиво разглядываю его потертую куртку, ушанку, закатившуюся под скамью... говорю:

— Ладно... Но и ты... И ты тоже не рассказывай... что видел меня...

...И тут по окнам из лесу ударяет свет фар, молодой человек распахивает дверь наружу, всматривается в темень, машет кому-то рукой и, вернувшись в комнату, подхватывает мою тяжеленную сумку: — Бежим!!!

...Я выскакиваю за ним в снег, в мороз, в свет автомобильных фар. Он бросает на заднее сиденье мою сумку, впихивает меня следом, садится вперед рядом с братом, который, не шевельнув бритой головой, рвет машину с места так, что затылком я врезаюсь во что-то твердое сзади... и мы летим... мы летим... На такой скорости по обледенелой дороге я еще не ездила никогда. Впрочем, я и мустанга ни разу не объезжала...

Смотрю вперед и вижу перед собой два напряженных затылка.

Спустя минут пятнадцать мой спаситель и попутчик оборачивается и спрашивает:

— А на каком языке вы говорили с этим бродягой? На азербаджянском?

— Нет, — охотно отзываюсь я. — Это — иврит...

— А! Я слышу — на наш похож, но все-таки непонятно...

— А на ваш, — спрашиваю я благодарно, ибо готова немедленно полюбить навсегда его язык, вместе со всем его народом, — это на какой?

— На чеченский, — отвечает он, многозначительно улыбаясь. — Мы ведь еще не познакомились. Меня зовут Азамат, а вот его — Рустам.

Даже в этом собачьем холоде мне удается похолодеть от прозвучавших имен.

— Очень приятно, — и называю свое вполне чеченское имя полумертвыми губами.

Итак, с двумя чеченцами и неизвестно каким их грузом в багажнике машины я — человек без белорусской визы, с израильским паспортом и крупной суммой денег за пазухой — направляюсь зачем-то в Минск, безусловно, представляя собой интереснейший объект для белорусского ГИБДД, или ГАИ, или как там это еще у них называется...

Посты этого самого абреки проезжали меланхолично, сбрасывая скорость, по-видимому, чтобы не привлекать внимания. Я закрывала глаза. До Минска, обронил Азамат, оставалось километров сто.

Дорога темна, ухабиста, обледенела и опасна... Между собой юноши скупо переговариваются на своем, похожем на наш, но все-таки ином, языке...

Постепенно лес сменяется равниной. Машина взмывает, визжит на поворотах, идет юзом и раза три уже вертится волчком. Причем ремня на заднем сиденье нет и в помине, поэтому дважды я с размаху бьюсь виском и раза три крепко врезаюсь куда-то лбом или затылком... И если перевернуться здесь, на этой дороге, то хрен меня найдет наш департамент *Бдительности*, сколько ни будет бдеть из своего детского садика... Большая страховка, повторяю я себе тупо, большая страховка...

Между тем близится рассвет... Мы молча скачем по какой-то бугристой проселочной дороге. И на каком-то повороте слева впереди выскакивает вдруг — странно и нереально, как во сне, как в каком-нибудь штате Массачусетс — придорожный мотель.

Два окна на первом этаже освещены! Я забываю все и кричу:

— Ребята!!! Кофе! Туалет! Телефон!..

— Да-да... — отзывается Азамат, — кофе — хорошо, брат девять часов за рулем...

Мы поднимаемся на крыльцо и входим. Счастливый сон длится: за деревянной стойкой бара, выполненной в народном стиле, в это время — 7 часов утра! — стоит невозмутимая девушка. Я падаю грудью на стойку:

— Деточка, умоляю: туалет и телефон!! Ваших рублей нет. Доллары возьмете?

И она отвечает: — Дело поправимое... Тридцать баксов — карточка... — и сдачу с пятидесяти дает мне в каких-то здешних бумажках, которых я так добивалась на станции Гудайгай. — Поднимитесь на второй этаж, там, на площадке, автомат... Погодите! У вас кровь на лбу, — говорит она и дает мне салфетку...

Я взмываю на второй этаж, приникаю к телефону-автомату, набираю и набираю номер домашнего телефона... По закону жанра, он отключен, — видимо, вчера вечером опять возник Ревердатто, который отсюда кажется мне эдаким милашкой, семейным домовым...

Маше звонить? Она слабенькая... Костян и так ночами не спит со своими младенцами... Рома к утру забудет, что я звонила, Эльза Трофимовна вообще может не вспомнить — с кем говорит... Женя!

— Женя! — выдыхаю я, — когда ее сонный голос раздается в трубке. — Женя, слушай внимательно, я не могу долго: дозвонись до Бориса, скажи, что я жива... И в Калининград звони, — пусть отменят зал...

— Дина, где вы? — испуганно восклицает она. Я честно отвечаю:

— Не знаю... — и, прикрыв ковшиком ладони трубку, бормочу, оглядываясь, давясь словами: — Меня сняли с поезда белорусы... Я бежала с чеченцами, они обещают довезти до вокзала... попытаюсь купить билет, скажи Борису, что жива, но в случае чего, — недописанный роман пусть не издает...

И кто-то во мне отдельный, язвительный, кто никогда не помнит ни о какой страховке, в чем бы та ни выражалась... с немалым интересом слушает этот потрясающий текст из моих собственных уст...

— ...сейчас пробираемся к Минску...

— Как к Минску?! — выкрикивает девочка в отчаянии. — Почему?! Зачем?! У вас же нет белорусской визы! Где вы, где?!

— Не знаю... — я рассматриваю в ближайшем окне сизый унылый пейзаж... — Тут поле... лес... и жутко холодно... Я обморожена и побита, как собака...

На площадке возник Азамат, пригласительно махнул рукой: — поехали?

Я повесила трубку и покорно спустилась за ним...

Они поменялись местами, Рустам немедленно заснул, откинув голову на спинку сиденья, и пока машина неслась, вертелась, визжала, скользила, резко тормозила, — он продолжал беспробудно спать с болтающейся, как пустой орех, головой...

Наконец вокруг стали появляться машины, гаражи, ангары... дома, трамвайные рельсы, ранние прохожие... Это нарастал по обеим сторонам дороги Минск, и еще минут через двадцать мы подъехали к железнодорожному вокзалу. Азамат вышел, достал мою сумку из машины, протянул руку... Благодарность заледеневшим комом стояла у меня в горле.

— Ну, теперь смотрите, не попадитесь ихним ментам...

— Ребята... — сказала я... — у меня нет слов... Я так признательна! Чем я могу отблагодарить вас?

— У нас... иногда бывают проблемы... в Москве с квартирой... — мягко и значительно проговорил он... Если позволите... ночь-другую туда-сюда... можно позвонить?

Я представила, что сказали бы на эту тему "наша хунта" — Шая и Эдмон. Впрочем, вся эта безумная ночь опроки-

дывала разом все инструкции всех сотрудников всех департаментов *Бдительности*. В следующее мгновение я поняла —
чей телефон сейчас продиктую, и это станет моей местью за
все бессонные ночи. И пусть эти лихие ребята до чего-нибудь
договорятся с нашим тоскующим Ревердатто...

— Конечно, — сказала я, — запиши... — И мерзлыми
губами помимо собственной воли почему-то продиктовала
номер нашего телефона.

Те несколько десятков метров, которые — с сумкой, на каблуках — я шла к зданию вокзала под ленивыми взглядами за-
мерзших милиционеров, а также те десять минут, в течение
которых девушка в кассе выписывала мне сидячий билет на
проходящий поезд Берлин-Москва, мой ангел-хранитель за-
помнит как суровую стражу, — я буквально плечами чувствовала, как отгонял он от меня взгляды и мысли встречных, как
отклонял их намерения... Видела, как пошел на меня к окошку кассы милиционер и вдруг споткнулся о подвернувшегося
ему под ноги пьяного... и в этот миг девушка спросила нетерпеливо: — Фамилия? — я торопливо назвала, и она быстро
стала набирать... — поезд вот-вот должен был подойти к
перрону... А там уж я мчалась к вагону, оскальзываясь на
каблуках, взвалив на плечо проклятую сумку со всеми этими
чугунными книгами, вспотев на морозе, как лошадь... И наконец, рухнув в кресло берлинского поезда, замерла, закрыла
лицо ладонями... А когда открыла глаза, на меня участливо
смотрела необъятная бабища в кресле напротив — грудастая,
веселая, щекастая щедрая баба... Похлопывая себя по груди,
она подмигнула мне и проговорила нараспев: "Гори хоть все
селение, на мне мое имение..."

— О-о-споди, чего ты такая побитая, а? — спросила
она... — Эт кто тебя так отделал?!

— Да, в машине... немного... — пробормотала я. — А
что, сильно?

— На, любуйся, — сказала она с удовольствием, доставая из матерчатой кошелки круглое зеркальце. Я посмотрела:

кровоточащая ссадина через весь лоб, ободранная щека, синяк на скуле. Шишку на затылке я чувствовала, когда пыталась откинуть голову на мягкую спинку сиденья. И судя по тому, что меня тошнило, кружилась голова и на обочине взгляда то слева, то справа вспыхивала цепочка мерцающих оранжевых огней, у меня вполне могло быть и сотрясение мозга...

В соседнем купе громко разговаривали двое мужчин:

— Санька, вот когда я буду на третьем автохозяйстве, вот тогда я дома, а пока я не дома!

У окна сидел мужичок, наливал себе водочки из поллитровой бутылки "Гжелки", выпивал, крякал и благоговейно произносил: — Христос по телу прошел!

Вскоре он заснул...

И я мгновенно заснула, прижимая к животу сумку со страшенными деньгами, которых сразу столько никто из сидящих со мной в купе людей в жизни не видел, и спала часа четыре, вздрагивая, озираясь налитыми кровью глазами и засыпая опять... Потом ожил и задрожал озябший мобильник, задребезжал вдохновенной "К Элизе", и я сказала мужу: "Потом... не могу..." — продиктовала вагон и время прибытия, и заснула уже по-настоящему крепко, и мне снился корабль, рассекающий снега Беловежской пущи, или как там он назывался, этот лес, и Овадья на мостике, завороженно смотрящий вдаль... "В монастырь... — говорил он штурману, — в Оптимальное пусто..."...

Проснувшись уже на подступах к Москве, часа полтора я с наслаждением слушала, как баба-соседка, та, что давала мне зеркальце, рассказывала мужичку у окна:

— А у нас председатель был... Говорили — блядун, а он просто добрый был. В деревне мужиков же совсем не осталось, так он баб очень жалел, добрый был... Ну и на него счетовод колхозный бумагу написал. Из ревности. Ну и посадили... Отсидел он пять лет, вышел... А недочет все ж таки был большой. Большой был на нем недочет, всю жизнь гляди платить... Так ты что думаешь: хуй он его выплатил: умер!"

...На перроне Белорусского вокзала стояли Слава и Борис, один задорный и как всегда, прибауточно-уголовный, другой — молчаливый и окаменелый.

— Ну, Ильи-и-нишна, ну, дае-ете! — приговаривал Слава и все крутил головой и хлопал варежками.

Борис сел в машине сзади и всю дорогу молчал.

Когда в первом часу ночи мы вошли, наконец, в квартиру, в коридоре он сжал мою голову обеими ладонями, разглядывая ссадины и синяки, и с силой, чуть ли не с ненавистью вытолкнул сквозь зубы:

— К чер-рто-вой ма-те-ри!.. К чертовой мате-ри!!!

Из "Базы данных обращений в Синдикат".
Департамент Фенечек-Тусовок.
Обращение номер № 7. 897:

Интеллигентный, слегка игривый баритон:
— Господа, мне уже трижды антисемит угрожал... Вы охрану даете в таких случаях? Нет? Жалко... А на корабль у вас как записаться?

....

После новогодних праздников мы уехали в отпуск, домой.

....

Бич Божий, зависший в полете...

Microsoft Word, рабочий стол,
папка rossia, файл israel

"...зима в Иудейских горах... В этом году она дождлива и мягка, холмы в зеленой шкуре шевелятся под облаками, а облака белые, валкие, влажные, неуклюже и быстро переваливают через вершины, стекают в ущелья и там лежат и вздыхают, и копошатся, как бегемоты... От всей этой дождевой благодати в нашем городке цветут все кусты, зеленеет трава, бригада рабочих под управлением садовника разъезжает на грузовике с подъемником и отсекает ненужные ветки здешним деревьям из породы фикусовых — с благородным прямым и гладким стволом и с гривой глянцевых твердых листков...

Холмы под торопливым строем небес ежеминутно меняют очертания, цвет и действо... Солнце ныряет сквозь облако, длинным пальцем дырявя покров над башней Августы-Виктории, и шарит вслепую, ощупывая окрестные сады и оливковые рощи... И с вершины нашей горы на все стороны открывается Божья сцена с такими спецэффектами, что вот стой так с утра до вечера, не шевелясь, боясь пропустить движение малейшей тучки... Каждый вечер я выхожу пройтись и гуляю долго, и дышу глубоко...

Вчера шла в сумерках, потом стояла и глядела: на обрыве посадили ряд деревцев, пристегнули тонкие стволы ремешками, на каждом — табличка: что за дерево, как называется, где произрастает. Я прослезилась, старая кляча, и долго еще смотрела в слезящуюся огнями простертую волнистую даль...

В тумане извилистая нитка фонарей на шоссе в Иерусалим похожа на взметнувшийся Божий бич, застывший в полете. Как и когда он опустится на наши головы?

Ежедневно опускается он на наши головы...

. . . .

В январе весь Израиль потрясла история с неприметным банковским служащим. В течение нескольких лет переводил деньги со счетов богатых людей на счета бедных. Такой израильский Робин Гуд.

Мы рассматривали его фотографию в газете: приятное лицо, прямой взгляд, небольшая, аккуратно подстриженная бородка. Ну, теперь он посидит. У него будет время поразмыслить над справедливостью этого мира...

— Как я люблю его! — сказала я, — Боже, как я люблю этого психа!

— Еще бы, — отозвался мой муж, — он же деньги снимал не с твоего счета...

— А может, он и есть — Азария? — задумчиво пробормотала я...

. . . .

— ...А я вас узнала, — сказала мне пожилая женщина в поликлинике, куда я заскочила — выписать для отца рецепт на лекарство... — Мы вас по телевизору видели... Вы еще не насовсем вернулись?

— Пока — в отпуск, — сказала я...

— А вернетесь? Неужели вернетесь?   {445}

Я удивилась:

— Почему вам это кажется таким уж невероятным?..

— Ну, все-таки вы русский писатель... — и заторопилась, — простите, я, может, что-то не то ляпнула... У вас свои соображения, конечно... А я знаете, даже хотела с вами встретиться и поговорить... Рассказать кое-что... Вас, конечно, многие мучают со своими дурацкими историями, и каждому кажется, что такого, как с ним, ни с кем не бывало... Но... у вас есть две минуты?

— Две, пожалуй, есть... — я до сих пор не научилась уносить ноги из подобных засад... Обе мы сидели в очереди к терапевту, деваться было некуда.

Она обрадовалась, переложила сумку на соседний стул...

— Вы, слово даю, — такого ни от кого не услышите! Возможно, даже не подозреваете, что такое может быть...

— Почему вы решили, что...

— А вот послушайте, и поймете... Я папу недавно похоронила... Старенький папа, конечно, но, знаете, очень любимый... А за два года до смерти ему отняли обе ноги, на почве диабета... И вот эти два года, без ног, он страшно горевал, никак не мог привыкнуть. В молодости — спортсмен был, бегун, чемпион Таганрога на длинных дистанциях... Ну, и вот, умер... Я — в горе, в тоске, — обсуждаю ритуал похорон с представителем этого... Похоронного братства, и грустно так, говорю: — папа у меня без ног...

Он спрашивает:

— Как — без ног? Он что, и приехал безногим?

— Нет, его уже здесь оперировали...

— Что ж ты сразу не сказала?! Постой, — и этот парень связался с кем-то по мобильному, и минут пять переговаривался то с одним, то с другим. Наконец говорит:

— Поезжай в Холон, в морг при центральном кладбище, тебе выдадут ноги твоего папы...

А я, знаете, оторопела, стою — понять не могу, что все это значит! Я представить себе не могла! Не могла ничего ему больше сказать... Расплакалась... Стою, головой мотаю... Понимаете?! Они хранили целых два года... Они хранили... ну разве не высшее это милосердие! А? Ну где бы вы такое встретили?! И знаете, этот день был одним из самых счастливых в моей жизни. У меня как-то сразу тоска прошла, поехали мы с мужем, привезли в пакете папины ножки, и на похоронах все мне казалось, что папа сверху глядит такой довольный, что не обрубком его хоронят, а целенького, целенького... Так я была счастлива!

Ее вызвали в кабинет, а я все сидела и молчала в странном оцепенении. Я не знала — как мне относиться к этой истории... Сидела и понимала, что, прожив в этой стране еще и двадцать, и тридцать лет, я, вероятно, до самого конца буду узнавать все новые удивительные *комиксы*, которые рождает эта земля ненатужно, как бы сама по себе, даже без особого участия людей...

. . . .

Как ни уклонялась я от паломничества в Долину Призраков, как ни юлила, как ни разыгрывала приступы астмы, холеру и водянку, в последний день перед отъездом меня все же вызвонила секретарша Иммануэля. И я уныло повлеклась на встречу с людьми, которые вскоре, с окончанием моей каденции (и я точно это знала), все станут призраками в моей жизни...

У Иммануэля сидели двое консультантов-психологов, специализирующихся на изучении психологии *восходящих*. Коренные израильтяне, никогда до сих пор не бывавшие в России, часа полтора они давали мне рекомендации по работе с российской интеллигенцией, и я, — уже опытный и циничный синдикатовский зубр, — слушала и понимающе кивала. В традициях Синдиката вообще

считалось обязательным приглашать на любую *тусовку* {447}
лектора-психолога. Или психолога-ведущего группы, или
психолога-специалиста по конфликтам. Вот эта разновид-
ность пернатых была особенно опасна. Если на семинаре
присутствует психолог-конфликтолог, значит, конфликта
не избежать. Да что там — конфликта! Дважды я присутствовала при здоровой, по всем правилам организованной
драке, в которой конфликтолог-зачинщик принимал самое деятельное, азартное и творческое участие. (А вначале был так мягок, напоминал массовика-затейника, даже
и не содержанием лекции, а пластикой движений: плавно,
вприсядочку, пришаркивая, выходил шажками навстречу
публике, вытягивал шею, разводил руками и, так же при-
танцовывая, отступал, прижимая ладошки к груди. Надо
было видеть, как минут через сорок он этими ладошками
лепил затрещины...)

Словом, все остались довольны встречей: Иммануэль,
затеявший новый свой фантастический проект, психологи,
искренне полагавшие, что открыли мне новые горизонты,
и я, — что меня, наконец, отпустили. Правда, отпустили
поздно, я едва успевала к друзьям на новоселье, — застолье
там уже длилось часа полтора...

Я выскочила из Центрального каземата и помчалась к
остановке... Чудом услышала, как меня окликают с противоположной стороны улицы.

И обернулась:

Мой толстый шляпник слез с табурета и что-то кричал мне, размахивая *почти моей* черной шляпой... На углу
улицы на невысоком постаменте стоял полосатый, как бурундук, царственный лев. Мой старик как-то удачно монтировался с ним, продолжал тему — с этой летающей шляпой...

Я показала ему издалека жестами: тороплюсь, не могу, извини!.. Послала воздушный поцелуй и — помчалась
дальше...

{448} — ...Вот эти львы все-таки отлично поднимают настроение, — продолжала мама, пробуя ложкой суп в кастрюле... — Правильно их повсюду понатыкали... Идешь себе улицей, половина магазинов на ней разорились, Иерусалим пустынный, какой-то ободранный, угрюмый... Вдруг за углом — на тебе: сидит синий лев, как ни в чем не бывало... Боря, жалко, что вы отказались расписать нашего...

— Наш сидит на рынке! — крикнула дочь из своей комнаты каким-то грозным тоном. — Золотой, утренний, на углу Агриппас... Улыбается!

Мама молча и тревожно воззрилась на меня после этого заявления. Я также молча покрутила пальцем у виска.

— Да-да! — вдруг громко и энергично отозвалась мама, закрывая крышкой готовый суп... — Он такой важный сидит посреди рынка, улыбается, сияет!.. А вокруг горы фруктов, овощей... такое все цветное — очень удачное место! Я всех своих водила смотреть, они одобрили: страшно поднимает настроение! И если по Яффо все-таки когда-нибудь пустят трамвай, то из его окна туристы бросят взгляд, а наш лев — пожалуйста! — сквозь весь открытый ряд как солнце сияет! Главное, чтоб эти туристы приезжали, — добавила она тоном пониже, — и черт уже с ним, с трамваем... А то и его взорвут...

....

"...Мосад башляет за все чистоганом!"

Потоки *восходящих* мелели, усыхали, уходили в почву, как Мертвое море. Создалась критическая ситуация. На Яшины молодежные программы записалось со всей Москвы всего десять человек. И это были не отборные *мандатники,* а так — с бору по сосенке, дедушкины внучки.

Надо было срочно спасать национальную экологию.

Департамент *Восхождения* устроил мозговой штурм и выдал на гора свеженькую идею "отрывного диско": организовать для молодежи праздничную гулянку, дискотеку тысячи на полторы народу, привлечь их, расковать, приблизить к Синдикату... Тем более что и повод праздничный — Пурим на носу.

Вся эта колоссальная халабуда должна была состояться в Культурном центре на Фрунзенской набережной. Когда-то в этом примечательном здании, построенном знаменитым архитектором-конструктивистом, размещалась Академия искусств... но в начале девяностых Академия по бедности сдала все здание ресторану "Золотой дракон", который, в свою очередь, подсдавал зал какой-то фирме, и вот эта-то фирма и сдала Синдикату помещение под *тусовку.*

Убранство всего заведения ошеломляло: все кругом пламенело вышитыми золотом алыми полотнищами, бугрилось драконовыми гривами и хвостами, вздымалось па-

{450} годами. На стенах висели картины, изображающие позы Камасутры.

В помещении, где раньше переодевались музыканты и артисты, дважды в неделю проходил стриптиз. Здесь вы попадали в затхлую атмосферу кладовки: в углу за фанерной перегородкой плоско и пошло выглядывало биде, стоял стойкий, невыветриваемый запах лошадиного пота. Когда открывалась входная дверь, блескучий шар под потолком принимался вращаться с ужасающим ржавым стоном, испуская по стенам и потолку ядовито-желтые и мертвенно-синие лучи. Бумажные цветы, увивающие деревянные перегородки между диванами, в этом свете принимали и вовсе откровенно бордельный вид. На столиках лежали брошюры с изогнувшейся девицей на обложке, обнимающей свои непотребно пышные груди и одновременно преподносящей их, как вышитые подушки.

В общем, все это логово вполне подходило под "отрывное диско". И стоило недорого. Заведовал драконами китаец с фамилией Ку-Ли. Звали его Федор Корнеевич.

Когда Яша явился расплачиваться наличными, как и было договорено сначала, китаец помрачнел, заскучал и сказал: — а у меня, знаете, возникли проблемы...

— Да-да, конечно, я принес! — торопливо заверил его Яша, доставая деньги.

— Да деньги-то... погодите... — и понизив голос, зашептал: — знаете, наш директор, он вообще-то вашей нации... Но очень подозрительный. Он мне вчера говорит, — ты хоть знаешь, с кем связался? Это же... — и какую-то он организацию назвал...

Яша принялся в недоумении перечислять все еврейские организации Москвы.

— Да нет... Как же он... Ма... му... мускат..?

— Моссад!?

— Во-во, Моссад! — обрадовался Ку-Ли, — разведка ваша, да?

Яша сказал со сдержанной и благородной силой:

— Наша организация называется Синдикатом, и главным направлением ее деятельности являются образовательно-культурные программы... А что, Федор Корнеевич, вы полагаете, что нашу разведку могли бы заинтересовать ваши драконы и пагоды? Вот эти вот абсолютно недостижимые даже для сотрудников Моссада позы изысканной ебли? — он попытался завернуть ногу так, как это было показано на третьем справа рисунке на стене.

Ку-Ли замялся... глянул на разложенные веером на столе доллары... и вдруг проговорил бесшабашно и зло: — А по мне, так хоть Моссад! Пусть! Пусть — Моссад!

. . . .

Microsoft Word, рабочий стол,
папка rossia, файл reverdatto

"...Ревердатто стал сезонно пропадать. Сначала мы обрадовались — день нет звонков, два, неделю... Потом насторожились, потом заскучали... Наконец он появился.

Я взяла трубку, в ней сказали монотонным бормотом:

— А на ярмарку его, на ярмарку, шлемы примерять: султаны красные почем, султаны синие...

Я опустила трубку и сказала: — Ребята, весна! Грачи прилетели!

Мои почему-то поняли все сразу. Дочь спросила, чуть ли не радостно:

— Ревердатто?!

Он словно существует в параллельном мире. Кажется, что мы общаемся через временную дыру, что происходит какой-то технический сбой, свищ в пространствах, что эти звонки доносятся до нас случайным залетом из другого мира... Что и у него ночью звонит телефон и, поднимая трубку в своем уютном и разумном мире, он слышит наши сумасшедшие, тревожно бормочущие голоса..."

{452} На очередной *перекличке* мы долго совещались, стоит ли на нашем идеологическом "диско" давать детям алкогольные напитки. Яша очень волновался, чтоб детки не напились, — оно известно, какие нонче детки пошли, говорил он. Само собой, и Изя, глава департамента *Загрузки ментальности*, настаивал, чтобы были изъяты из продажи все спиртные напитки. Однако был более скептически настроен.

— О чем ты говоришь, сынок, — возражал он Яше, — вот новый мобильник — видал? Я спокойненько заказываю по нему все из центрального "Седьмого континента". Молодежь сейчас укомплектована мобильной связью до зубов...

— Да бросьте, ребята, — возражали мы. — Приглашены молодые люди от 15 до 30-ти. Что уж там — и банку пива нельзя выпить?

— Да они и с пива наклюкаются! — волновался ответственный до ужаса Яша. — Ты хоть представляешь, как можно упиться с пива?!

Наконец, совещанием всей коллегии синдиков решили, — дабы предотвратить детское пьянство, — продавать только очень дорогие спиртные напитки.

. . . .

Сегодня Клава подсел ко мне в столовой, потыкал вилкой в жесткую котлету на моей тарелке, поморщился, покачал головой...

Себе он взял плов...

— Это плов? — брезгливо спросил он. — Это каша!

И стал, поглядывая на мою котлету, рассказывать про нравы различных мяс...

— Ты ела крокодил? — спросил он.

— Пока нет, — с любопытством ответила я. — А ты умеешь готовить крокодилятину?

— Я приготовлял очень вкусный крокодил! Его хвост... — он плавно повел рукой куда-то вбок от своей толстой задницы. — Его ростят на сумка, перчатки, а он обижается, так как имеет хороший белый мясо...

И дальше минут десять с удовольствием пересказывал мне рецепт приготовления молодого крокодила в красном вине. Я старалась не вслушиваться, потому как эти метростроевские котлеты и так колом застревают в горле.

— Да, вот что! — сказал вдруг Клава. — Вспомнил! Но это не для аппетита: что за идиотская бумага я получил сегодня от Посла? Что ты там не хочешь похоронять *свой спокойный*?

Я поперхнулась котлетой. Клава стал колотить меня по спине своим мягким, как диванная подушка, кулаком.

— Ладно, ладно! — он перешел на иврит. — Я ведь понимаю: ты хоть и писатель, но не окончательная сволочь. Как это так, подумал я, что это значит — бросить своего усопшего, каким бы идиотом при жизни он ни был, на канадских гоев?! И с чего бы Посол, эта кляча с морковкой в заднице, так заботится о твоем родственнике?

— Ка-азлов!!! — прохрипела я, кашляя и вытирая слезы...

— А... этот красавчик... — Клава задумался. — Да, он хитрован, интриган, *латино*... Хочешь, мы переименуем твоего покойника в Рамиреса и перекинем его с соответствующим письмецом в Министерство иностранных дел? Вот обрадуется этот хлыщ, когда ему подбросят его тухлятину?

Тут в дверях показался Петюня. Как ни странно, он был достаточно трезв. Взял котлету по-киевски, подсел к нам за стол...

— Вы вот что, — сказал мне сурово Петюня, — я понимаю, у вас есть критические замечания по этому строительству. Хорошо. Идите, там сидят рабочие с топорами. Сегодня они работают последний день. Скажите, где вам хочется дверь. Они прорубят.

"...у нас опять — не то что ЧП, но, в общем, конфуз. И вновь именинник — Яша... В день Пурима он так переволновался, что когда уже все началось и благополучно покатилось, от облегчения направился в бар и взял себе коктейль. Мы, всем нашим департаментом (кроме Ромы, которая застряла в пробке и так расстроилась, что вернулась домой, откуда мне и позвонила бодрым расстроенным голосом; и кроме Эльзы Трофимовны, которая не нашла, где находится Фрунзенская набережная, хотя родилась в этом городе и прожила здесь шестьдесят три года), сидели и пили соки за стойкой бара, в углу этого полутемного сооружения — в традиционных масках, в париках, с прицепленными носами из папье-маше...

Тут же околачивался Изя и со свежим восторгом в голосе показывал Костяну, как действует его новый мобильник, как загружаются на него фильмы...

— Сынок! — восклицал он. — Ты чуешь, чем это пахнет?! Абсолютно новый жанр — мобильное кино! Короткометражки — это же первый шаг!

Накануне Клавдий предупредил нас, что ближе к ночи привезет на *тусовку* Председателя ревизионной комиссии Синдиката — продемонстрировать размах праздников, которые организовываем мы для молодежи, имеющей *мандат на восхождение*, и чтобы все мы, как штык, присутствовали, соответствовали, вытягивались и рапортовали. Смирно!

...В наш угол заглянул Яша с бокалом, пожаловался, что дерут за аперитив страшные деньжищи! Я резонно заметила, что он за это, собственно, и боролся...

А вокруг отплясывали дети в карнавальных костюмах. Диск-жокеем на наших молодежных *тусовках* работает Корш, один из самых популярных диск-жокеев Москвы. Он свое дело знает, программу составляет, умело разогревая публику...

— Да, — с удовлетворением подтвердил Яша, потягивая через соломинку ядреный коктейль. — Детям такой просто недоступен.

Минут через двадцать он отлучился к стойке и появился уже с другим коктейлем в руках.

— Я так переволновался, — пояснил он на мой удивленный взгляд, — что мне необходимо расслабиться.

И последующие часа два пробовал разные коктейли...

Праздник уже катился сам вовсю, музыка увеличивала обороты, гремела, разговаривать было затруднительно, да и не о чем, можно было только любоваться разгоряченными юными физиономиями, прыгающими кудрями, локтями, коленками...

Ребята отплясывали с энергией здоровой юности, я наслаждалась, — насколько можно было наслаждаться под этот грохот... Где-то там, в тесной прыгучей толпе скакали и наши дети... Даже Маша и Женя отставили баночки с соком и пошли попрыгать...

— Стоп! — вдруг крикнул Яша. — По программе сейчас должен быть конкурс карнавальных костюмов!

Я посоветовала ему заткнуться и не трогать ребят, пусть веселятся: праздник и так явно удался. Но он к тому моменту прилично напробовался коктейлей, полез давать указания Коршу, — что ставить, требовал "Атикву" и возмущался, что наш государственный гимн забыт в программе.

— Мы!!! — кричал он в грохоте и цветовых взрывах. — Мы — для чего?! Мы представители — кого?!!

Изя пытался остановить его, хватал за руки, называл патриотом херовым, — ничего не помогало...

Короче — единственным из тысячи подростков, о трезвости которых мы так волновались, пьяным в зюзю на вечере напился Яша. И устроил один из тех дебошей, какие устраивал исключительно из-за своих немалых человеческих достоинств, — например, чувства справедливости. Ему показалось, что приз за лучший костюм достался не тому, кто это-

{456}   го заслуживал. В момент вручения призов он запрыгнул на сцену, расшвырял декорации к Пуримшпилю[1], скандалил и вопил, — мы не могли его остановить, он же здоровый, как бык. Радовались только, что время позднее, значит, председателя Ревизионной комиссии уже не привезут...

В конце концов кто-то вызвал хозяина этого учреждения, сухонького щуплого господина с дальневосточной внешностью, который пытался урезонить Яшу, а тот хохотал и вопил что-то несусветное: — Господин Ку-Ли?! Ку-Ли вы приползли?! Моссад башляет за все чистоганом!!!

И вот тут как раз из "Лицея", в котором они обедали, явились, наконец, Клавдий с председателем Ревизионной комиссии Центрального Синдиката. Яша в этот момент водружал на голову брыкающегося Ку-Ли какую-то деталь декораций... Картина была эпическая... Хорошо, что Корш догадался врубить "Атикву", — и, как ни странно, это Яшу угомонило: он вытянулся и застыл на сцене, задумчиво качаясь под звуки нашего торжественного и, — положа руку на сердце, — довольно заунывного гимна... А внизу, под сценой, так же вытянувшись, стояли все мы во главе с председателем Ревизионной комиссии.

Словом, конфуз! Но, как выясняется, конфузом это считаем только мы, взрослые... Дети смотрят на это совершенно иначе.

— Вот везет соколихам! — говорит моя дочь, — какой отец у них — классный, крутой мужик! И Корш постарался, и "Атиква" была... Побольше бы таких тусовок!"

....

---

1   Пуримшпиль — театральное представление, посвященное событиям праздника Пурим (*иврит*).

"Всем приготовиться к дублю!"

Я сидела на скамейке рядом со старой суровой латышкой в великолепном ухоженном парке недалеко от Рижской Оперы... Накануне вечером я выступила в большом и необжитом еще здании, возвращенном недавно еврейской общине Латвии, а сегодня утром меня и еще одного залетного израильтянина по имени Эфраим повез на экскурсию к очередной их, *рижской, Яме* редактор местной еврейской газеты. Мемориал находился недалеко от шоссе, давно уже в черте города... Редактор с гордостью рассказывал, что немцы оплатили строительство мемориала *полностью*... А скульптор и архитектор — наши, ребята талантливые, за идею взяли образ старинного еврейского кладбища в Праге: из черной земли вкривь-вкось торчат камни, словно пропоровшие почву...

Мы с Эфраимом — пожилым седым человеком в очках — стояли на дорожке меж двумя большими безымянными участками, засеянными камнями, молча слушали и кивали... Я, как обычно, ничего не чувствовала, хотя знала, как долго и болезненно потом этот сильный наркоз будет отходить.

По обратному пути, — мы сидели рядом на заднем сиденье минибуса, — Эфраим тихо сказал мне:

— ...Мой русский не очень, да?

Я улыбнулась и ответила на иврите:

— Какая разница?

— В последний раз я говорил на нем шестьдесят лет назад, — сказал он, — в этом самом лесу, по дороге на расстрел...

Я отшатнулась, взглянула на него: поджарый, в веселом синем свитерке, — он выглядел моложе своих лет...

— Не надо ему говорить, — тихо сказал он на иврите, глазами указывая на редактора, сидящего впереди.

— Господи! — ахнула я, — зачем же ты согласился ехать сюда... и стоял, и смотрел?..

— Не люблю обижать людей, — он улыбнулся, — к тому же где-то там лежит моя сестра...

Я больше не спрашивала его ни о чем, почуяв, что он, как и я, не в состоянии много говорить на эти темы, и мы молчали до самой гостиницы...

...Старая латышка поднялась со скамейки, сурово и неприступно пошла по дорожке прочь строевым твердым шагом, кренясь вправо, делая отмашку правой рукой, сжатой в кулак...

. . . .

Microsoft Word, рабочий стол,
папка rossia, файл riga

"...с Ригой меня связывает узкий, но с сильным течением, пролив подростковой памяти... Хотя событийно — ничего особенного... Просто, в год знаменитого ташкентского землетрясения Союз художников Узбекистана вывез три десятка своих детей на Рижское взморье, подальше от глубинных толчков, от дребезжания растрескавшейся почвы, от ходуном ходивших зданий, деревьев, камней...

В то лето мне было почти тринадцать, и землетрясение совпало с собственным землетрясением моего подросткового тела, с гормональным взрывом в недрах организма, с перекройкой всего существа: содроганием покровов, — образованием холмов, прорастанием почвы... с мгновенным жаром и холодом лица, испариной ладоней и подмышек, с едким потом и ознобом спины... С муками и корчами характера...

В то лето меня и закружили эти сосны на дюнах, и шпили старой Риги, и "Реквием" Моцарта в Домском соборе, на всем протяжении которого я немилосердно скучала и о котором вспоминаю всю жизнь... В то длинное лето я успела впервые влюбиться в мальчика и разлюбить его на пляже за слишком широкие и цветастые трусы... словом, в то длинное лето я и была навеки ужалена Европой, за которой теперь пускаюсь гоняться при первой же возможности, о которой всегда тоскую и которая, по-видимому, останется для меня недосягаемой, — для меня, девочки из азиатской провинции...

После обеда я отговорилась головной болью и, выскользнув из гостиницы, пошла гулять по Риге... наслаждаясь одиночеством и свободой...

На площади перед Домским собором, на помосте под огромным навесом шла репетиция оркестра с хором и органом, которым дирижер управлял через переговорное устройство на поясе...

Я сидела за столиком одного из кафе напротив и наблюдала, как дирижер приплясывает перед оркестром. Со своей палочкой он казался ткачом, ткущим какое-то гигантское одеяние для голого короля: привставал на цыпочки, заносил руку и втыкал палочку в воздух, как казалось — в совершенно определенную точку, которую прекрасно видел. Да так оно и было. Эта точка была: 5-й такт от буквы С у вторых сопрано. Он привставал, втыкал иглу дирижерской палочки, и за нею тянулась длинная радужная нить голосов...

Потом я добрела до знаменитого рижского рынка в огромных ангарах, где раньше держали дирижабли, и с час бродила под высоченными, как небо, пузатыми стеклянными сводами, ощущая себя Ионой в чреве гигантского прозрач-

ного кита, любуясь роскошью морских рядов, кипящих рыбь-
им серебром, и коралловой пупырчатой губкой щупалец,
перламутром форели и розовой мякотью семги...

К вечеру я устала, но все-таки положила себе побывать на
улице Алберт — в местном путеводителе было написано, что
чуть ли не все дома в "югендштиле" спроектировал и построил на ней отец режиссера Эйзенштейна.

Я шла на улицу Алберт и по пути рассматривала витрины, — одно из скрываемых мною, любимых времяпровожде-
ний, — и почти сразу наткнулась на узкое высокое окно ан-
тикварной лавки. И, конечно, сразу вошла...

Я время чувствую через предметы, просто вижу несмет-
ное количество пальцев, прикасавшихся к какой-нибудь де-
сертной ложке или настольной лампе. Никогда не ухожу из
такого магазина, не купив, как говорит мой муж, "еще какой-
нибудь ненужной дряни"... Возможно, в этом выражается
моя, — дочери и внучки эвакуированных в Ташкент нищих, —
тоска по родословной, по настоящему отцовскому дому, по
семейным вещам, с которыми связана жизнь многих поколе-
ний родни...

Словом, я вошла и прилипла к прилавку и к полкам, долго топталась, просила дать подержать мне то одно, то другое,
прислушивалась к тоненькой ниточке тепла, которая тянется
из такой вещицы, и, наконец, купила две из них: десертную
ложку в форме распустившегося лепестка и странную вилоч-
ку, замкнутую на концах, как решетка, — вероятно, ей предназначалось доставать какие-нибудь шпроты из банки...
Прежде чем уплатить в кассу, я, сняв очки и приблизив глаза
к предмету, пристально изучила все царапины, даты, клеймо.
Тридцать третий год прошлого века... Догадываюсь — откуда попадают подобные вещи в подобные магазины. Фамильное добро не выносят обычно из дома... Вот только если оно
достается из ограбленной квартиры соседей, угнанных в гетто, или расстрелянных в том лесу, где сегодня так упорно

молчал Эфраим... Только когда они валяются по дому, слишком напоминая, — или уже ничего не напоминая — второму и третьему поколению...

Я уплатила, огляделась вокруг...

— Покажите вон ту шляпку, пожалуйста...

Девушка подала мне с полки маленькую черную — раковиной — шляпку с лоскутом вуали.

— Нет, мне такие не идут, — сказала я, — мне идут широкополые...

— А мне кажется, пойдет, — сказала она. — Почти такую же недавно купила одна известная дизайнер, просто для прикола... Вы примерьте, вот тут резинка...

Я надела шляпу — кажется, их называли "таблеткой", и сквозь вуаль взглянула на себя в зеркало. На противоположной стене за мной висела черная эсэсовская форма. Вероятно, их тоже кто-нибудь покупал *для прикола*...

И тут со мной это стряслось. Мгновенно и ясно и как-то рельефно я УВИДЕЛА в зеркале, как шляпку сбивает прикладом солдат с головы старой дамы в колонне, которую гонят улицей Адольфа Гитлера в рижское гетто... Я разглядела ворсинки на ее сером пальто с покатыми плечами и длинным регланом и успела увидеть, как далеко откатилась шляпа, и как наступил на вуалетку сапог...

Я вскрикнула, сорвала ее с головы и дрожащей рукой положила на прилавок...

— Н-нет... — сказала я, стараясь не глядеть на продавщицу. — Нет, мне не идет такой фасон... Даже для прикола...

Вышла из этой страшной лавки, пропитанной густым и прожженным прошлым, как курилка — сигаретным дымом, и — не слышала я сегодня предостережений! — после всего этого все же повлеклась на улицу Алберт, в надежде отвлечься...

И отвлеклась.

Завернув за угол и прочитав название улицы, убедившись, что дошла, я натолкнулась на бородатого человека с жестяным рупором, который, смерив меня взглядом, спросил деловито:

— Вам здесь пройти нужно? Ну, идите, пока еще можно…

Он посторонился, и я ступила на щербатую мостовую прошлого века, выпирающую горбом в середине улицы и покатую к тротуарам… Поодаль стояла извозчичья пролетка, на облучке которой сидел и пощелкивал кнутом дядька в картузе… Я оцепенела, замедлила шаг, но остановиться не могла, ибо мимо обветшалых домов с великолепными фасадами в стиле модерн меня тащило, влекло, манило в сумерках мерцание длинных белых платьев на дамах, гуляющих по мостовой, и белых костюмов на двух господах… А на тротуаре стояли три гимназистки в коричневых платьях с оборочками, и над ними возвышалась дородная дама в точно такой шляпке с вуалью, которую я примеряла четверть часа назад в лавке старья… Прямо на меня шла торговка в белом фартуке с корзиной бубликов на голове, ее окликнул пожилой, в бакенбардах, господин с тростью… Пробежал мальчик в картузе, с пачкой газет "Ведомости" в руках, два религиозных еврея в традиционных одеждах шли с толстыми книгами под мышкой, углубленные в какую-то важную беседу…

Я шла мимо дома сэра Исайи Берлина с двумя лежащими сфинксами с лицами пожилых евреек, шла среди прекрасных призраков прошлого, мечтая, чтобы эта мистическая улица длилась и длилась в сумерках, шла и думала: — уничтоженный мир европейского еврейства, — вот, поистине, часть колен израилевых, потерянных невозвратимо в середине прошлого века…

— Внимание! — грохнул над моей головой жестяной голос. — Посторонних просим покинуть съемочную площадку!.. Всем приготовиться к дублю!.."

Позвонила Марина и сказала безмятежно:

— Представляешь, в окно нашей кухни стреляли... Ну, не ахай. Не ахай! Ну, какая милиция, что ты! Это только ты преследуешь несчастных шизофреников... Так, какой-нибудь алкоголик шмальнул на спор из дома напротив. Или, может, привиделось ему чего... А Пушкин-то у нас как раз на кухне сидит, в кресле у окна. Серега говорит: уберите поэта, пока его не настигла пуля Дантеса...

. . . .

Мы договорились встретиться в нашем любимом армянском ресторане "Старый фаэтон". Обычно мы спускались в винный бар, который помещался в огромном, пыточного вида, сводчатом подвале. Армяне его почистили, украсили несколькими старыми колесами от бричек, поставили крепкие дубовые столы и стулья. Две мощные колонны подпирали высокие беленые своды.

Мы уговорились встретиться в четыре. Я пришла, разумеется, за полчаса до встречи, Марина, как обычно, должна была опоздать, неизвестно — на сколько.

— Я жду подругу, — сказала я молодому человеку в вышитой зеленой жилетке, — вы ее сразу узнаете. Войдет

{464} блондинка с лучезарной улыбкой и таким видом, точно любит вас всех, как родственников, но абсолютно не понимает — кто вы и зачем тут оказались. Сведите ее вниз, пожалуйста...

Я села за стол, укромно стоящий за колонной, заказала зеленый чай и закуску, которую брала тут всегда: она называлась "имнбалды", и вкусом полностью оправдывала свое название. И стала ждать Марину. Мы не виделись несколько недель, совершенно безумных недель моей жизни.

Наконец я услышала, как спускаются по лестнице вниз.

Из-за колонны показалась голова молодого армянина с выдающимся носом и зовущим взором пляжного ловца приключений. Он был в черном цилиндре. Помахав большой мягкой ладонью, Марининым голосом проговорил:

— Налей и мне, любезный Дельвиг...

— О, Господи! — сказала я. — Так вот он каков!..

Солнце русской поэзии, Александр Сергеевич Пушкин, был обут в мягкие ботиночки, элегантный сюртучок, черные брючки и приталенную белую рубашку с большим отложным воротником. Кроме того, на шее у него был повязан голубой платок, очень идущий смуглому оливковому лицу, сшитому из моих летних брюк.

— Возьми, подержи его! — сказала Марина.

Я взяла Пушкина на колени.

Он был совершенно живой, подвижный, теплый. Сидел на коленях у меня, как капризный ребенок, обнимая шею большими руками. Каждый палец, каждая фаланга, ногти — все было сработано самым тщательным и любовным образом. Это был очередной Маринин шедевр, венец творчества.

Мы усадили его на посудную тумбочку, рядом с нами. Он чуть улыбался широким ртом, был благожелателен, сердечно весел...

...Вообще, Марина не любила выносить свои чада в широкий мир. Вернее, разлюбила после той истории, когда был трагически потерян Никодим — небольшой, доверчиво обнаженный человек, сшитый ею с такой великой любовью, словно она вынашивала его девять месяцев, а потом в муках рожала. Никодим был светлой личностью, с прекрасным плоским лицом, с юной, едва поросшей нежными волосами грудью, с подробно вышитыми гениталиями, на кончике которых — изыск! — сверкала красная бисеринка... Вот Никодима-то Марина часто брала в свои странствования, он был уже бывалым путешественником и вообще, личностью знаменитой, действующим лицом многих концептуальных выставок Леонида Тишкова, персоналием международных каталогов...

Он сопровождал ее на разные встречи, выбирался на свет Божий из рюкзачка, усаживался на стол, обнимая сахарницу или солонку, внимательно и доброжелательно слушал ее собеседников...

Так вот, на одной из встреч в ЦДЛ она забыла Никодима в дамском туалете...

Спохватилась уже вечером, придя домой. В ужасе позвонила своему другу, поэту Якову Лазаревичу Акиму, и тот сказал:

— Как?! Ты оставила там его одного, беззащитного, голого?!

Дело решил взять в свои руки сам Леня. Все-таки концептуально он был отцом Никодима... Утром поехал в ЦДЛ и разыскал уборщицу, которая с первого же слова понесла его, на чем свет стоит.

— Ах, эта срамоти-и-ща! — воскликнула она, сплевывая через каждое слово. — Да я ЭТО выкинула в помойку, чтоб детя́м на глаза не попалось!.. И скажи спасибо, что милицию не вызвала!

Часа два Леня, известный художник, издатель редких рукописных книг, лауреат международных конкурсов, автор десятков международных выставок, безуспешно рылся в окрестных помойках... Домой он явился потерянный, черт те чем перемазанный, — с траурной вестью...

Марина заплакала, легла на диван, распростерлась...

"Темные люди... темные люди... — повторяла она, — бедные темные люди!"...

...Так что я оценила этот широкий жест Марины, этот подарок, — первый выезд классика в огромный мир, на свидание лично со мною...

Минут через двадцать к нам подошла одна из официанток, сказала, стесняясь:

— Вы не могли бы мне одолжить ваш мужчина на три минута? Я хочу его показать нашим поварам.

— Отчего же нет! — сказала Марина приветливо. — Пойдемте вместе.

Когда мы появились на кухне, нас окружили человек восемь армян, таких же носатых, зубастых и черноволосых, как наш Александр Сергеевич. В распахнутых белых халатах на груди у них точно также курчавились волосы. Они ахали, цокали, почтительно трогали Пушкина, тот гладил их в ответ большой тряпичной рукой, а одну официантку даже взял за задницу.

— Это Пушкин?! — спросил восторженно шеф-повар, — А вы кито — Натали?

— Да что вы, — сказала Марина скромно, — я — Арина Родионовна.

Тут набежало еще ресторанной обслуги.

— Это Пушкин, — объяснял новым зрителям один из поваров, — со своей няней...

...На сей раз я проводила Марину к метро и, когда поднялась наверх, — в темноте все грохотало, блистало, ухало... Вдруг разом рухнуло небо, оглушило, захлестало ливнем...

В светлом платье, без зонта, я промокла сразу же и вся, сбежала вниз, в подземный переход на "Пушкинской" и стояла там, в мокрых босоножках, среди обжимающихся парочек, пережидающих дождь, неподалеку от группы музыкантов... Минут через двадцать гроза кончилась... А я все медлила, не в силах достать мобильник и вызвать Славу... Медлила, вспоминая все свои прошлые дожди, и мокрые белые платья, и кроны деревьев, и подземные переходы и подъезды России, в которых кого-то ждала, с кем-то пряталась, с кем-то целовалась...

...Войдя в свой подъезд и удивившись тишине и действующей лампочке, я нажала на кнопку лифта. Через минуту он спустился, двери разъехались. Я вскрикнула и отпрянула. Всю тесную кабину занимала местная гигантская собака Альфа, черный мул со звездой во лбу. И несколько мгновений обе мы, молча и тяжело дыша, не двигаясь, смотрели друг на друга. Потом двери лифта сошлись, я бросилась к лестнице и за три секунды взлетела на третий этаж.

. . . .

— А у нас прибавление, — сообщил мне Яша, ухмыляясь, — причем, солидное прибавление: в Индии, в провинции Гудрон обнаружено племя — 17 с половиной миллионов... Павлик надыбал, в журнале "Нешенал джиографик"...

— Ты с ума сошел, — испугалась я, — нам уже скоро уезжать, слава Богу. Пусть этим племенем занимаются наши сменщики...

— Да ты только вдумайся! Они самые настоящие евреи, хотя, конечно, индийцы: исповедуют классический ортодоксальный иудаизм, молятся в синагогах, и прочее. Субсидируют их *Ревнители Закона*. Когда-то, годах в пятидесятых, там заблудился какой-то американский *хиппи-ревнитель* — пьяный или обкуренный марихуаной... обратил их сдуру или по вдохновению, и сейчас есть уникальная возможность пополнить запасы свежатины. Ребята рослые, — продолжал с энтузиазмом Яша, — красивые, широкоплечие. Кстати, местные интеллектуалы... Поехали?

— Ты совсем сдурел? — поинтересовалась я. — Это не наше направление.

— Ну и что? Поедем как бы в отпуск, разведаем. Потом напишем раппорт в *департамент Коленного Вала*: так мол и так... Нашлось потерянное колено Менаше... А?

....

Ночью у Яши зазвонил телефон. Уверенный, что это Павлик с очередной благой вестью о какой-нибудь группе евреев, затерянных в лесах, морях, равнинах, пустынях, Яша чертыхнулся и снял трубку.

Это был Петюня.

— Яаков, — спросил он тревожно бормочущим голосом. — У тебя как с английским?

— Нормально, — сказал Яаков, — не жалуюсь.

Это было в духе Петюни: интересоваться знанием языка коллеги на третьем году совместной работы, отслужив, по крайней мере, раз пятьдесят обедни по американцам, на которых Яша всегда переводил всех туда и обратно, как пионер — старушек через дорогу.

— В следующую пятницу приезжает коллегия из Верховной комиссии жертвователей. Клавдий поручил все это мне. Умоляю тебя помочь! Нужно будет переводить кое-что.

— Ну, о чем ты говоришь! — сказал великодушный Яша. — Конечно, помогу.

— Ты не забудешь? — умоляющим тоном повторил Петюня. Вообще, такая озабоченность ситуацией была для него нетипична. Разве что, подумал Яша, комиссия приезжает специально затем, чтобы пощупать связку его апостольских ключей от рая... — Не забудешь?

— Ну, что ты!

— В пятницу, в следующую?..

— Не волнуйся.

В течение всей следующей недели Петюня звонил по два раза на дню, доводя Яшу до исступления. Накануне знаменательной пятницы позвонил вечером, страшно волнуясь.

— Ты помнишь? Завтра!

— Да помню, помню!

— К десяти!

— Хорошо.

— Нет, к девяти будет лучше! Будь к девяти, а?

— Ладно, спи спокойно...

Но в 12 ночи раздался новый звонок.

— Знаешь... — сказал тревожно бормочущий голос невменяемого Петюни. — Будь лучше без пятнадцати девять. Ладно?

— Ну, хорошо... Дай же мне поспать хоть часа три!

— Бай, — тот повесил трубку.

На следующее утро невыспавшийся, злой, но обязательный Яша взял такси и приехал в Синдикат.

У ворот садика он увидел "жигуль" Славы Панибрата, возле которого на четвереньках стоял Шая, высвечивая фонариком днище машины. На эти манипуляции с одной стороны любовался Слава со своим хитрющим прищуром, а с другой — от дверей "Гастронома" — на Шаю с сочувствием посматривали трое местных алкашей.

Оставалась минута до условленного времени. Яша промчался по коридору, взбежал на второй этаж, постучал в кабинет Петюни и распахнул дверь.

Тот сидел за своим огромным столом и листал какие-то бумаги.

Яша сел на стул, с готовностью уставился на Главного распорядителя Синдиката.

— Ну? — спросил он.

{470} Тот поднял на него большие кроткие глаза апостола, только вступившего в должность.

— Что? — спросил он.

— Еще не приехали?

— ...Кто? — спросил Петюня после короткой паузы.

— Американцы!

Петюня продолжал рассматривать какие-то бланки.

— ...какие американцы? — спросил он, не поднимая головы от листов.

Яша молча смотрел на него, не понимая — снится ему это или происходит вот сейчас, так просто, как ни в чем не бывало... Или, может, двинуть как следует по этой вечно пьяной морде...

— Давай позвоним им в гостиницу, — предложил он.

— Кому? — спросил тот.

— В какой гостинице остановились твои американцы?

— Понятия не имею, — чистосердечно отвечал Петюня, глядя на Яшу прозрачными, как спирт, глазами святого Петра. — А кто ими занимается? Вот тот и знает, когда они появятся... Ну, брось ты эту ерунду, — сказал он вдруг проникновенно, — слушай лучше анекдот:

анекдот от Петюни:
— Вы знаете, мой муж такой алкоголик, такой распутник... Вот, его не было три дня. Сегодня является — совершенно пьяный, и в плаще, застегнутом на одно яйцо...

...Яша поднялся, глубоко вздохнул, еще раз вздохнул поглубже и вышел из кабинета... Нет, думал он, спускаясь к себе на первый этаж, это невозможно... Вот, сукин кот, алкоголик чертов!.. Нет, это даже не хасидизм, это какой-то дзен-буддизм, и больше ничего!..

Из "Базы данных обращений в Синдикат".
Департамент Фенечек-Тусовок.
Обращение номер № 9.673:

Виноватый старческий голос:
— Простите, пожалуйста... Нас направили к вам из Посольства... Наш сын прошлой осенью погиб в Канаде... в водопаде этом знаменитом... (тихо плачет)... Господи, все время забываю это название... Фима, как его зовут?.. Да речку эту ихнюю, куда Бузя упал... (всхлипывает)... Извините, я вспомню и потом позвоню...

. . . .

Microsoft Word, рабочий стол,
папка rossia, файл moskwa

"...Аркаша Вязнин всегда зовет на какие-то особо модные концептуальные выставки. Было время, я пыталась разобраться — нравится ли ему это или он по должности обязан отведать от всех культурных московских лакомств. На сей раз несколько модных галерей соорудили в Новом Манеже экспозицию под общим названием "Бег времени"...

Я, не большая почитательница потуг современного искусства, должна пойти еще и потому, что Леня Тишков участвует в экспозиции своей инсталляцией "Песок нашей жизни"... Марина объясняла мне идею этого произведения и даже успела рассказать о воплощении: в большой стеклянной кабине сидят за накрытым столом две восковые куклы в человеческий рост: одна повторяет Леню, другая — Марину. Сверху в узкую воронку на потолке кабины сыплется и сыплется белый песок, такой, каким заполнены песочные часы. Все рассчитано точно: песок сыплется все десять дней, пока открыта выставка, и постепенно засыпает всех сидящих в кабине — и плюшевого мишку Марины, которому на днях исполнилось сорок пять лет, и самих восковых кукол, и накрытый стол с бокалами и столовыми приборами... Главное же то, что стекло кабины (жутко дорогая затея, — как объясняла Марина), меняет цвет с прозрачного на темно-синий. Проходит день, наступает ночь, а песок нашей жизни струится неудержимо. Словом, веселенькая концепция...

Там еще вокруг было много затейников, нет сил все записывать, да и не понадобится...

Новый Манеж — место модное, народу туда стекается самого разного... Сегодня угощали хорошим сухим вином, орешками, публики было — не протолкнуться. Вокруг инсталляции "Песок нашей жизни" целая толпа...

...Аркаша со всеми любезен, приветлив. В публичных местах наливные яблочки его щек всегда бегут по золотому блюдцу...

Я вышла в соседний зал, довольно ходко обошла все затеи, но возле одной экспозиции застряла надолго:

Автомобильный клуб кабриолетов и родстеров выставил три кабриолета, три гоночных автомобиля: в центре сверкал темно-серый, последней марки BMW, на который искусно были направлены сильные лампы. А по обе стороны от этого красавца расположились две старых, прошедших реставрацию модели кабриолета, вероятно, призванные продемонстрировать мощный рывок индустрии этого знаменитого автомобильного концерна. Возле каждого автомобиля стояла тренога с объяснительной табличкой:

DELAHAYE 135 M Super-sport 36 года.
Изготовлен в количестве 4 экземпляров.
Принадлежал Рене Дрейфусу,
известному французскому гончику.

BMW-Watburg DA-3 30 года выпуска, сделан на заказ в кол-ве 11 штук и единственный сохранившийся до наших дней. Принадлежал офицеру СС барону Курту Кесслеру.

Великолепно реставрированные, будто едва сошедшие с конвейера, два эти автомобиля были гоночно устремлены вперед своими округло вытянутыми телами... И несмотря на то что стояли, крепко привинченные к платформе, казалось, что они мчатся, выжимая свою предельную скорость, летят, отрываясь от земли на крутых виражах, один — управляемый блестящим арийцем, другой — потомком легендарного еврея Дрейфуса, — летят, летят уже без гонщиков, но запущенные их волей, сквозь пространства безбрежных времен, сметая дворниками песок нашей жизни, — летят, обгоняя друг друга, в полной невозможности остановиться...”

— ...Слушай, — сказал Аркаша, когда мы вышли из Нового Манежа и побрели по Георгиевскому переулку вниз... — странным ажиотажем тянет из вашего садика, с этим плаванием в неизвестном направлении...

— ...Почему в неизвестном? — неохотно спросила я.

— Да потому, что во всех ваших рекламках-призывах сыграть в лотерею и ухватить судьбу за бороду так и не указан точный маршрут сей эпохальной экспедиции. Это что — тайна?

— Аркаша... — я вспомнила грозное предупреждение Клавы о строгой секретности данного Проекта, принужденно хмыкнула... — я бы вообще советовала тебе не играть в лотереи.

— По-моему, эта какая-то афера...

Я взяла его под руку, мягко проговорила:

— ...но не бо́льшая, чем экспедиция вашего Колумба.

Он улыбнулся и поправил:

— *Вашего* Колумба!

И так мы шлялись еще часа полтора, абсолютно довольные жизнью и краткой вольностью, пока Аркаша не спо-

{474} хватился, что должен сегодня еще писать какую-то докладную записку Послу.

— ...Ничего, — сказал он, — все-таки провожу тебя...

...Мы подходили к "Гастроному" на Якиманке, когда почувствовали в воздухе нечто — как писали классики — *неизъяснимое*, что всегда в России сопровождает любое безобразие. На углу, где сгрудились тесно киоски и лавки, стояли группки прохожих. Они как-то мутно улыбались, отводили глаза, возбужденно и тихо переговаривались.

Мы взглянули в том направлении, куда они смотрели.

Под витриной гастронома на земле лежала совершенно голая старая баба, то ли пьяная, то ли сумасшедшая, — страшная фиолетовая туша. Все ужасное, что может сотворить жизнь с женским телом, уже было сотворено, украшенное неисчерпаемым пьянством. Она лежала на боку, что-то вяло выкрикивая, плавно поводя правой рукой, как будто дирижировала, а левую уютно подложив под щеку. Огромный лиловый живот лежал рядом с нею отдельно, как чемодан.

Поодаль, на значительном расстоянии, возле милицейского джипа стоял молоденький милиционер с совершенно растерянным и даже несчастным лицом. По-видимому, он совсем не знал, что делать. Время от времени лез в машину и сильно, продолжительно сигналил, стараясь пугануть то ли бабу, совершенно бесчувственную, то ли интересующуюся публику. Вокруг нее расстилалось пустое пространство, а если из-за угла показывались люди, их — при первом взгляде на огромную кучу возле дверей гастронома — буквально вихрем сносило в сторону.

Мы остановились у джипа. Милиционер говорил что-то в переговорное устройство с тоскливой интонацией.

— Надо вызвать "скорую"... — сказал ему Аркаша.

— Да вызвали уже...

— Может, ее накрыть чем-нибудь?

— Зачем? Она сама разделась.

— Но ведь жалко...

— Кого?! — с неожиданной злостью спросил милиционер...

— Ее...

— Ее не жалко, — сказал тот, страдальчески морщась. — Людей жалко...

В какой-то момент потревоженная клаксоном баба приподняла голову, и в этой багровой измолотой маске я вдруг узнала соседку с последнего этажа, мамашу огненного ангела нашего подъезда.

....

Кафе под названием "Рюм.чная"

С самого утра день покатился как-то неказисто.

Сначала явился Шая в сопровождении Эдмона. Они строго осмотрели мой кабинет, пальцем проверили температуру воды в аквариуме с мальками, потоптались у стола, вымеряя складным метром расстояние до окна, потом по очереди ложились на пол, залезали под стол, вымеряли там что-то...

Наконец Шая сказал, что стол все-таки надо передвинуть, а то, в случае чего, меня убьют выстрелом в затылок.

— Кроме того, Дина, — сказал он, насупив свои шелковые брови персидской красавицы, — нам стало известно, что ты ездила в Казань, не заполнив *бланка на отсутствие*.

Я сидела, потупив глаза, и боялась только, что, услышав эту беседу, мои гаврики хохотом разбудят дракона: чуть ли не каждую неделю я куда-нибудь уезжала, даже не вспомнив об этом обязательном и никчемном листке. Они еще поморочили мне голову, затем, как обычно, осведомились, что я сделаю, когда начнется обстрел, заставили меня рухнуть на пол и ползти к дверям кабинета — к абсолютному восторгу моих подчиненных... И наконец покинули территорию.

— Маша! Чаю... и плесни чего-нибудь такого, не обидного... — велела я, поднимаясь и отряхивая брюки.

— Ну что ж вы делаете! — крикнула моя грубая секретарша. — Господи, как алкаш какой подзаборный! Подождите, я щетку возьму...

И тут позвонил Яша, совершенно больной, — я даже не узнала его голоса...

— Выручай, — просипел он, — ради всех святых! У меня гриповецкий, температура под сорок, в башке звон, как на колокольне... И сегодня же вечером я должен открывать семинар в Сельце.

— Где?!

— Сельцо, поселок городского типа, час автобусом от Брянска... "Твердынюшка" собрала молодежь, человек тридцать... Павлик говорит — отборные ребята, у всех — *мандат*... Беда только, что самого Павлика начальство куда-то услало, и тебе придется как-то самой...

— Яшка, я тебе страшно сочувствую, но плохо представляю, как буду добираться, — времени заказать у Гоши машину уже нет... И что я буду делать с этой молодежью?

— Ну, расскажи им чего-нибудь, возьми в моем кабинете слайдпроектор, мультики наши, какие-то слайды, пейзажи Страны... Мне ли тебя учить... — он закашлялся, захрипел... — О, Господи, сил моих нет, тошнит и крутит, крутит и тошнит...

— Ладно, — я сжалилась... — Ладно, поеду... А ты смотри, пей горячего побольше. Мед дома есть?

— Да есть, есть... Спасибо, дружище! — опять закашлялся, — век буду о тебе молиться... Только осторожней будь, там военный завод, поэтому все мужское население от четырех до восьмидесяти четырех лет носит оружие...

— Главное, не забывай по мне молебен ежегодный...

— Типун тебе на язык!

В такие вот минуты, за такие вот шутки надо бы на язык не типун призывать, а прищемить его своей собственной рукой! Ангел мой, хранитель, третий год без продыху щеголявший в полной боевой выкладке, должно быть, щелкнул затвором и ножичек заткнул за голенище...

....

...В четыре часа того же душного, влажного дня я вышла на Брянском вокзале, таща слайдпроектор, сумку с книгами-гостинцами и еще одну, свою походную сумку с барахлишком: Яша сказал, что семинар проходит в доме отдыха "Лесное раздолье", где мне забронирован номер...

По идее, меня должен был встретить на вокзале кто-то из добровольцев истово преданной нам "Твердыни". Но не встретил...

Я вызнала — где тут останавливается автобус на Сельцо, потащилась к остановке, изнемогая от веса слайдпроектора, книг, сумки и мечтая, как всегда в таких случаях, немедленно провалиться сквозь землю и очнуться где-нибудь на террасе "Дома Тихо́" в Иерусалиме, за столом, на котором стоит тарелка их знаменитого грибного супа, густого, как каша, курящегося, как вулкан, и благоухающего, будто...

В мечтах о грибном супе я увидела, как меня обогнал автобус "Иерусалим—Хайфа", номер 904... Черт, упустила, — подумала я, — и странно, ведь эти, бело-красные, давно сняты с линии...

И тогда уже вспомнила — где я...

Красно-белый увалень "Мерседес" остановился вдали, подобрал пассажиров и тронулся дальше. Я не предприняла ни малейшей попытки догнать, подбежать, не только потому, что не в силах была доволочь сумки, но и потому, что немедленно ослабела от этого кошмара: на красно-белом боку автобуса я даже не прочла, а издали опознала надпись на иврите — "Эгед"...

Дождусь другого, подумала я, ведь этого не может быть, это сон, просто сон...

Минут через сорок вдали показался другой, точно та-

он подъехал к остановке, и небольшая толпа деловито ринулась к дверям... Я втянула сумки по знакомым до боли и
всегда раздражавшим меня своей крутизной ступеням, по
привычке сунулась к водителю — купить билет, но с задней
площадки к новым пассажирам уже пробиралась тетка в
бархатных штанах и с кирзовой сумой на брюхе. Я взяла билет, рухнула на сиденье и сидела так, тупо глядя на привыч-
ную надпись на древнееврейском языке: "не ставьте ноги
на сиденье"...

Вот она, моя российская действительность, думала я,
облизывая сухие губы и ощущая тошноту и тяжесть в висках, которые всегда наваливаются на меня в облачную
влажную погоду... — я сижу в израильском автобусе, еду в
поселок Сельцо и смотрю на роскошные леса за окном...

Вдоль шоссе мимо вывешенных на продажу ядовито-
желтых и фиолетовых полотенец с томно изгибающимися
Мэрилин Монро шел по обочине мужик в сапогах. Впереди него — как в цирке — бежали три петушка, заполошно
взмахивая крылышками...

Кондукторша, мотаясь по автобусу, опять пропихива-
лась к передней площадке.

— Билет взяли? Взяли билет? Билет? Ваш билет?

И я решилась.

— Скажите, — я тронула ее за рукав вязаной кофты, —
а на каком языке тут... вот тут, написано?

— Где? Да шут его знает! На турецком! — она повернулась, оглядела пассажиров: — Билет? Ваш билет?

— ...И давно эти автобусы у вас на линии?

— Давно-о! С год, может, больше... Турки повыкиды-
вали, а кто-то ушлый из наших взял и скупил по дешевке...
Ничего, бегают, дай им Бог здоровьичка!

{480} Номер мобильного, по которому надо было дозваниваться до неизвестного Эдика, добровольца "Твердыни", не отвечал. Я оставила на автоответчике вопль растерянной души и, вывалившись из автобуса на главной улице поселка, огляделась... Вдаль уходили совершенно разбитые, проросшие травой трамвайные пути. Над желтым трехэтажным зданием трепыхался красный флаг...

Неподалеку в кустах какая-то старуха отплясывала краковяк. Приглядевшись, я поняла, что это значит: ногой она плющила банки из-под пива, "колы" и "пепси", очевидно, сдавая их на лом. Повсюду окрест расстилался нерушимый Советский Союз... Время здесь остановилось на эпохе нефтяного кризиса; марки замызганных и проржавевших насквозь машин, похожих на каски советских солдат, какие по лесам откапывали в оврагах пацаны, напоминали довоенные фильмы... И кто знает — где мне предстояло ночевать...

На углу в занимающихся бледных сумерках засветилась надпись "Рюм.чная"... — над ободранным одноэтажным зданием с зарешеченными витринами. Хоть кофе выпью, решила я, взвалила на себя слайдпроектор и сумки и взошла на бетонную террасу, проросшую лопухами... За соседним столом, покрытым истертой клеенкой, сидели два подростка и пили водку.

— Кофе, пожалуйста, — попросила я официантку, выглянувшую наглой лисьей мордочкой из какого-то эстрадного скетча.

И она мне ответила в духе и в тоне скетча, словно репетировала:

— У нас кофе нет, у нас "Рюмочная".

— А в рюмки вы только водку наливаете?

— Можно водку, — сказала она невозмутимо, — можно пиво...

— Ну, принесите пиво... — очень хотелось пить.

Подростки за соседним столом вели какой-то долгий решительный спор, который становился все более отрывистым по мере убывания водки в бутылке. Несколько раз {481} они оглядывались на меня...

— Да фуфло это, фуфло... — убеждал один, — ТэТэ у меня был в запрошлом годе, я его братану отдал, а у Косого купил ПэЭм...

— ПэЭм бьет сильно, но не метко... — возражал другой...

Он опять обернулся, и мы встретились взглядами.

Пришла, наконец, официантка, принесла бутылку пива "Солодов"...

— Только, вы это... — сказала она, — не рассиживайтесь, через полчаса мы закрываемся на свадьбу...

Значит, кто-то играл сегодня свадьбу в этой "Рюм.чной", похожей на пакистанскую тюрьму, штат Пешавар, у кого-то сегодня в этом кошмарном поселке был самый счастливый день жизни...

— У вас тут где-то недалеко пансионат "Лесное раздолье", — сказала я. — Как мне туда добираться?

— Та он разве не сгорел? — удивилась официантка. — Его ж партизаны спалили... — и ушла в помещение, помахивая подносом...

— ТэТэ гораздо метче! — крикнул один из пацанов. — Че ты гонишь! Во, смори!

Он вынул откуда-то из-под свитера и положил на стол пистолет, и они бурно и совершенно непонятно для меня стали обсуждать детали. Потом тот, что постарше, огляделся, навел на меня дуло и сказал:

— Каждый ствол нужно пристреливать. Тетка, ну-к сиди ровно, минутку!

Я застыла, дернула рукой, стакан с пивом перевернулся, поползла пена, заливая колени... Большая страховка, думала я, как всегда, большая страховка...

Опять показалась официантка, бесстрастно прошлась по террасе под дулом пистолета.

— Эй, Серый, — окликнула она, — слышал, закрываемся? Гуляйте отседова...

Серый убрал пистолет под свитер и, деловито матерясь, продолжая что-то доказывать товарищу, поднялся...

На этой террасе меня и нашел Эдик — по виду такой же щуплый подросток, с большим крестом на шее... Очень извинялся: он забыл включить мобильный, суетливо радовался, что хоть кто-то приехал, уверял, что собрал отборных парней, и место замечательное, вот увидите — один воздух чего стоит, вы отдохнете, просто отдохнете по-настоящему!

Он усадил меня в синий "запорожец" моего детства, и мы поехали замечательным смешанным лесом...

— А разве "Лесное раздолье" не спалили? — осторожно спросила я.

— Да что вы! Это "Брянских партизан" спалили участники слета, — там слет старых партизан проходил, вот они нечаянно и спалили... Выпили и спалили... А "Лесное раздолье" — что вы, это место шикарное! Там один мой друг в пруду во-от такойского окуня вытащил! Оставайтесь денька на три, а?

И минут через двадцать мы прибыли на место. Воздух здесь был действительно травным и хвойным, и в пруду, возможно, водились огромные окуня, но в остальном этот близнец "Пантелеева", с одной душевой кабиной на этаже, мог привлечь разве что старых партизан — по сходству с условиями жизни их боевой молодости...

От ужина я отказалась (я отлично представляла себе этот ужин), поклевала орешков, заела яблоком... Вышла из номера и до наступления темноты еще погуляла по лесу... Кстати, на берегу поэтичного и тихого пруда я обнаружила новый трехэтажный корпус. На поляне перед ним росли три огромных, былинной красоты сосны, под одной из которых так и остался стоять плющенный в гармошку джип "Чироки"...

После ужина я должна была встретиться с *мандатниками,* обнаруженными загонщиками из "Твердыни" здесь, в этих Брянских лесах...

Эдик, такой же старательный и истовый, как Павлик, такой же святой, — а может, у него, как и у Павлика были на то причины личного свойства, — сопроводил меня в темный, с перегоревшими пробками, зал, где уже сидели ребята.

— Ничего-ничего, — приговаривал он, ведя меня, как слепую, за руку по какому-то проходу к столу, покрытому, на ощупь, клеенкой, — вот уже сейчас чинят-чинят, а вы пока говорите, говорите... вас слушают. Ти-ха!!!

Я начала в полную темень:

— Дорогие друзья, это даже символично, что наша беседа начинается так странно, вот мы не видим друг дру-га, но вслушайтесь: едва возникает звучание голоса, про-сто — человеческого голоса, и...

Зажегся свет, раздался свист, я ослепла на минуту, а когда открыла глаза, обомлела: в небольшом зале за длин-ными, без скатертей, столами, сидели человек тридцать Серых, лет по четырнадцати, точно таких же, какие недав-но целились в меня на террасе "Рюм.чной", мне даже по-казалось, что под свитерами у них топорщатся ТТ и ПМ...

— ...Здравствуйте... ребята... — проговорила я. — Ну что ж... Вот сейчас... мне тут наладят слайдпроектор, и мы... кое-что посмотрим...

Щуплые, угловатые, костистые, они смотрели на ме-ня без всякого интереса. Рядом крутился Эдик и еще один парень, видимо, тоже — сотрудник "Твердыни"...

— Что бы вы хотели посмотреть? — спросила я, по-давляя страх и сострадание при виде этих гаврошей... — Я вообще-то привезла еще мультфильмы израильских авто-ров, есть виды городов Израиля...

— Мультики давай! — крикнул один, остальные за-ржали взрослыми голосами.

— Что вы делаете, — тихо проговорил у меня за пле-чом Эдик, — они же взрослые люди, не смотрите, что ма-лорослые... Им всем по восемнадцать, по двадцать лет...

Я во все глаза глядела на эту породу лесных недорослей, — сколько же в детстве недодано было фруктов, молока, мяса... *этим потерянным коленам...*

— Ну, хорошо, — сказала я. — Кто из вас бывал хотя б однажды на море?

Они молчали, так же вчуже, равнодушно меня рассматривая.

— Я расскажу вам про моря, — хотите? Сразу про три моря, вокруг клочка земли. Про Средиземное. Красное... Мертвое... Начнем вот с этой рыбы... — и поставила слайд с удивленной физиономией красной, в черную полоску, рыбины, с какой лет пять назад столкнулась в Эйлате, у кораллового рифа...

...На рассвете, проснувшись, по обыкновению своему, в пять, я быстро собралась, написала благодарственную записку Эдику, оставила ребятам в подарок книги, календарики и буклеты, сложила слайдпроектор в коробку, взвалила сумку на плечо и тихо вышла во двор. Пансионат "Лесное раздолье" еще спал.

Я миновала поляну с тремя соснами и разбитым джипом "Чироки" и попала на асфальтированную площадку перед ржавыми воротами. Здесь стояла скульптурная группа: почти целый мужчина, подпертый с обеих сторон двумя женщинами, одна из которых держала на руках неважно сохранившегося ребенка. Из-под ног этого многоженца рвались в вечное небо два лебедя с поистине орлиным размахом крыльев...

Минут сорок я голосовала на шоссе, на Брянском направлении, надеясь, что мой приличный вид смягчит сердце какого-нибудь водителя... Наконец притормозил какой-то "москвич"-долгожитель.

Я наклонилась к окошку:

— До Брянска не подбросите?

Пожилой, вполне благообразный дядька в куртке. На {485} заднем сиденье кто-то спит, откинув голову и закрыв ее кепкой, — такие по семьдесят рублей продаются во всех российских сельмагах...

— А сколько дадите?

— Не знаю... назовите вы цену...

— Охо-хо... Брянск, эт, уважаемая-хорошая, недешево будет... Эт я крючок приличный должен делать...

Сейчас заломит, с тоской подумала я, а куда деваться? Представила, что сейчас меня нагонит Эдик, примется уговаривать остаться с его мировыми ребятами, рассказывать про вот такойского окуня... Сейчас заломит, долларов двести...

— Ну, сколько ж с вас взять? — он изучающе смотрел на меня сквозь полуопущенное стекло — Не меньше двухсот... Двести рублей дадите?

Я открыла дверцу и села рядом с ним... Поехали...

— Народ-то все ездит, ездит... вон, старика подобрал, дрыхнет, чучмек какой-то... ни слова по-человечески, а туда же... путеше-е-ествует... С вами хоть поговорить можно...

И минут десять мы оживленно обсуждали здешние места, политику, президента Путина и мою тетку, учительницу, которая, согласно инструкциям департамента *Бдительности,* родилась в моем воображении пять минут назад, и к которой я — к немалому своему удивлению — ездила в гости...

На горизонте показалось Сельцо...

По мере приближения некоторая странность стала проявляться в домах, в пустынных улицах, в разбитых окнах вчера еще целых, хоть и обшарпанных домов...

— Ё-олки... Эт что здесь за погром? — спросил дядька... Мы тормознули у совершенно разгромленной "Рюм.чной"... На террасе валялись несколько перевернутых столов, осколки бутылок и битой посуды, сильно покропленные то ли портвейном, то ли кровью... И вокруг, на

{486} сколько хватало взгляда, в таком же разгроме пребывал весь славный поселок городского типа...

— Нич-чего себе... — пробормотал водитель... — Да хоть одна живая душа здесь найдется?

Живой душой оказалась все та же старуха в кустах, отплясывающая, — с удвоенной энергией, — краковяк на жестяных банках из-под пива...

Мы подрулили ближе.

— Бабуль! Эт что у вас тут за театр? — спросил водитель. — Кого бомбили?

Она подняла голову, ударила ногой по банке, та грохнула, и — эхом отозвалось несколько выстрелов на соседней улице...

— Свадьба вчера гуляла, — она мотнула головой в сторону "Рюм.чной"... — Не пустили ребят, они осерчали, стали безобразить... милицию повязали, сейчас на Почтамте держат... Говорят, из Брянска отряд пришлют... Да у наших ведь тоже пукалки имеются... Вон, слышьте?

Тут опять, уже ближе, раздались выстрелы, дядька мой поддал газу, и мы помчались по Сельцу, не оглядываясь...

— Вот ведь, козлы! — в сердцах проговорил мой водитель, когда отъехали километра на два от опасной зоны. — Вот ведь жизнь, а? Все водка, все это питье окаянное...

Мы еще посетовали на наше российское окаянное пьянство... Дядька пустился в рассказы о разных своих знакомых. Значит, наступил момент, который всегда наступает у меня в общении с кем бы то ни было: мне принимаются рассказывать случаи из жизни, а я могу поддакивать и отдыхать...

— Вот, говорю, пьянство наше... Сколько ж людей губит! И какая дикость от него повсюду происходит. У меня в том месяце приятель умер при трагических обстоятельствах. У него первая жена была страшная алкоголичка, все пропила, все спустила, но Юра за ней присматривал, несмотря, что с другой уже давно жил, с хорошей женщиной,

Валей, и сынок у них десяти лет, Виталик... Так вот, Юра подкармливал эту свою, первую, жалел ее... навещал... И вот, недавно: звонит, звонит... она не отвечает... День, два... ну, он забоялся, может, она давно валяется мертвая... Примчался, звонит в дверь... Ни звука... Полез по водосточной трубе на второй этаж, забрался на балкон, смотрит в комнату через окно: так и есть, она лежит на полу, и видно, уж несколько дней лежит... Ну, Юра принялся балконную дверь ломать... и, видно, перетрудился, переволновался, — когда выбил дверь, у него у самого лопнула аорта, и он бездыханный так рядом с нею и упал... Представляете? Валя ждет Юру домой, его нет и нет, она едет по адресу и застает всю эту страшную картину... Ну, горе, горе, беда, и нет слов... Ту, несчастную алкоголичку, жалко, конечно, но она ж замечательного мужика на тот свет с собой уволокла, отца, мужа, семьянина!.. Да, а между тем, с Валей-то он был не расписан, и значит, Виталик, родной сынок, мальчик такой хороший, занимается, отличник, шахматы... кружок рисунка... выходит, он не имеет право ни на что: а две квартиры, что на Юру записаны? А как дальше жить? Возникает проблема: надо доказывать родство. А как?

Ну и Валя, в день похорон, вся в слезах едет в морг, вызывает там служителя и умоляет, чтобы тот... кусочек какой-нибудь малюсенький... с пальца покойника отрезал, для лабораторного анализа... А этот: стоит чмо небритое в кожаном фартуке, в сапогах, — и видно по роже, что с утра уже принял... Берет у Вали деньги, уходит, и минут через двадцать возвращается с каким-то мешком и с топором. Бросает к ногам Вали мешок: вот, говорит, чего там мелочиться, кусочек, то, се... я руку вам отрубил, забирайте, доказывайте, тут на любой анализ хватит... Ну и Валя, как стояла, так и свалилась там на пол без памяти... И вот я вас спрашиваю...

...Он все говорил и говорил, а я думала — до каких пор меня будут сопровождать покойники, отсеченные ру-

{488} ки, ампутированные ноги, оторванные головы, до каких пор наш разорванный мир будет выворачивать свои бездонные смрадные карманы со страшным содержимым, выкладывая чудовищные дырявые свои паззлы перед беззащитным человеком?

— ...они спиваются, продают квартиры, пропивают все на свете, потом начинают бомжевать... Вот этот, к примеру, — он мотнул головой назад, где спал непробудно второй пассажир, под кепкой, странно меня тревожащей... — Мы ж и чучмеков пить научили... Я, знаете, такого впервые вижу, — чтоб ни слова, ни слова по-русски! А язык — то ли туркменский, то ли казахский... вы случаем не знаете? Но тихий... Пожалел его: стоит на дороге, трясется, улыбается... и все бормочет какую-то муру: "синдикат-синдикат..." Я спрашиваю у него, — это что — поселок, деревня такая или, может, город — Синдикат, вроде Стерлитамака?.. Я в школе, помню, учил все эти картели, синдикаты, тресты... Но уж забыл — к чему, как это к нам относится?

Я в ужасе оглянулась: Овадья по-прежнему спал, накрыв лицо своей заляпанной грязью кепкой... Его видавшая виды куртка швейной фабрики города Ришон ле-Циона была застегнута на большую английскую булавку, видно, молния сломалась...

— И куда ж вы его везете? — спросила я...

— Сам не знаю... А ему и подавно все равно, ему ж хорошо в машине... Я вот высажу вас в Брянске, а сам дальше поеду, куда — не догадаетесь...

— Куда же? — спросила я, впервые озаботясь направлением его пути и его намерений.

— А у меня, знаете, племянник монахом заделался, раньше бы стеснялись сказать, а теперь — даже почетно... Не видел его года три, а тут сестра разболелась, просит — поезжай к Константину, привези повидаться, мало ли чего... Так я еду...

— А где это? — осторожно спросила я...

— Оптина Пустынь, мужской монастырь, место изве- {489}
стное... Еще мой дед туда на богомолье хаживал, но тайком.
В тридцатых ведь храм закрыли, монахов перебили, там потом ледовый каток был, — представляете, какое надруга-
тельство? А я все о деде думаю — вот, его правнук вернулся
к действующей вере... интересно как-то, правда?

Мы приближались к Брянскому вокзалу, я достала
кошелек, отсчитала двести рублей — сумму немалую, и
опять оглянулась. Овадья спал...

— Вы что, в монастырь его повезете?

— А почему же нет? Убогих пригревать — первая за-
поведь. Сгружу на крыльце, пусть монахи разбираются...

Он уехал, а я стояла на ступенях вокзала и смотрела
вслед уносящемуся в неизвестное очарованному странни-
ку Овадии...

·····································

Я опять шла по Сельцу, опустошенному погромом, вдоль
домов с выбитыми стеклами... Тягучий черный дым вываливался из окон и, как пьяная блевотина, растекался по
земле... Я взошла по цементным ступеням "Рюм.чной",
подняла перевернутый стул и села за единственный стол,
ожидая, когда ко мне подойдет официантка. В солонке,
роль которой исполняло неаккуратно отрезанное донце
пластиковой бутылки, лежала горстка крупной серой соли.
Я и не подозревала, что где-то на земле сохранились на
столах такие толченые сталактиты. Вдруг из-за стойки вынырнул официант, положил передо мной на стол карту меню. Я раскрыла ее и увидела, что меню написано на ив*ри-
те, подняла голову и глазами встретилась с нашим Шаей.
Молчи, сказал он мне строго, это конспирация. Сейчас
начнется обстрел — ты помнишь правила поведения при
обстреле? Закатываться под стол... — и, выхватив у меня из
рук карту меню, которая загадочным образом мгновенно

{490} превратилась в "Узи", крикнул: — террористы!!! — и стал палить по бутылкам в баре.

Я рухнула на пол, закатилась под стол, но под столом оказалась куча осколков от битых бутылок, грязные смятые салфетки и небольшая, но свежая лужа крови — над ней курился тонкий стебелек пара... Я выползла из-под стола на карачках прямо к занявшейся пышным факелом стойке бара и метнулась на улицу, Шая — за мной, не переставая стрелять на ходу.

— ...бежим, наш автобус! — крикнула я, завидев бело-красный автобус "Эгеда". Замедляя ход, он подвалил, открыл двери, но не остановился окончательно, а пополз дальше по раздолбанной улице. Я бежала рядом, пытаясь ухватиться за поручень, задыхаясь и, как обычно, вслух кляня того, кто придумал эти высокие ступени... И тут на открытую площадку выскочила тетка-кондуктор, с остервенелым лицом, с кирзовой сумой на животе, наклонилась и кулаком стала бить по моим рукам, вопя: — *Азов*[1], *азов*!! Двери закрываются!

Я все бежала, цепляясь за поручни, а крепкий волосатый кулак бил и бил меня по рукам. Да есть ли что-то святое у вас в душе?! — хотела я крикнуть тетке, но, подняв голову, увидела, что это Ной Рувимыч колотит меня по рукам, в бешенстве повторяя:

— ...пошла отсюда, дрянь, пошла из моего автобуса!!!

...И я проснулась с колотящимся сердцем и ядовитой струей мигрени в затылке...

В проеме двери, в желтом прямоугольнике света стоял силуэт мужа. Он вошел странно тихо, присел рядом на кровать и сказал:

— Пока ты спала, террористы захватили норд-ост. В заложниках человек семьсот...

---

1   Азов — оставь, брось! (*иврит*)

— Мм-ммо..-о-осподи, — простонала я, — что, что ты несешь? Какой норд-ост, который час? Ночь? Утро? Вставать?

Он погладил мое плечо:

— Мюзикл "Норд-Ост". Полный зал, плюс артисты, полно детей, ну, и так далее. Чеченцев человек пятьдесят, при полном прикиде: автоматы, взрывчатка — все, как у нас... Не твои ли это приятели?

Я закрыла глаза, сжала зубы, глухо и ритмично подвывая: мне всегда кажется, что этот скулеж как-то утишает боль, хотя бы организует ее, а значит, смиряет...

И так, подвывая, поплыла навстречу сверкающей под ветром пальме, подставляя утреннему бризу свое, в му́ке мигрени, лицо... И дельтаплан в дымно-голубом небе качался в такт пульсации боли в висках, как бы стремясь убаюкать, успоко́ить, нагнать ветерку на мое, опаленное жаром лицо...

....

Из "Базы данных обращений в Синдикат".
Департамент Фенечек-Тусовок.
Обращение номер № 10. 458:

Отрывистый мужской голос:

— Алло!? Вам звонят из иерусалимской клиники "Адасса". Мы, группа врачей — выходцев из России, готовы сегодня же вылететь для спасения жертв на Дубровке! У нас есть опыт работы с газами, мы можем принести реальную пользу! Почему российские власти отказываются от нашей помощи, ведь счет идет на часы, на минуты!? Пожалуйста, помогите связаться с доктором Рошалем, мы готовы работать бесплатно, привезем свое оборудование... Свяжите с Рошалем!..

....

Одно из восхождений Марины

По утрам Марина не подходила к телефону. Она медитировала...

На звонки отвечали Леня или Серега, которые затем давали подробный отчет и показывали записки — кто, когда, зачем... Отчет Марина забывала, записки с телефонной тумбочки смахивал хвостом старый и немощный Лакки...

Отзывалась она лишь на несколько имен, сортируя их по цветам, — среди которых было и мое, оранжевое, как утверждала Марина.

— Звонил какой-то радиохмырь, — сказал после обеда Серега. Марина пила кофе, улыбаясь Пушкину, который сидел напротив и неизменно отвечал ей дружественной улыбкой. — Какое-то название подозрительное. То ли "Христос воскрес!", то ли "Бей жидов!"...

— Это одно и то же, — продолжая улыбаться Пушкину, сказала Марина и сделала очередной глубокий, полный оздоровительной праны глоток.

— Раз пять уже звонил... Разбирайся с ним сама...

И тут он позвонил в шестой раз.

— Аль-лё-о-о?!!

В трубке как-то захлебнулись... Многозвучный тембр, полет и мощную радугу ее голоса выдерживал далеко не

каждый, — прокашлялись, и захудалый, какой-то бурень-
кий мужской голос робко спросил:

— Марина Львовна?..

— Да-а-а!!!

— Вас беспокоят... из "Святого распятия"...

— Да-а-а!!!

Марина, конечно, никогда не слышала передачи
этого радио, потому что последние лет десять радио не
слушала вообще, но поразительный, поистине буддийской гибкости и глубины диапазон приятия этого мира
позволял ей со спокойным интересом вслушиваться в любые звуки, смыслы и значения всего, что он на нее обру-
шивал.

— Ваш роман прочитан... — со значением проговорил насморочный голос. Марина с удовольствием отметила вес и оттенок этой известной фразы. По идее, это мог
быть и приятель ее, Миша Коротков, с зажатым пальцами
носом... Но нет, не похоже, совсем не тот голос.

— Мы прочитали роман и очень хотели бы пригласить вас в нашу программу в открытом эфире...

— ...Дорогой мой, — выдохнула Марина, — с радостью, с огромным удовольствием, и даже с воодушевлением, но... только чуть позже, ладно? Не сейчас... Вот зазеленеет...

Вообще-то в теле- и радиопрограммах Марина часто выступала. Более того, на протяжении ряда лет вела на радио
любимую многими передачу "В компании Марины Москвиной". Помимо собственного голоса, который и сам был
отдельным аттракционом, она притаскивала с собой на
передачи разнообразные звуковые приспособления: маленький барабан какого-то индейского племени, трещот-
ку, дудочку, вырезанную Леней в Уваровке из камышинки,
челюсть доисторического осла, найденную ею в юности на
каких-то археологических раскопках, наконец, бараний

{494} рог-шофар¹, подаренный мною в Иерусалиме... Весь этот реквизит в процессе радио-эфира использовался Мариной в полной мере: барабан стучал, челюсть клацала, раковина гудела, дудочка пела, шофар созывал к молитве... Слушателям казалось, что перед микрофонами в студии работает по меньшей мере команда упаренных звуковиков. Никому и в голову не могло прийти, что весь этот, тщательно продуманный, хаос жизни осуществляет небольшая женщина с легкой улыбкой.

— Мы еще с вами встретимся обязательно... — добавила она, отпивая глоток, — когда-нибудь...

— Марина Львовна... наши слушатели, а их очень много, мечтают вас услышать, мы получили множество писем и звонков в открытом эфире... — насморочный голос напирал и напирал, словно поставил себе целью вытащить Марину из уютной квартиры в этот самый, не всегда, уютный эфир... — Ваш роман будит столько мыслей, он столько говорит православному сердцу!.. Ведь когда воскрес Господь наш, Иисус Христос...

Она не перебивала... Выслушала все до конца... Он не читал романа, что-то слышал от кого-то, а может, начальство велело обработать автора... Потом сказала прочувствованно: — Дорогой мой, все это прекрасно... Вы не думайте, я очень рада, что он воскрес, вообще, я очень за вас рада и желаю вам огромных успехов... Сама я, правда, придерживаюсь буддийской веры...

— Это не помешает! — встрепенулся он и принялся за уговоры вновь...

Прошло минут десять, за это время Серега дважды заглядывал в кухню — сделать себе бутерброд и, глядя на мать, выразительно крутил пальцем у виска.

— Ну, что делать? — спросила его Марина, закрыв рукой трубку. — Пойти, потерять три часа, чтоб он отстал, этот... милый человек?

---

1   Шофар — ритуальный рог, в который трубят в Судный день (*иврит*).

— Ну, хорошо... — сказала она наконец. — Вы, конечно, присылаете машину?

Он озадаченно умолк, словно его спросили — ставят ли они каждого выступающего в их передаче на пенсионное довольствие до конца жизни...

— Я вас встречу лично! — воскликнул он.

...Выяснилось, что студия их размещается где-то в районе Троицкой улицы — места Марининого детства. Это все и решило. В последнее время она чутко прислушивалась к улыбающимся знакам судьбы. Все стало ясно: ей предлагали пройтись по улицам детской ее любви, а то застоялась как-то, засмотрелась в другую сторону, а они все вон где.

На Суворовской площади — бывший институт благородных девиц... Она гуляла там, знала — в каких домах должны жить принцессы, и где должны танцевать на балах. Полукруг дорожки перед зданием предназначен был специально для карет — они подъезжали этак, ссаживали дам в их сложных нарядах, и уезжали.

Потом, во времена оны бытия Военной академии, проходили тут офицерские балы...

И парк за зданием, этот старый и, в детстве, — безграничный парк... В нем было все, даже свой планетарий. И от планетария круто вниз уходила к озеру дорожка, почти горка, по которой зимою было страшно весело съезжать на санках...

Вышла-то она из дому пораньше, совсем не думая о предстоящей передаче, хотя захватила и челюсть доисторического осла, и мой шофар, и дудочку, и барабанчик... Потом уже она поняла, что этот день был каким-то назидательным, одним из тех странных дней, которые спускают нам сверху для повышения квалификации. Например, надевая плащ, она обнаружила в кармане странный чек на сумму тридцать восемь рублей сорок копеек, на котором было выбито: "приход Климента Папы Римского". Убейте ее, Марина не помнила — откуда он у нее взялся... Затем, в окошечке обменника валюты, она залюбовалась приклеенной изнутри иконкой Божьей матери, под которой было написано: "Умягчение злых сердец"...

И наконец, в пяти, подряд, витринах висели белые полотнища, на которых огромными алыми буквами было написано: "Конец"...

Однако она все шла и шла, и думала о своем, совсем даже забыв — зачем идет по направлению к Цветному бульвару, к тому фонтану, где играют дети под бронзовыми клоунами...

Там ее и ждал высокий и сутулый молодой человек с каким-то литературно изможденным лицом и длинной челкой, свисающей через весь лоб. Он кинулся к ней наперерез от одного из клоунов, — он и сам был похож на клоуна, чем поначалу подкупил Марину, — умоляюще воскликнув:

— Марина Львовна?!

Она широко улыбнулась, вспомнив — зачем сюда, собственно, шла, и спросила: — А где же ваша машина?

— Да тут недалеко, — проговорил он, теребя зонтик... — Я... мы на троллейбусе быстрее доедем...

И они поехали на троллейбусе... По пути молодой человек весьма вдохновенно и даже пылко рассказывал о планах на будущее их радиоканала, о ширящемся самосознании верующих, о потребности противостояния всяким агрессивным влияниям, о проклятых католиках, которые... Марина улыбалась и смотрела в окно, полностью отдавшись этому, — как она предполагала, небезынтересному сюжету.

А вот не масоны ли они, с надеждой думала Марина, но спросить не решалась...

В конце концов, они вышли, и еще минут пятнадцать петляли какими-то проходными дворами, словно путали преследователей. Марине становилось все интересней. Сейчас уже было совершенно непонятно — зачем он предложил встретиться на метро "Цветной бульвар", — вероятно потому, что жил неподалеку...

Молодой человек все говорил и говорил, неумеренно восторгаясь, напоминая ей эпизоды романа, о которых она не помнила и вообще, подозревала, что они из другого чьего-то романа, что молодой человек перепутал ее с кем-то, но и сама, будучи мистификатором и мистификаторов ценя и благословляя, — с немалым увлечением тащилась за ним мусорными подворотнями...

Наконец они свернули в один из подъездов, поднялись на последний этаж и долго настойчиво колотили в обитую драненьким дерматином дверь...

А вот не станут ли они меня убивать, с надеждой подумала Марина, но спросить опять-таки не решилась...

Им открыл другой молодой человек, Вова, очень занятой и мрачный, он не глядел в лица, не подал руки, сразу ушел вглубь квартиры, надел наушники. Выяснилось, что они порядком опоздали.

Это была какая-то самодельная студия, переоборудованная из обычной квартиры... Мрачный молодой человек, вероятно, и жил здесь...

Константин пропустил Марину в дверях, усадил на табурет перед кухонным столом, на котором установлены были микрофоны... сам уселся на другой табурет и надел наушники... С напряженным лицом глядел, как Марина достает из цветастого своего рюкзачка ослиную челюсть, там-тамчик, ритуальный рог-шофар и дудочку...

— Не волнуйтесь, — улыбнулась она, видя его смятение... — Все это — для нашей передачи...

— Так ведь... — он протянул руку к шофару, но не дотронулся до него... — Это... это причиндал сатанинского культа...

— Да, это шофар, — охотно объяснила Марина, — его подарил мне в Иерусалиме один знакомый сатана... В него трубят в Судный день, чтоб мертвые встали из могил и со-

{498} брались в великую рать... Мне кажется, это по теме нашей передачи?..

Молодой человек побледнел. Он уж понял, что в лице этой невинно-бесшабашной женщины столкнулся с некой силой, противостоять которой просто не сможет. Передача грозила вылиться в какой-то шабаш, в канкан, в черт знает что... А там уже маячила потеря работы, конец карьеры, да и просто "Конец" — на огромном полотнище жизни...

Марина смотрела на его смятое испугом лицо, без труда читая все его мысли, и раздумывала — как поступить. В подобных ситуациях мы с ней вели себя по-разному. Я, вляпавшись, принималась клясть себя, мрачнела, замыкалась и грубила... или неожиданно покидала место действия. Марина же любую ситуацию раскручивала, разворачивала, направляла и вела до логического завершения, никогда не выпуская вожжи из рук. При любом повороте событий она оставалась неизменно дружелюбной...

— Ну, поехали, Костя, — сказала она, — мы с вами профессионалы, и работать должны при любой погоде...

— Но... — он растерянно смотрел на ритуальные принадлежности...

— При любой погоде, и в любых храмах любой веры...

Профессионал высокого класса, она уже поняла, что надо максимально отстранить от микрофона этого бледного мальчика с его православной спецификой... Что приверженцам радиостанции "Святое распятие" пора послушать, наконец, что-то живое и увлекательное... И когда мрачный Вова за стеклом дал отмашку, и Константин, сглотнув, произнес:

— Дорогие православные, радиостанция "Святое распятие" снова с вами... и сегодня...

...она подхватила голосом самого светлого своего и безмятежного — аквамаринового тембра:

— ...и сегодня, в компании Марины Москвиной, мы поговорим о разных чудесах, конечно же, божественного, но и абсолютно человеческого толка, ведь божественное становится высоким и радостным только в нашем воображении...

Она ударила несколько раз ладонью по там-таму и понизила тон, добавив чуть фиолетового, с искрой, от вечернего костра:

— Вот, послушайте, — это тоже голос... слышите? Он звучит настойчиво, глухо, он спрашивает и убеждает...

И дальше уже не выпускала передачи из своих рук... то натягивая вожжи, то отпуская их на мгновение... Она клацала челюстью доисторического осла, дудела в дудку, предлагая вслушаться и почувствовать — вот так гудят на разные голоса натянутые канаты воздушного шара, на котором она облетела приличный кусок небесной сферы... По ходу дела Марина рассказывала байки и случаи из жизни своей, моей, упоминая имена друзей и знакомых...

Настоящий мастер, в обычной жизни плывущая на лодочке без весел, то и дело застревающей в камышах и свободно цепляющейся за все коряги, — во время передач она чутко ощущала границы часа, минут и секунд, подгоняла голос под временные рамки так точно, что впоследствии режиссеру просто нечего было делать...

Молодой человек Константин слушал ее, по детски открыв рот, даже не пытаясь вмешаться и что-то произнести, он совершенно растворился в волнах этого голоса, с обожанием глядя на Марину...

Мельком взглянув на часы, снятые с руки и положенные на стол, Марина предложила слушателям звонить и задавать вопросы... Однако мрачный Вова мотнул головой, пустил рекламу, в которой настоятель Подворья Оптиной Пустыни призывал прихожан и благотворителей жертвовать на храм Успения Богородицы, сказал, что звонков пока не будет, и велел продолжать...

Марина продолжила... Она дула в шофар, рассказывая о храмах Иерусалима, о маленьких птичках-колибри, которые шныряли в кустах, как раз когда мы с ней угощались хумусом с питами в забегаловке у Синематеки, над Гееной Огненной... Затем она рассказывала о своем восхождении на Анапурну, о буддийских монастырях древнего Киото... Голос ее звенел, шептал, творил монотонные заклинания, опять взмывал в синие прозрачные воды...

И вновь, взглянув на часы, она предложила слушателям задавать вопросы... И опять мрачный Вова пустил рекламу, взывающую к пожертвованиям...

Так продолжалось почти час... Передача подходила к концу. Это была лучшая передача в ее жизни. Никогда еще она не дышала в эфире так свободно, никогда не плыла такими широкими гребками. И, несмотря на страшную усталость, была совершенно счастлива...

Константин испуганно взглянул на часы, развел руками...

— Друзья мои, — проговорила Марина, — наша передача подходит к концу, а вы еще не задали ни одного вопроса... Между тем у нас осталось три минуты, я жду ваших звонков. Звоните нам, смелее!

И тут раздался угрюмый голос Вовы:

— Костя, звонков не будет, наши все в церкви!

Марина поднялась из-за кухонного стола.

Передача — лучшая передача в ее жизни, передача для теней ее прошлого, для легкомысленных ангелов эфира — была закончена...

Константин топтался рядом с виноватым потерянным лицом.

Марина устала улыбаться, но продолжала скалиться — из жалости к этому несчастному.

— Где тут у вас туалет? — спросила она.

Он обрадовался, что хоть чем-то может быть полезен. Засуетился, побежал добывать какие-то ключи, бормоча, что, к сожалению, здешний туалет служит кладовкой для реквизита. А по нужде они ходят... тут недалеко... чуть-чуть пройти... Оказывается, подступы к заветному нужнику охранялись, ключи передавались из рук в руки только посвященным. Наконец он появился с большим ключом в руках — такие вот, от городских ворот, в средневековье передавали командующим армии-победительницы.

И долго, долго шли они по каким-то коридорам, поднимались на этажи, спускались на лестничные пролеты, потом вышли через боковую дверь во двор, прошли в арку и, когда Марина подумала уже, что он забыл о ее просьбе, и идут они совсем в другом направлении (она вообще досматривала этот сюжет из свойственной ей великодушной любознательности) он, наконец, открыл какую-то дверь и впустил ее, заперев снаружи.

Перед Мариной был приличных размеров зал, в центре которого на довольно высоком постаменте, вроде трона, возвышался унитаз. Причем ступени к нему, как к вавилонскому зиккурату, поднимались со всех четырех сторон. В этот момент она почему-то вспомнила, как готовилась к восхождению на Анапурну...

Заподозрив, что обширный этот, гулкий туалет был возведен минуту назад специально для достойного финала всей истории, она решительно подобрала длинную юбку и стала подниматься по ступеням...

Она восходила по ступеням к унитазу, как восходят на коронование, — медленно и величаво, бесстрастно, со стороны наблюдая эту картину (наше писательское воображение не поддается контролю, оно взмывает, как летучая рыба, из любого водоема — будь то Средиземное море или сточные воды московской канализации)... Со стороны она смотрела, как гордо, торжественно *восходит*... — а это было настоящее *восхождение*, — и в тот момент и вправду, чувствовала себя *восходящей* к совсем иной, не столь прозаичной вершине; к иной, умозрительной, сакральной и великой, которую до нее тысячелетиями выстраивали народы и веры...

{502}   Она *восходила*, подобрав длинную юбку, — так боги восходят на Олимп, — предвкушая, как вечером живописует это мне, и как я обомлею вначале, замру, застону от удовольствия, и как долго потом обе мы будем хохотать в унисон на разных концах Москвы, заливаясь, отирая слезы, перебивая друг друга: — "Костя... звонков не будет... наши все в церкви...", — добавляя деталей, наперегонки подбирая более точные эпитеты и сравнения, и всхлипывая от счастья...

Из "Базы данных обращений в Синдикат".
Департамент Фенечек-Тусовок.
Обращение номер № 11.032:

Злорадный голос Кручинера:
   — А, сволочи, значит, вы там, на кораблях, в санаториях, рыбку ловить, а Кручинер подыхай, как пес, со своим радикулитом! Я вас всех упеку за решетку! Вы у меня поплывете по морю говна, чтоб вы утопли совсем с вашим проклятым Синдикатом!!!.. (гудки, — Маша бросила трубку)

"...Йогурты-уёгурты..."

Microsoft Word, рабочий стол,
папка rossia, файл moskwa

"...начались первые прощания... И как-то неожиданно: Аркаша Вязнин должен был еще год находиться в Москве. Но — увы, человеческая природа повсюду неизменна: кто-то из своих накатал на него телегу, это связано с очередным мимолетным Аркашиным романом. Дама сердца оказалась супругой кого-то из дипкорпуса, кто-то где-то их увидел, или она вела себя неосторожно... словом, история обычная... Его переводят куда-то в глушь, по меньшей мере, на три года... Вчера он звонил, интересовался, приглашена ли я к Моте Гармидеру в Безбожный, где произойдет церемония торжественного вручения кому-то каких-то дипломов... Я сказала — не кому-то, а новой поросли ихних *щадящих* раввинов, и дипломов не каких-то, а сварганенных по просьбе Моти в моем личном департаменте, моим личным Костяном. И я приглашена как крестная мать этих самых раввинов. Так что увидимся...

Вот все-таки правильный у Моти подход к иудаизму — щадящий и, прямо скажем, щедрый: стол всегда нестыдный, всегда в Безбожном и красная рыбка, и бастурма, и вина хорошие, и фрукты...

Пожилые курсанты сначала пели душевные песни, раскачиваясь и улыбаясь, потом читали свои стихи и эпиграммы, декламировали благодарственные речи в стихах и неустанно благословляли Мотю, хотя надо бы американцев благословлять...

Мы с Аркашей тоже произнесли речи, высидели положенные полтора часа и, когда бородатый курсант взял в руки гитару, тихонько откланялись и вышли...

И довольно долго гуляли под дождем, потом спустились по Остоженке к ресторану "Тифлис"... Зашли выпить чаю. Место уютное: внутри все тщательно сработано под богатый грузинский духан... По потолку с мощных деревянных балок свисают виноградные листья...

Нам принесли целый чайник отлично заваренного чая, и я вдруг пустилась рассказывать Аркаше о Ташкенте — какая это была цивилизация, благословенная сладостная Александрия... и вот она сгинула, растворилась, рассыпалась, ушла под воду... Рассказывала, как перекрывают досками арык, настилают курпачи, подают чай в пиалах... Он, ленинградец, вежливо удивлялся... И тут вдруг сообщил, что его переводят. В Эритрею.

— Куда!? — спросила я. Он расхохотался.

Оказывается, это государство такое, в Африке, недалеко от Эфиопии. Моя школьная тройка по географии обеспечивает мне пожизненное увлекательное знакомство с планетой Земля. Африка?! — я пришла в ужас, он успокаивал, — ничего, там прекрасный климат, горы, ветерок, температура среднегодовая плюс 25, людоедства нет уже пару десятков лет... ну и так далее...

Говорит, у него чувство, что эти три года, проведенные в Москве, были ярким праздничным подарком в его жизни, и как он благодарен судьбе, что, вот, встретил всех тех, кто... например, меня... И не надо бояться расставаний, это ведь тоже, до известной степени, подарок, и что жизнь еще — ого-го! В конце концов, можно приехать друг к другу, увидеться, встретиться... и какое же это счастье...

Аркаша улыбался, щеки его превратились в два райских яблочка. Он рассуждал о том, что, отслужив в Африке, опять вернется в Россию, может быть, купит квартиру в Москве (о, нет, не в Питере, он слишком любит Питер, это уже похоже на кровосмесительство, а Москва город чужой, безумно интересный), и будет этак жить на два дома: один в Нью-Йорке, другой — в Москве. И вот ведь как хорошо, что сейчас не рвутся связи, не рвутся души, что можно шляться туда-сюда и радоваться жизни...

Мы сидели под густым покровом из виноградных листьев, пили зеленый, почти узбекский чай из маленького чайника, и меня ни на минуту не оставляла мысль о беспробудном его одиночестве... Настойчивая, неотвязная мысль о том, что никуда не убежать. Никому никуда не деться..."

К концу моего пребывания в должности главы департамента *Фенечек-Тусовок* у меня выработался стойкий неприязненный рефлекс к национальной теме. Я не могла слышать слово "национальный", оно вызывало у меня крайнюю степень раздражения. Разговоры о русском духе повергали меня в уныние, украинские националисты наводили оторопь, от кавказцев и азиатов на московских рынках я шарахалась, как от чумы...

Чуть лучше дело обстояло с калмыками и бурятами, которых ни одного я не встретила за эти три года.

Но больше всего меня тошнило от евреев.

В июне к нам должна была приехать еще одна комиссия — сборная солянка из сотрудников Центрального Синдиката, депутатов кнессета, парочки высокопоставленных военных чинов и Главного советника американской организации "Фонд помощи *Восхождению*" с супругой...

{506}   Клавдий спешно созвал синдиков на *перекличку* для обсуждения этого визита. Он распределял роли, назначал ответственных за этапы. В подобных случаях мой департамент оставляли в покое. Американцам и депутатам кнессета требовалось показывать товар лицом: молодую поросль, тренирующуюся на *Восхождение* под бело-голубым флагом, студии по изучению языка, до отказа заполненные зубрящими глаголы учениками... Клуб Фиры Будкиной для этого не годился... Я обеспечивала связь с журналистами, тягомотные пресс-конференции и освещение этих визитов в российских СМИ.

— Ну... Куда бы еще их деть, чем позабавить? — Клава обвел нас слезящимся от сигаретного дыма взглядом... Без малого три года мы обихаживали все эти делегации, знали нравы приезжантов, как облупленных, были готовы к любому повороту событий... Все они заранее, по телефону или факсу, требовали "Бол-шой", и когда правдами и неправдами мы добывали дорогие билеты на какого-нибудь "Ивана Сусанина", супруга депутата или советника меняла решение, желала вместо "Бол-шой" ехать в "Кремлин" или, что чаще бывало, — на рынок в Измайлово, покупать "матрошка"...

Так что Клава привычно распределял роли, строил расписание визита, назначал ответственных за исполнение. Сначала все синдики соберутся в Большой синагоге, куда Миша Панчер должен пригнать передовой отряд *восходящих*, из своей Юной стражи Сиона. Затем вся компания дружно переместится в отель "Саввой", — распорядиться, чтобы Рогов заказал у *Норувима* наш "эгедовский" автобус. Значит, в "Савое" — ужин с молодежью.

Яша наклонился ко мне и сказал:

— Какие-то у них римские утехи, — ужин с юношами. Может, перенести эту *тусовку* в термы?

На листке перед ним уже набросан был очередной комикс с возлежащими на левом боку нашими боссами, на каждом — римская тога и венки на лысинах... И юноши — тут же, готовые к *восхождению*, в весьма прихотливых позах...

— Тьфу! — сказала я. — Убери...

— А ты, Изя, что предлагаешь? — спросил Клава. Изя встрепенулся, отложил новый крошку-мобильник с двумя клавиатурами, с выдвижным экраном, с электронными насадками на антенну, которые могли превращаться в удочку, электронные отмычки и прочие необходимые вещи, засмущался и сказал:

— Ну так это... Я ж еще в прошлом году, проект плавания по Волге... "Восходим по воде"...

— По воде? — каркнула баба Нюта. — Ты кто — Ешуа? Нет, ты — проходимец по воде!

— Заткнись, — тихо сатанея, отвечал Изя. — Ты вообще на днях уезжаешь, уже приказ есть.

— Уже есть другой приказ! — задорно вставила баба Нюта, — о том, что я тебя посажу на самолет и сяду под кустик — отметить это событие большой ядреной кучей, чтоб всем вам было что вспомнить о России...

— Анат Крачковски! — крикнул, багровея, Клава. — Мы все устали от тебя! Скажи лучше, где твой муж?

— Да! — подал вдруг голос наш кроткий Шая. — Где твой муж, Анат Крачковски? Он не заполняет *бланк на отсутствие*...

— Он с инспекцией в Челябинске! — мгновенно отрезала баба Нюта. — А завтра улетает в Мурманск. Мой Овадья работает, света Божьего не видя, не то что все вы, бездельники...

Я промолчала.

Я могла бы рассказать — насколько полно видит ее муж Божий свет, как щедро расстилается тот перед ним, в какие дали заманивает, как баюкает, как бережет... Но я промолчала... У меня давно уже окрепло ощущение, что я не в силах влиять ни на одно, даже самое мельчайшее, событие, что все, вокруг меня происходящее, должно происходить, совершаться, идти своим ходом без всякого моего вмешательства, ибо сюжеты эти придуманы не мною, и не мной они пресекутся...

— Ну, ладно, — великодушно проговорил Панчер, закуривая. — Везите их в "Пантелеево", у меня как раз первый заезд в летний лагерь... Будет человек триста отборных ребят, от 13 до 18 лет...

— Отлично... — пробурчал Клавдий. — Это то, что надо: молодые лица, новая смена *восходящих,* трам-там-там и бум-бум-бум... — и, обведя всех нас строгим взглядом, проговорил: — Не радуйтесь, *замбура*! Не думайте, что свалили это дело на Панчера... Вы все — слышите? — все, как проклятые, должны отбыть этот день в "Пантелеево", быть с комиссией, отвечать на любые вопросы, которые придут этим типам в голову... И сделайте же, ради Бога, что-нибудь с этой халабудой! Побелите потолки в столовой, чтоб тараканы в тарелку не сыпались... Ты слышишь, Гурвиц, Главный распорядитель, — это к тебе относится! Ты тоже должен там быть!

Петюня открыл глаза в розовых бессонных прожилках и спросил:

— А ты?

Клава затянулся, сбросил мизинцем пепел с кончика сигареты, и сказал:

— А я наконец зафарширую баранью ногу...

. . . .

Целый день, как всегда в таких случаях, вся коллегия московского Синдиката бестолково околачивалась в грязном и облупленном "Пантелеево"... Небольшим усталым эскортом синдики бродили за комиссией, отвечали на вопросы, — например, я вынуждена была объяснять: для чего и как в деле *Восхождения* используются литографские камни, которые два года назад Ной Рувимыч, как и обещал, завез в "Пантелеево"... Потом все дружно хлебали киселя в столовой с потрескавшимися гипсовыми листьями на стенах...

После обеда полегчало: комиссию уволокли в Измайлово, на покупку "матрошек"...

И вся московская коллегия стряхнула сон с усталых вежд: Яша с Изей смылись мгновенно, забыв меня в аллеях заросшего парка, Петюня спал в буфете, приняв после отъезда начальства свою порцию расслабляющего. Шая дежурил, как всегда, в вестибюле, важно восседая в ободранном кресле и издавая могучей спиной и подмышками русский мат, несвязные восклицания и обрывки команд...

Слава должен был забрать меня вечером, Борис уже два дня находился в Питере, монтируя нашу выставку, Ева, как обычно, сидела затворницей дома... Вот я и прогуливалась по дорожкам "Пантелеева", кляня это "имение прелестнейшее", превозмогая отвращение к проржавевшим фонарям и ямам в проплешинах застарелого асфальта.

На очередном витке от углового фонаря перед столовой до бетонного инвалида-летчика, — он стоял, гордо всматриваясь в даль, на двух железных прутах (бетонные ноги молодежь аккуратно отбила, написав углем на постаменте: "Маресьев"), — я уловила со стороны бассейна, из дальних зарослей треньканье гитары, надсадный ор и сатанинский визг, в котором слышался беспредельный восторг...

И, главное, учуяла ненавистный, преследующий меня повсюду запах гари от палимого тряпья, резины, еще какой-то дряни...

Ускорив шаги, через бурелом я ринулась напрямик в том направлении. И пока продиралась, смахивая с лица и рук паутину, сучки и сухие листья, вспоминала единственный в моей жизни пионерский лагерь, из которого я, десятилетняя, бежала ночью домой — босая, поскольку в темноте не решилась искать под кроватью сандалии. (И больше

{510} уже никогда не стремилась присоединиться ни к какой праздной форме человеческого сообщества.)

Над большой затоптанной поляной стлался дым.

Легендарный, всегда пустой бассейн "Пантелеева" пригрел компанию детишек вполне половозрелого возраста... Они веселились... Декамерон, желторотый пацан, скромник Апулей и маменькин сынок Гай Валерий Катулл в подобном возрасте гуляли за ручку со своими римскими кормилицами... В центре круга отплясывала неплохо сложенная, но безобразно вихляющаяся полуголая девица, другая, тоже не слишком одетая, валялась на приволоченных сюда из номеров и уже грязных тюфяках... трое парней с воодушевлением бацали на гитаре, сопровождая однообразными аккордами убогий матерный текст...

Дно бассейна покато уходило вниз, и вот там, внизу, кто-то палил костер... Я подошла ближе и остановилась наверху, словно оглушенная: в рыжем мальчугане лет десяти, — он явно был гораздо младше собравшейся там компании, — я узнала своего соседа, неуловимого огненного ангела нашего подъезда.

Не веря глазам, я достала из кармана очки: приплясывая под гитарные аккорды, не обращая внимания на происходящее вокруг, он подкладывал в костер ветки, какую-то ветошь, чью-то майку, вороха газет... с такой любовью и тщанием, с которыми лишь созидают что-то... Лицо его сияло восторгом, бледные щеки разрумянились таким теплым, нежным и праздничным румянцем, какой бывает только от жара костра...

Я повернулась и через бурелом бросилась бежать к учебному корпусу... Там, на третьем этаже, я и нашла доктора Панчера, на *психодраме*...

— Послушайте, Миша... — задыхаясь, проговорила я... — во-первых, у вас там загорелся бассейн...

— Уже? Классно, да? — воскликнул тот, подмигивая своим бедовым инструкторам, приглашая повеселиться надо мной, — так давайте трубить в пионерские горны, бить в барабаны, вызывать друзей-пожарных...

— Во-вторых, за это повальное подростковое блядство всех нас еще ждут огромные неприятности... Но, главное, — продолжала я, игнорируя шутовские его, в комическом ужасе, вытаращенные глаза... — главное, у вас там один мальчик — рыженький, даже красноватый такой, финикиец... Откуда он взялся?

— Что сие значит, коллега! — улыбнулся Панчер. — Это Андрюша, постоянный участник наших лагерей... Чего вы так испугались? Он вас не съест...

— Но он даже по возрасту... почему он околачивается среди взрослых?

— Вы что-то путаете, коллега... Андрюше восемнадцать лет, и все документы у него в порядке... *мандат на восхождение*... Отдохните, дорогая, вам вредно волноваться. Пусть ребята оттягиваются, пусть самовыражаются, не мешайте вы им. Занимайтесь, на здоровье, своими пенсионерами, у тех гормоны отыграли, они вам в подоле не принесут...

Не слушая дальше, я помчалась к Петюне, который по идее должен был бы замещать отсутствующего Клаву... И нашла его в буфете, уже совсем размякшего, доброжелательного и мудрого...

— Гурвиц, слушайте внимательно, я предупреждаю вас: там, в этом бассейне, наш славный молодняк черт те что сейчас вытворяет! Но это — ладно, за их нравственность пусть отвечает Панчер и их родители, я о другом: среди молодежи есть мальчик, очень опасный, он маньяк, поджигатель... Он спалит сейчас всех нас окончательно, подчистую!!! И, главное, он маленький, то ли возрастом, то ли ростом, надо разобраться, — может ли он болтаться среди взрослых...

Петюня улыбнулся мне приятно, потер ладонями лицо, сказал:

— Насчет маленьких я вот что вам скажу: у меня в молодости был приятель, карлик... не то что карлик... но... недоросток такой... И врачи его послали на вытяжку... Знаете, это когда подвешивают за руки, и ты висишь, как вобла...

Я напряженно слушала, ежесекундно помня о том, что сейчас запылает все "Пантелеево"...

— Так вот, самого-то его не вытянули, но руки сделались длинные-длинные...

— Ну и что? — спросила я, близкая к обмороку.

— Да ничего, — ответил пьяный Петюня. — Это я просто так... вспомнил... к тому, что вы вот сейчас мне из... изложили...

....

..."Бежать отсюда!" — думала я, лихорадочно запихивая в сумку косметичку, колготки, футболку... — "К чертовой матери, и даже еще дальше... Господи, когда уже закончится весь этот бред!"

Зазвонил мобильник, и меня продрал вдоль позвоночника истеричный голос дочери. Вернее, это был даже не голос, а задыхающийся визг:

— Ма-а-а-мы-гори-и-им!!! Тут вертолеты летают!!! Я воду таскаю, ма, что выносить?! Что выноси-и-ить?!

— Себя!!! — похолодев, завопила я. — Бросай все, беги на улицу!!!

Что-то там стукнуло, — видимо, она бросила трубку, — и я, совершенно обезумевшая, помчалась вниз, в холл, где сидел важный и строгий Шая.

— Шая, дай машину, у меня пожар!!! — заорала я, заикаясь от ужаса.

— Не дам! — строптиво сказал Шая. — Ты же знаешь, машина дежурит здесь для экстремальных случаев. Если, в случае чего...

Я вылетела из холла и помчалась по аллее к воротам, {513} потом опомнилась, остановилась, судорожно набрала номер Славы. В конце концов, пока я стану ловить попутку на шоссе, пока...

— Слава, миленький, спасайте!!!

— Ильинишна?! Господи, что за голос...

— Дома опять пожар, там Ева одна, связь нарушена!!!..

— Ой, только не войте, Ильинишна, вы ж крепкая баба...

— Умоляю, я в "Пантелеево", Шая машину не дает!!! Слава колебался ровно секунду.

— Я, в общем, недалеко тут... Только не на "жигулях", а на казенном "форде"...

— Да хоть на самокате!!!

— ...и у меня тут кое-что... ну, я с некоторым... грузом... Ничего? Не выдадите?!

— Я на шоссе!!!

. . . .

*Microsoft Word, рабочий стол,
папка rossia, файл pokoinik*

"...иногда думаю — пригодится ли все то, что второпях я записываю между душем и завтраком, в темные эти, рассветные час-полтора, когда все пережитое кажется вдвойне нереальным... Ну разве можно поверить, что я в действительности пережила вчера то, что пережила?

...Слава и вправду пригнал "форд" в считанные минуты, потому что был в это время — огромная удача — в Химках! Удача и то, что пробок на этом направлении не было... А главная удача, что Ева, — в то время как пожарные, выгнав всех из квартир, уже привычно заливали пеной щербатые площадки, лестницы, лифт нашего подъезда, — догадалась босиком, вернее, в одном шлепанце, который она меняла то на одну, то на другую ногу, добежать к подруге на Ордынку, и оттуда позвонила, что цела, отпоена чаем, одета-обута и дожидается меня в тепле... Я представила, как обернутая штопаным и выцветшим флагом с крыши израильского парламента, моя дочь в одном шлепанце бежит по Ордынке — и сердце мое закатилось в груди...

...Когда увидела встревоженное и смущенное лицо Славы в окне казенного "форда", раскаялась в своей бабской несдержанности.

— Слава, простите мою истерику, дернула вас, а с Евой уже все в порядке...

— Ну, слава аллаху, я уж со страху чуть не обоссался... Тогда, знаете, просьба у меня к вам... Погодите, не в салон... Сюда, рядом со мной...

— Почему?

— Ильинишна... вы обещали не выдать...

— А в чем дело, Слава? — спросила я, забираясь на соседнее сиденье... — Что стряслось?

— Да вот, использую казенный транспорт в личных целях... Но только вы ни о чем как бы... того... ладно?

— О, Господи, что за конспирация? Вы что — контрабанду перевозите? Наркотики? Трупы?

— Именно, — сказал он без тени улыбки. — И, доверяя полностью, даже попрошу вас, поскольку с пожаром вашим утряслось, съездить сначала со мной по одному адресу...

...И пока мы с ним ехали, он поведал, сокрушаясь, что, бывает, использует казенный "форд" для перевозки жмуриков, — при московских-то пробках, знаете, Ильинишна, мне не обернуться, ежели транспорт менять... А так, вынимаю из "форда" два сиденья, и гробина, как миленький, входит, — правда, впритирку... Но сегодня случай особый...

— Получаю вызов куда-то в Химки... С трудом нахожу страшенную пятиэтажную хрущобу, звоню, вхожу... квартирка однокомнатная, пустая, загаженная, прихожка — полтора на полтора. И лежит усопший, прямо как был — с бутылкой.

Видно, во время возлияния, причем длительного, его хватил Кондратий. Лежит на раскладухе, челюсть подвязана, руки платочком подхвачены на груди, в каком-то засаленном старом костюме. Рядом с ним его сожительница-собутыльница, с двумя фингалами на роже, вся синюшная и тоже — на грани отброса копыт. Ну, говорю, давай, зови кого-нибудь из мужиков, надо помочь гроб внести. А она мне голосит, — никого у нас н-е-е-ету, сироты мы кру-у-у-глые, помочь не-е-е-кому. Однако после моего матерного речитатива позвала все ж таки еще двоих каких-то алкашей, тоже кандидатов на скорое захоронение… Ну, втащили кое-как стоймя пустой гроб, кувыркнули туда усопшего, стали выносить к "форду"… А гроб-то через прихожую и не проходит! Это я, признаться, впервые такую планировку вижу, чтоб строители настолько верили в бессмертие жильцов… Стали мы думать… Один говорит, — давай привяжем его, а гроб стоймя понесем. Э, нет, говорю, закон центра тяжести — живот тяжелый, ноги легкие… — он выпадет… Решили вывалить покойничка обратно… Тут вы мне и позвонили… Ну, мог ли я вас бросить в беде, Ильинишна?.. А теперь, значит, надо нам все же его забрать, хоть в гробу, хоть даже и так… а там уж, в моржатнике, его обрядят, подберут ему домовину по комплекции…

Я закрыла глаза, откинувшись на спинку… Это хорошо, подумала, что у меня приятельские отношения со всеми моими харонами… Но когда все это кончится?

— Ладно, Слава, — сказала я… — Дело важное, понимаю… Только я их не очень, не так чтоб уж… ну, не сильно люблю…

— Об чем речь, Ильинишна! Вы даже и не посмотрите в его сторону. Там, у дома, лесочек недалеко, романтический, так вот, вы отвернетесь эдак, пока мы грузить станем, и будете природой любоваться…

…Природой любоваться пришлось мне под тяжелый упорный мат огорченного Славы, — дело в том, что алкаши, оставленные стеречь тело боевого товарища, успели раздобыть где-то горячительную жидкость "неизвестного науке состава", как определил подошедший к "форду" Слава, и теперь лежат вокруг тела в лежку, хоть троих сразу выноси — определить, кто из них живой, а кто усопший, нет никакой возможности... Что касается бабы-сожительницы, так она и вовсе пропала... Канула.

— Ну, что делать, а? — в отчаянии спрашивал Слава, — Что делать? У меня ж к десяти вечера путевка от Рогова — встречать на этом самом "форде" троих *клоунов* в "Шереметьево", да вас еще домой подбросить... Вот, слуга двух господ, а? Что делать?

Я открыла дверь и соскочила с подножки.

— Пошли, — сказала я...

— Куда?!

— Пошли тащить вашего жмурика в машину...

— Вы что, Ильинишна?! Да чтоб я, чтоб вас!!!..

— Слава, бросьте ерепениться, время дорого...

И пошла к подъезду...

...Возможно, когда-нибудь, где-нибудь я опишу подробно, как мы со Славой тащили его *спокойного* из мерзости запустения этой квартиры к "форду", как Слава приговаривал: "я под микитки, а вы за ноги... он вялый, блин, совсем нам не помогает...", как костюм того задрался к ушам, рубаха вылезла из брюк, живот синий наружу... Как, не удержав, я выронила ноги, и они волочились по земле, загребая носками... И как, наконец, мы вколотили его — *без мундира* — в салон "форда", ибо гроб вдвоем уж точно не подняли бы... И с каким облегчением Слава сел за руль, пробормотав... — Ну, блин, торжественное упокоение!..

Но и это, оказалось, было лишь прологом к главному приключению...

И ведь три года подряд я предрекала ему, что когда-нибудь мы влипнем в историю за откровенное, даже наглое нарушение правил! И ладно бы на "жигулях" наших патриархальных, а то — на синдикатовском "форде", да еще в таком цейтноте, да еще с таким особенным пассажиром на борту!

Когда нам засвистели на Новом Арбате и мой Слава, вместо того чтобы остановиться, откупиться деньгами и прибаутками, резко рванул, окаменев вдруг лицом, у меня рухнуло что-то под ложечкой, и я лишь обреченно пискнула...

Из раскрытых окон нашего катафалка на весь проспект прибауточно орало "Русское радио":

> Йо-огурты, йо-гур-ты, йогурты-уёгурты,
> сни-икерсы-сни-кер-сы, сникерсы-у-и-керсы!!!..

До сих пор, вот уже несколько дней, вспоминаю эту череду картинок, этот поистине достойный Яшиной руки комикс: "форд" с покойником мчится, я в параличе, Слава закусил удила..."Русское радио" голосит совершенно *отвязные* тексты, а в зеркальце мы видим, что сзади, как в советских фильмах моей молодости, возникает мотоцикл...

Кричу: — Тормозите, Слава!!! Чему быть, того не миновать!..

> Йо-огурты, йо-гур-ты, йогурты-уёгурты!!!

— Уйдем!!! — сквозь зубы бормочет этот безумец...

> ...сни-икерсы-сни-кер-сы, сникерсы-у-и-керсы!!!..

— Нас сейчас расстреляют!!! Подумают, чеченцы!!!

Наконец Слава тормозит, отъезжает к тротуару, обреченно вылезает из "форда", доставая права и какие-то *путевки*... Я же судорожно выгребаю из кошелька всю наличность — рублей пятьсот, что ли, — и пытаюсь сунуть Славе через окно... Подъезжает мент, упаренный, злой, как черт, готовый к самым решительным мерам... и начинается потрясающий спектакль, когда Слава оправдывается, тянет, гундосит, но денег не дает! — видно, ладонь не разжимается.

— Вячславсеменч!!! — шиплю я из окна, как гусыня, — Вячславсеменч!!!..

— Открывай салон, — говорит мент, — че эт ты, блядь, такое везешь, что перебздел, как кролик...

— Я?! Да что везу?.. да ничего такого! Да там... так... по хозяйству... На, вот, все, что есть, расстанемся полюбовно, начальник...

У того от бешенства даже скулы свело.

— Я те счас покажу — полюбовно! — цедит он, — нашел любовника, блядь! Открывай!

Видно, это второй такой в жизни Славы встретился сотрудник ГАИ. А может, разозлился парень по-настоящему...

Скажи мне душевное сло-о-ово,

разливается из нашего "форда"...

...о маме еврейской про-по-о-ой...

Я откидываюсь на сиденье и вижу в зеркальце лицо принципиального мента. Вижу, как заглядывает он в обреченно открытый Славой салон, из которого вываливается вялая рука нашего, потревоженного быстрой ездой, *спокойного*, отшатывается, бледнеет разом, словно кто-то плеснул в лицо ему молоком...

...и раздумчиво тянет:

— Та-а-ак... И где эт вы в хозяйстве собрались его приспособить?.."

....

Призовой фонд

Домой Яша вернулся поздно, уставший и, честно говоря, довольно-таки пьяный. Они с Изей Ковалем до полуночи сидели в пабе "Шестнадцать тонн" на Краснопресненской. Изя наливал себе виски и жаловался на Клещатика.

— Он просто вор, понимаешь? Во-о-ор! Это была моя идея — круиз по Волге, лекторий и прочая замечательная хуйня! Мы с Ваней уже и название классное придумали — "Всей семьей к саман... ке..факции"... Ну, скажи, вот, скажи: почему он крадет чужие идеи? Краем уха услышал и уже — хоп! Чавк!!! И давай накачивать, давай раздувать до каких-то миллионных затрат. А все для чего?! Да чтобы поиметь Синдикат на всю катушку...

— Только не ори, — попросил Яша, оглядываясь... — Давай потише... Ну... он же вкладывает в эту экспедицию другой смысл? Все-таки этот Проект с возрожденными коленами покрупнее классом, а?

— А на хера мне эти колена, сынок?! Мне что — своих не хватает? И вообще: ну, скажи — кому этот департамент долбаный сдался? Ты часто видишь этого неуловимого начальника? Кого они в Страну тащат, — посмотри на эти рожи... Сынок, видит Бог — я не националист, у меня у самого баба в Воронеже, у меня Ваня — по гроб жизни... Но какое имеют отношение к Стране эти люди?!

— Постой... — Яша в своем здравомыслии всегда пытался расставить все по местам. — Все-таки... эти ребята, там, в Иерусалиме... ну, те, кто все это изобрел... — они же не тюлько гонят... Они же вывели формулу, и компьютер все-таки не грабли какие-нибудь, а электроника...

— Ты в это веришь?! — изумился Изя. — Сынок, клянусь своим новым мобильником, что весь департамент, вместе с компьютерами, анкетами и коленами, изобретен вовсе не в Синдикате, а в фирме "Глоб..."

— Тихо!!! — рявкнул Яша, оглядываясь. Изя замолчал, долил из бутылки последние капли себе в рюмку и с горечью проговорил:

— Вот увидишь, во что все это выльется...

...В первом часу ночи Яша поймал попутку и прикатил к себе в Скатертный переулок. Отворив своим ключом дверь, бесшумно разулся и, заглянув в "детскую", убедился, что дочери дома... Полюбовался в слабом свете ночника, как они спят — обе на правом боку, рядышком, как две шпроты в банке...

Зашел в столовую, включил свет и несколько минут неподвижно, тупо разглядывал удивительную картину: обеденный стол в центре комнаты, весь, как осенними листьями, был завален мятыми пятисотрублевками.

Подвинув стул, Яша сел и машинально принялся собирать, разглаживать и складывать в стопки ассигнации. На восьмидесятой тысяче скрипнула дверь "детской" и Янка прошлепала босыми ногами в туалет. В детстве она поранила ступню куском стекла, и с тех пор не то что хромала, но как-то бережней ступала на правую ногу. Во всяком случае, отец всегда различал дочерей по звуку шагов, тем более, босых. Когда, спустив воду, она шлепала обратно, он сказал, не оборачиваясь:

— Паразитки... — он всегда обращался к ним, даже порознь, во множественном числе, — паразитки, вы добиваетесь, чтобы нас выслали отсюда?

Она вошла в столовую, обняла его за шею и легла теплой щекой на круглую лысинку на его макушке...

— Па... — пробормотала она сонно, — просто Надьке сегодня дико, дико везло!.. Знаешь, она выиграла "Пантелеево"...

— ...выиг?!.. "Пан..."?!.. Душа моя!!! — никогда еще Яша не был так близок к помешательству. — У... кого?!..

Дочь щедро и сладко зевнула.

— У господина Салиха-заде, — сказала она.

С самого утра, едва я уселась за стол в своем кабинете, примчалась бурно дышащая Рутка и велела немедленно бежать к Клавдию — там такое, такое, чего еще не было никогда!

Я вздохнула и пошла. В кабинете Клавдия сидели в мрачном молчании Гурвиц, Изя, Шая и сам Клава, судя по цвету и выражению круглого лица, — с повышенным давлением и вообще в состоянии невменяемом.

— Вот она! — доложила Рутка, прибежавшая к дверям кабинета впереди меня, как герольд.

— Что такое? — спросила я, усаживаясь рядом с Гурвицем на свободный стул. Мне никто не ответил.

— Где Яаков, черт побери?! — рявкнул Клавдий Рутке.

— Дома не отвечает, мобильный заблокирован! Панчер перевозит молодежь на другую базу, из-за пожара в "Пантелеево", а Анат Крачковски требует...

— Хватит! — оборвал Клавдий... — обойдемся без этой болячки на заднице... — Он замолчал, доставая сигарету... Медленно закурил, готовясь сказать что-то...

— Вы все... — наконец тяжело проговорил он... — вы все должны проглотить языки... Потому что мы не знаем, что нас ждет... Мы обязаны выкрутиться из ситуации по-семейному, замять ее...

— Да что случилось-то?! — воскликнула я.

— Джеки пропал... — неохотно обронил Гурвиц. — Был-был... и пропал... Уже трое суток...

— Надо обратиться к частному сыщику, — предложил Изя, показывая почему-то на мобильник в руке.

— Ты откуда вытащил эту идею? — угрюмо осведомился Клава, — из своей электронной клизмы?

Я задумалась... Вспомнила оживленное и жалкое одновременно лицо Джеки в "Голубой мантии"...

— А не поискать ли в казино? — спросила я.

— Ты с ума сошла?! — вспыхнул Клава. — Моего главного бухгалтера, человека, контролирующего весь бюджет российского Синдиката, трижды проверенного департаментом *Бдительности*, ты предлагаешь искать по притонам?

— Да-а, — протянул Изя, — ну, доча, ты загнула, — и головой покрутил, усмехаясь...

— Вопрос, сколько мы сможем протянуть времени, пока не хватились в Иерусалиме, — сказал Гурвиц. — Если мы не отыщем его в считанные день-два, все всплывет, как говно в забившейся канализации! Вот, кстати, послушайте анекдот на эту тему:

— Его могли выкрасть, — мрачно прервал Шая.

— Кому он, на хер, сдался... — поморщился Петюня... — если б выкрали, нам предложили бы уплатить, а я пока не слышал ни звука...

— Думайте, думайте!!! — крикнул Клавдий, багровея. — Мы должны разыскать этого засранца, стащить с любой бабы, — о, Боже, меня хватит удар, зам-бу-ра!!!

Он показал рукой, чтобы все проваливали из его кабинета, и мы поднялись и потянулись к дверям, не глядя друг на друга...

Часа два спустя негодующая Маша примчалась из бухгалтерии и заявила, что Угроза Расстреловна не подписывает гонорарные ведомости по газете "Курьер Синдиката"...

Обычная история.

Угроза Расстреловна каждый месяц пыталась отнять у наших авторов сухую корочку хлеба, Маша билась в истериках, падала в обмороки, и тогда в наступление шла я, предварительно закалив себя некоторыми процедурами.

— Ничего-ничего, — сказала я Маше, — успокойся... Вот я сейчас сама... сделай мне кофе и... плесни-ка туда коньячку, в качестве анестезии...

— А вы лучше чесноку наешьтесь, — жизнерадостно предложила Женя...

— ...Роза Марселовна, дорогая... — приветливо начала я, усаживаясь на стул перед нашим драконом, — я всегда надеюсь на вашу поддержку. Репутация нашей газеты такова, что авторы уверены в...

— ...а с каких шишей? — щурясь, спросила она.

— Как, то есть, с каких, — тихо заводясь, проговорила я. — Изрядная сумма в моем бюджете предназначена...

— Ничего давно не предназначено!

— Послушайте, Роза Марселовна... У нас есть...

— Ни черта! у вас! нет!

Наступила пауза... Угроза Расстреловна Всех молча смотрела мне прямо в глаза, и в какой-то момент ярость моя сменилась слабым подозрением, что происходит нечто необычное, вполне серьезное, никак не связанное с привычкой Угрозы Расстреловны опрокинуть с утра стаканчик свежей крови...

— Роза Марселовна... я надеюсь, это вы в переносном, так сказать, смысле?..

— Какой там переносный! Нет у вас ни гроша в департаменте! Пус-то!!!

Я молчала, и она победно молчала, передвигая на столе какую-то подставку для визитных карточек, с козочкой...

— А... где?! — хриплым шепотом спросила я...

— Не знаю!!! И никто не знает!!! Недостача по всему российскому региону — более миллиона долларов... Как это рисует ваш приятель Сокол? Вот-вот — "Наши монастырские новости"...

В ту минуту я не задумалась даже, откуда Угрозе Расстреловне известно, что там рисует Яша на летучих листках своего блокнота...

Занемелой рукой по внутреннему телефону я набрала номер Маши.

— ...ко мне... — сказала слабым голосом.

Маша влетела через секунду, брякнулась на стул, вытаращилась на меня зелеными глазами.

— Кто... — тихо и внятно проговорила я, — вместо меня... подписывал... акты?..

Маша преданно смотрела, не отрываясь, медленно оседая набок. И осела, продолжая глядеть на меня белками закатившихся глаз...

— Это что? — брезгливо спросила Угроза Расстреловна сверху.

— Это обморок, — бессильно сказала я, обнимая Машу и пытаясь опять посадить ее прямо.

— Скажите этой дуре, что ее никто не подозревает! Да и вас, недотепу, никто не подозревает. Суммы из вашего бюджета просто переводились по компьютеру...

Я потрогала козу с визитными карточками... расправила какую-то салфетку на столе... Спросила сдавленно:

— Кем?!..

Она развела руками. Жест был бабий и человеческий.

— Тем, кто умеет это делать... Кто умеет считать и знает — как прятать концы в воду... Но ничего, ТАМ... — она показала пальцем вниз, — там разберутся, в конце-концов. Докопаются... В той организации, где я всю жизнь работала...

Странно, подумала я, произнося это сакраментальное *там*, люди обычно указывают на небо. Может быть, указывая под ноги, Роза Марселовна Мцех имеет в виду вовсе не аудиторов, какими бы въедливыми те ни были, а что-то другое? Скажем, преисподнюю?

Я молча поднялась, вышла из кабинета главного бухгалтера российской бухгалтерии и направилась к своему патрону. Клавдий сидел в той же позе, обхватив голову руками, в пепельнице перед ним курилась тоской сигарета.

— Клавдий, — позвала я.

Он поднял голову и взглянул на меня измученными глазами.

— Прикажи Шае и Эдмону прочесать все казино, игорные дома и элитные клубы... — твердо закончила я.

У себя в департаменте я опять наткнулась на отключенные зады подчиненных... Вот если б они были голыми, это было бы даже символично, подумала я... Собравшись в кружочек, все они кропотливо выкладывали на полу обрывки какой-то бумаги. Перевернутое ведро откатилось под Машин стол...

— Ну что опять, о Боже?!

— Представляете, — весело сказала Женя, стоя на четвереньках, — это был приказ Клавдия о том, что наш департамент переводят во двор, в новое здание... А Эльза Трофимовна р-раз, и...

— А я и внимания не обратила, что во дворе есть какое-то здание... — смущенно и доверчиво улыбаясь, проговорила Эльза Трофимовна.

Она взяла со стола какую-то бумагу, мельком взглянула на нее и, сложив вчетверо, стала рвать на кусочки...

— Посто-ойте!!! — застонала Маша... — Что ж вы рвете?! Что это?!

— ...да чепуха там какая-то... Вообще, по ошибке попало... Какой-то корабль... куда-то отплывает пятнадцатого августа...

Маша завыла, затопала ногами...

...Спокойно, сказала я себе, спокойно, ты скоро уезжаешь и вообще не имеешь к этому *морю-по-колено* никакого отношения...

Вошла в свой кабинет, закрыла дверь, чтобы не слышать очередного скандала...

Села за стол и наконец открыла почтовую программу. На меня посыпались гостинцы-леденцы в широком ассортименте:

целый мешок файлов от Галины Шмак с воплем, что все это надо прочитать до утра;

заявка от Эсфирь Диамант с приглашением поддержать материально "Еврейские народные гуляния" в исполнении ансамбля "Русские затеи" на ее концерте, в зале "Родина";

истеричное открытое письмо Клары Тихонькой (с копиями во все сто восемьдесят семь организаций) с требованием вложить тридцать тысяч долларов в проект пятиэтапного семинара "Будущее Катастрофы";

десятка полтора требований из Иерусалима;

рассылка "Народного университета" Пожарского;

рассылка Национальной Русской партии Украины;

рассылка Чеченского Союза борьбы с оккупацией;

приглашение из Театра Наций на премьеру пьесы Ноя Клещатика "Высокая нота моей любви";

И, наконец, последнее письмо, которое вывело меня из ступора.

Я смотрела в экран своего компьютера с бессильным изумлением:

Из департамента *Розыска потерянных колен* мне сообщали, что Вячеслав Семенович Панибрат, 53 года рождения, профессия — водитель, — принадлежит к потерянному колену Гада ("Отряды будут теснить его, но Гад оттеснит их по пятам")...

Нет, подумала я, нет, вот это уж — дудки... Довольно... Славу я вам не отдам... {527}

Потянулась к своему ежедневнику и стала быстро листать его, отыскивая одну бумагу, которая столько времени провалялась у меня, кочуя из одного ежедневника в другой... Где-то здесь она то и дело подворачивалась под руку, а вот сейчас... В нетерпении я перевернула ежедневник, вытрясая из него все записочки, листки, фотографии, квитанции... наконец, сложенный вчетверо лист выпал на стол.

— Маша! — крикнула я, — свяжи-ка меня...

И тут же раздался звонок. Я вздрогнула, — и настолько была уверена в том, кто это звонит, что сама сняла трубку...

— Дорогая, — услышала я знакомый голос, — звоню только за одним: убедиться, что вам прислали приглашение на премьеру моей пьесы, которая с вашей легкой руки...

Нет, не за этим ты звонишь, подумала я, не за этим...

— Ной Рувимович, — проговорила я мягко и решительно, — нам бы стоило повидаться, причем, не откладывая это вдаль. Я ведь скоро уезжаю, и...

— Не говорите, не говорите! — перебил он меня взволнованно. — Вы не представляете, какая это будет потеря для...

— Когда вы сможете приехать?

— Да вот сейчас, — сказал он просто, — я тут паркуюсь у ворот, сейчас и поднимусь...

Я подняла глаза. В дверях стояла взволнованная Маша.

— Валокордин? — спросила она. — Тридцать капель?

— Дурочка. Кофе. И для Ной Рувимыча тоже. И ко мне — никого, пока он не выйдет отсюда.

Норувим был сегодня совершенно по-летнему: светло-серая бобочка, светлые брюки, никакого галстука. И пребывал он — это видно было с порога — в отличном настроении.

{528}   Маша принесла кофе, вазочку с конфетами, плотно
прикрыла за собою дверь.

— Боже мой, боже мой! — приговаривал Клещатик,
разворачивая конфету, — три года пролетело совсем незаметно! Как задумаешься — что есть наша жизнь...

Я не мешала ему разогревать нашу предстоящую беседу. Просто знала — о чем она пойдет. И понимала, что на
сей раз буду полновластной хозяйкой ситуации.

— И все это время своим присутствием вы настолько
украшали жизнь столи...

— Да, как раз на днях я украсила жизнь одного мента,
он гнался на мотоцикле за нашим "фордом", внутри которого — такая оказия! — случайно находился не израильский лектор-психолог, а труп безымянного алкаша. Мы со
Славой везли его в морг и нарушили правила дорожного
движения...

Ной Рувимыч вытаращил глаза, захохотал, замахал
руками:

— Бросьте, бросьте, это вы мне сюжет своего будущего романа...

— ...и с этим жмуриком, но уже и с ментом, мы заехали ко мне домой — взять триста баксов, чтобы спасти моего Славу Панибрата, парня отличного, но лихого, может,
потому, что — как выяснилось сегодня, — я кивнула на экран своего компьютера, — он принадлежит к колену Гада,
отряды будут теснить его, но он оттеснит их по пятам, и
так далее... А я бы хотела взглянуть в глаза тому гаду, который...

Оживленная улыбка на лице Ной Рувимыча сменилась озабоченным вниманием. Я не стала продолжать своей тирады. Все уже было сказано. Наступила пауза...

Я люблю такие моменты. В природе — у нас, в Иудейской пустыне — в такие минуты вдруг ощущаешь некий
перелом, смену направлений ветра; у нас говорят в таких
случаях — "хамсин сломался". И сразу чувствуешь дунове-

ние свежести, облегчение во всем теле, прояснение в голове, — а уж мы-то, астматики, сразу ощущаем сладостную
освобожденность дыхания...

Я глубоко и легко вздохнула. Сломался хамсин этих
трех лет, тяжкий морок умолчания, отведенных взглядов,
сдавленного дыхания, запертых слов и фраз...

И одновременно с этим я ощутила явственное напряжение в воздухе, где-то высоко над головой, словно наши
с Ной Рувимычем *охранители, покровители наши,* насторожились, вскочили и замерли. И каждый нащупал оружие,
внимательно следя за малейшим движением соперника.

— Я понимаю вас. — Наконец проговорил Клещатик. — Я ведь знал, что все это время вы собирали сведения по вопросу... по истории...

— Да нет никакого вопроса, — сказала я. — Не существует. И вы, как автор идеи, это прекрасно знаете.

— Вы не правы! — воскликнул он. — Вернее, дело не
в этом, не в этом!

Он вскочил и стал ходить по моему небольшому тес-
ному кабинету. Я видела, что он искренен, более того —
видела, что он взволнован...

— Послушайте... Когда изрядная часть народа убежде-
на в Богоданности святых текстов Торы, другая плевать хотела на все святые тексты вместе взятые, а третья часть —
историки, лингвисты и текстологи — готовы указать любому интересующемуся периоды, в которые были написаны
эти тексты разными авторами... — что это меняет в истории
народа, в его религии, в его многотысячелетней традиции?
Что это, наконец, меняет в истории и традиции европей-
ских народов, на культуру и нравственность которых наша
Тора оказала решающее влияние? Кому сейчас интересно —
был ли действительно написан "Екклесиаст" царем Соло-
моном или кем-то другим, гениальным, или даже несколькими гениальными авторами?

— То есть, — спросила я, — кому интересна правда?

— Вот именно! — запальчиво выкрикнул он. — Ни-ко-му! Она вообще никому не нужна, кроме следователей. А уж в историческом разбеге... я имею в виду сотворение питательной среды мифа, она не нужна ни-ко-му, а уж са-мому-то народу — в особенности! Подите, разыскивайте обломки разбитых скрижалей под горой Синай, в то время как на наших десяти заповедях основаны все европейские конституции! Кому — через тысячи лет интересно, — что за сброд таскал человек Моисей по той небольшой, в общем, пустоши?

— Ну да, понимаю, — усмехнулась я, — кому через тысячи лет будет интересно — из какого сброда в конце шестого тысячелетия от Сотворения Мира человек Ной возродил десять утерянных израильских колен?

Он осекся, замолчал... Опустился вновь на диван.

— Вы ошибаетесь... — проговорил он. — Не через тысячи, а уже через десятки лет. Лет через сорок-пятьдесят внуки этих людей станут рассказывать, что деды их взошли на корабль, и из далекой России... Станут сочинять про это книги, делать фильмы... писать учебники, наконец...

Я вздохнула, отвернулась к окну, через которое никто так и не выстрелил мне в затылок за все эти три года... И вдруг удивилась все тому же рекламному щиту, словно ожидала увидеть уже за спиной Масличную гору и прочерк шатуна коршуна на пустынном небе...

— Ной Рувимыч, — прервала я его. — Я скоро уезжаю... Давно хотела спросить: ваша редкая фамилия, по крайней мере я не встречала никого еще с такой, — откуда она? Ведь уж вы-то наверняка первым прошли все знаменитые анализы на принадлежность к коленам?

В моем голосе не было ни капли насмешки. Но Клещатик замкнулся, нахмурился, откинулся к спинке дивана.

— Охотно, — отозвался он с вызовом. — Могу рассказать, хоть и знаю, что вы, с присущей вам иронией...

— Никакой иронии! — возразила я. — Более того: хотела вам кое-что показать.

Я развернула листок, который столько времени лежал между страниц ежедневника, кочуя из недели в неделю, из месяца в месяц, из лета в зиму, из осени в весну; старинный брачный контракт, в котором жених посвящал невесте все прелестнейшие имения свои под небом и даже мантию на своих плечах... а я все не решалась свести праправнука с прапрадедом... И вот наконец выпал срок, и подошла тема, — вот как тесто подходит для выпечки хлеба... Или не успевает оно подойти, и тогда мы бежим с ним в другие земли, в другие пустыни, преломляя сухие опресноки и ежегодно обещая себе преломить их в будущем году в отстроенном Иерусалиме, и все-таки вновь и вновь ускользая на обходные тропинки и окольные пути...

— Что это? — спросил Ной Рувимыч, по-прежнему хмурясь, но бумагу взял.

И я, сцепив руки и упершись в них подбородком, принялась жадно рассматривать его лицо, отмечая, следя, ловя эту великую перемену, эту внезапную бледность и разом опавшие щеки, и брови, взлетевшие на лоб, и трепыхание листа в пальцах... *"принялъ все это на себя жених сей въ... звуковъ чистаго серебра... чтобъ было уплочено со всѣхъ наилучшихъ и прелестнѣйшихъ имѣнiй и прiобрѣтенiй, которыя есть у меня подъ небомъ... даже съ мантiи, что на плечахъ моихъ, какъ при жизни моей, такъ и по смерти моей отъ нынѣшняго дня вовѣки..."*

— Ради Бога... — наконец хрипло выдавил он... — Откуда это у вас? Из какого архива?!

Я сокрушенно развела руками:

— Боюсь, что не смогу вам сказать... Могу лишь подарить, — этот документ случайно оказался в моей электронной почте.

— Вы... вы не представляете... — он достал платок и высморкался. Прокашлялся. — Это *ктуба* моего предка... Моей семье принадлежала чуть не треть Киева... И есть даже семейная легенда, по которой улица Крещатик... Но...

неважно... Все было потеряно. Впрочем, моя семья теряла свои богатства не единожды... Моим предком, не удивляйтесь, был дон Абарбанель, да-да, тот самый, что бросил в Испании все свои земли, дома, виноградники да что там — половина Гранады ему принадлежала! — и первым *взошел* на корабль, уводя свой народ в изгнание... Он уводил в изгнание свой народ!!!.. Так почему же, почему другой человек, в другое время не может собрать на совсем другом корабле... и вернуть, вернуть даже тех, кто все позабыл!.. — Он опять высморкался. — Неважно! Не в этом дело! Я потрясен... Вы не знаете, как я умею благодарить!..

— Ну что вы! — вздохнула я, — какая там благодарность! Я ведь этот листок долго держала у себя... как некое даже оружие против вас, в случае, если...

— Понимаю, вы не обязаны объяснять... И все-таки, — что я могу для вас сделать?

— Ной Рувимыч... — я помедлила. — Я все равно скоро уезжаю... и сейчас узнала, что кошелек моего департамента пуст.

Клещатик подался вперед, словно желая мне что-то разъяснить или оправдаться, но я остановила его: — Не желаю напоследок пускаться в разыскания, хотя считаю, что правда интересует не только следователей. Я прошу вас об одном: оплатите Сереже Лохману издание альбома старинных еврейских надгробий Украины и Беларуси. Это последний наш проект... Альбом немедленно станет редкостью — ведь эти кладбища скоро придут в полное разрушение, и не останется никого, кто бы...

— Разумеется, разумеется! — воскликнул он.

— ...я просто знаю, что Сережа все равно издаст альбом, — продолжала я, — но останется без штанов, это ведь штука недешевая.

— Ради Бога, не беспокойтесь! Пусть только позвонит мне.

— Он не позвонит. У него нет на все это терпения.

— Хорошо, черкните его телефон...

И глядя, как я разыскиваю на столе хоть клочок бумаги, проговорил:

— Признаться, думал, что вы раньше выскажетесь... Ждал даже, на *перекличках* был готов к отпору... Почему вы молчали?

— Видите ли... — пробормотала я, — на третьем году службы в Синдикате "все слова утомляют"...

Записала на листке телефон Лохмана, отдала Клещатику и встала из-за стола. И он поднялся с дивана. И где-то там, высоко над нами, с облегчением зашевелились наши *охранители*, вздохнули, размяли затекшие ладони, вложили в ножны клинки...

— Мне жаль... — сказал Ной Рувимыч, приоткрыв дверь и, видимо, не решаясь протянуть руку. — Жаль, что за эти три года мы не сблизились. Но мне кажется, что вы бы этого и не допустили. Я прав?

Я засмеялась и кивнула. Мне было все легче, все легче дышать. Хамсин сломался...

. . . .

Когда этой же ночью позвонил Яша, мы минут пять не брали трубки и даже голов не отрывали от подушек, абсолютно уверенные, что звонит наш дуся Ревердатто. Обычно тому надоедало трезвонить на третью минуту, а тут звонки все летели и летели из кухни к нам в спальню, словно пытались убедить меня подняться. Я поднялась и, чертыхаясь, побрела на кухню. Определитель показывал Яшин номер. Я испугалась.

— Умоляю, — проговорил в трубке его хриплый голос. — Приезжай немедленно. Тебя они уважают...

— Что случилось?!

— Возьми такси, я тут один с ними с ума сойду...

— Борю захватить?

— Не надо, они говорить откажутся...

{534} ...Девицы сидели на диване в столовой, в одинаковых желтых пижамках, тесно прижавшись друг к другу... Интересно, как это у рослого широкоплечего Яши получились такие щуплые дети. В Маню, наверное...

Видно, основная часть допроса — с воплями, угрозами и обещаниями отца покончить с собой — осталась позади. Все трое выглядели измученными... Яша, едва открыв мне дверь, выпалил:

— Кому, ты думаешь, принадлежит "Пантелеево"? Мне и моим аферисткам!

— Свари кофе, — попросила я, и он молча ушел на кухню...

Девочки тоже сидели молча, обе уставившись куда-то безадресно, в угол комнаты. Вообще, сейчас, ночью, эта абсолютная идентичность внешности и жестов меня даже пугала. И хотя я шла под дождем к такси, а потом минут пятнадцать ехала, пытаясь унять тревогу, — то есть вполне проснулась, — мне казалось, что я все еще сплю.

— Девицы, — сказала я, — вы хоть бы научили меня масти разбирать. А то умру и ни разу в карты не сыграю...

Они одинаково усмехнулись, и одна сказала:

— Да это просто... Вас бриджу поучить? Есть "Роббер", есть "партийный"... Надька!

Надька вскочила, подбежала к тумбочке и достала из ящика колоду, которая в ее руках немедленно ожила: задвигалась, заструилась, заскользила...

— Всего 52 карты на четверых, да? Раздаем каждому по 13... Значит, картинки: туз — 4 очка, король — 3, дама — 2, валет — 1. Во всей колоде — 40 очков...

Раздаем карты, начинаем торговлю...

В дверях появился Яша с джезвой и кофейной чашкой в руках.

— Что?! — крикнул он, выкатывая глаза, — опять карты?! Вы слово давали — на сколько месяцев?!

— На три, — торопливо проговорила одна из близнецов. Я совсем их не различала.

— Пап, уговор дороже денег, мы честные. Просто Дина просила объяснить...

Он налил мне кофе, подвинул...

— Значит, так...

— Значит, так, — перебила я его. — Ты сейчас сядешь и без ора-скандала тихонько расскажешь, что произошло. Вы вместе расскажете...

Яша вскочил и забегал по комнате.

— Да ты не представляешь, что творится!!! — крикнул он. — Эти-то что! Это — моя личная семейная беда, а вот Синдикат... Синдикатище наш невероятный! Слушай: мои паразитки, вот эти, выиграли! в карты! "Пантелеево"!

— Поздравляю, — сказала я. — У кого?

— У Посла Ирана!!!

Я откинулась на стуле. Мы замолчали.

— Так вот оно что-о-о... — протянула я... — Так вот где Синдикат проводил свои семинары... И сколько же времени "Пантелеево" принадлежало персу?

— Минут двадцать, — отозвалась Надька. У нее в руках все еще вилась, перетекала из руки в руку, нежилась цветной шелковой лентой колода карт... — Он, как выиграл у Нойрувимыча "Пантелеево", сразу поставил его на кон. Нойрувимыч в конце обычно отыгрывает. Особенно если он со мной на линии... Это их "Пантелеево" у нас по кругу ходит... ну, такой прикол... такой призовой фонд...

— Да, — оживилась другая, Янка, — Рувимыч и сам все видит... Он и сам сечет молча... Но тут его вызвали куда-то, и я уселась в партнеры к Надьке, и тут уж покатилось...

— Представляешь, — сказал Яша, — представляешь завтра лицо Клавдия, когда я вхожу и говорю, что приношу семижды обгорелое "Пантелеево" в дар родному Синдикату...

— Это какой-то ночной бред, — отозвалась я...

Но бредом оказалось все: наша здешняя жизнь, ночные турниры *наследного абарбанеля* Ной Рувимыча с Послом Ирана, семинары в полуразрушенном "Пантелеево", постоянно пылающий, как Геенна Огненная, его бассейн...

— Да нет, постой... Посол выиграл "Пантелеево" не у Рувимыча, а у Джеки... — поправила ее сестра.

— У Джеки?! — вскрикнула я.

— Ну, да но Джеки же быстро проигрывает, он такой невезучий...

Мы с Яшей молча смотрели друг на друга. Бездна разверзлась пред нами, ночная бездна невиданной глубины и смрада...

Уже не глядя ни на девочек, ни на Яшу, я быстро набрала номер Клавы. Конечно, он не спал, бедняга...

— Клавдий, — осторожно проговорила я, — есть некоторые новости насчет...

— ...Его нашли, — прервал он... — Ребята взяли его тепленького прямо в "Голубой мантии"... Он только за вчерашний вечер проиграл пять тыщ "зеленых"... Ну ничего, завтра он покатит в Иерусалим на собственных яйцах... которые, надеюсь, там ему оторвут... Ты почему не спишь? Где ты?

— ...Я? — и посмотрела на измученного Яшу, на его девчонок в желтых цыплячьих пижамках... — ...я дома...

— Ну так иди спать, — проговорил Клавдий устало... — И за меня поспи...

— Марш отсюда! — велел Яша дочерям.

Те неохотно поднялись и гуськом отправились восвояси, разочарованные: жизнь только-только опять начинала быть интересной, появилась новенькая балда, с которой можно было позабавиться...

Мы с Яшей ушли на кухню, он и себе сварил кофе покрепче...

Надо было многое обдумать. Что делать и чего не делать ни в коем случае. Куда двигаться, а куда не то что не двигаться, но даже и взглядом не вести...

Гигантская вавилонская башня из кубиков была выст-
роена над нашими головами, и каждый кубик означал человека или целую организацию, группу интересантов, посольства, или даже, как говорили девчонки, "линию"... Не
то что движения пальца — дуновения губ достаточно было,
чтобы вся башня зашаталась, накренилась, посыпалась и
погребла бы нас — людей здесь, в сущности, посторонних,
прохожих, неискушенных — под своими рухнувшими бло-
ками... Скоро, очень скоро мы покидали Россию, оставляли Синдикат, возвращались — каждый к своему уделу.
Чугунное равновесие мира застыло над нашими головами, грозя от легчайшего дуновения обвалиться на наши
головы...

Мы сидели с Яшей на кухне и переговаривались шепотом, словно боялись разбудить не девчонок, а некое чу-
дище, библейского Левиафана, чей скользкий драконий
хребет возник на мгновение из мутных вод мрачной без-
дны перед нашими потрясенными взорами...

Мы уже все обговорили: близнецов надо завтра же
выслать домой, пусть оставшиеся недели резвятся там, на
вьющихся по горе Кармель хайфских улицах и переулках...
"Пантелеево" же пусть догорает, осыпается, оседает, гниет
и распадается в бесконечном — по кругу — карточном ро-
зыгрыше, в безумном турнире послов, воротил, мошенни-
ков и банкротов...

А корабль? А корабль пусть плывет, если этого так хотят его пассажиры, любители прокатиться; пестрый их та-
бор, подобранный Синдикатом по признаку принадлежности к мифу...

Когда, часа через полтора, я стала собираться, дверь кухни
приоткрылась и показалась веснушчатая, абсолютно не
сонная физиономия одной из близняшек...

— Как, — спросила она, — вы уже уходите? А как же
в карты научиться? Другого случая не выпадет...

Значит, не спали, подслушивали, знают, что сегодня улетят домой...

— Эх! — сказала я, снимая плащ, — ладно, минут двадцать, не больше...

Немедленно появилась другая, с колодой карт... Физиономии у обеих оживленные.

— Начина-а-ется?! — ахнул отец...

— Пап, мы всего один разик, поучить!

— Пап, садись четвертым, а то играть нельзя!

— Ни-за-что!!!

— Да ладно тебе, — сказала я, — это же в шутку... Разыгрываем вот... колечко...

Сняла с пальца серебряное кольцо с яшмой, положила на блюдце...

Яша вздохнул, покорно сел... Девчонки вдохновенно забормотали, перебивая друг друга:

— Черви-пики — 30 очков!

— Кресты — 20 очков!

— Называется масть или говорят — пас! Все четверо могут сказать — пас!

— Бескозырная карта — самая сильная.

— Максимальное число взяток — 13...

— Раздавай...

— Мастерство игрока — в чем? Скрывать свои эмоции...

— Главное — этика, этика игры: в карты не подглядывать, знаки партнеру не делать...

— Какие знаки? — уточнила я

— Ну, нос чесать, подмигивать, кашлять...

— Игра аристократическая... — добавила другая.

— Я не стану играть, — встрял отец, — они же все и так знают, они все без подмигивания видят!

Девчонки хором, возмущенно:

— Пап, мы ж сейчас друг против друга играем!

Сыграли сдачу...

Часа через полтора в кухне забрезжил рассвет. Мы си- {539}
дели за столом, четверо, крестом, бормоча:

— Пятая дама!

— Седьмой марьяж!

— Одна трефа, душа моя!

— Пас!

— ..."Моя карта бита, сердце мне разбито"... — напевал
под нос Яша, качая головой и пытливо всматриваясь в лицо Янки напротив, и были они в эти минуты очень, очень
друг на друга похожи...

Телефон звонил и звонил, как будто вознамерился добу-
диться бесчувственного Яши, лишь час назад вернувшего-
ся из Шереметьева, где с огромным облегчением посадил
дочерей на самолет компании "Эль-Аль".

Наконец он снял трубку.

— Яков Михалыч! — возбужденно закричал Павлик. —
Вы "комсомолку"-то читали?

— Нет еще, а что там?

— Так целый же отряд, целый отряд, понимаете?!

"Елки палки, — подумал Яша, взглянув на часы, — ну
что делать с этим... праведником..."

— Они знаки чертят на снегу, понимаете, — горячеч-
но рассказывал Павлик, — камнями выкладывают фигуры, отдаленно напоминающие щит Давида...

— Кто? — спросил Яша, зевая... Честно говоря, ему за
три года уже поднадоел энтузиазм этого чудака... — Альпи-
нисты, что ль? Или полярники?

— Да нет, евреи, наш святой народ, абсолютно наш
контингент! Их там до хрена, Яков Михалыч!

— А где это?

— Где-то на перевале, в горах Тянь-Шаня... Целый отряд снежных людей! Женщины, мужчины, дети... обросшие волосами, лохматые, голые...

"Нет, это мне снится", — подумал Яша...

А Павлик продолжал, захлебываясь словами, торопясь вывалить новость до конца:

— Понимаете... Я подумал... Ведь Синдикат ищет людей, которые забыли, что они евреи... Ну, эти, колена потерянные... Так если эти, лохматые, дикие эти... если они — потерянное колено, а, Яков Михалыч? — ведь бывает же, что человек теряет божественный облик?..

— Бывает... — глухо проговорил Яша. — Это бывает и не в столь экстремальных условиях... Только, знаешь что, Павлик... Пусть они там остаются, а? На перевале. В Тянь-Шане... Пусть и дальше гуляют, а то я уже что-то маленько подустал...

И не слушая больше восторженное альканье Павлика, опустил трубку на рычаг.

. . . .

Марина забрала с выставки "Наши привязанности" своего плюшевого мишку, которому недавно исполнилось сорок пять лет, отряхнула с него пыль, отчего зазолотилась его старая шерстка, чуть тронутая молью на спине и правом ухе, заиграла, заискрилась. Она обняла его привычным движением, и так, вдвоем, они спустились в метро...

Мы должны были встретиться на Новокузнецкой, в центре зала...

В вагоне она смотрела на людей, как обычно, — отрешившись и зная ВСЕ о каждом, и думала, как было бы замечательно, если б в этом вагоне каждый из пассажиров взял бы в руки свою любимую детскую игрушку и ехал так, в обнимку с ней. Вон тот дядька, с угрюмым желчным лицом, держал бы на коленях деревянный грузовик с отло-

манным колесом, который в сорок девятом году подарил {541}
ему дядя Федя, мамин брат, вернувшийся из лагеря... А
тетка с иссушенным профилем коммунальной стервы ба-
юкала бы на коленях куклу Марьяну с полуотклеившейся
паклей волос...

Впервые в жизни она приехала на свидание раньше меня,
потому что просто перепутала время. Она давно уже не
слишком сверялась с обычными людскими часами, давно
уже существовала в пространстве, размеченном другими
вехами... Сидела на лавочке в центре зала, глядя на пробе-
гающих мимо людей полуприкрытыми глазами. Медитировала...

...Меня рядом она почувствовала не сразу... Так и сидела,
полуприкрыв глаза, пока я доставала пудреницу и красила
губы...

— Ты бы хоть научила меня чему-нибудь своему, —
жалобно попросила я, завистливо глядя на ее, ополоснутое
отрешенным счастьем, лицо, — что там? медитации какой-нибудь...

Не меняя выражения лица, она проговорила:

— Да, ты затоптана... Тебя залягали копытами мелкие
демоны нижнего мира... Сядь-ка спокойно... Так... Не обра-
щай внимания на грохот... Это даже хорошо. Здесь никто
никому не нужен, и никто никому не важен... Закрой глаза... Так... Теперь вдохни глубоко, снизу живота, и мысленно проследи движение этого шелкового тугого глотка воздуха... как он движется по гортани, чувствуешь?.. спускается в
пищевод, проходит по желудку, и вниз, вниз, — заполняя
внутри каждую клеточку; гони его вниз до самой последней
чакры!..

А теперь не торопись... медленно и радостно выдыхай
его, выдыхай до дна, до последней молекулы, отходи, от-
плывай... Замирай... затихни... И перед тем как вдохнуть

{542} опять, мысленно изнутри ощути себя совершенно не причастной этому миру. Пустой... и абсолютно свободной. Да при чем тут свобода! Тебя просто нет, нет тебя! Перед тобой бесконечное голубое полотно, на котором ты вольна рисовать любые картины... Да они и сами будут возникать, сами по себе... Ты — ничто, ты — субстанция прозрачного воздуха... Эти семь мгновений — отдохни от мира, и дай миру отдохнуть от тебя...

И гулкий, грохочущий поездами перрон сомкнулся вокруг, разомкнулся, стал огромной сферой, уходящей бесконечно вверх, а внизу, пересекаясь, сталкиваясь, разбегаясь, все сновала и сновала толпа...

Последний отпуск

...По перрону тель-авивского вокзала прогуливался красавец с орлиным, что называется, профилем, роскошными
высокомерными бровями, огненным взором ярких и сум-
рачных зеленых глаз, с изумительного красноватого оттен-
ка каштановой бородкой...

Все это великолепие водружено было на непрезента-
бельное тулово с низкой посадкой, плоским задом и какими-то неуверенными ногами — фигуру, вполне пригодную
для заурядной мужской особи, но отнюдь не для этой цар-
ственной головы, которой не хватало лишь чалмы с изум-
рудом во лбу или королевской шляпы с плюмажем. Голова
совершенно разоблачала невзрачное тело и даже обличала
его, словно владелец этих кривоватых ног и сутулой спины
украл где-то уникальный музейный экспонат.

Он сел с нами в один вагон, и когда проходил контро-
лер, я мгновенно представила, как захваченный врасплох
преступник снимает голову с плеч, прячет под мышку, но
не тут-то было: из подмышки торчит гордый нос с гневно
раздувающимися тонкими ноздрями и выразительно по-
сверкивает зеленый глаз... И чуть ли не до Хайфы, куда мы
ехали в гости к друзьям, я придумывала приключения ук-
раденной головы и очень этим развлекалась. Например,
поняв, что ему от расплаты не уйти, вор прячет голову в

{544} мою сумку как раз тогда, когда я отлучаюсь в туалет, и убегает по проходу в тамбур — без головы, разумеется. Тут забавна реакция наших левантийских, ничему не удивляющихся обывателей. Возможно, кто-то кричит ему вслед — Мотек, что у тебя горит? — ну, как обычно они реагируют, если обстоятельства требуют пошевеливаться. Будет ли стрелять вспыльчивый и вооруженный пистолетом поселенец в резво бегущее туловище? Не решит ли он, что это бежит террорист, подбросивший свою начиненную взрывчаткой, голову (начинять удобно, много отверстий) в полный людьми вагон?

Ну, и так далее...

Борис, когда я описывала все эти картинки, меланхолично заметил:

— Но ведь это нос майора Ковалева.

И я скисла.

К тому же я забыла дома книгу, пришлось всю дорогу листать газеты... В "Джерузалем пост" целый цветной разворот был отдан иерусалимским львам: оранжевый, с серебряными крыльями, лев. Лежащий, расписанный кубистским рисунком, черно-белый, с гордой гривой. Зеленый, как яблоко, грозно набычивший голову, лев. На площади в клумбе сидели два льва, хвостами друг к другу. Один красный, в белых яблоках, другой полосатый, как бурундук. Стоящий, ковровой выделки, расписной, как узбекский ляган. Не было только нашего, утреннего-золотого, улыбающегося, стерегущего главную улицу рынка Маханэ-Иегуда... Ах, жаль...

На соседней странице известный политолог комментировал "худну" — перемирие с арабами, слепленное на скорую руку, — предрекал, что долго оно не продлится, и до конца недели мы наверняка еще сотрясемся в каком-нибудь взрыве...

Все шло своим, уже накатанным, ходом:

Арабы взрывали евреев. Евреи расписывали львов...

Американцы давили с мирными переговорами. Евреи {545}
расписывали львов.

Европа лгала, изворачивалась, подмахивала своему
насильнику, от которого лет пятьдесят уже рожала детей
ислама. Зато евреи расписывали львов...

— Смотри! — сказал вдруг Борис и подвинул мне рус-
скую газету.

Это была огромная, на разворот, статья известного
журналиста о скандальных событиях в российском Синдикате. "*Восхождение по карте*" — и иллюстрация, коллаж: человечек карабкается вверх по отвесной гигантской играль-
ной карте, изображающей марьяжного короля с лицом
Джеки Чаплина. В жизни у нашего симпатичного Джеки
никогда не было такого циничного лица... Мне было страшно жаль его...

Да: Синдикат пленных не брал... Организация старая,
почтенная, с большой ветвистой биографией, в которой
немало попадалось укромных уголков, темных тупиков,
загаженных подворотен... — ему не привыкать было пере-
живать скандалы. Крепкий фрегат, сработанный из цель-
ных бревен, — ему приходилось пережидать и не такие
шторма... Он плыл дальше в неохватном океане, забрасы-
вая трал, вытягивая улов, лавируя меж берегами континен-
тов и материков, огибая острова... все плыл и плыл по маршруту, разработанному каждый раз новым капитаном... И
когда тот или иной матрос поднимал на судне бунт или
крал шмат солонины из бочки, или просто сходил с ума от
безбрежных, никем не учтенных пространств, — по прика-
зу угрюмого капитана из Долины Призраков тело безумца,
зашив в мешок, просто вываливали за борт...

....

На этот раз у начальства в Долине Призраков я была рас-
кована и даже весела, причем, не изображая это веселье, а
именно испытывая его в предвкушении свободы...

Более всего меня поразило, что Иммануэль ни словом не обмолвился о "наших монастырских новостях", словно никакой статьи в газете и не было, словно вся страна не обсуждала в радио- и теле новостях последний скандал в Синдикате. Он по-прежнему говорил о поисках новых путей и новых способах овладения массами *восходящих*...

— Да, я помню, что ты заканчиваешь каденцию, — энергично говорил Иммануэль, — но Синдикату понадобится твой опыт, твои советы и твои идеи!

Я улыбалась и отмалчивалась, твердо зная, что совсем скоро все эти люди станут призраками в моей жизни, а я, в свою очередь, превращусь в неуловимый призрак для их секретарш, вызванивающих меня по телефону...

— К кому бы ты посоветовала обратиться за новыми идеями? — спросил он меня, когда мы уже прощались в дверях его кабинета...

Я внимательно посмотрела в его глаза, ни на секунду не оставляющие беспокойный поиск чего-то, что безнадежно надеялся он увидеть и еще не увидел ни разу.

— Тут у вас в каком-то департаменте служит парень... — сказала я. — Фамилии не знаю, зовут Азария... Вот у него куча идей...

Иммануэль бросился к столу:

— Как? Азария? — он записал... — Не помню такого, но поищу обязательно.

Мы попрощались, и я рысцой выбежала на улицу — в солнце, в скорую свободу, свободу, свободу...

...и, главное, я наконец куплю у старого мошенника шляпу! О, моя шля-а-апа! — поется на мотив "О, база да-а-анных!"... Она дожидалась меня три года! Она заслужила почет и уважение! Она удостоилась венчать мою крашеную гриву старой львицы, которая и сама достойна украсить любую иерусалимскую подворотню... И я не пожалею семидесяти — да, семидесяти и ни агорой меньше, — шкалей для своей шляпы!

Представляю, как вытаращатся глаза старого барыги, когда после жесточайшего торга я выложу цену до копейки — за все: за то, что дождался меня из обширной страны России, за то, что ни разу не был в отпуску, за то, что тридцать восемь лет не слезает со своего табурета, как Илья Муромец с печи, — в неизданном, да и вряд ли написанном романе Степана Державина. За то, что...

...У лотка со шляпами на высоком, знакомом мне табурете сидела пожилая, с застылым лицом, женщина. Вот те раз! Неужели старик все-таки дал себе поблажку и уехал куда-нибудь, посмотреть мир?

Я подошла — моя шляпа висела набекрень на том же крюке, дожидалась меня. Я сняла ее, примерила...

— Дай-ка зеркало...

Она молча подвинула знакомое мне круглое зеркало на ржавой ноге.

Эта шляпа нравилась мне по-прежнему. И я себе нравилась в ней... Куплю, куплю... Ну, пусть обогатится за мой счет...

...Все-таки меня раздражала эта неподвижная баба.

— Ну, как? — спросила я, разглядывая в зеркале довольно высокомерное лицо незнакомицы.

Она пожала плечами.

— У тебя неинтересно покупать, — заметила я.

— Не покупай, — отозвалась она...

— А где старик, он всегда тут сидел, толстый такой, разговорчивый... очень милый...

— Это мой муж, — сказала она, не меняясь в лице... — взорвался в четырнадцатом автобусе... Месяц, как шиву отсидели...

Я молчала. И она замолчала, равнодушно глядя, как роюсь я, будто слепая, в сумке, в поисках кошелька...

— Я... куплю... эту шляпу... — сдавленно проговорила я.

Она все молчала...

Я положила перед ней две бумажки — пятьдесят и двадцать шекелей, взяла шляпу и пошла...

— Подожди, — окликнула она, — ты слишком много дала. Я продаю ее за сорок...

Не оглядываясь, я махнула рукой, нахлобучила шляпу на голову и побрела вниз по улице... Но, поравнявшись с кафе, — тем самым, где три года назад пила кофе перед отъездом в Россию, — опустилась на плетеный стул и стала смотреть издалека на эту пожилую женщину, равнодушно застывшую на стариковском табурете... Минуты через две ко мне вышел официант — тот же паренек, только сейчас волосы у него не торчали сосульками, а лежали красивой темно каштановой волной... Повзрослел... Может, отслужил уже армию... Я сказала ему:

— Кофе двойной, покрепче... И коньяку плесни...

И он принес мне кофе...

Изнутри тихонько играла музыка. Я вспомнила: мне нравилось здесь именно то, что они не оглушали посетителей громом небесным, а баюкали хорошим джазом и блюзом или испанской гитарой...

Из мусорного бака на углу улицы выплеснулись сразу три кошки и помчались боковым скоком через дорогу... Все здесь было, как три года назад...

Я вдруг закашлялась — это бывает, у меня застарелая астма... Астма неизлечима, — как и все, впрочем, болезни нашего духа... Я кашляла, кашляла... сотрясаясь всем телом, пытаясь остановиться, зажимая рукою рот... Шляпа упала с моей трясущейся головы, ее подобрал официант и аккуратно положил на сиденье соседнего стула... Сначала он стоял рядом, терпеливо пережидая мучительный взрыв, которым я выкашливала из себя все эти три года, потом сел рядом...

— Гевэрет... — наконец проговорил он тихо... — Не надо так страшно плакать, гевэрет...

Протянул руку и погладил меня по голове...

"...и слышу уже гораздо лучше... и если приноровиться, то дня за три можно привыкнуть — и я привыкла! — стучать по клавиатуре компа пальцем левой, почти не пострадавшей руки... И в общем, конечно, надо сосредоточиться и *почувствовать* себя рожденной в рубашке... Хотя день, проведенный в приемном покое "Адассы", даже если тебе фантастически повезло и, попав в очередную нашу мясорубку, ты отделалась не слишком развороченной рукой и разбитой о бордюр физиономией, может кого угодно вышибить из колеи...

Сейчас я подумала о своем ангеле-хранителе и вдруг представила себе все это Небесное ведомство эдаким Синдикатом, со своими департаментами, своими *перекличками*, командировочным фондом... Представила себе *моего*: невысокого ростом, не слишком щепетильного, не слишком нравственного штукаря, обладающего, однако, отменным чувством юмора, и шустрого — ой, какого шустрого! Уж он крутился вокруг собственного пупа, уж он юлил и ползал, выгораживая меня, дубину стоеросовую, вымаливая мне пощады, — всем надоел! А за ради чего, спрашивается? Личная симпатия? Верится с трудом. Личная выгода? Со мною дай Бог от штрафов отбиться. Служебное рвение? Судя по тому, как представляла я себе эту рожу, — черта с два. А думаю — страсть, любопытство к этому земному копошению, невозможность отлучиться, отвести взгляд, прикованный к поворотам этого грошового комикса — моей, какой-никакой, жизни. Ведь случись со мной то, что запросто — и не раз! — могло бы случиться, — и прости-прощай его командировка. Отзовут, как пить дать, отзовут назад, а можно и под сокращение штата попасть — в Небесном Синдикате порядки железные. Вот он и крутился, задыхался, мчался в ихний департамент *Кадровой политики*, лично просил, лично — в ножки:

"синяки — пусть, кишки протрясти, как макароны в сите, бо-
лезни-простуды-астма-мигрени — ладно... руки-ноги пере-
ломать, морду наперекосяк — за милую душу!.. Но пусть еще
дышит, пусть телепается — пощадите, пощадите! — пусть
пощелкает еще клювом-то, что-нибудь еще накропает!"

...Все-таки у нас на Маханэ-Иегуда, на знаменитом иеруса-
лимском рынке Маханэ-Иегуда, как в лесу, — надо знать по-
лянки, заветные грибные места, пригорки и ручейки. Например, сухофрукты я всегда покупаю на углу крытого ряда и
боковой улицы с хозяйственными магазинами. Лавку сухо-
фруктов держит молодой грузинский еврей, а помогает ему
сын, очень славный мальчик, вежливый, услужливый, милый.
У них необыкновенно сладкие и сочные финики, а финики — это вещь деликатная, пересушить их ничего не стоит, и
тогда — пиши пропало, кожица становится, как жесть... И
курага, сушеный урюк, и засахаренный диковинный, ритуальный наш фрукт с парфюмерным запахом и мятно-пряным
вкусом... — этрог, на который, оказывается, не только молятся, но и едят его... И главное, если купишь у них на при-
личную сумму, они еще добавляют тебе грамм двести каких-
нибудь сластей в подарок. Боря называет это — "приз за
растрату"... Но в тот день я была на рынке одна и, в общем,
оказалась там случайно: пробегала по делам, а я не могу не
зайти на рынок, если подворачивается случай.

Словом, купив маслин в открытом ряду, я как раз ступила с тротуара, чтобы повернуть в боковую улицу к моим гру-
зинам, купить Еве ее любимые финики, которые она готова
есть по...

...и, взорванная магнием вспышки гигантского фотоап-
парата, осталась лежать щекой на асфальте...

Тела у меня больше не было — только щека и огромный
глаз, мимо которого в абсолютной тишине текла река крови
куда-то вниз, унося в решетку сточной канавы окурки, бумажные пакеты, очки, младенческий сандалик, косточки от

маслин... Напротив моей щеки и глаза бесшумно бегало множество солдат, санитаров, религиозных евреев в черном... и когда они подоспели с носилками — поднимать мою щеку и непомерный, все в себя вобравший глаз, — в тот момент, когда они окружили *вот это* — *то, что от меня осталось лежать на асфальте*, — мой глаз в просвете под локтем наклонившегося санитара-эфиопа вдруг ясно увидел улыбающегося золотого льва.

Наш *золотой утренний лев* сидел на углу Агриппас, сторожа врата улицы с именем последнего еврейского царя; подножие его омывала река крови, сбегающей вниз и — в ватной тишине — звенящей в моих висках, в моем постепенно возникающем, вырастающем, восстающем на мне теле, словно оно, мое тело, собиралось, слепливалось из разорванной плоти тех, кто еще минуты назад бродил здесь между рядами, пробуя маслины, балагуря, торгуясь, склоняясь к коляске и поправляя сандалий на ножке дочери..."

. . . .

— Погоди, я сам тебе размешаю... Господи, на тебя страшно смотреть... Сахару достаточно?

— Почему это страшно? У меня вполне целая, хоть и подержанная, левая половина лица, — надменно проговорила я...

Мы с моим преемником встретились в Доме Тихо́, и чуть ли не за тем же столиком, за которым три года назад сидели с моим предшественником. Мы с ним были знакомы давно, даже приятельствовали, и я радовалась, что мои ребята переходят в руки не чужого человека... Цепочка вилась, вилась, мельница крутилась, Синдикат менял часовых... И ничто не могло нарушить этой смены времен...

Мой преемник нервничал, как и я когда-то. "Ты мне все расскажешь и объяснишь? — тревожно спрашивал он, заглядывая в левый мой, не заклеенный пластырем глаз. —

{552} Ты введешь в курс дела?" Я отвечала — что конечно, конечно, все объясню, введу, погружу и окружу, что российская жизнь постигается постепенно, и все устаканится, и все будет хорошо.

Бесполезно было говорить иное. Что я могла сказать? Что скоро наберет обороты и закрутит его безумной центрифугой круговерть без выходных, без вдоха, без рассвета и заката? Он бы не понял. И не поверил.

— Главное, — сказала я, — наш департамент. Запиши: Костян. Национальное достояние. Ангел в джинсах — мастеровой, ломовой, бессонный, заботливый и надежный, как папа. На нем держится весь Синдикат. Его оберегать. Не давать остальным департаментам садиться верхом. Следить, чтобы днем хоть что-то перекусил. Он не жалуется — он никогда не жалуется, — но я подозреваю, что у него гастрит. Делай семинары по выходным, чтобы выписать на него командировочные — он стоит всех синдиков вместе взятых, но не получает и десятой доли их зарплаты. Доверься ему. Когда будет особенно хреново, — упади ему на руки, он вынесет через все пожары и наводнения.

Дальше — Маша, секретарь. Хорошая девочка. Очень обязательна, всегда нервничает, что не все подготовила и не так сделала. От напряжения — хамит. К тому же она плохо воспитана, несдержанна и нервна... Принимай на себя вину за все ее грубости. Извиняйся перед всеми обиженными ею и обещай им, что всыплешь ей по первое число. Доверься ей. Отдай ей ключ от сейфа со всеми деньгами. Поручи писать все бумаги, все отчеты... Она не подведет и все сосчитает. Раз в месяц, когда она особенно бледно выглядит и круги под глазами, — отпускай ее отлеживаться — у нее тяжелые месячные, а тебе она не скажет.

Дальше: Женя, повелительница электронных глубин, создатель сайта Синдиката, хозяйка Базы данных. Доверься ей, тем более что довериться придется, — все равно никто, кроме нее, не войдет в эту пещеру разбойников... Не грозись выбросить все аквариумы, даже когда тебе очень хочется это сделать, и подкармливай мальков — им тоже есть охота.

Галина Шмак, ответственный секретарь нашей газеты. Не пугайся. Газета — дело наживное, выходит сама собой, и даже если там перепутают кого-то с кем-то, и этот кто-то станет писать жалобы, грозиться судом или поджогом, — не робей: ни черта не произойдет, небо не обвалится на землю, а все сто восемьдесят семь организаций ни на секунду не остановят свой бег... Доверься Галине раз и навсегда, и по возможности вообще не заглядывай в эту чертову газету...

Эльза Трофимовна, мониторинг прессы. Блистательно делает свою работу, каждое утро ты найдешь на своем столе нужные вырезки по нашей теме, а каждую неделю — прочтешь грамотнейший обзор российской прессы. Не пытайся постичь ход ее мыслей — просто доверься ей. Но если хочешь остаться в здравом уме — никогда не поручай ей ни-че-го...

И наконец, Рома Жмудяк... Ты Гройса когда-нибудь видел?

— Что-то... слышал, вроде... или по телевизору... А что? А кто это?

— Честно говоря, не знаю... Но Рома — его жена... Заставить ее работать невозможно, смирись с этим раз и навсегда. Не кипятись, не качай права, не пытайся указать ей ее место. Никто не сможет точно определить — где оно. Доверься ей, она человек осведомленный во многом. Советуйся и соизмеряй силу удара, если хочешь врезать кому-то по яйцам...

Ну и, наконец, запомни имя: Клещатик. Ной Рувимович Клещатик.

— А кто это? Звучит колоритно.

— Ты пока просто запомни: фигура трагическая, падший ангел. Мечтал стать новым Моисеем, Абарбанелем, а

{554} стал генеральным подрядчиком Синдиката. И за это все человечество будет платить ему дань до скончания веков... Ну, оглядишься, словом...

Я взглянула на часы, подозвала официанта... Мой преемник попытался вытащить бумажник, но я остановила его:

— Это моя последняя зарплата, — сказала я скромно, — но зато уж — зарплата синдика!.. Лучше помоги мне открыть кошелек и отсчитать деньги... Одной рукой несподручно...

....

— Вы, конечно, можете ехать... — сказала дочь за завтраком, — а я остаюсь.

— Как?! — воскликнули мы с отцом одновременно... — но мы же хотели напоследок — в Питер... погулять...

Она взглянула на нас с каким-то новым, *жалостным* выражением на лице, помедлила...

— Не хотела вчера говорить... В общем, я получила повестку из армии...

Мое сердце ухнуло вниз и заполошно забилось там... Странно: я ведь ждала этого последний год, я ведь прошла уже эту дорогу однажды, с сыном... Я уже не спала однажды три года, дожидаясь его внезапных появлений, натыкаясь на винтовку в разных углах квартиры... Но, выходит, страхом за дочь ведают другие, более беззащитные участки души...

— Ты... будешь заполнять анкету? — осторожно спросил отец. — Они ведь предлагают назвать род войск?..

— Да. — Сказала она, намазывая малиновый джем на булку. — Можно отметить галочкой...

— И ты?..

— В разведку, — сухо сказала она.

Мое сердце второй раз ухнуло и беспомощно затрепыхалось.

— Но... ведь ты поешь, играешь на гитаре... Ты артистична... Может, стоит попытаться — в армейский ансамбль... или?..

Подняв голову, она смотрела на меня удивленно и строго...

Отец под столом наступил мне на ногу, погладил гипс на моей руке и сказал:

— В разведку, так в разведку...

В тот же день по пути к автобусу я зачем-то опять завернула на рынок. Впрочем, понятно — зачем. Из упрямства. Из-за все той же, что и пять тысяч лет назад, жесткой, несгибаемой выи, направляющей очередную упрямую голову, заклеенную пластырем и украшенную черной шляпой.

Просто меня влекло туда ужасно — на этот, опустевший от покупателей, рынок.

Он действительно был пуст... Чисто выметен и словно выстроен для какого-то смотра... И — непривычно тих. Я походила по рядам, прицепилась к помидорам и перцам... вернулась на главную улицу... Наконец поняла: все дело было не в отсутствии толпы покупателей, а в том, что молчат горластые зычные торговцы, восточные евреи... оглушающие вас в обычные дни, наперебой вопящие, трубящие, кликушествующие поверх цветных, пряных, рассыпчатых своих пригорков...

...И вдруг в конце длинной, впервые для меня насквозь просматриваемой, главной улицы рынка, со стороны Агриппас возник человек на ходулях... Он приближался к середине улицы быстро, чуть наклоняясь, смешно вымахивая на длиннющих палках. И когда приблизился, я вдруг узнала его. Это был Клоун. Тот самый, что смешил россиян на видавшей виды Красной площади... На нем и сейчас был кургузый сюртучок, увенчанный жабо и кружевными манжетами, и мешковатые штаны с надставленным ватным задом, а нос зажат теннисным красным шариком. Он хохотал, кривлялся, визжал, ухал, жалобно стонал, кричал что-то неразборчивое, проглатывая слова и созывая народ поближе.

Остановился у лотка с апельсинами, наклонившись, выхватил парочку из огромной оранжевой горы, прямо перед носом у торговца, и принялся жонглировать ими, одновременно пронзительно трубя в жестянку-дудочку, торчащую у него изо рта. С высоты своего роста он вносил переполох и суету в торговые ряды... Откуда-то в руках его появилась складная тросточка, мгновенно удлиненная втрое, с крючком на конце, и этим крючком он поддевал и вытаскивал из одежных рядов и водружал на себя то дамскую шляпку, то шаль... Минуты через две из соседних улочек рынка стали подтягиваться люди... Появились какие-то блаженные бесстрашные туристы, слетелись, как мухи на сладкое, пацаны из окрестных домов, домохозяйки подтаскивали поближе сумки на колесах, подходили к толпе вездесущие, в потертых сюртуках, старики-ортодоксы из соседней Геулы... С одного он снимал шляпу, нахлобучивая ее на торговца рыбой, и, схватив карпа, делал вид, что пытается водрузить его на шляпу старика-ортодокса... Понемногу вокруг него собралась приличная толпа. Возвышаясь над всеми, пестрый, как колибри, — он продолжал петь, кричать, дудеть, задирать торговцев, те в ответ задиристо кричали ему непристойности, толпа хохотала, подсказывала ответы, подбрасывала шутки... Я влюбленно глядела на его тяжелую, потную, изматывающую работу. Он был — настоящий профессионал... Да разве в этом дело! Он был — мой брат, мой жестоковыйный брат, он трижды был моим братом, — Господи, хоть бы вспомнить его имя!

— Дуду, хватит, идем домой! — крикнула рядом мать упрямому малышу.

И я вспомнила — Клоуна тоже звали Дуду, "капитан Дуду", — так обращались к нему его товарищи... Позвать?

Напомнить — Красная площадь, Москва?.. Но он уже по- {557}
вернул в сторону крытого ряда, уже потянулась за ним толпа... Нельзя было мешать...

А мать все пыталась утащить мальчугана. Тот топал
ногой и кричал:

— Не хочу! Не хочу!

— Дуду, идем, я сказала!

— Не хочу!

— Смотрите на этого паршивца! — понеслось над
рынком, сразу ожившем, запевшем, застрекотавшем, загу-
девшем, словно за этим молодым женским голосом, как за
вожаком, потянулась целая стая гомонящих, курлычущих,
хриплых и звонких птиц-голосов...

— Помидоры-помидоры-дешево!!!

— Яблоки — шекель, шекель, шекель!!!

— Подходи-свежая-рыба-а-а!!!

И поверх этой стаи неслось певучее:

— Смотрите на этого паршивца — смотрите на него —
когда мама говорит надо идти — надо идти — нет он будет
ждать здесь пришествия трамвая!!!

. . . .

Вот уж действительно, — не было бы счастья, да несчастье помогло: в связи с ранением в теракте Синдикат продлил отпуск своего сотрудника на неделю, и всю подаренную неделю я провалялась, прогуляла, проспала... Так что возвращались мы под самый отъезд из России, я ввинчивалась в цейтнот и едва успевала хоть как-то привести в порядок бумажные дела своего департамента.

Едва приземлившись в Шереметьево, позвонила Яше.

— А ты разве не будешь сегодня на торжественном отплытии Корабля Дураков? — спросил он... — Успеешь, если в пробку не попадете...

— Постой, ты хочешь сказать, что после всего скандала и при абсолютном отсутствии денег корабль все-таки отплывает?!

— А корабль плывет!!! — с восторгом проорал мне в ухо Яша. — Ей-богу, заезжай на Речной вокзал, это же по пути. Полюбуемся на *Восхождение Ноева Ковчега*...

Едва отключился Яша, позвонила Галина Шмак:

— Дина как замечательно что вы а разве вы не плывете я хотела интервью про теракт как ваша рука говорят лицо обожжено это правда можно конфетку сделать с вашим фото и сразу в номер!!! Все же плывут знаменитости Гройс

туда же а Рома злится что вы отпуск не даете но она все таки поплывет тоже потому что Гройсу надо рубашки гладить
а можно я хотя бы до Костромы доплыву а потом кучу материалов и опять же для всех-всех это же просто сенсация!!!

— Галина, но ведь Клещатику...

— А Нойрувимыч-то Нойрувимыч грозился останов-
вить *Восхождение* то-таль-но!!! Так и сказал похерю к ебени
матери все ваше восхождение если не проплатите ему говорят из Иерусалима и даже из Америки пообещали проплатить...

— Галина, да постойте же...

Отключилась...

— Слава, — сказала я, — мы не могли бы зарулить к
Речному вокзалу, бросить меня там... Может, я действительно успею посмотреть этот... этот комикс с Великим от-
плытием...

— А почему нет, Ильинишна... Я, признаться, и сам
хотел в эту авантюру пуститься... Меня же приглашали,
знаете? Прислали прямо на дом бумагу такую красивую,
вроде, я выиграл билет на корабль в какую-то лотерею... А
я — убейте меня, никак не мог вспомнить, где и во что играл... может, по пьянке ухитрился... Супружница опять таки пришла в возбуждение... Езжай, говорит, Славик, езжай... Но я прикинул даты... подумал — как же так, это ж,
получается, я Ильинишну по-человечески и не провожу?..
Ладно, думаю, уж я потом как-нибудь в отпуску позаго-
раю, у себя на даче порыбачу... У меня ж такая там красота!
Вон, в прошлые выходные, уж так отдохнул, так отдохнул:
вначале бутылку охомячили, потом колбасился с пейзана-
ми до утра... Вы ж знаете, Ильинишна: один раз — не пи-
дорас, если есть такая производственная необходимость...
У нас там такие драки роскошные! После киносеанса пар-
ни метелят друг друга — только зубы веником собирать...

...В пробку мы все-таки попали... И по мере того как
тащились в унылом ряду машин (Слава со времен *йогурта-*

уёгурта в салоне казенного "форда" больше не рискует нарушать правил дорожного движения), я понимала, что вряд ли полюбуюсь на белоснежный лайнер с эпохальным грузом на борту.

Последние несколько сот метров я просто бежала по набережной, хотя мне страшно мешали загипсованная рука и, как это ни странно, закрытый пластырем глаз... Все-таки для уверенных действий нашему телу, увы, требуется парность всех наших парных органов...

Словом, тяжело дыша, я подбежала тогда, когда публика уже начала расходится, хотя кое-кто еще махал вслед валко утюжащему волны кораблю, неожиданно для меня действительно романтически белому...

Меня кинулись обнимать Яша, Изя и Галина Шмак... Все ахали, цокали, рассматривали мой профиль, громко обсуждая, — на кого я больше похожа, — на Кутузова, Моше Даяна или...

— Жаль, что ты не на корабле, доча, — сказал Изя Коваль. — Тебе бы сейчас корабль пошел, ты прям, как адмирал Нельсон...

Телевизионщики с какого-то новостного канала продолжали снимать лайнер, уходящий в золотое небо, с горящими под солнцем куполами храмов...

— А что, Гройс действительно *среди восходящих колен*?

— Нет, — сказал Изя... — Но он прислал теплое приветственное письмо... Он считает, что в будущем возникнет нужда еще в одном Конгрессе Потерянных — Возвращенных Колен... Вообще, как-то так получилось, что из VIP-персон на корабле — никого. Я предупреждал, что это — афера... Ну, ничего, Страна примет всех...

— Чем не "Летучий голландец"? — спросил меня Яша. — Пойдем, я на машине, подвезу тебя домой...

— И меня до какого-нибудь метро а то мы верстку не успеем Дина вам придется сегодня прочесть...

— Галина, побойтесь Господа нашего, Норувимыча. {561}
Как она будет читать все это одним глазом, — вступился
Яша...

— Слушайте, Галина... — спросила я осторожно, — а
как вообще-то выглядит Гройс?

Она задумалась — впервые за все три года нашего знакомства, и гораздо медленнее, чем обычно, произнесла:

— А вы разве не видели его?

— Признаться, ни разу... он всегда в отъезде или занят...

— Так мы же часто его фото в газете... кажется... если
память не... надо у Алешки...

— Я не помню... — растерянно проговорила я. Мне
было стыдно: я ведь всегда очень внимательно читала
гранки газеты. Неужели просмотрела?

— Может, потому, что он всегда как-то мелко получается... нерезко. Некачественно... Так, отвернувшись... В общем, он такой... не ярко выраженный... Спросите у Ромы,
а? Она ведь с ним живет...

— Вы уверены? — спросила я... — Впрочем, мне все
равно, как он выглядит. Я уезжаю...

....

Из "Базы данных обращений в Синдикат".
Департамент Фенечек-Тусовок.
Обращение № 13.647:

Слабый старческий голос:

*— Деточка, извините... Я вспомнила имя этого вот,
водопада... в который Бузя упал (всхлипывает)... Вы простите нас, старых... мы просто места себе не находим,
такое горе, такое горе... Нам в Посольстве сказали, что у
вас та же фамилия, и мы подумали, может, мы — родст-
венники... Не знаю даже, зачем звоним... Сейчас... Найду*

бумажку с этим названием... Фима, где эта бумажка, что я водопад записала? А?.. Не могу найти... (плачет) Ну, вот, все у нас пропадает, бумажка пропала... сын пропал... все пропало... Все пропало...

Синдики паковали чемоданы.

Уезжала, менялась вся коллегия, каждый возвращался на круги своя...

В последний рабочий день я сама одной левой убирала кабинет, потому что Маша ревела белугой и с утра дважды падала в обморок...

Мы уже выпили за отъезд, за благополучное наше возвращение в Иерусалим, за благополучное воцарение нового синдика на престоле *Фенечек-Тусовок*...

Я разбирала папки, Эльза Трофимовна с явным удовольствием рвала ненужное, мы с Женей сваливали весь мусор в огромные пакеты, Костян выносил их на помойку...

Посреди всего этого разгрома беспрестанно звонил телефон, — я прощалась, мне желали, я обещала, приглашала, давала честное слово, что...

— А вот интересная заметка... — вдруг проговорила Эльза Трофимовна, — в "Вечерке"... Ее надо сохранить, для Маши... Маша, слышишь, тут для тебя: — и стала торжественно читать:

— "В мире невероятного". В прославленном ставропигиальном мужском монастыре Введенская Оптина Пустынь неизвестно откуда появился святой старец, называющий себя Авадий. Общается он с монахами только на древнееврейском языке, языке святого Писания, благословляет страждущих; прочитанные им молитвы исцеляют бесплодие, болезни позвоночника и легкие формы умственного расстройства. В администрации монастыря считают, что

он — земное воплощение одного из отцов раннехристиан-
ской Церкви, возможно, из-за иконописной византийской
внешности старца..."

...открылась дверь и вошла наша Рома, как всегда, — с видом
независимой иерусалимской кошки, — словно бы по пути
куда-то, в более важное место, на более важную встречу...

— Ро-ома! — дружно протянули все мы. — Вы разве
не на корабле?

— А чего я там забыла, — сказала она, — мне еще сегодня Гройса собирать в Бангладеш, зашить кое-что, простирнуть, погладить...

— Тогда выпейте, вот, — сказал Костян, наливая Роме в бумажный стакан сухого вина. — Мы сегодня начальника провожаем...

Рома с удовольствием выпила, крякнула, закусила бананом...

— ...род приходит и род уходит... — сказала она, — а
Синдикат остается...

Я рассмеялась, — она была права.

— Жаль только, — сказала я, — что мне так и не удалось уговорить начальство купить для вас новое здание...

— И не удастся, — спокойно отозвалась Рома, со
щекой, оттопыренной бананом. — Никому не удастся...
Клещатик не позволит. Задушит и саму идею, и того, кто
ее породит... Ведь он за этот садик собирает с Синдиката
ежегодный отменный урожай.

— Как?! — ахнула я, — Разве и садик принадлежит
Ной Ру?..

— ...и садик, и садик...

— Вы это знали?! И молчали?!

— А вы не спрашивали, — мстительно ухмыльнулась
Рома... — И, честно говоря, — что это изменило бы?

— Ну да... — подхватила я в тон ей, — род приходит, и
род уходит... а Клещатик остается...

{564} — Ах, тут пьянка, как всегда! — С какой-то бумагой заглянула Угроза Расстреловна Всех. — Что это с вашим лицом?
Доигрались? Вас что, допрашивали? Я хотела сказать: тут
последние выплаты Кларе Тихонькой на календарь "Вечная
Катастрофа", — так вот, чтоб вы знали, — я не подпишу!

— Не подписывайте! — бесшабашно отозвалась я. —
Хрен с нею, не подписывайте, Роза Марселовна! Костян,
налей неподкупному Стражу Пустой Казны...

— А знаете что, я выпью, действительно! — сказала
Угроза Расстреловна, усаживаясь вдруг на стул... — Сегодня
аудиторы закончили наконец проверку... Прямо камень с
души...

— Ну и как? — поинтересовалась я ехидно.

— Все в порядке! По моей части — комар носу не под-
точит!

— Как... а Джеки? Вы же знаете, что...

— А это другая бухгалтерия, не моя, — быстро отозвалась Роза Марселовна... И, понизив голос, сказала: — И
потом, — при чем тут Джеки? Вы что имеете в виду?

Она поднялась и под локоть подтолкнула меня к моему кабинету, одновременно плавно прикрывая дверь.

— Но вы же знаете новости... — тихо проговорила я. —
Джеки играл на...

— Ну играл!.. — Она смотрела на меня со снисходи-
тельной иронией... — Джеки — это беда его собственной
мамы или жены, — не знаю — кто там с ним мучается...
Джеки свои проигрывал, свои кровные. Всю зарплату про-
саживал, это правда... Иногда буквально голодал... Я ему
часто бутерброды из дому приносила... Уважаю честность!
Страсть у него, понимаете... Бывают такие случаи. Досто-
евский. Некрасов. Но казенных денег он не касался...

Я, не отрываясь, смотрела на эту загадочную женщину.

Она достала сигарету, закурила:

— У вас тут не курят, я знаю, но вы уж, считай, что уехали... Я одну затяжку, на минуту...

— Но... позвольте!!!.. Куда же — деньги... на что?!.. {565}
Миллионы!!!

Угроза Расстреловна Всех усмехнулась.

— Вы уезжаете? — спросила она. — Уезжайте, с Богом... — Она махнула рукой, налила сама себе из бутылки остаток вина... — Уезжайте... И не будите лиха... Вот, я выпью, чтоб вам дорога была... — Она поднялась, выпила стоя. — Так вас что это — не допрашивали, нет? Знаете, в той организации, где я работала до Синдиката...

Зазвонил телефон, и поскольку заплаканная Маша не брала трубку, чтобы не гундосить от имени всего департамента, я — через стол — потянулась к телефону.

— Мое терпение на конце, мерзавцы, подонки, паскуды!!! — заорал мне в ухо знакомый голос. — Я написал на вас куда следует!!! Я обещал, и я написал, обещал и написал!!! Пусть вам жопы-то начистят в вашем детском садике! Воры!!! Воры, подонки, мерзавцы!!! И ваш корабль паскудный, и ваши липовые евреи — это я, я сообщил, куда следует!

Я молча слушала Кручинера, удивляясь изобретательности разработчиков, придумывающих ходы для нашего нескончаемого комикса... Я залюбовалась этим вот, последним ходом, этим завитком, изыском, ничего уже не дающим действию... Наконец вежливо проговорила:

— Я уезжаю, Ефим Наумович, покидаю вас, счастливо оставаться! Передаю на ваше попечение новое начальство. Берегите его... Уверена, вы подружитесь.

И аккуратно опустила трубку на рычаг.

. . . .

В последний раз с тайным торжеством, но и слабым шевелением грусти, я открыла почтовую программу. На меня, как из рваного мешка, вывалилось тридцать восемь писем.

Рассылка "Народного университета" Пожарского с перечнем трех конференций, пяти семинаров и сорока девяти лекций, на каждую из которых меня приглашали особо;

Рассылка Боевого Чеченского Союза против оккупации;

Рассылка Панславянского союза против засилья американо-сионистского спрута;

Приглашение от Гройса на Учредительный Пленум новой русской партии в поддержку еврейского лобби в странах Балтии;

Сообщение из департамента *розыска потерянных колен* о том, что Иващенко Василий Федорович, 55 года рождения, по специальности тренер по плаванию, принадлежит потерянному колену Реувена ("Реувен, первенец мой, крепость моя и начаток силы моей, избыток достоинства и избыток могущества, стремительный, как вода...");

Приказ по департаменту *Кадровой политики* об окончании каденции в должности синдиков: Клавдия, Панчера, Сокола, Коваля, меня, Гурвица... и прочих;

Приказ по департаменту *Кадровой политики* об увольнении Анат Крачковски с занимаемой должности и немедленном отзыве ее в Иерусалим, безотлагательно, в любом виде, невзирая на сопротивление;

Приказ по департаменту *Кадровой политики* о восстановлении в должности Анат Крачковски и продлении срока ее пребывания в России еще на три месяца в связи с отсутствием достойной замены;

Я пролистнула еще двадцать восемь ненужных уже сообщений, воззваний, приглашений и просьб, пока не докатилась в самый конец...

Ну, здравствуй...

Здравствуй, мой пророк, мой неведомый товарищ, мой судья, мой самый недоброжелательный друг и самый нежный недруг...

Я неловко, левой рукой защелкала "мышкой", повторяя себе, что это ведь — в последний раз:

"...А ты возьми кинор, обойди город, блудница забытая! Играй складно, пой много, чтоб вспомнили тебя..."

— Ну уж! — подумала я смущенно и зло, — прямо так уж и "блудница"!..

"...когда явится Михаэль, великий владыка, защитник твоего народа, ибо настанет время бедствий, какого доселе не знал ни один народ. Тогда спасется народ твой — все, кто окажется записан в Книгу...

...И из тех, кто спит во прахе земном,

Многие пробудятся: одни для жизни вечной,

Другие на позор и стыд вечный..."

"А ты иди своим путем, навстречу концу. Ты обретешь покой, но после встанешь, чтоб встретить то, что суждено, в конце времен..."

"...и уходя, напоследок вспомни слова пророка нашего, Иешайягу: "...в конце времен утвердится гора дома Господня... и стекутся к ней все народы, и двинутся племена многие, и скажут: пойдемте, взойдем на гору Господню в дом Бога Иакова, чтоб научил нас путям своим, чтобы пошли по стезям его, ибо от Сиона выйдет Закон и слово Господне — из Иерусалима"...

"...И устроит Господь на горе Сион для всех народов пир из тучных яств, пир из чистых вин... И сметет Он на горе этой покрывало со всех народов, и явит все племена... Уничтожит Он смерть навеки, и отрет Господь Бог слезы со всех лиц, и позор народа Своего устранит Он на всей земле..."

Я сидела перед экраном компьютера, обреченно уставясь в наполненные болью, бессердечно ранящие, но и дающие великую надежду послания этого неуловимого малого.

— Все, все... — сказала я себе, — моя каденция закончена, я уезжаю...

...Закрыла глаза, глубоко вдохнула и залюбовалась плотным атласно-голубым глотком, заполнившим мою носоглотку и медленно потекшим по гортани вниз, в легкие...

По мере продвижения он теплел, менял цвет к зеленому, нагревался до оранжевого и к концу своего путешествия накалился, стал пунцовым и жарким, растопил нутро, расплавил мягкие кости...

Я стала медленно выдыхать, понижая температуру тела и шалея от сознания, что впервые мне удалось проделать этот Маринкин трюк... А выдыхая, одновременно погружалась в глубоководную пустоту, и когда выдохнула все, до последней молекулы, ощутила, что исчезаю...

я исчезла...

оставила в покое этот мир...

отдыхала от него...

и мир отдыхал от меня...

...я вынырнула из детского садика, поднялась над тополями и, ловко отгребая упругий воздух твердой гипсовой рукой, — единственным вещественным доказательством моего существования, — понеслась в потоках седого рваного дыма, взбираясь все выше и выше... прорвала головою тонкую плеву нижнего мира и вылетела вдруг на небесную стремнину, несущуюся полно, всеохватно и мощно...

И мгновенно на бескрайнем поле передо мной закувыркались, выстраиваясь в картинки, персонажи гигантского космического комикса: служители, наемники и обслуга Синдиката; могущественный гордый *Норувим* с *ктубой* своего предка, Клара Тихонькая и Савва Белужный с *необходимой всем Катастрофой*, Эсфирь Диамант с *душевным словом*... клуб Фиры Будкиной в полном составе, Галина Шмак с двумя рулонами в обеих руках: версткой очередного номера газеты и обоями в *деликатный цветочек*... Ревердатто, с лицом сокрытым в тумане своей смертной тоски, и Марина с Пушкиным, похожим на официанта из армянского ресторана, и блаженный старец Авадий, причисленный к лику святых, в потертой куртке швейной фабрики города Ришон-ле-Циона; тут было иудействующее племя из провинции Гудрон, и отряд снежных людей с Тянь-Шаньского перевала... — я не успевала заглядывать в лица, узнавать, ахать, кивать, приветствовать... — там были все, все, все, кто хоть раз звонил мне за эти три года, кого мельком и неосознанно я видела в толпе, — все статисты, уплывающие на эскалаторах моего метрополитена, все пассажиры раздолбанных моих поездов... Они выкрикивали в прозрачные пузыри у рта какие-то слова бесшумными голосами и двигались в затылочек, пристраиваясь в хвост небывалой доселе очереди...

Бесконечная вереница моего народа, моего вселенского народа выстраивалась и *восходила* по широкому, как мост, трапу на гигантский корабль, в едином, — без конца и без края, — трагическом комиксе...

И впереди были трое: *папа*, с отдельно упакованными в пакет *ножками*, мой канадский покойник-однофамилец с размолоченной в кровь блаженно-пьяной рожей, и последний еврейский ребенок в ночи, ангел с сияющими кудрями...

А за ними перли все *десять потерянных колен*, восстановленные нашими департаментами не за страх, а на совесть, подобранные один к одному, — дети, старики и старухи, идиоты и гении, проходимцы и праведники, пламенные борцы и вороватые пьяницы, бомжи, академики, плясуны, слесаря... — все, забывшие, кем они были и не подозревающие — кем станут...

И царственная стая цветных иерусалимских львов сопровождала эту неисчислимую рать... Вел их огненный ангел-пироман, поджигающий мир в отместку за все его подлости и безумства, в назидание народам и странам.

И я, *блудница забытая*, безропотно пристроилась в хвост этой великой очереди.

Легко и дружно мы поднимались по трапу на гигантский корабль, увозящий нас через Эгейское и Мраморное моря к Земле Обетованной, мы *восходили* в край, обещанный абстрактным Богом из вечно недостижимого будущего — своему безумному жестоковыйному народу, своему за-

{570} бывшему, растерявшему обетование народу, играющему с огнем во все времена...

Мы *восходили* в Иерусалим, лежащий на водах текущих и на водах застывших, мы вплывали в Иерусалим — в Венецию Бога, — по каменным каналам которой текла и текла жертвенная кровь, омывая подножия золотых львов, стерегущих неумолчный ее, звенящий прибой...

...Очнулась я на диване в своем кабинете, со звенящей головой, в расстегнутой блузке и с Машиным, пропитанным нашатырным спиртом, платочком на лице.

— Так. В чем дело? — строго спросила я, садясь и ловя пуговку блузки еще бесплотными пальцами левой руки...

— Вы грохнулись в обморок, — доложил Костян. — Маша услышала какой-то шум, вбежала, а вы лежите головой на клавиатуре...

— Дураки, — сказала я сурово, — это обычная медитация...

Они все стояли вокруг меня, растерянные и испуганные. У Маши в руках была какая-то папка.

Я улыбнулась:

— Ну-ну, спокойно, я еще жива... Маша, что это у тебя?

— Рукопись, — сказала она... — от Кручинера, наложенным платежом, вот: "Мое высокое Слово"...

. . . .

Той же ночью мы покидали Россию.

— Э-х, Ильинишна, — приговаривал Слава, подтаскивая чемодан к багажнику, — хоть обниму вас по случаю, на прощание-то... С такой бабой три года ездил, и кто поверит — чисто евнух!

В последний раз мы промчались свободной Якиманкой, вылетели на мост, оставили по левую руку празднично подсвеченный Кремль...

— Постойте! — воскликнула я, — заглянем на минуту {571} в Синдикат!..

— А ты не наелась ли, по уши?.. — недовольно заметил Борис...

— Я забыла вычистить компьютер от разного мусора. Неудобно... Там с "рабочего стола" надо выкинуть несколько папок... Да это секундное дело, мы успеем.

— Как скажете, Ильинишна...

Слава остановил машину на углу у "Гастронома".

Я вышла и торопливо приблизилась к воротам детского садика. В полной тьме горело только окно охранника на первом этаже. В нем маячила голова Эдмона, — выходит, дежурил сегодня он. Я нажала кнопку звонка.

— Кто это? — спросил он грозным окриком ночного стража.

— Эдмон, это я... — торопливо ответила я в микрофон на иврите, полагая, что в темноте он мог меня не узнать. — Мне нужно к себе на минуту...

— Я не могу пустить тебя, — сказал он, помолчав...

— Ты что, спятил? — осведомилась я, закипая от бешенства.

— Это приказ Шаи... Каденция вашей коллегии сегодня окончена... Мало ли... В случае чего...

— До двенадцати осталось два часа! — отчеканила я. — И эти два часа — я еще синдик!

Эдмон молчал, видимо, колебался... Он всегда пасовал перед непреложной логикой факта.

— Да, ты права... — наконец сказал он, — до двенадцати ты еще синдик...

Я пробежала пустыми коридорами детского садика, поднялась на второй этаж, вошла в свой кабинет, уселась за стол... Глухая ночная тишина объяла меня, заложила уши, повязала немотой...

Завтра утром сюда, в мой... в свой кабинет должен впервые войти новый глава департамента *Фенечек-Тусовок*.

{572} Он должен открыть чистую страницу деятельности Синдиката в России.

Я включила компьютер, мысленно облачилась в броню, передо мной всплыло поле экрана со знакомой ратью призраков, — и бросилась на их уничтожение.

Первым делом я выкинула все виртуальные конгрессы Гройса, все немыслимые *проекты*, все миражи, все дурманящие зазывки, все алчные притязания, все наглые требования и корыстные надежды...

Я уничтожала призраков, три года грызущих мой мозг, сосущих душу, выпивающих силу... Я сражалась в ночи, как библейский Иаков, избавляя моего беззащитного пока товарища от этого муторного наследства. А там уж — пусть набирается мужества, пусть борется сам, пусть противостоит, обороняется, выдвигает встречную свою рать...

Наконец я споткнулась, — как Иаков, с поврежденной жилой: на экране осталась одна единственная папка. Называлась она *azarya* и хранила десятки писем, адресованных мне, лично мне.

Их необходимо было уничтожить.

Но я медлила, не решаясь направить стрелу и спустить ее с тетивы.

Наугад открыла одно из писем, полученное с полгода назад. Было оно спокойным по тону, даже элегичным:

"...С годами жизнь отнимает у человека главное — предвкушение. Предвкушение любви, предвкушение богатства, предвкушение удачи, предвкушение славы... Она отнимает тот счастливый озноб, пугливое сердцебиение, мучительно-сладкое преодоление мига, часа, дня — на пути к предвкушаемому... Нет, Господь милосерден, у человека и в старости могут быть свои подарки. Он и в старости может быть счастлив, богат, удачлив... И ему дается, дается с годами многое из того, о чем он мечтал... Господь отнимает только одно... И если ты спросишь меня — что есть молодость, я отвечу тебе: сладостное и безбрежное предвкушение..."

Слышно было, как от "Гастронома" просигналил Слава... {573}
я сидела здесь уже двадцать минут. Надо было спешить, а я
все медлила, глядя в экран...

За три года у меня накопилось около сотни страниц
его страстных, сумбурных, скорбных, гневливых, желчных
и нежных писем... Такие разные, все они пронзительно
длились на одинокой ноте, перекрывающей гомон буд-
ничных звуков и голосов...

И меня озарило: торопясь, я стала открывать его письма одно за другим, по датам, за все эти годы, — открывала
их, открывала и вытягивала в один файл, в один длинный
свиток, похожий на те пергаментные свитки из шкур не ро-
дившихся телят, что по-прежнему, как и тысячи лет назад,
распяливают и дубят, и высушивают, и вычищают круглыми ножами, и выглаживают, и выбеливают мои упрямые
соплеменники, чтобы затем вписать в них кристально твердой рукою святые пророчества, послания в будущее — неизвестное, всегда неблагодарное будущее, которое все-таки
помнит и передает эти жестокие пророчества дальше, не меняя ни буквы, выводя их на нежной телячьей коже кристально твердой рукой...

Кристально твердой рукой я вытянула все его письма
в одно, отформатировала страницы, набрала на титуле:
"Послание Азарии, год — 5764"...

Вывела на экран...

Оставила компьютер включенным...

Бросила в аквариум щепотку сухого корма для мальков.

И — вышла из романа...

Конец

Оглавление

Дина Рубина

СИНДИКАТ

роман-комикс

Ответственный редактор Н.Косьянова

Художник А.Бондаренко

Художественный редактор А. Мусин

Корректор Е.Четырина

Компьютерная верстка К.Москалев

ООО «Издательство «Эксмо»
127299, Москва, ул. Клары Цеткин, д. 18, корп. 5.
Тел.: 411-68-86, 956-39-21.
www.eksmo.ru E-mail: info@ eksmo.ru

Подписано в печать с готовых монтажей 6.08.2004.
Формат 84x108 $^1/_{32}$. Печать офсетная.
Бум. тип. Усл. печ. л. 30,24.
Тираж 7000 экз. Заказ 1672.

ОАО "Тверской полиграфический комбинат"
170024, г. Тверь, пр-т Ленина, 5. Телефон: (0822) 44-42-15
Интернет/Home page - www.tverpk.ru Электронная почта (E-mail) -sales@ tverpk.ru